Carol O'Connell

Née en 1947, Carol O'Connell a étudié l'art en Californie et en Arizona avant de s'installer à New York. Depuis sa première apparition dans *Meurtres à Gramercy Park*, paru en 1995, Kathy Mallory, inspectrice à la Brigade criminelle spéciale de Manhattan, est devenue une personnalité incontournable de la littérature policière.

Après *Coupe-gorge*, publié aux éditions Fleuve Noir en 2006, Kathy Mallory revient dans *Retrouve-moi* (Fleuve Noir, 2007).

RETROUVE-MOI

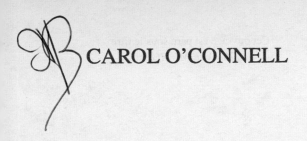

CAROL O'CONNELL

RETROUVE-MOI

*Traduit de l'américain
par Leslie Boitelle*

FLEUVE NOIR

Cet ouvrage est paru sous le titre
SHARK MUSIC

Le papier de cet ouvrage est composé de fibres naturelles, renouvelables, recyclables et fabriquées à partir de bois provenant de forêts plantées et cultivées durablement pour la fabrication du papier.

© 1977 by Sandra Scoppettone
© 2007, Éditions Fleuve Noir, département d'Univers Poche,
pour la traduction française.
ISBN : 978-2-266-17721-4

Ce roman est dédié à l'historique Route 66, la « Route mère ». Un jour, elle n'existera plus. À l'heure où j'écris ces lignes, elle disparaît lentement, par petits bouts, et, même après sa mort, ses vestiges resteront le théâtre de nombreux contes et légendes racontant ce qu'elle n'a jamais été. Tant mieux, car cette route est mythique et, au fil des narrations, les mythes ont toujours tendance à enfler. Dès lors, il est temps que les histoires à dormir debout commencent : *Il était une fois une belle route…*

Cette partie-là est vraie.

REMERCIEMENTS

Seuls deux personnages de mon livre n'ont pas été inventés : Fran Houser, du MidPoint Café à Adrian (Texas), et Joe Villanueva, de Clines Corners (Nouveau-Mexique). Je les remercie infiniment de m'avoir transmis leurs connaissances historiques et d'avoir accepté que je les inscrive dans mon paysage. Merci aussi à mon assistante, Dianne Burke, pour son précieux soutien technique. Quant à Richard Hughes, j'ai beaucoup apprécié ses suggestions musicales et sa perspicacité psychologique. Mon frère, Bruce, m'a fait découvrir du matériel de camping introuvable en magasin. Il m'a aussi donné la recette du café des cowboys et beaucoup d'autres astuces utiles, comme, par exemple, la façon d'allumer du bois mouillé. Ed Herland a été mon consultant Porsche et, sans lui, je ne m'en serais jamais sortie. Merci, Ed. Merci aussi à Patrick O'Connell (aucun lien de parenté) de m'avoir renseignée sur les arceaux de sécurité et les airbags, ainsi qu'à son père, Dan, de m'avoir offert une visite guidée de la Route 66 à Seligman (Arizona). Je suis aussi très redevable à l'œuvre d'E.W. Mitchell, *The Aetiology of*

Serial Murder : Towards an Integrated Model[1] (1997), Université de Cambridge (Royaume-Uni). Il sera peut-être ennuyé d'être cité dans un ouvrage de fiction, mais son excellent article m'a permis de considérer le profilage comme le spectacle plein d'esbroufe d'une science de pacotille. En ce qui concerne enfin les Who, les Eagles, les Rolling Stones, les Beatles, Bob Dylan, Black Sabbath, Led Zeppelin, ainsi que tous les autres musiciens, chanteurs, auteurs et compositeurs, merci pour vos chansons consacrées à la route.

1. Littéralement, *Étiologie des meurtres en série : Vers un modèle intégré. (N.d.T.)*

PROLOGUE

Le fantôme de Grand Central Station était une fillette mal peignée aux habits crasseux. Elle ne se montrait qu'aux heures d'affluence, matin et soir, quand elle croyait passer inaperçue dans la foule compacte des voyageurs qui encombraient les couloirs du métro. Comme si son incroyable face pouvait apparaître quelque part sans attirer les regards ! Des marchands ambulants téléphonaient au policier qui leur avait donné sa carte et disaient : *Elle est revenue.*

À la grande arche, l'enfant fondait d'immenses espoirs sur le conseil d'un mendiant : si elle patientait assez longtemps, *dixit* le vieux clochard puant, tous les gens du monde passeraient un jour par là. Elle scrutait donc des milliers de visages en attendant un homme qu'elle n'avait jamais rencontré. Elle était persuadée de le reconnaître à ses yeux, de la même couleur rare que les siens. Quant à lui, il saurait aussitôt que la petite Kathy était le portrait craché de sa mère. Son père serait ravi de la revoir : elle en avait l'inébranlable certitude, car elle croyait dur comme fer à la théorie de l'enfant bâtard.

Il ne venait jamais. Les mois passaient. Elle ne comprenait pas.

Un soir, elle sembla fatiguée, affamée. Les poings serrés, elle fulmina contre le clochard, dont le conte de fées l'avait condamnée à une interminable attente.

En pleine heure de pointe, elle aperçut un visage familier, mais ce n'était pas le bon. Le gros inspecteur apparaissait en minces tranches derrière les corps des banlieusards. Bien qu'il soit à l'extrémité de l'entresol, Kathy l'imagina souffler comme un bœuf, tandis qu'il fonçait vers elle. Et elle attendit.

Accroupie.

Une, deux, trois secondes.

Lorsqu'il arriva à un mètre à peine, la partie commença, comble de la rigolade dans la vie d'une jeune SDF. Elle courut vers le grand escalier et obligea le flic grassouillet à faire volte-face. Ses baskets à semelles de vent giflant les dalles du sol, le minimissile blond en jean grimpa les marches quatre à quatre.

Et elle riait, elle riait !

En haut de l'escalier, elle se retourna et comprit que la chasse était terminée – plus tôt que d'habitude. Son poursuivant était resté en bas, incapable de monter une autre marche. Essoufflé, à l'agonie, il porta la main à sa poitrine, comme si le geste suffisait à empêcher une crise cardiaque.

Elle articula en silence : *Crève, vieux schnock.*

Leurs regards se croisèrent. Il était implorant, elle était méprisante… et lui décocha son fameux sourire. Un sourire qui disait : *Je t'ai eu.*

Bientôt, elle deviendrait sa prisonnière – mais pas ce jour-là – et Louis Markowitz serait son père adoptif. Des années plus tard, après s'être apprivoisés, chaque fois que Kathy Mallory afficherait son sourire narquois, il vérifierait qu'elle ne lui avait pas dérobé son portefeuille.

CHAPITRE I

La femme retrouvée dans cet appartement de l'Upper West Side s'était, de toute évidence, suicidée. Le moins évident, en revanche, c'était que quelqu'un ait jamais habité là.

Le décor ? Un assemblage froid d'angles pointus, de verre et d'acier aux contours nets, contraste saisissant entre cuir noir et murs blancs dépouillés. Malgré la présence de mobilier, on avait une forte impression de vide. Sans compter que les lieux venaient d'être désertés – exception faite de l'inconnue, du cadavre abandonné dans le salon de Kathy Mallory.

La balle en plein cœur prenait davantage de sens à la lecture d'une probable lettre de suicide manuscrite : *L'amour est ma mort.*

— Dommage qu'elle ne l'ait pas signée, regretta le Dr Slope.

L'inspecteur de la Criminelle acquiesça en silence.

Légiste en chef, Edward Slope s'était lui-même déplacé pour ce cas exceptionnel de mort brutale au domicile d'un officier de police. S'il n'avait pas eu d'intérêt personnel dans l'affaire, il se serait moqué que le corps soit envoyé à sa morgue à bord d'un bus municipal.

13

Les visites à domicile ne faisaient pas partie de son métier : c'était le boulot de l'anatomopathologiste de garde. Ce soir-là, pourtant, Slope avait enfreint le protocole et oublié ses chaussettes mais, malgré son haut de pyjama sous sa veste de costume, il restait l'homme le plus chic de la pièce.

Contrairement à lui, le sergent-détective Riker avait l'allure négligée d'un type qui s'était couché tout habillé et son visage, encore ensommeillé, portait l'empreinte d'une serviette de cocktail sur la joue. Qu'il ait bu ou pas, il était d'un naturel facile à vivre, mais ses paupières tombantes lui donnaient en permanence un air suspicieux. Il n'y pouvait rien et, ce soir-là encore moins que les autres, impossible de le cacher : la victime gisait dans l'appartement de son équipière et, à présent, il attendait le verdict officiel. Suicide ou homicide ?

Le vieux légiste, qui connaissait l'inspectrice Mallory depuis l'enfance, n'avait pas de gros doutes. À peine afficha-t-il une pointe de sarcasme lorsqu'il demanda :

— Où est passée Kathy, ce soir ?

Riker haussa les épaules, signe qu'il n'en avait aucune idée. Menteur ! D'après son relevé de carte de crédit, il savait qu'elle avait fait le plein d'essence en Pennsylvanie et dans l'Ohio mais, tant que le légiste n'avait pas établi la cause de la mort, il valait mieux ne pas lui raconter qu'elle avait mis les voiles. Il observa la victime, qui, comme lui, devait avoir environ cinquante-cinq ans. Hormis son trou à la poitrine, Savannah Sirus semblait dormir. Elle avait l'air crevée, épuisée par sa vie.

Le Dr Slope s'agenouilla près du corps :

— Je comprends pourquoi tu voulais un second avis.

Oh, oui.

Et l'avis devait venir d'un membre du cercle restreint des proches, même si sa jeune équipière ne faisait rien pour attirer l'affection. Depuis sa sortie de l'école de police, les deux comparses n'avaient plus le droit de l'appeler Kathy : elle adorait la distance glaciale imposée par le nom de famille. Néanmoins, le légiste avait du mal à rompre une habitude remontant à l'enfance de Mallory et, à ses yeux, elle serait toujours sa petite Kathy. Le brave homme osait même s'adresser à elle en l'appelant par son prénom !

Le Dr Slope continua son examen du corps :

— Plutôt masculin, comme mode opératoire.

Les femmes préféraient s'empoisonner ou se trancher les veines. Leur suicide était rarement d'une telle violence.

— Oui, mais ça arrive, objecta Riker. À mon avis, c'est un cas typique de coup de feu par coquetterie.

Il avait raison : à la différence des hommes, qui avaient tendance à se fourrer le revolver dans la bouche, les femmes refusaient de s'abîmer le visage en se tirant une balle en pleine tête. Conclusion : la blessure à la poitrine jouait en faveur de Mallory.

Hélas, le légiste souleva aussitôt un point négatif :

— Rien ne prouve que Mlle Sirus ait dirigé l'arme contre elle.

Il n'y avait pas de résidus de poudre, aucun halo sombre caractéristique d'un tir à bout portant. Le détail avait intrigué le premier officier arrivé sur les lieux : ça ressemblait à une altercation banale entre un tueur et sa victime. Au lieu de prévenir les Affaires internes, West Side avait préféré contacter le commissariat de SoHo, où Mallory était affectée. Si la femme avait tenu l'arme à bout de bras, scénario qui soulevait sa peur potentielle des armes à feu, Riker pouvait toujours conclure au suicide. Savannah Sirus avait peut-être même fermé les yeux avant de presser la détente.

À moins que Mallory ne l'ait abattue.

Après avoir mis le corps sur le ventre, le Dr Slope

sortit un thermomètre. Vieille école, Riker détourna la tête quand le légiste releva la jupe de la victime et baissa sa culotte. Il préféra s'asseoir sur le canapé en attendant les résultats du relevé de température.

À côté des polaroïds qu'il avait pris du cadavre, un sac à main bon marché trônait sur la table basse. Il appartenait forcément à la victime, car Mallory n'aurait jamais acheté un truc pareil. Elle avait des goûts de luxe : même ses jeans étaient taillés sur mesure et, au commissariat, on prétendait que les boutons étaient en or. Perverse, la gamine faisait son possible pour encourager les rumeurs de revenus illégaux. Voilà comment elle s'amusait : *Attrape-moi si tu peux.*

Sous une pluie battante, une petite voiture filait loin de chez elle. Elle ne payait pas de mine (le modèle n'avait pas la réputation d'avaler les kilomètres), pourtant elle fonçait plein pot.

À la frontière occidentale de l'humide Ohio, un policier esseulé cligna ses paupières fatiguées. Non, il n'y avait pas d'erreur ! Son moteur était puissant, poussé à fond sur la route détrempée, mais la New Beetle l'avait allégrement dépassé.

Impossible.

Sa tante avait la même. Le compteur plafonnait à deux cent trente, et encore, c'était sans doute une bonne blague du constructeur.

La couleur de la décapotable (carrosserie argentée, capote noire) était très banale et l'absence de plaques minéralogiques visibles compliquait encore l'identification. La traque fut brève. D'ailleurs, pouvait-on même parler d'une course ? Son adversaire n'avait pas accéléré. Ni hésitation ni tremblement : rien n'indiquait que le conducteur s'inquiète du gyrophare rouge ou de la sirène stridente. À en croire le radar du policier, la Volkswagen avait atteint l'hallucinante vitesse de croisière de deux cent quatre-vingt-dix kilomètres-heure.

Espèce d'imbécile !

À quoi pensait-il ?

Il flanqua un coup de poing sur le tableau de bord. Cette saleté d'appareil ne fonctionnait jamais correctement ! Que ce soit sur sol sec ou sur route détrempée, jamais une New Beetle décapotable ne pouvait atteindre de telles pointes de vitesse... mais il ne savait pas qui était au volant.

Et il ne le saurait jamais.

Dans une légère côte, il fut persuadé d'apercevoir sous les roues d'étincelants éclairs en zigzag : le bolide argenté avait décollé et il volait – en hydroplanage.

Lorsque le policier s'arrêta à la frontière de l'Ohio, la New Beetle avait disparu : il était battu. Pas question d'établir un rapport officiel disant que son véhicule de patrouille avait été humilié par une pauvre Volkswagen ! Autant se vanter d'avoir vu des petits hommes verts. Ainsi donc, sans l'ombre d'une contravention pour excès de vitesse, la petite décapotable avalerait le bitume de la Route 80 à travers l'Indiana voisin et, ensuite, l'Illinois. Sa destination ? Chicago, au carrefour d'Adams Street et de Michigan Avenue. L'œil du cyclone.

Derrière lui, Riker entendit claquer les gants en latex du légiste. L'examen de Savannah Sirus était terminé.

Désinvolte, comme si la réponse lui importait peu, il lança :

— Alors, Doc, je mets quoi pour l'heure de la mort ?

— Ta confiance absolue envers les thermomètres rectaux est très touchante. Je suppose qu'aucun gentil voisin n'a entendu de détonation à l'instant où il regardait sa montre ?

Riker regarda par-dessus son épaule et, d'un sourire,

lui fit comprendre qu'ils n'avaient pas eu cette chance. Les habitants de l'immeuble avaient déjà entendu des coups de feu dans l'appartement et, en bons New-Yorkais, ils étaient devenus sourds à ce que Mallory fabriquait chez elle.

— Commence par inscrire la date d'aujourd'hui. La rigidité cadavérique est toujours trompeuse et j'ai trop de variables pour établir une heure de décès par la simple température corporelle. Une fenêtre ouverte par une nuit glaciale, des traces de sueur sur son corsage… À mon avis, la victime avait une fièvre de cheval.

Il contourna le canapé et se planta devant son ami inspecteur.

— Et toi ? Qu'est-ce que tu as ?

Riker vida le sac de Savannah Sirus sur la table basse en verre. Deux jeux de clés. Il reconnut la breloque argentée du trousseau qui ouvrait l'appartement :

— *A priori*, elle était l'invitée de Mallory.

Deuxième indice : un billet d'avion Chicago-New York.

— Inutile de convoquer une brigade d'experts scientifiques.

Il tâtait le terrain, car le légiste n'avait pas encore conclu au suicide.

Slope adressa un bref signe de tête aux deux assistants qui attendaient à la porte. Aussitôt, ils apportèrent un lit à roulettes et mirent en sac la défunte. Une fois qu'ils eurent quitté le salon, le médecin s'affala à son tour sur le canapé :

— Mallory sait ce qui s'est passé ici ce soir ?

Au lieu de mentir, Riker répondit :

— À ton avis ?

D'un geste, il indiqua les restes d'un repas provenant

d'un traiteur, un verre vide et une soucoupe remplie de mégots.

— Pigé ?

Slope acquiesça en silence. Il connaissait bien l'étrange maniaquerie de Mallory, qui ne supportait pas le moindre désordre. Même chez les autres, elle redressait automatiquement les tableaux de guingois. Conclusion : on avait mis le souk après son départ. Le Dr Slope fixa la fenêtre béante :

— Tu crois que la victime avait prévu de sauter, mais qu'elle a changé d'avis, préférant se tirer une balle ?

— Non.

Enfin, Riker comprenait le raisonnement. C'était l'unique fenêtre ouverte par une fraîche nuit de printemps et la moustiquaire avait été relevée.

— Cette dame connaissait plutôt bien Mallory. Elle séjournait ici depuis un moment, expliqua-t-il en brandissant le billet d'avion. Elle est arrivée il y a trois semaines.

Il omit de préciser qu'il s'agissait d'un aller-retour : elle n'avait aucune intention de mourir à New York. Du moins, pas au début.

— Savannah Sirus n'était pas une pro des armes et des munitions. Voici comment je vois les choses : elle a pensé que la balle risquait de lui transpercer le corps et d'abîmer le mur. Mallory n'aurait pas apprécié, n'est-ce pas ?

Slope approuva en silence.

— Elle a donc ouvert la fenêtre, ôté la moustiquaire et, pan !, elle a tiré. J'ai l'impression qu'elle avait prévu le coup de longue date.

Il montra l'arme par terre.

— Tu ne croyais quand même pas que le flingue appartenait à Mallory ?

— Euh, non.

C'était un petit calibre 22, un truc de fille. Kathy Mallory n'était pas une fille. Elle préférait son gros canon, son magnum 357 Smith & Wesson : meilleur recul et meilleur moyen d'arrêter, d'estropier ou de tuer.

Pourtant, Riker savait que le pistolet sur le tapis était bien la propriété de Mallory. Elle collectionnait toutes sortes d'armes à feu, jamais enregistrées, et un calibre 22, ça pouvait servir. Problème : l'identité du propriétaire de l'arme risquait d'entraver le diagnostic de suicide.

Vautré sur le canapé en cuir noir, il se demanda où son équipière était partie. Et pourquoi avait-elle cessé de venir travailler ?

Mallory, qu'as-tu fait de ton temps ? De tous tes jours givrés de repos ?

Lorsqu'il se releva du canapé, Riker se força à bâiller, comme s'il avait besoin d'afficher un air blasé devant une mort brutale. En réalité, ce véritable enfant de New York était né dans l'antre de la violence.

— Je vais inspecter les autres pièces.

En passant devant la chambre d'amis, il vit les draps et couvertures froissés de Savannah Sirus. Un peu plus loin, il aperçut la chambre de Mallory : le couvre-lit n'avait pas le moindre faux pli, comme si personne ne s'était jamais allongé là, ce qui accrédita la rumeur selon laquelle sa partenaire ne dormait jamais. Au commissariat, on la surnommait Mallory la Machine.

Désormais suivi du Dr Slope, Riker entra dans une autre pièce impeccablement rangée, repaire de la jeune femme, où aucun grain de poussière n'osait se poser. Parfois, les gens avaient des chiens ; Mallory, elle, avait trois ordinateurs qui, sagement alignés, leur œil de cyclope braqué vers la porte, attendaient le retour de leur maîtresse. Même les manuels techniques étaient bien élevés, perchés chacun sur le rebord d'un rayon d'étagère. Le mur du fond était tapissé de liège et Riker fut intrigué par ce qui, à première vue, ressemblait à du papier peint rayé. Il se retourna et vit la mine stupéfaite du légiste.

Ça aussi, c'était bizarre.

Du sol au plafond, le mur de liège disparaissait sous des feuilles remplies de colonnes de chiffres. D'après les espaces définissant les zones géographiques et les préfixes, il s'agissait de numéros de téléphone. Même s'il avait des lunettes de vue dans sa poche poitrine, Riker préféra loucher dessus et remarqua que six chiffres relevaient du hasard, mais qu'à chaque ligne, on retrouvait la même série de quatre. Voilà donc à quoi elle avait occupé son temps libre depuis leur dernière rencontre, hormis les coups de feu pour dégommer les mouches quand elle ne trouvait pas de tapette. Avec le cadavre découvert au salon, il la soupçonna aussi de comportements bien pires. Dieu merci, dans un éclair de lucidité, elle avait colmaté les trous au plâtre.

Médusé, le Dr Slope observa les milliers de chiffres qui tapissaient le panneau de liège. La plupart étaient barrés d'un trait rouge incroyablement droit. Il s'approcha du mur et redressa ses lunettes à double foyer :

— Seigneur ! Elle a tout tracé au stylo.

Autant de lignes manuscrites qui indiquaient des numéros de téléphone inutiles. Riker empoigna le légiste par le bras et l'obligea à le regarder dans les yeux :

— Tu as déjà vu ça avant.

Sur un ton proche de l'interrogatoire, voire de l'accusation pure, il enchaîna :

— Tu sais de quoi il s'agit. Alors accouche.

Loin d'être vexé, Slope hocha la tête :

— Je l'ai déjà vu il y a longtemps, sur les vieilles factures téléphoniques des Markowitz. Ça s'est passé le mois qui a suivi l'arrivée de Kathy. Elle avait donc onze ans.

Mais oui, bien sûr.

Louis Markowitz, regretté flic de choc, et son épouse, Helen, l'avaient élevée comme leur propre fille, mais Kathy Mallory ne leur avait jamais dévoilé ses origines. Elle refusait même de donner son âge exact. Au début, elle soutenait *mordicus* qu'elle avait douze ans. Lou avait réussi à marchander un an de moins, mais elle aurait pu aussi bien avoir dix ans, voire à peine neuf.

Au centre de la pièce, le légiste essuya ses verres de lunettes :

— Lou m'a montré ses factures. Une interminable liste d'appels longue distance. Tous passés par Kathy.

De retour devant le mur, il hocha la tête.

— Oui, c'est pareil. Enfant, elle faisait beaucoup de cauchemars et Lou s'est dit qu'ils avaient peut-être déclenché sa frénésie téléphonique. Parfois, il descendait la nuit et la surprenait le combiné à la main. Le premier mois, elle a passé des centaines d'appels. Ce mur me rappelle la facture de Markowitz. Sur chaque numéro longue distance, il y avait quatre chiffres identiques et les autres semblaient pris au hasard. Elle n'a jamais voulu s'expliquer, mais Lou a échafaudé une belle théorie : il y avait quelqu'un là-bas, un lien avec son ancienne vie, mais elle se souvenait juste d'un fragment de numéro de téléphone.

— Il a donc appelé tous les numéros de la facture.

— Sans exception. Et il a découvert un curieux manège. Chaque appel avait été passé à une heure indue de la nuit, donc impossible d'oublier l'incident. Quand un homme répondait, elle raccrochait mais, si elle tombait sur une femme, elle disait toujours : « C'est Kathy, je suis perdue. »

— Ses interlocutrices devaient devenir cinglées !

— Oui, elle avait touché leur corde sensible. Tiré la sonnette d'alarme.

Le médecin regarda la ville sombre à la fenêtre.

— Elles ont toutes supplié Kathy de leur dire qui elle était et où elles pouvaient la trouver, mais la petite se contentait de leur raccrocher au nez. Selon Lou, elle n'a jamais eu la réponse qu'elle attendait. Comme ces femmes ignoraient qui elle était, elle composait le numéro suivant… et essayait de nouer un contact avec quelqu'un qui la reconnaîtrait.

— Une femme.

Riker sortit de sa poche le bout de papier que le premier policier arrivé sur les lieux lui avait remis. Y figuraient quelques détails essentiels sur l'identité de la victime, notamment le numéro de téléphone personnel de Savannah Sirus. Une série de quatre chiffres correspondait aux séquences répétées à l'infini sur le panneau en liège.

— Je crois que Mallory a fini par trouver.

À mille trois cents kilomètres de là, on avait découvert un autre cadavre.

Plusieurs heures après la fermeture des bureaux et des magasins, une violente bourrasque arracha un parapluie, qui se déchira et virevolta en grinçant sur les larges marches du Chicago Art Institute. Seuls témoins ? Deux grands félins, majestueux lions de bronze, indifférents à ce trophée déglingué du combat contre une pluie horizontale. Leur patine verte vacillait sous les éclairs et les flashes rouges des gyrophares de police. Voitures et fourgons convergeaient vers le chantier de construction, de l'autre côté de Michigan Avenue.

Trempés jusqu'aux os, deux inspecteurs de la Criminelle déclarèrent forfait, levèrent les bras au ciel et fourrèrent leurs poings dans les poches de leur manteau.

Sombres et impuissants, ils regardaient la pluie torrentielle emporter les preuves de l'enquête. Quel désastre ! Fluides corporels, cheveux, poils, fibres, tout partait à l'égout. Plus propre que jamais, le cadavre pourrait uniquement leur dire la cause de la mort – d'une extrême cruauté. Dans toute l'histoire de Chicago, il n'y avait jamais eu pareille scène de crime. Aussi choquante, aussi triste.

L'inspecteur chrétien esquissa un signe de croix. L'autre ferma les yeux.

L'homme mort à leurs pieds pointait du doigt Adams Street, plus connue sous le nom de Route 66, mais qui avait beaucoup d'autres noms. Steinbeck l'appelait la « Route de la fuite ».

La tempête s'était calmée mais, à cette heure tardive de la nuit, le propriétaire de la station-service n'avait pas prévu de faire du business légal. Cloîtrée derrière la grande porte de son garage, une fine équipe de joueurs de craps perpétuait la tradition des tripots de Chicago : on flambait ses économies, la bière coulait à flots, les dés cliquetaient et les billets de banque bruissaient sur le sol en ciment.

Belle soirée en perspective !

Sous les épaisses volutes de cigare, on avait déjà misé une petite fortune quand la conductrice d'une Volkswagen argentée en mal d'essence frappa doucement à la porte. Puis elle tambourina sur l'imposant battant d'acier et finit par y donner des coups de pied, ce qui attirait beaucoup trop l'attention sur leurs activités frauduleuses.

Arrêtez la musique !

Lorsqu'il se retrouva derrière elle, sous les lumières éclatantes des pompes à essence, le garagiste en oublia complètement sa partie de craps.

— C'est bien ce que je pense ? dit-il en contemplant amoureusement le moteur. Pas possible ! Qu'avez-vous fait, ma petite dame ? Un moteur de Porsche sur une Volkswagen ?

Comment avait-elle réussi ?

Même s'il avait été parfaitement sobre, le problème lui aurait quand même flanqué la migraine. Certes, on aurait pu modifier une vieille Coccinelle dotée d'un moteur à l'arrière mais, là, il s'agissait d'une New Beetle, traction avant, destinée à accueillir la mécanique sous le capot. Aucun moteur n'aurait fonctionné dans ce foutu coffre. Et pourtant, si.

Le garagiste dut reculer de trois pas pour comprendre l'astuce. La ligne de la voiture avait été légèrement allongée, mais le travail était impeccable. Cette fille avait fabriqué une New Beetle sur un châssis de Porsche 911 Bi-Turbo ! Avant de se demander pourquoi elle avait accompli une telle prouesse, il embraya sur le problème du toit : avec ses rondeurs, la décapotable pouvait perdre un peu de vitesse, mais pas beaucoup. Quel était l'impact d'une carrosserie contrefaite sur les performances de la Porsche dans les amorces de virage ?

— Hé, mam'zelle ? Si vous prenez un tournant trop vite, vous allez partir en tonneau. Vous êtes au courant ?

Des conseils et du carburant, voilà tout ce qu'il pouvait lui offrir. La grande blonde préférait travailler seule. Par un regard glacial et un langage corporel explicite, elle lui avait intimé de garder ses mains graisseuses loin du moteur immaculé.

— Vous avez un peu de temps ? Je pourrais vous poser un arceau de sécurité.

Refus catégorique. Elle ne débourserait pas un centime de plus. Après avoir pris un autre outil dans sa pochette en agneau, elle monta un faisceau de fils. Un bruit anormal devait la déranger. Eh bien, on n'en parlerait plus.

Elle resserra fermement le tout et ne s'arrêta que par peur de démonter les écrous.

— Il faudrait y réfléchir. Si vous n'avez pas envie de me la laisser ici, demandez à un autre garagiste.

Il n'en voulait pas à son argent : il cherchait juste à garder en vie une demoiselle qui devait avoir le même âge que sa fille.

— Un arceau de sécurité vous permettrait d'épargner votre jolie petite tête en cas de tonneau.

Car elle était sacrément mignonne avec sa peau laiteuse, ses yeux félins et ses longs ongles rouges. Elle n'avait rien de naturel : les vraies gens n'étaient jamais si beaux de près. Conclusion : elle ne faisait pas partie du même monde que lui et venait peut-être du ciel, derrière la lune. Elle avait les yeux les plus verts qu'il ait jamais vus. D'ailleurs, il aurait été incapable d'en définir la couleur pour un être vivant. Électrique, dirait-il. Oui, vert électrique, aussi étincelant qu'un tableau de bord. Rien d'humain. Il se dit aussi qu'elle portait peut-être une arme sous sa veste en jean.

Son regard s'était attardé trop longtemps sur la bosse d'un éventuel étui à revolver. Elle le fixa, glaciale, elle le chat, lui la souris, et il sut qu'il n'aurait qu'un seul avertissement. Il avait le choix entre deux créatures : soit c'était une impitoyable prédatrice, soit elle était de son bord à lui.

— Vous êtes flic, hein ?

De sa poche de salopette crasseuse, il sortit lentement un portefeuille. Pas de gestes brusques pour ne pas la déstabiliser. Puis il lui montra sa plaque d'officier de police en retraite.

Elle resta impassible. Aucune réaction, rien. La situation pouvait dégénérer à tout instant. S'il l'avait mal jugée, il risquait de finir mort et enterré. À soixante ans, ses réflexes n'étaient plus aussi aiguisés mais, en attendant, signe de confiance, elle continua à le snober et replongea le nez dans son moteur.

Il recommença à respirer.

— Moi, j'ai été flic pendant trente-cinq ans.

Il contempla la voiture abâtardie et sa voix trahit une pointe de sarcasme.

— Je croyais avoir tout vu.

Dans l'éternel but d'engager la conversation, il enchaîna :

— Personne ne vous imaginerait rouler en Volkswagen. Ce n'est pas votre style, jeune fille. Ces voitures-là sont réservées aux gens de mon âge, aux rockeurs abîmés incapables d'oublier les années 1960. Ç'aurait dû être ma bagnole, merde !

La Porsche sous sa coquille contrefaite expliquait beaucoup de choses – à plus d'un égard. Une vraie décapotable Volkswagen était un petit engin sympa, sans aspérités, une voiture de dessin animé qui déclenchait des sourires partout où elle passait. Le garagiste toisa de nouveau la jolie blonde. Alors que la fausse carrosserie dissimulait un moteur d'enfer, le maquillage ne réussirait jamais à déguiser qui la jeune inspectrice était vraiment. Si elle croyait pouvoir travailler sous couverture, elle se fourrait le doigt dans l'œil mais, sinon, comment expliquer qu'une fonctionnaire conduise un bolide dont le moteur coûtait une fortune ? À moins qu'elle n'ait piqué dans la caisse ?

Le tableau de bord avait aussi bénéficié d'une modification inédite en usine. Le vieil homme réessaya de parler boutique – autrement dit, boulot de flics :

— Je vois que vous êtes branchée sur la fréquence de la police. Moi aussi.

Elle continua ses travaux de mécanique, négligeant sa présence.

Nouvelle tentative :

— Donc… vous êtes au courant du meurtre d'Adams Street ? Non ?

Sur sa planète à elle, un silence était-il synonyme de *non* ?

— On a retrouvé le corps au milieu de la rue. Un massacre ! J'ai entendu le flic en discuter sur ma radio.

— Au carrefour d'Adams Street et de… ?

— Michigan Avenue.

Il eut l'étrange sentiment qu'elle connaissait l'adresse, mais ses tripes l'avaient déjà trahi une fois et un malheureux coup de feu dans son dos avait précipité un départ en retraite de la police de Chicago.

Comme si elle parlait de la pluie et du beau temps, la jeune femme lâcha sur un ton désinvolte :

— Et il y a un truc bizarre à propos de la scène de crime.

Ce n'était pas une question, mais il acquiesça, l'air de dire : *Oh, oui. Un truc incroyablement bizarre.* Puis, à voix haute :

— Je parie que c'est ce qui vous amène ici ce soir. Je me trompe ?

De ses longues années de commissariat, il avait gardé l'habitude d'établir des connexions : une drôle de flic, une voiture bâtarde aux plaques new-yorkaises, un crime.

— Un tueur en série ? New York est sur le coup ?

Bon sang, comme il regrettait son métier, sa vieille religion de Flicville !

La jolie blonde remballa sa trousse à outils et referma le coffre sur le fabuleux moteur. Un bruit les avertit que le réservoir d'essence était plein. Elle tendit une carte de crédit *platinum*, ce qui le fit douter de son statut d'inspectrice sous-payée, et, sans un mot, elle attendit son reçu.

Lorsqu'elle repartit, il lança quand même, sans aucun espoir d'être entendu :

— Soyez prudente !

Du regard, il survola les bâtiments sombres alentour, où d'innocents habitants dormaient tranquillement.

— Et, vous autres, ne croisez surtout pas sa route, murmura-t-il au cas où il se serait trompé sur…

Comment s'appelait-elle au fait ? Sur la facturette, il ne lut qu'un seul nom.

— Alors, là, c'est le bouquet !

American Express l'appelait Mallory. Juste Mallory.

Le violent orage de Chicago avait bifurqué vers l'est. La pluie tomba dru sur les côtes du New Jersey puis, à l'image de nombreux touristes, elle traversa le pont George-Washington, entra à New York… et mourut.

Seules quelques gouttes émaillèrent le pare-brise d'une berline noire racée qui sortit d'un garage de SoHo et s'engagea dans la ruelle. Il n'y avait pas beaucoup de circulation. Tant mieux, car le sergent Riker ne prêtait guère attention aux autres voitures.

Une récente vérification du relevé bancaire de Mallory lui avait appris qu'elle avait dîné tard à South Bend (Indiana) et qu'elle continuait vers l'ouest, sur la Route 80. Plus de doute : elle allait bien à Chicago. Par téléphone portable, Riker avait activé la puce antivol de la New Beetle, puis il avait vendu son âme à la Banque des Services pour enterrer la paperasse concernant la surveillance de la jeune femme. Vu son itinéraire direct et son probable point de chute, la voiture avait été localisée au moment où elle arrivait en Illinois. Grâce à un patrouilleur de Chicago, et avant même qu'elle paie son plein d'essence, Riker savait qu'elle s'était arrêtée quelques minutes dans une station-service de la ville. Elle avait beau être en cavale, il se réjouissait qu'elle délaisse le cash au profit d'un moyen de paiement plus « traçable ». Elle savait aussi pertinemment sa voiture sous dispositif antivol. Autant d'indices tangibles indiquant qu'elle n'avait pas assassiné Savannah Sirus.

Même si tout le reste semblait contester son innocence.

Quand il avait demandé l'aide discrète de Chicago, l'inspecteur avait exploité au maximum son image de clochard au compte en banque dégarni : ces signes distinctifs de flic hyper honnête faisaient luire son badge dans le noir. En Illinois, même les bleus avaient entendu parler de Riker, mais il prévoyait de détruire la meilleure part de lui-même – pour le salut de Mallory.

Il s'arrêta à un feu rouge et ferma les yeux. Encore plus effrayant que le cadavre au milieu du salon, il y avait le mur couvert de numéros de téléphone. Ainsi les cauchemars d'une petite fille avaient jadis provoqué sa frénésie d'appels nocturnes, et Riker devait se poser une question : *À quoi ressemblent tes rêves aujourd'hui, gamine ?*

CHAPITRE II

La voiture ralentit quand Mallory sortit une vieille lettre de son sac à dos. Simple cérémonie : à la lueur des réverbères, l'encre bleu pâle était illisible et le papier jauni tombait en morceaux. La première ligne, apprise par cœur, évoquait un couple de lions verts… et ils étaient là. Tournés vers Adams Street, les deux statues encadraient le large perron du Chicago Art Institute de Michigan Avenue.

La lettre continuait ainsi : « Certains voyageurs considèrent ce carrefour du commerce, des beaux-arts et des lions verts comme le début de la Route Mère même si, à l'origine, elle démarrait ailleurs. Jadis incontournable, la belle nationale se délite aujourd'hui, réduite à un patchwork de fragments de macadam éparpillés à travers huit États différents, ultimes vestiges d'une superbe romance avec le voyage et la voiture. »

Mallory n'était pas une romantique. En cette nuit humide et glacée, elle ne se sentait pas d'humeur poétique sur la culture automobile américaine.

Les phares braqués vers l'obscurité, elle s'attendait à tomber sur des barrières de police, mais les chevalets en bois portaient le nom d'un entrepreneur de Chicago. La

31

scène de crime était aussi un chantier de construction, détail non mentionné sur la fréquence radio de la police. Les puissants faisceaux lumineux de sa New Beetle éclairèrent les tronçons en béton d'une vieille conduite d'eau entassés près des bulldozers. L'heure tardive et un orage récent avaient vidé l'endroit de ses témoins, mais la belle Mallory s'en fichait. Elle coupa le moteur, descendit de voiture et, après avoir écarté une barricade, se dirigea vers d'imposantes machines susceptibles de cacher autre chose.

Des planches enjambaient les deux voies de circulation et un écriteau orangé signalait la présence d'un trou béant sous les lattes, mais Mallory ne s'intéressait qu'à une grande bâche froissée, plaquée au sol par le vent. À chaque coin, la fine épaisseur de plastique bleu avait été arrachée. Très vite, l'inspectrice retrouva les anciennes attaches de la voilure déchiquetée : des bouts de ficelle étaient encore fixés à plusieurs lampadaires et panneaux indicateurs. Les autres bâches, propriété de l'entrepreneur, étaient fabriquées en toile légère et adaptées à la taille des machines. Les ouvriers n'avaient pas eu besoin de se couvrir, car ils étaient partis avant l'orage nocturne : on pouvait réparer une route dans le noir mais pas sous la pluie. Ce n'était pas non plus le genre de toile qu'un fourgon de police aurait apportée sur les lieux. Trop fragile ! Il n'y avait donc qu'une seule explication : c'était une bâche de fortune pour un meurtrier qui voulait se cacher des fenêtres de gratte-ciel et du métro aérien au carrefour d'Adams Street.

Le tueur avait apporté sa propre couverture de protection et la police criminelle, qui l'avait confondue avec du vulgaire matériel de chantier, n'avait pas jugé utile de saisir la pièce à conviction.

Mallory dégaina son portable et contacta le commissariat central de Chicago. Sans s'être présentée, elle demanda qui était l'inspecteur chargé de l'enquête.

— Kronewald ?

Tiens, un nom familier ! Elle imaginait déjà le vieil homme frôler l'infarctus en découvrant, furibond, l'oubli fâcheux de son équipe : du plastique, fantasme absolu de tout expert en recherche d'empreintes digitales !

— Dites-lui de venir chercher la bâche bleue. Elle n'appartient pas à l'entrepreneur mais au meurtrier.

Alors que le brigadier de garde lui demandait son identité, elle raccrocha. Mallory, qui n'aimait pas gaspiller sa salive, avait autre chose à faire. Encore une barrière à franchir, puis elle devrait ficher le camp avant que Kronewald débarque et voie un flic de New York marcher sur ses plates-bandes.

Elle posa un bout de béton sur le plastique bleu pour l'empêcher de s'envoler à nouveau. Le vent l'avait emporté loin des planches en bois brut qui cernaient le trou de chantier et on apercevait désormais le contour d'un corps marqué grossièrement au scotch jaune. Mallory sourit.

La Fée de la Craie a encore frappé.

Que ce soit dans les grandes métropoles ou les minuscules patelins, il arrivait que la brigade criminelle débarque sur les lieux autrement vierges d'un crime et découvre ce genre de silhouette dessinée à la craie d'enfant. Un inspecteur furieux demandait alors qui était l'aimable crétin responsable de cette guignolade, et des bleus en uniforme, la mine coupable, déguerpissaient aussitôt en criant : « Je ne sais pas ! Ce n'est pas moi ! »

Mystère.

Cette nuit-là, Mallory n'eut aucun mal à deviner l'identité secrète de la Fée de la Craie. C'était forcément le petit jeune terrifié qui avait divulgué les détails louches du crime sur une fréquence radio beaucoup trop publique : il avait oublié tout ce qu'on lui avait appris à l'école de police mais, bizarrement, il s'était rappelé le seul truc à ne pas faire, unique leçon d'émissions de télévision consacrées aux flics. Au lieu de tracer le contour de la victime à la craie, il avait utilisé du scotch jaune destiné à circonscrire les scènes de crime et, quand ça ne collait pas sur le bois mouillé, il y avait planté des clous de chantier. Résultat : malgré ses louables intentions, le premier flic débarqué sur les lieux avait saccagé la présence d'autres clous utilisés par un assassin pour fixer un corps humain au sol.

Satanée Fée de la Craie !

Mallory devait bientôt décamper. Combien de temps s'était-il écoulé depuis qu'elle avait parlé au brigadier de garde ? Une patrouille pouvait surgir d'une seconde à l'autre mais, au lieu de rejoindre sa voiture, l'inspectrice sortit une mini-torche et éclaira les clous du meurtrier, ceux qui apparaissaient sous le scotch du profil, là où les poignets et les chevilles de la victime avaient été rivés aux planches. À ses pieds : des clous semblables aux pointes utilisées pour fabriquer la passerelle en bois. Lorsqu'elle en inséra un dans un trou, il s'avéra plus petit que l'orifice.

L'assassin avait calqué son kit de meurtre sur les matériaux du chantier. Manifestement prudent, il avait peut-être prévu son coup de longue date, avant même que la municipalité de Chicago éventre la route. Il avait donc complété son balluchon de plastique épais, de gros clous en fer… et d'os. Le jeune policier avait dû avoir la peur de sa vie en découvrant ces bouts de squelette attachés à la chair d'un cadavre. Vieux ossements et meurtre récent : la police était désormais confrontée à un double homicide. Il manquait une troisième victime pour parler d'un tueur en série mais, vu les preuves, Mallory y songea d'emblée.

34

Elle contempla la silhouette dessinée au scotch, véritable invitation au jeu. Abandonné bras tendu, le corps indiquait la route et semblait dire : *Suivez-moi*.

Le hurlement d'une sirène approcha, mais Mallory ne se pressait toujours pas. Après avoir déplacé une autre barricade, elle ne prit pas la poudre d'escampette mais marcha tranquillement jusqu'à sa voiture, s'installa au volant et démarra. La sirène mugissait presque au-dessus de sa tête. En appuyant sur un bouton du tableau de bord, elle remit son compteur kilométrique à zéro.

Top départ.

La voiture traversa la scène de crime, remonta Adams Street sur quelques centaines de mètres et dépassa à peine le carrefour vers la ville d'Ogden, comme annoncé sur la lettre. Mallory n'avait pas emporté de carte routière, juste un itinéraire provenant de mots écrits avant sa naissance. Au moment de prendre au sud par Cicero, elle ralentit et chercha le repère suivant. Selon la lettre : « Il est si grand que tu ne peux pas le rater. » Aucune trace, hélas ! d'un héros populaire géant qui brandirait un gros hot dog. Elle sillonna de nouveau Ogden des deux côtés de Lombard Avenue, où la statue en fibre de verre était censée se dresser, mais il n'y avait plus rien. Le repère à venir était à des kilomètres de là, bien après Joliet. Mallory se dirigeait vers un lieu qui n'existait peut-être plus. Une ville entière avait sans doute poussé sur le vieux terrain de base-ball depuis que la première lettre jaunie avait été rédigée : « Un jour, tu ne pourras plus venir ici en partant de là-bas. Il s'agit autant d'une époque que d'un endroit ; même les étoiles auront peut-être disparu. Tel est l'éternel problème du progrès. Sous les lumières de la ville, on ne voit plus les étoiles. »

Hormis quelques camions de marchandises, le sergent-détective Riker avait la Route 80 à lui tout seul. Sa destination ? La station-service où Mallory avait utilisé sa carte de crédit pour la dernière fois, à mille trois cents kilomètres de New York.

Pas question de prendre un vol jusqu'à Chicago, même si, vu sa mission nocturne, il aurait pu surmonter sa phobie secrète de l'avion : à la descente de l'appareil ou du train, les agences de location exigeaient un permis de conduire valide avant de confier le moindre de leurs véhicules. Autrefois, lorsqu'il avait dû choisir entre boire et conduire, Riker avait abandonné sa voiture. D'après son expérience, la désintoxication dépouillait la vie de tous ses charmes.

Cette nuit-là, pied au plancher, il conduisait la superbe Mercedes-Benz d'un ami. Le genre de modèle qu'il n'aurait jamais eu les moyens de se payer, ni même de concurrencer. Pas lui. Pas un flic en costume au rabais, qui avait besoin de nouvelles chaussures et d'un bon coup de rasoir. S'il se faisait pincer pour excès de vitesse, on le considérerait forcément comme un voleur de voitures. Une sirène portative était posée sur le tableau de bord et il était prêt à la flanquer sur le toit au moindre signe d'un véhicule de patrouille mais, tant qu'il était encore dans le New Jersey, il avait de bonnes raisons de penser que les policiers du coin roupilleraient sur les talus jusqu'à l'aube.

S'il arrivait à maintenir la cadence (presque trois fois la vitesse maximale autorisée), il comblerait la distance entre Mallory et lui en fin de matinée. Vu l'actuelle voiture de son équipière, c'était jouable. Il connaissait son avance en terme de kilomètres, mais qu'en était-il du temps ? Le portier de l'immeuble ne se rappelait pas l'heure exacte du départ de Mallory, mais Frank était grassement payé pour rester flou sur les allées et venues de la jeune femme.

Comme il avait besoin d'une main libre pour sa Thermos de café, Riker s'adressait à un autre policier de l'Illinois via un casque connecté à son portable. Au téléphone, l'homme qui avait repéré le signal antivol de la New Beetle la suivait à un ou deux kilomètres. Aucune filature n'aurait pu être plus discrète, moins détectable : c'était un minimum pour traquer la fille la plus parano des États-Unis. Le patrouilleur informait Riker de la progression de Mallory.

— Elle a traversé une scène de crime ?

— Oui, mais il n'y a pas eu de dégâts. La pluie avait déjà tout balayé avant son arrivée. La brigade criminelle n'avait même pas jugé utile de placer les lieux sous surveillance.

Riker était au cœur de la Pennsylvanie quand il avait appris les nombreux aller-retour de Mallory sur la même route de Cicero.

Et le flic de Chicago ajouta :

— Je crois qu'elle est perdue.

Riker le pensait aussi, mais pas géographiquement parlant. Il écouta la litanie des endroits par où elle était passée. Oh, Joliet ! Quel souvenir ! Il n'avait pas voyagé au sud de Chicago depuis l'adolescence, mais les bourgades que Mallory avait traversées ou longées, d'Elwood à Gardner, portaient des noms très familiers. Elle avait ensuite arrêté sa voiture sur une portion déserte de route.

Le policier de l'Illinois s'était aussi garé pour rester à bonne distance :

— Je connais le coin. Aucune maison à la ronde. À peine quelques bâtiments vides. Vous voulez que je vérifie si elle a abandonné la bagnole ?

— Non ! Surtout, n'approchez pas.

Au bout du fil, le policier, qui ne savait rien de la

conductrice, soupçonnait juste le véhicule d'avoir été volé. Par un accord antérieur à un énorme retrait à la Banque des Services, Riker n'avait fourni aucun détail, mais son indic lui posa, sur un ton plus formel et plus prudent, une première question difficile :

— Dois-je la considérer comme armée et dangereuse ?

Riker hésita. Mallory n'allait nulle part sans son revolver, toute créature blessée était dangereuse et cette femme-là était meurtrie au plus profond de son être. Néanmoins, il se contenta de répondre :

— Ne vous approchez pas à moins d'un kilomètre.

— Compris. Je ne bougerai pas jusqu'à ce qu'elle redémarre.

— Merci.

Quand Riker raccrocha, il faisait encore nuit noire, mais il cherchait déjà une excuse à son absence inévitable du lendemain matin : il n'aimait pas l'idée de baratiner son chef ou un collègue.

En revanche, il n'avait eu aucun mal à raconter des salades à un civil qui était aussi son ami, à prétexter n'importe quoi pour lui emprunter son fabuleux bolide. Sans doute parce qu'il avait toujours su que Charles Butler ne serait pas dupe et qu'en parfait gentleman, il ne lui aurait jamais reproché un bobard mal ficelé. Ce qu'il avait deviné chez Riker, c'était la vérité de son désespoir, excellente raison de remettre les clés d'une voiture hors de prix à un conducteur sans permis ni assurance, un type dont les mains tremblaient dès qu'il lui fallait un verre. Et, là, Riker en avait besoin. Il agrippa le volant.

Comment expliquer son absence au lieutenant Coffey ? Il pouvait juste parler d'un problème familial, et *basta*.

Mallory faisait-elle partie de sa famille ?

Il avait été très attaché à son père adoptif disparu, un flic génial. D'ailleurs, il l'adorait encore et le regrettait chaque jour. Riker avait aussi été très présent pendant la jeunesse de Mallory, à l'époque où il avait encore le droit de l'appeler Kathy. Il l'avait regardée grandir même si, au sens strict, la sociopathe en herbe n'avait jamais rien eu d'une véritable enfant. Elle était la fille qu'il n'avait jamais eue, Dieu merci, celle dont on craignait d'hériter dans la grande loterie de la parentalité et, finalement, il l'aimait plus que tout au monde.

Alors, oui, il s'agissait bien d'une affaire de famille.

Il repensa à la nouvelle voiture de sa coéquipière. L'ancienne ne lui avait jamais convenu, mais elle avait proclamé haut et fort qu'une berline marron clair l'aidait à se fondre dans le paysage. Comme si ! Non, elle était faite pour conduire une splendide Corvette, un truc qui en jetait plein la vue. Voilà ce que Riker lui aurait choisi. Au lieu de quoi, elle avait acheté une Volkswagen : elle voyageait toujours déguisée.

Sans panneau indicateur, juste guidée par la présence d'une triple volière, Mallory s'engagea sur un chemin de terre et se gara. À la place de l'ancien stade de base-ball se dressaient désormais une dalle en ciment et un entrepôt bardé d'un grand « À vendre » peint sur les portes. Éclairée par sa torche, elle déplia la lettre et relut un passage décrivant les allées tracées sur la pelouse pour former le diamant du terrain, les matches nocturnes disputés à la lueur des lanternes et des phares de voiture : « On frappait nos balles jusqu'aux étoiles. La foule rugissait, les gradins tremblaient et la bière coulait à flots toute la nuit. »

Il n'y avait plus rien. C'était le bon endroit mais le mauvais moment.

L'orage avait épargné la région et l'air sentait la

poussière. Obéissant à l'instruction suivante, Mallory baissa la capote noire de sa voiture. Un vent froid agita la feuille entre ses mains, tandis qu'elle scrutait un ciel décevant où luisaient quelques rares points de lumière, bien loin du « million, milliard » promis. Les repères avaient disparu et, même si les étoiles n'étaient plus là, elle ne les regretterait pas. Jusque-là, elle n'avait jamais eu l'idée de les chercher.

Toute la correspondance parlait de la météo, de l'itinéraire et des chansons à écouter pendant le trajet. Dans le garage du Bronx où la voiture avait été modifiée, le mécanicien avait proposé d'installer un lecteur CD, mais l'auteur de la lettre n'avait qu'un magnétophone et Mallory avait exigé le même équipement. Néanmoins, le monde avait changé et la cassette qu'elle inséra dans l'appareil était reliée à un iPod pouvant accueillir dix mille chansons. Le titre qu'elle sélectionna suivit le conseil de la lettre, qui suggérait une musique adaptée à l'éclat des étoiles.

Elle ferma les yeux un instant, puis un autre. La voix veloutée de Nat King Cole l'enveloppa, le son lui servit de couverture et l'endormit doucement avec une version stellaire de *Nature Boy*.

« … *a very strange, enchanted boy…* »

Le patrouilleur assura à Riker que la Volkswagen n'avait pas bougé d'un pouce. À l'évidence, Mallory avait choisi de dormir quelques heures.

Bonus. On respire.

Il arrivait à la frontière de la Pennsylvanie et il ne lui restait plus que deux États à traverser avant d'entrer en Illinois. Il leva un peu le pied et alluma une cigarette. Riker réfléchissait mieux quand il fumait et toussait : ça le détendait.

Il réétudia le problème de la femme morte par balle à

New York. Une chose était sûre : Savannah Sirus avait décidé de mettre fin à ses jours *après* avoir rencontré sa jeune équipière. Soudain, il imagina Mallory la formant au maniement des armes à feu, histoire qu'elle ne rate pas son suicide. Une sombre pensée qui l'obséda pendant plus de soixante kilomètres. Il se rassura à l'idée qu'un cœur déchiqueté était l'idée de Savannah, une métaphore peut-être. Et si le mot qu'elle avait laissé derrière elle était vrai ? Si elle était bien morte d'amour ? Une ou deux fois dans sa vie, Riker avait souffert du même mal et il aurait pu croire à ce genre de théorie, si seulement la lettre avait été signée. Savannah était peut-être trop fatiguée pour écrire davantage, trop fatiguée de sa vie. Aux yeux du flic, elle serait désormais Savannah. Il l'appellerait par son seul prénom.

Les effets personnels de la victime étaient au fond du coffre et il espérait en glaner davantage, mais son objectif premier était de retrouver Mallory avant qu'elle ne craque ou se plante en voiture.

Plongé dans sa rêverie, il perdit la notion du temps. Il avait traversé la Pennsylvanie et était entré en Ohio quand le bip de son portable annonça un message de son indic : la voiture de Mallory avait redémarré.

Riker appuya sur le champignon, l'aiguille du compteur eut le tournis et un insecte endormi sous la pédale d'accélérateur mourut dans d'atroces souffrances.

Une liasse de lettres, reliées par un ruban, glissa sur le tapis de sol. Au volant, Mallory s'arrêta pour les ramasser : il fallait les manier avec précaution, car, depuis le temps que Savannah Sirus les avait eues en sa possession et relues chaque jour, elles étaient particulièrement froissées. La jeune inspectrice, qui les connaissait presque par cœur, se rappela la description d'un « firmament impressionnant et [d'une] constellation d'étoiles suspendue comme des notes sur la partition d'une chanson consacrée à la route ». Pour la dernière fois de la nuit, elle leva les yeux au ciel et n'y aperçut que quelques têtes d'épingle lumineuses sans aucune symétrie. Il n'y avait plus d'instructions à suivre jusqu'au lever du soleil.

Mallory avait aussi d'autres directives plus anciennes, des consignes transmises par un autre homme, son père adoptif, qui lui avait donné les règles de vie à Flicville : *Tu protégeras les moutons et tu n'utiliseras pas ton arme imprudemment au risque de les tuer au passage.*

Rien sur les étoiles.

Néanmoins, comme Louis Markowitz adorait le rock, le paquet de lettres partageait sa passion des Rolling Stones et des Who. Des kilomètres durant, elle joua leurs chansons. Parfois, un vieux tube coïncidait avec les titres préférés de sa collection de vinyles. Auquel cas, Lou l'accompagnait en musique le temps d'un morceau.

Elle avait besoin de manger et de dormir.

Le lendemain, elle réessayerait de comprendre les nouvelles instructions établies par Peyton Hale au fil de sa correspondance. L'auteur, qui avait grandi en Californie, était devenu un homme. Au retour, il avait retracé son vieil itinéraire et posé des jalons avec un curieux sens de l'orientation. Elle n'avait pas pu suivre ses instructions illogiques, qui préconisaient de regarder la route devant soi en s'arrêtant pour contempler le ciel.

Clic clac.

La photo encore noire sortit du Polaroïd et l'image apparut lentement au centre : sous les lumières aveuglantes du restaurant, on distinguait une femme brune, tout de rouge vêtue. Immobile comme la mort, elle était assise là – sur la photo.

La femme en chair et en os, au contraire, ne tenait pas en place : elle tourna la tête, comme si elle avait entendu le déclic de l'appareil sur le parking. Encadrée de nouveau par le viseur, elle sembla poser pour le prochain cliché, figée, saisie. Puis elle recommença à bouger et regarda les autres clients : sans doute se demandait-elle si l'un d'eux était à l'origine de ses craintes du soir.

Faux.

Soudain, elle dut sentir que le danger venait du parking (brave fille !), car elle ramassa son sac rouge et préféra s'installer à une table loin de la fenêtre.

Le photographe redémarra et alla se garer dans une ruelle sombre.

Mallory s'engagea sous les puissants réverbères du relais routier Dixie Truckers Home. Deux gigantesques semi-remorques faisaient le plein de diesel. Elle compta dix camions. Il n'y avait qu'une seule voiture particulière, berline rouge en provenance d'un autre État, alors qu'il était quatre heures du matin et qu'il n'y avait plus l'ombre d'un touriste. Sac à dos en bandoulière, l'inspectrice franchit la porte du restaurant et commanda un café au comptoir, puis elle se dirigea vers le self, où des saladiers de nourriture grésillaient sous les lampes chauffantes.

Un plateau à la main, elle se servit machinalement, se préoccupant à peine de ce qui s'entassait sur son assiette, alors qu'elle avait déjà photographié chaque détail de la pièce et de ses occupants installés seuls ou à deux. Il y avait plus de tables vides que de clients : dix routiers costauds et une femme qui, sans doute shootée à la caféine, ne tenait pas en place et n'arrêtait pas de jeter des regards à la ronde. C'était forcément la propriétaire de la petite berline, car elle était aussi habillée en rouge des pieds à la tête : chaussures presque neuves, pantalon baggy et sweat-shirt délavé qui dissimulait ses bourre-lets. En revanche, elle s'était elle-même teint les cheveux couleur corbeau et s'était sûrement recoiffée devant le miroir des toilettes.

Mallory emporta son plateau au bout de la salle, consciente d'attirer le sourire des camionneurs : ils avaient cessé de discuter et la déshabillaient du regard. Ils se sentaient tellement dans leur droit qu'ils n'avaient peur de rien, comme s'ils avaient payé leur place à un spectacle de peep-show ambulant. Oh, si leurs yeux pouvaient crier et siffler ! Elle posa son sac sur la table, puis ôta sa veste en jean, qu'elle accrocha au dossier de sa chaise.

— *Seigneur*, souffla une serveuse.

Mallory arborait un magnum 357 Smith & Wesson. À l'unisson, les routiers baissèrent le nez, brusquement fascinés par leur assiette.

Problème réglé.

Seule la serveuse accepta l'arme sans sourciller, comme s'il s'agissait juste d'une infraction mineure au code vestimentaire. Quant au petit chaperon rouge, il sourit de toutes ses dents et brandit le poing en signe ancestral de solidarité féminine.

Mais oui, bien sûr.

Mallory sortit un calepin, qu'elle ouvrit à la page des repères. Elle cocha les lions verts de Chicago, barra l'ef-figie manquante de Cicero surnommée le Grand Paul, puis le terrain de base-ball disparu. Elle pointa ensuite un deuxième géant baptisé l'Homme Gémeaux, statue en tenue de cosmonaute, et, enfin, Funks Grove. La liste des monuments à voir en Illinois était presque bouclée. Il ne restait qu'une attraction : la reine de la route.

— Bonsoir, je m'appelle April.

Plantée devant elle, la touriste laissa poliment à Mallory le temps de se présenter, mais les secondes s'écoulèrent et elle semblait toujours invisible. Plus timide, elle reprit :

— April Waylon. De l'Oklahoma. Je peux me joindre à vous ?

Mallory refusa d'un regard glacial : même pas dans ses rêves.

Mais la femme s'installa.

— Vous allez vers l'est ou vers l'ouest ?

Au terme d'un autre long silence, l'intrépide voyageuse insista :

— Si vous allez vers l'est, vous avez peut-être croisé mes amis dans l'autre sens, sur la Route 66. Ils se déplacent en cortège. Moi, j'ai raté le grand rendez-vous à Chicago.

Mallory releva la tête.

— C'est là qu'on nous donnait les plans et j'ai essayé de rattraper la caravane. À l'heure qu'il est, ils sont arrivés au camping, mais je ne sais pas comment les retrouver. J'avais des numéros à appeler. Ils étaient enregistrés sur mon portable, mais la batterie est morte et je…

Mallory, qui ne voulait pas se coltiner sa biographie *in extenso*, lâcha :

— Quittez la nationale et prenez l'autoroute. Tous les campings sont signalés par des panneaux.

— Pas le nôtre. Il est installé sur un terrain privé, quelque part le long de l'ancienne route. Je ne sais pas quoi faire. Je ne peux pas retourner là-bas. Cette nuit, j'ai eu la frousse, une trouille d'enfer, et je ne pourrais même pas vous expliquer pourquoi. Stupide, non ?

Un type en salopette, relents d'essence en prime, s'approcha de la table et, après s'être essuyé les mains sur un chiffon graisseux, il s'adressa à la femme de l'Oklahoma :

— Votre voiture est prête depuis un moment.

— Désolée, murmura April Waylon. J'ai perdu la notion du temps. Mon pneu est réparé ?

— Non, madame. Il n'est pas crevé, mais une valve est fichue. Voilà pourquoi il s'est dégonflé. J'ai changé la roue mais, si ça se reproduit, ne bougez plus et attendez la dépanneuse.

— J'étais perdue au milieu de nulle part et mon portable ne fonctionnait pas.

— Quand vous êtes arrivée, le pneu était à plat. À force de conduire ainsi, ça a bousillé la roue et le train avant.

La petite table isolée était en train de se transformer en véritable centre de conférence. Une serveuse rondouillarde avait apporté un café et, à présent, elle lisait la liste de repères sur le calepin.

Après le départ du mécanicien en salopette, Mallory essaya encore de se débarrasser d'April Waylon. Elle lui indiqua un routier qui quittait la salle :

— Suivez-le jusqu'à l'autoroute et trouvez-vous un motel pour la nuit. Vous aurez plus de chances de rejoindre vos amis en plein jour.

— J'ai peur. Comment expliquer ? J'ai juste…

— Demandez-lui de surveiller votre voiture et tout ira bien.

Soudain, Mallory remarqua que la touriste avait laissé son sac ouvert au beau milieu de la salle. Conclusion : soit elle débarquait d'un bled à criminalité zéro, soit elle manquait de jugeote.

— Vous êtes bien officier de police, non ? insista April Waylon, soudain remplie d'espoir. Et vous allez vers l'ouest. Je le vois à votre liste. Elle commence à Chicago.

Elle tapota l'itinéraire.

— Je me souviens des lions verts. Je pourrais donc vous suivre, vous !

— Impossible.

— Le Grand Paul n'est pas à sa place, intervint la serveuse grisonnante.

— Quoi ? s'étonna Mallory.

— Le Grand Paul. Une statue d'homme brandissant un énorme hot dog, ajouta-t-elle lentement au cas où sa cliente ne serait pas très futée. Il est mal placé sur votre liste. Vous le trouverez entre Funks Grove et la reine.

— Non. Il était censé se dresser au nord de Cicero.

— Plus maintenant, grogna-t-elle. Je répondais aux questions idiotes sur cette route avant que vous appreniez à conduire, jeune fille, et je sais où se trouve cette fichue statue. Il y a quelques années, elle a été achetée à une entreprise de Cicero et réinstallée dans Arch Street, à Atlanta. C'est la prochaine ville sur la carte. Prenez à gauche en sortant du parking et continuez jusqu'à la voie de chemin de fer, mais ne la traversez pas. Vous verrez le panneau de…

Mallory n'écoutait plus. Elle se leva de table, lâcha un billet de cinquante dollars sur son plateau (dix fois le prix de son repas), puis, sans avoir touché à son assiette ni bu son café, elle fonça vers la porte, pressée de trouver la statue.

À son arrivée à Atlanta (Illinois), Mallory n'eut aucun mal à dénicher Arch Street, tant la ville était minuscule. Ses phares éclairèrent un géant en fibre de verre qui, en effet, brandissait un énorme hot dog. « Aussi haut qu'un immeuble », disait la lettre. « Aussi haut qu'un arbre. Le Grand Paul. » La statue n'avait donc pas été perdue mais déplacée.

L'auteur des instructions semblait très porté sur les éléments de décor à grande échelle, mais Mallory ne comprenait pas sa passion de la Route 66. Jusqu'à présent, l'image qu'elle s'était formée de l'Illinois tenait en un mot – *plat* –, exception faite de quelques rares bosses. À la lumière de sa torche, elle relut plusieurs lettres et se demanda ce qui lui échappait. Elle leva les yeux vers la statue.

Voilà donc l'idée que Peyton Hale avait d'un grand spectacle ?

Des phares apparurent dans le rétroviseur, une voiture se gara derrière la décapotable et la jeune femme fut aveuglée par ses puissants faisceaux lumineux. Une portière claqua. Quand la touriste du restoroute vint tapoter au carreau, elle tomba nez à nez avec un énorme revolver. April Waylon voulut hurler, mais elle n'émit qu'un faible glapissement et agita les bras comme un oiseau affolé.

Après l'avoir observée un instant, Mallory descendit de voiture et lui dit, plutôt lui *ordonna* :

— On se calme. Maintenant !

La touriste se figea, guère détendue mais déjà beaucoup moins agaçante.

— Qu'est-ce que vous fichez ici ? Je vous avais indiqué de prendre l'autoroute.

— Une voiture me suit. Quand je suis arrivée près d'Atlanta, elle s'est laissé distancer. Ses feux ont disparu de mon rétroviseur, mais elle n'a pas tourné. Vous voyez ce que je veux dire ?

Du plat de la main, April tenta de lui montrer à quoi ressemblait un véhicule qui quittait la route.

— Eh bien, ça ne s'est pas passé comme ça. Les phares se sont juste éteints. Quant à mon portable, il ne marche toujours pas. J'ai essayé de le brancher sur l'allume-cigare, rien à fai… *Mon Dieu !*

Mallory lui arracha son téléphone et l'ouvrit pour vérifier la batterie. Elle s'attendait à découvrir des points de corrosion, une mauvaise connexion des fils, mais elle brandit l'appareil et montra à April que le boîtier était vide :

— Voilà pourquoi il ne fonctionne pas.

— Impossible ! Je m'en suis encore servie aujourd'hui. J'ai réservé une table au restaurant. Bonne adresse, d'ailleurs, jacassa-t-elle. Vous êtes sûrement passée devant. À la sortie de…

— Pendant que vous dîniez, quelqu'un a pris votre portable et dérobé la batterie.

Vu qu'elle laissait son sac n'importe où, ç'avait dû être un jeu d'enfant. Quoiqu'un voleur de base ne se serait pas risqué à rendre la coquille vide du téléphone.

— C'était peut-être lui ! L'homme qui me suit. Il est toujours là. Croyez-moi. Je ne suis pas cinglée. Je n'invente rien.

Mallory la croyait. Un portable hors d'usage allait de pair avec sa valve de pneu fichue.

— Montez.

Et April Waylon s'exécuta docilement.

L'inspectrice rebroussa chemin vers la berline rouge et ouvrit le capot, puis elle prit le sac posé sur le tableau de bord, laissa les phares allumés et ferma la portière à clé. De retour à sa voiture, elle jeta un portefeuille écarlate sur les genoux de sa passagère et balança le reste au milieu de la route.

— Mon sac ! Il contient toutes mes cartes et…

Sur quoi, la raisonnable April se tut et regarda devant elle, en silence.

Mallory démarra et s'éloigna, un œil collé au rétroviseur :

— Si je ne coince pas le malade qui vous suit, vous devriez rentrer en Oklahoma quand il fera jour.

— Je ne peux pas.

Intéressant.

Elle avait cru qu'April Waylon était une petite idiote

qui s'effrayait d'un rien et s'affolait facilement. Pourtant, elle roulait de nuit et tentait de surmonter sa peur.

— Pourquoi ce voyage est-il si important ?

— Je recherche ma fille, mon bébé. Elle n'avait que six ans quand on me l'a enlevée.

Coup d'œil au rétroviseur. Personne ne les suivait. Mallory ralentit, se rangea sur le bas-côté et attendit le moment opportun :

— Quel âge a-t-elle aujourd'hui ?

— Presque seize ans.

Au bout d'un long silence, elles reprirent lentement la route.

April croisa les mains et ses doigts s'entrelacèrent :

— Vous ne me le direz pas, mais vous me trouvez ridicule. Tout ce temps… dix ans. Vous pensez qu'elle est morte. Vous le savez. Je ne suis qu'une vieille folle… Et vous avez raison, mais j'ai besoin de retrouver ma fille et de la ramener à la maison. Dans le monde entier, des enfants rentrent chaque jour chez eux. De l'école.

Elle baissa la tête.

— C'était ma faute. Le car scolaire s'arrêtait à deux pas, mais j'aurais dû attendre qu'il arrive. Je ne l'ai plus jamais revue. Avant, les trajets école-maison, c'était la routine. Elle n'avait que six ans. Vous comprenez donc que je ne peux pas l'abandonner ici ?

Elle regarda le paysage nocturne défiler derrière son carreau.

— Il faut que je la retrouve. C'est ce que les mères font, ajouta-t-elle d'une voix soudain très neutre.

Mallory prit un virage serré, puis un autre et rebroussa chemin vers Arch Street. Elle éteignit les phares et le moteur pour avancer silencieusement, en roue libre, dans l'obscurité. Quelques mètres devant elle, un autre véhicule était garé derrière la berline rouge et un homme armé d'une torche inspectait les vitres d'April. Il avait le sac rouge à la main. Mallory ouvrit sa portière sans bruit et descendit la rue à pied. L'inconnu était si occupé qu'il ne l'entendit pas arriver par-derrière, jusqu'au moment où elle lui tordit le bras droit dans le dos et lui pressa le canon de son revolver sur la nuque.

— Stop ! hurla-t-il. Je suis de la police !

Mais jusqu'à ce qu'il montre son insigne et même après, elle continua à lui martyriser le bras. Elle examina le portefeuille étalé sur le capot et lut la carte d'identité glissée à côté du badge. Ce flic de Chicago patrouillait bien au-delà de son périmètre d'action, à quelque trois cents kilomètres de son district.

— Je sais pourquoi je roulais au ralenti sans phares, lâcha-t-elle. Maintenant, expliquez-moi pourquoi vous avez éteint les vôtres.

— Je ne vois pas de quoi vous parlez. Jamais je n'ai éteint mes feux. Je fais partie d'un détachement spécial et j'ai passé la nuit à pister une bagnole volée. J'ai perdu le signal GPS sur cette route.

Piètre mensonge ! Elle savait pertinemment qu'il n'était pas en train de traquer un éventuel voleur de voiture susceptible d'aller revendre des pièces détachées chez un hypothétique casseur. Pas dans un bled aussi paumé. D'autant qu'à cette heure tardive, une folle course-poursuite ne l'aurait pas effrayé : il n'y avait aucune raison qu'il prenne le véhicule en filature discrète. Il devait être en mission de surveillance, mais il n'était pas question de voiture volée.

— Où sont vos renforts ? Où est le camion de la fourrière ?

Le policier de Chicago souriait mais, là aussi, c'était bidon, car, malgré la fraîcheur de la nuit, de grosses gouttes de sueur perlaient sur son front. Il croyait sa dernière heure arrivée. Il en était persuadé mais ne se départit jamais de son sourire, ce qui le fit remonter dans l'estime de Mallory.

— J'imagine que vous êtes flic, murmura-t-il, badin.

Mallory n'avait pas envie de rire.

— Hé ! S'il s'agit de votre voiture, désolé. Ce n'est pas celle que je poursuivais. J'ai vu le capot relevé et un sac abandonné sur la chaussée. J'ai cru que quelqu'un avait des ennuis.

Elle lui lâcha le bras et rangea son arme.

Il se redressa et roula les épaules, comme s'il n'était pas en train de mouiller son pantalon :

— Vous êtes bien flic ?

Elle prit le portefeuille resté sur la voiture :

— Vous avez compris que je ne croyais pas un mot de votre histoire ?

— Oui.

Les yeux rivés sur le revolver, il arborait toujours le même sourire, comme s'il lui avait collé au visage et qu'il ne pouvait plus s'en débarrasser.

Elle jeta un œil à sa propre voiture en contrebas, fit signe à April Waylon de les rejoindre et s'adressa au policier :

— J'ai du boulot pour vous. S'il est vrai que vous n'avez pas éteint vos feux, cette femme est suivie par quelqu'un. Vous allez donc jouer les gentils baby-sitters jusqu'à ce qu'elle retrouve ses amis.

Mallory s'attarda ostensiblement sur la carte d'identité avant de lui rendre son portefeuille :

— Maintenant que je sais où vous vivez, j'exigerai des comptes... s'il lui arrive des bricoles. Ça vous pose un problème ?

— Non, bien sûr. Pas du tout.

Juste heureux d'être en vie, il affichait désormais un sourire plus naturel.

Clic clac.

Le bruit de l'appareil photo fut étouffé par le rugissement d'un moteur.

De loin et dans le noir, il était risqué de prendre un polaroïd sans utiliser le flash. Seules sources de lumière ? Le réverbère et les phares de la berline rouge. Par ailleurs, la Volkswagen décapotable avait redémarré sur les chapeaux de roues, sans crier gare. L'image qui apparut peu à peu était un mélange confus de cheveux dorés et de métal argenté. À de nombreux égards, c'était un portrait particulièrement révélateur de la jeune blonde. Par définition, les énigmes manquaient toujours de clarté.

Riker était entré en Indiana, dernier État avant l'Illinois, quand la sonnerie de son portable retentit.

— Elle m'a chopé, annonça le patrouilleur de Chicago. Ma parole, je ne sais pas comment elle a réussi. Ça ne m'était encore jamais arrivé.

Riker eut la délicatesse de garder le silence : le type ne se serait pas fait pincer s'il avait respecté la distance imposée d'un bon kilomètre entre la New Beetle et lui. Néanmoins, après avoir appris l'histoire de la touriste et du voyeur, il comprit pourquoi Mallory l'avait épinglé. Le patrouilleur parlait encore, mais Riker n'écoutait plus, l'esprit ailleurs. Réfractaire au principe des coïncidences, il tentait d'établir un lien entre un suicide à New York, une scène de crime à Chicago et un harceleur au fin fond de l'Illinois. Aïe ! Ça donnait la migraine.

Le laïus de son interlocuteur s'acheva sur un simple :

— Désolé.

— Disons qu'elle est très douée pour repérer les ombres, l'excusa Riker.

Elle voyait même des fantômes qui n'existaient pas.

— C'est un don.

53

L'inspecteur disait vrai. Mallory avait élevé sa paranoïa aiguë au rang de l'art.

— Merci quand même d'avoir assuré toute la nuit. Je vous dois une fière chandelle.

— Pas de problème. Au poste, je ne peux pas annoncer au patron que j'ai raté mon coup. Je vais donc lui dire que vous m'avez demandé d'arrêter la surveillance. Ça ne vous dérange pas ?

— Non, je vous soutiendrai.

— Merci. Je vous ai raconté qu'elle m'avait enfoncé son flingue dans la nuque ?

— Oh, merde.

— J'imagine que ce n'est pas une voleuse de bagnoles. Elle est flic ? Peut-être la propriétaire officielle de la voiture : l'inspectrice Mallory ?

Sans réponse de Riker, le patrouilleur insista :

— Elle n'est pas du genre à rouler en Volkswagen.

Mallory cherchait une bretelle d'accès à l'A55, très fréquentée, où des panneaux indiquaient régulièrement des pompes à essence ouvertes 24 h/24. Paysage de cette vieille route secondaire ? La sombre grisaille du petit matin, bien avant le lever du soleil.

Plus besoin de trouver un embranchement vers l'autoroute. En face d'elle, elle aperçut les lumières d'une station-service. Bizarre ! N'importe quel automobiliste aurait remercié le ciel d'en trouver une ouverte à cette heure surnaturelle de la journée. Mallory, elle, se méfia. Comment la minuscule boutique, dotée d'une seule pompe, survivait-elle avec si peu de clients potentiels ? Elle n'avait pas d'atelier de réparation et l'autoroute voisine devait s'être arrogé tout le commerce de carburant. Il n'y avait donc aucune raison d'ouvrir avant que le soleil soit haut dans le ciel, pourtant un garçon en salopette bâillait à côté de la pompe.

Un vieux monsieur sortit de la baraque en bois. Après avoir frotté ses yeux bouffis de sommeil, il avança vers elle en remontant son pantalon. Mallory le rembarra aussi sec et enfonça le bec de la pompe dans son réservoir. Il haussa les épaules d'un air ravi : ça faisait moins de boulot, alors si elle voulait se servir elle-même, libre à elle ! Il agita néanmoins un doigt menaçant et grogna :

— On paie cash ici. La maison ne fait pas crédit.

Quand elle négligea de lui répondre, même d'un hochement de tête, il s'approcha de la voiture :

— Vous avez un sacré bol que j'aie encore du carburant. Ces maudits touristes m'ont presque tout pris hier.

Les yeux brillants, l'adolescent admirait la décapotable, mais il avait laissé une bonne marge entre Mallory et lui : il sentait qu'il pourrait avoir des problèmes si jamais il s'aventurait trop près. Encore plus s'il *osait* toucher la carrosserie. Il resta donc à distance respectueuse :

— Vous traquez quelqu'un ?

Mallory n'était pas souvent prise de court et la surprise dut se lire sur son visage.

Encouragé, le garçon avança d'un pas et demanda poliment :

— Un cliché à nous montrer ?

En l'absence de réponse, il crut qu'elle était étrangère et mima un carré pour se faire comprendre.

— Quoi ?

— Une photo ! s'exclama le vieil homme, frustré que le gamin ait déjà épuisé tout son vocabulaire en langage parlé et en langue des signes.

D'un geste du pouce, il indiqua le champ au bout de la station-service :

— Les campeurs d'hier soir se baladaient tous avec des affiches.

Elle remit le tuyau sur la pompe, contourna le baraquement et jeta un œil au fameux terrain vague.

Ces touristes-là devaient être très méticuleux, car ils n'avaient abandonné aucun détritus derrière eux. On remarquait juste les cercles calcinés de leurs feux de camp et de nombreuses traces de pneus. Quand elle revint sur ses pas, le vieux marmonnait :

— Comme si je me rappelais tous les clients qui m'ont acheté de l'essence en vingt piges… Quant à mon petit-fils, ici, je vous jure que ces crétins lui ont aussi demandé d'y jeter un œil. Posters, photos et même portraits de médaillons de jeune fille : tout y est passé !

L'adolescent s'approcha timidement de Mallory :

— Ceux que j'ai vus avaient l'air de gamins. Alors, si vous avez une photo…

— Non.

Elle n'avait pas de photos, juste des lettres, et ne croyait pas que le vieux pompiste se rappellerait la venue d'un autre conducteur de Volkswagen avant qu'elle soit née, même si l'automobiliste en question ne passait pas inaperçu.

Il grogna qu'il devait faire la monnaie de son gros billet, puis elle reprit la route. Dans son rétroviseur, elle vit le petit-fils lui courir après en agitant les bras et crier :

— J'espère que vous le trouverez !

C'était très déstabilisant que le môme se mêle de ses affaires. Elle flanqua un gros coup de poing sur le tableau de bord.

Et la douleur lui remit les idées en place.

Elle lorgna vers son sac à dos, où les lettres, entassées, lui apporteraient le soutien nécessaire tout au long de la journée. Mallory ne voyait pas à plus long terme.

Un nombre croissant de véhicules se déversait sur la Route 80. C'était bientôt l'heure de pointe en Indiana et Chicago était encore à des centaines de kilomètres, mais

Riker n'était pas pressé. Il n'avait pas utilisé la sirène portative qui aurait écarté de son chemin les civils effrayés. Il n'avait même plus besoin du système de traçage antivol pour savoir où fonçait Mallory. Alors que la meilleure technologie du monde ne pouvait pas prédire la prochaine destination de la jeune femme, l'inspecteur, lui, en était soudain capable. Il connaissait chaque itinéraire qu'elle emprunterait, chaque ville qu'elle sillonnerait. Il aurait largement le temps de combler son retard, car elle roulait sur une route immémoriale. Dont il se souvenait très bien.

Au sud de Waggoner (Illinois), s'il n'y avait pas eu de projecteurs, Mallory serait passée devant la reine sans la remarquer. Vu la passion de l'auteur des lettres pour les spectacles grandioses des géants en fibre de verre, elle s'attendait à un monument plus imposant. Or la statue de marbre blanc était à peine de taille humaine. L'inspectrice se gara sur une dalle de ciment devant l'autel de la Vierge Marie, surnommée aussi Reine du Macadam ou Notre-Dame des Autoroutes. La ferme voisine ne donnait aucun signe de vie.

Mallory ne comprenait toujours pas l'intérêt de passer d'un étrange repère à un autre. Peut-être avait-elle accordé trop d'importance à la découverte touristique. Premier indice ? Interdiction formelle d'utiliser un appareil photo, de peur qu'elle ne « tombe dans le piège de regarder les minutes étiolées d'un temps qui passe sans t'attendre. La vie ne pose pas devant l'objectif ». Hélas, l'Illinois était toujours aussi plat et cette statue n'apportait qu'un modeste relief au paysage. De nouveau déçue, Mallory revint à sa voiture et à la route.

Les premiers rayons du jour pointaient à l'horizon, par la lunette arrière, et elle écoutait le *Concerto brandebourgeois* n°3, conseillé pour les levers de soleil.

L'auteur des lettres y voyait « une musique ensoleillée aux notes acrobatiques et multicolores, une mélodie planante qui te fait décoller de ton siège ».

Mallory ne décolla pas d'un millimètre et mit la chanson suivante. Elle rétrograda et engloutit les kilomètres à toute allure au son strident des Rolling Stones, comme recommandé dans la deuxième lettre : « Si ça ne rend pas un chat sourd, ce n'est pas assez fort. »

Les choix musicaux de l'auteur manquaient un peu de logique ou de style. Ce n'était pas la *play-list* d'un cerveau méthodique qui faisait la différence entre classique et rock, pop et jazz. L'esprit désorganisé de son guide tapait sur les nerfs de Mallory. Pourtant, elle continua à suivre son itinéraire et à écouter ses chansons.

La voiture ralentit derrière une longue file d'automobilistes plus respectueux des limitations de vitesse. Habitude oblige, elle colla au train de la dernière voiture, oubliant un instant que les Volkswagen étaient loin d'impressionner les autres conducteurs. Pendant que la route tournait et serpentait, Mallory attendit d'arriver sur une ligne droite pour passer, en quelques secondes, de la limite autorisée à un bon deux cent quarante kilomètres-heure. Elle doubla une Lincoln qui traînait une énorme caravane, un camping-car, des voitures tirant de petites remorques potelées, des berlines aux barres de toit écrasées par les sacs de couchage et les piquets de tente, ainsi que d'autres 4×4 bourrés à craquer de bagages. Un long défilé de voyageurs, le long duquel chaque véhicule était relié à l'autre par un fil invisible.

Les amis d'April Waylon ?

C'était sûrement la bande de touristes méticuleux qui avaient campé la veille près de la station-service, ne laissant derrière eux qu'un tas de cendres et des traces de pneus.

En une fraction de seconde, le cortège disparut du

rétroviseur de Mallory, grisée par la vitesse et la route qui s'ouvrait à elle. La voiture et la femme avaient fusionné. Son cœur battait au rythme des redoutables performances d'un moteur parfait. Elle était devenue un nouveau genre de créature, dont les jambes roulaient avec grâce dans l'entrelacs des changements de voies et des virages. Une demi-heure plus tard, lorsqu'elle songea enfin à se remplir l'estomac, elle assimila la nourriture à du carburant et s'arrêta sur le parking d'un restaurant.

Au sud-ouest de l'Illinois, la campagne desséchée était en piteux état. Les arbres étaient grêlés de feuilles mortes ratatinées en bouton et l'herbe d'un champ voisin avait roussi. La seule autre voiture du parking était une vieille Ford verte qui, d'après ses plaques, venait d'un autre État : les flancs étaient maculés d'eau boueuse et l'arrière de la berline attirait les mouches.

Un tas de mouches.

Pressées de s'insinuer à l'intérieur du coffre verrouillé, les bestioles bourdonnaient et s'agglutinaient autour. Mallory leva les yeux vers les larges baies vitrées du restaurant. Seule occupante des lieux, une jeune femme robuste en uniforme blanc nettoyait le comptoir en formica. Elle astiqua ensuite le cuivre des cafetières et même les attaches métalliques des étagères à gâteaux. Mallory comprit que la serveuse, obsédée par l'ordre et la propreté, conduisait la vieille Volvo garée sur un carré d'herbe adjacent : le véhicule venait d'être lavé et, surplombant le Jésus en plastique du tableau de bord, un sapin désodorisant pendait du rétroviseur. Mallory supposa qu'elle s'était garée hors du spacieux parking, car elle était très fière de sa voiture chérie : pas question de la voir emboutie par un chauffard ivre, pressé de dessoûler grâce au café qu'elle lui servirait.

Tout en écartant les mouches, Mallory s'approcha de

la Ford verte crasseuse qui avait un nouveau pneu, sans doute la roue de secours, et elle se pencha au carreau avant gauche : bien qu'elle n'ait pas mené d'enquête criminelle depuis des mois, les vieux réflexes avaient la vie dure. Elle aperçut une carte d'Automobile Club sur le tableau de bord, ainsi qu'un portable branché à l'allume-cigare. Une torche gisait à terre, lentille et ampoule cassées. Le téléphone du conducteur n'était pas en état de marche. L'homme s'était arrêté pour changer son pneu et un autre problème avait surgi.

Quand elle franchit la porte du restaurant, Mallory aperçut une antique T.S.F. posée derrière le comptoir. La voix métallique d'un météorologue annonçait une nouvelle semaine de sécheresse dans la région. La Ford boueuse avait certainement essuyé le violent orage de la veille à Chicago.

Seule cliente de la matinée, elle pouvait s'asseoir où elle voulait mais choisit une table près de la fenêtre, idéale pour regarder les mouches frustrées tenter de s'introduire dans le coffre. Une serveuse souriante arborant un badge « Bonjour, je m'appelle Sally ! » sur son opulente poitrine s'approcha et, spontanément, lui servit un café parce que :

— Le premier est toujours offert par la maison. Que puis-je vous apporter d'autre, ma grande ?

Fidèle à son petit déjeuner préféré, Mallory commanda deux œufs au plat, puis elle indiqua la berline verte sur le parking :

— Où est le conducteur ?

— Aucune idée, chérie. La voiture était déjà là, vide, quand j'ai ouvert la boutique ce matin. À mon avis, le propriétaire est parti chercher de l'essence.

Peu probable. Abandonner son portable sur le siège avant était une véritable invitation aux cambrioleurs.

— La station-service est loin d'ici ?

— Une vingtaine de minutes à pied... Oh, souffla-t-elle en consultant l'horloge du restaurant. Il aurait dû être rentré depuis longtemps. J'imagine qu'il ne va pas tarder. Enfin, je ne lui tiens pas rigueur d'accaparer une place.

Elle attendit que sa cliente apprécie la plaisanterie, vu l'immensité d'un parking où stationnaient à peine deux voitures, mais, apparemment, le sourire n'était pas à l'ordre du jour. Sans se laisser démonter, Sally enchaîna :

— Mon père était serveur ici au temps béni où l'auto-route n'existait pas encore. Aujourd'hui, l'A55 n'est plus aussi flambant neuve, mais elle attire tous les automobilistes du coin.

Mallory connaissait déjà l'histoire du restaurant et, les yeux posés sur le parking, elle le revit à l'époque où le jeune Californien était passé par là et que la route était surnommée la Grande Rue de l'Amérique. Hélas, la serveuse ne se souviendrait pas du garçon qui s'était arrêté en Coccinelle décapotable : comme Mallory, elle n'était pas née à l'heure du voyage suivant, quand le fameux conducteur était revenu vers l'âge de vingt-cinq ans.

— De jour comme de nuit, le parking était toujours plein. Des voitures et des camions. Vous avez vu les bungalows au fond ? Ils grouillaient de touristes venus des quatre coins du pays. Ah, la belle époque !

Pendant que son petit déjeuner refroidissait, Mallory apprit que Sally s'occupait aussi des bungalows et elle lui tendit sa carte de crédit pour réserver un lit, histoire de dormir quelques heures.

Elle était si fatiguée.

Cependant, elle resta encore assise un moment près de la fenêtre. Deux clients arrivèrent chacun de leur côté, à une demi-heure d'intervalle. Il s'agissait manifestement d'habitués, car Sally posa leur commande sur le comptoir avant même qu'ils ne poussent la porte vitrée. Après avoir avalé leur café, une tarte pour l'un et un beignet pour l'autre, ils repartirent vers des occupations différentes. Une heure avait passé.

La berline verte et sa horde de mouches étaient toujours là.

L'essaim avait tellement grossi que son bourdonnement furieux s'entendait de l'intérieur. À New York, le légiste en chef Edward Slope aimait dire que ces insectes et leurs asticots étaient les petits croque-morts de Dieu.

CHAPITRE III

Mallory se demanda si le meurtre était une priorité mineure dans cette région de l'Illinois. Vingt minutes s'étaient écoulées entre son coup de fil et l'arrivée de la police sur le parking. Le jeune agent dépêché sur place avait environ son âge, même si son nez retroussé lui donnait l'air d'un gamin. Elle devina qu'il avait été joueur de football au lycée : il se déplaçait avec la confiance d'un athlète qui avait remporté quelques matches et s'imaginait seul auteur de ces victoires. Pire, il était nonchalant. Comment réussissait-il l'exploit de lambiner le temps de quitter son véhicule et d'enfoncer sa casquette pendant les six interminables pas qui le séparaient du restaurant ?

Une clé de bungalow à la main, Mallory voulait expédier sa corvée en vitesse pour aller dormir un peu.

La porte s'ouvrit et le policier salua la serveuse :

— Bonjour, Sally.

Il s'approcha de la fenêtre et, subtile déduction d'un flic de campagne, s'adressa à la seule cliente des lieux :

— Mlle Mallory ?

— Mallory suffira.

Après s'être présenté en tant que Gary Hoffman,

« Juste Gary si vous préférez », il s'assit en face d'elle, ôta sa casquette et sourit :

— Si j'avais su que vous étiez aussi jolie, je serais arrivé plus tôt.

Quand la tentative de charme tomba à plat, sa mine ravie devint ridicule. Il ouvrit un calepin et chercha un stylo :

— Vous voulez donc signaler un véhicule suspect.

Par la fenêtre, il observa la berline verte et la décapotable argentée.

— Je suppose que la vieille Ford ne vous appartient pas. Je savais que vous étiez du style à conduire une Volkswagen.

S'il avait vu le rictus fugace de Mallory, il aurait compris que ce n'était pas l'expression d'une joie personnelle.

— Je veux que vous ouvriez le coffre de la Ford, annonça-t-elle.

Il lui répondit d'un charmant sourire condescendant, comme s'il jouait au gentil policier devant une classe de maternelle :

— Voyez-vous… en Illinois… il existe une raison pour laquelle nous ne nous permettons pas ce genre de choses.

Mallory serra sa clé jusqu'à ce que le métal s'enfonce dans sa paume. Elle avait cruellement besoin de sommeil et, comme elle n'allait pas attendre toute la journée qu'il termine ses phrases, elle l'interrompit :

— Hier soir, à Chicago, la police a découvert la victime anonyme d'un meurtre et il manquait une partie du corps.

— À ce que j'ai entendu dire…

— Le cadavre était disposé comme une saleté de panneau routier indiquant cette direction.

— Madame, Chicago est à des centaines de kilomètres de…

— Je sais. D'ailleurs, j'en viens. Voilà pourquoi ma voiture est aussi boueuse que la Ford.

Elle hocha la tête vers le parking.

— Vous avez donc un véhicule abandonné qui, hier soir, a essuyé un violent orage à Chicago. Ici, il n'a pas plu une goutte depuis un mois. Avez-vous aussi remarqué les insectes qui pullulent au niveau du coffre ?

Il écarta la petite bestiole qui l'avait suivi à l'intérieur du restaurant :

— Oh, les mouches. Ce n'est pas une première.

Sous-entendu : Hoffman avait déjà tout vu et tout entendu sur Terre.

— Vous n'êtes pas de la région, hein ?

Elle se demanda ce qui l'avait trahie. Son accent ? Ou les plaques new-yorkaises de sa voiture, garée juste sous le nez du jeune policier ?

— Au fond du coffre, continua-t-il avant de se taire un instant et de reprendre son souffle (tant de mots à sortir en une seule journée !), il y a sans doute une carcasse de cerf… À quoi bon forcer le véhicule ?

— Un cerf !

Mallory fixa la berline verte, comme si elle lisait l'avenir entier de son interlocuteur sur le capot : il refuserait de prendre en considération les témoignages extérieurs, ne monterait jamais en grade et tomberait des nues le jour où il serait renvoyé. Elle allait donc modifier sa destinée mais pas par pure gentillesse : en lui mettant les points sur les i, elle lui ouvrirait les yeux et pourrait ainsi aller dormir.

— Il n'a pas percuté de gros animal : son pare-chocs avant n'est pas abîmé. Il faut donc imaginer qu'il chassait, non ? À présent, supposons que notre « chasseur » puisse fourrer un cerf adulte dans son coffre, ce qui est impossible, vous ne croyez pas que le Colorado, d'où vient sa plaque d'immatriculation, a assez de gibier ?

Ils seraient en rupture de stock ? D'ailleurs, combien y a-t-il de cerfs à Chicago, où sa voiture a été lessivée par l'orage d'hier soir ?

Hoffman, qui avait trouvé la solution du problème, afficha un large sourire. Il ouvrit la bouche, mais Mallory le prit de vitesse :

— Pour dénicher des morceaux de corps éparpillés, les mouches à viande sont plus fiables que les chiens renifleurs de cadavres. Vous avez les compétences et sans doute un motif valable. Alors ouvrez-moi ce foutu coffre.

Comme il ne bronchait toujours pas, elle ajouta :

— Ça boosterait votre carrière.

Radieux, il secoua la tête : elle venait de lui raconter une bonne blague ou quoi ? Puis il lorgna les gâteaux alignés derrière le comptoir, peut-être décidé à savourer un bon petit déjeuner.

Pourtant, Mallory ne le descendit pas.

Elle avait espéré ne pas en arriver là, mais finit par sortir son insigne doré, emblème de la police de New York :

— Arrêtez de faire le mariole et obéissez.

Sa Mercedes-Benz à l'arrêt, Riker attendait qu'un camion renversé soit évacué de la chaussée. Après avoir demandé une cigarette à l'automobiliste derrière lui, il allongea les jambes et révisa ses notes. Il savait que Mallory avait traversé quatre États en suivant le tracé quasi rectiligne de la Route 80. Un parcours interrompu lorsqu'elle avait fait le plein à Chicago. Ensuite, elle avait emprunté des voies secondaires séparées par quelques portions de trajet sur la récente A55. Au début, il avait cru qu'elle roulait à l'aventure : c'était juste une fille en vadrouille et n'importe quelle route aurait fait l'affaire. À moins qu'elle ne soit perdue et, fidèle à elle-même, incapable de demander son chemin.

La dernière fois qu'elle avait utilisé sa carte de crédit, elle s'était payé un repas et une chambre d'hôtel à deux kilomètres d'un patelin au sud-ouest de l'Illinois. Il savait qu'il s'agissait d'une petite ville, car il avait reconnu le nom. Il se rappelait aussi les autres endroits qu'elle avait traversés pendant la nuit. Riker avait un tendre souvenir de la vieille route à la belle époque, quand il était encore adolescent, et il pouvait réciter par cœur le nom de chaque bourgade où une fille l'avait embrassé, invité dans son lit ou giflé. C'était la Route mère, vieille Route 66 déclassée, toujours fréquentée par des pèlerins grisonnants recherchant les vestiges de temps meilleurs et les souvenirs d'une vie qu'ils n'avaient pas connue.

La jeune Kathy Mallory, elle, ne faisait pas du tourisme.

Elle était en chasse.

Mallory ouvrit une fenêtre pour laisser entrer l'essaim de mouches, mais le policier ne comprit toujours pas. En revanche, Sally, qui, elle, avait saisi le message, fonça dehors armée d'une bombe insecticide. Tandis qu'elle combattait la nuée grouillante, Hoffman rejoignit *lentement* le parking, reprit son véhicule de patrouille et s'en alla, hilare.

En sortant du restaurant, Mallory prit un cintre métallique au vestiaire et le transforma en longue tige munie d'un crochet. Après avoir débarrassé Sally de sa bombe insecticide, elle enfonça l'outil entre la vitre et la carrosserie, crocheta la serrure, se faufila à l'intérieur et trouva la manette qui déclenchait l'ouverture du coffre. Comme elle n'était pas d'humeur à gérer le traumatisme d'une civile peu habituée aux spectacles sanguinolents dès le petit déjeuner, elle demanda à Sally de s'éloigner. Puis, sur un sol jonché d'insectes morts empoisonnés ou agonisants, elle regarda au fond du coffre. Les mouches les plus intrépides avaient réussi à s'y glisser, survivant ainsi à la tentative de génocide de la serveuse.

Après avoir vérifié la liste de ses contacts sur son portable, elle appela à Chicago un inspecteur de la criminelle à qui la police new-yorkaise devait quelques faveurs. Au bout du fil, une voix bourrue grogna :

— Kronewald !

S'ensuivit un « Quoi ! » plutôt menaçant. Ce n'était pas une question mais l'ordre d'annoncer la couleur ou de lui ficher la paix.

— Mallory. De la police de New York.

— Merde alors ! s'exclama-t-il, soudain plus joyeux. Comment vas-tu, ma petite ? Et ton équipier Riker ?

Peu encline au bavardage, elle expliqua :

— J'ai ouvert un coffre de voiture et j'y ai trouvé une main d'homme. Coupée au niveau du poignet.

— Putain ! Ça colle pile poil avec un corps mutilé découvert à Chicago.

Kronewald lui raconta ce qui avait été déposé à la place de la main et, fidèle à ses habitudes, il n'ajouta rien qu'elle n'avait déjà appris la veille au soir à sa radio, quand un bleu avait déblatéré sur une fréquence grand public.

Incorrigible cachottier.

Elle donna ensuite le nom d'une touriste qui avait aussi eu des problèmes de voiture et de téléphone en panne – exactement comme la Ford qui abritait la main du cadavre.

La Mercedes avait repris sa route, mais elle traversait les derniers kilomètres d'Indiana à vitesse de croisière. Où allaient-ils donc tous de si bon matin ? Riker, lui, arrivait rarement au commissariat avant neuf heures. Quand la sonnerie de son téléphone retentit, il entendit une voix familière de Chicago :

— Salut, mon vieux, c'est Kronewald. Ton équipière a éteint sa saleté de portable.

— Comme d'hab. Qu'est-ce que je peux faire pour toi ?

— Vous en avez fait assez en une seule matinée. Mallory voulait un planton devant la Ford verte, le temps de se reposer un peu. Dis-lui qu'on renvoie le même agent que tout à l'heure. Son chef pense qu'une petite humiliation lui sera très profitable.

Riker écouta l'histoire du cadavre incomplet découvert au début de la Route 66, près de l'endroit où Mallory avait fait le plein. Cette station-service de Chicago devenait de plus en plus intéressante. Selon Kronewald, le reste du corps avait atterri au sud de l'Illinois – en même temps que Mallory. Quel était le rapport entre la mutilation d'un macchabée à Chicago et une femme tuée par balle dans un appartement new-yorkais ? Il était peut-être risqué d'évoquer Savannah Sirus.

— Mallory t'a-t-elle donné le nom d'une femme susceptible d'être impliquée ?

— Oui, elle nous a même dit par où commencer, répondit Kronewald. Et je la remercie : il ne nous a fallu que trois coups de fil pour localiser le motel d'April Waylon.

Au bout de quatre heures de sommeil dans son petit bungalow, Mallory rouvrit l'œil. Inutile de regarder le réveil sur la table de chevet : elle possédait une infaillible horloge interne. Néanmoins, elle ne quittait jamais sa vieille montre de poche, legs du regretté Louis Markowitz. Au dos étaient gravés les noms de quatre générations de policiers : le grand-père de Lou, son père, Lou lui-même et, enfin, sa fille adoptive, un simple *Mallory*. Plus d'une fois, elle avait dégainé la montre sans vergogne pour rappeler les faveurs dues au vieil homme, faveurs dont elle avait hérité. Il lui arrivait de l'ouvrir en plein commissariat, lorsqu'elle se sentait étrangère parmi ses collègues, quinze inspecteurs d'élite de la Brigade criminelle spéciale, des hommes qui avaient chéri Lou Markowitz de tout leur cœur mais qui, elle, ne l'appréciaient pas. À présent, bien que son étrange cerveau soit une horloge plus précise, que personne ne la regarde et qu'elle n'ait aucun profit à en tirer, elle ouvrit sa montre et contempla le cadran ancien, sans admettre pour autant son besoin de réconfort ou de compréhension. Mallory ignorait le motif de son acte, néanmoins elle le répétait à longueur de journée.

Après s'être aspergé le visage d'eau froide, elle verrouilla son bungalow et repartit au restaurant, où elle espérait signer sa déposition. Une fois débarrassée de la paperasse, elle prévoyait de savourer une bonne tasse de café, tout ce qu'il lui fallait pour reprendre la route. Prochain repère ? Au cœur du Missouri.

Sur le parking, elle retrouva l'agent Gary Hoffman, qui chassait les mouches, assis sur son capot. Sally, la serveuse, avait reçu l'interdiction de réutiliser son insecticide sur la Ford verte.

Le reste du parking était envahi par le long convoi qu'elle avait doublé en chemin. Elle reconnut une caravane ronde fixée à une voiture, ainsi qu'un grand camping-car. Pendant qu'elle dormait, le cortège s'était encore étoffé. Il y avait une trentaine de places devant le restaurant, mais cela ne suffisait pas et certains véhicules étaient garés sur le champ voisin. Des chiens aboyaient au carreau. D'autres tiraient sur leur laisse, attachés à une calandre ou une poignée de portière. L'établissement n'avait pas eu autant de clients depuis un bon quart de siècle, à l'époque où l'A55 avait supplanté l'ancienne nationale.

La berline rouge d'April Waylon n'était pas là. Les hommes de Kronewald avaient dû la retrouver avant qu'elle reprenne son voyage.

À l'intérieur du restaurant, il n'y avait plus une table ni un tabouret de libre et il ne fallait pas espérer être servi rapidement. Exténuée, Sally sortait des sodas du frigo quand trois clientes envahirent son territoire derrière le comptoir. La serveuse n'opposa aucune résistance et se laissa emmener à une table. Très douces, souriantes, elles la forcèrent à s'asseoir et à se détendre. Pendant ce temps-là, d'autres avaient instauré le travail d'équipe : on beurrait les tartines, on posait la viande, on éminçait les tomates et le fromage. Au bout de la chaîne, deux hommes emballaient les sandwiches et remplissaient les sacs, puis ils criaient le prix des menus à une femme qui notait le coût de la nourriture au fur et à mesure.

En salle, la serveuse étudiait les différentes photos et affiches posées devant elle. D'un signe de tête, elle disait que, non, elle ne se rappelait aucun visage, mais on continuait à lui soumettre toutes sortes de portraits.

Une femme du groupe haussa le ton pour couvrir le babil d'une vingtaine de conversations :

— Prenez votre temps.

Hélas, Sally s'entêtait à répondre :

— Désolée, non. Désolée, celle-là non plus.

Assis à la table du fond, un vieux monsieur attira l'attention de Mallory. Il lui adressa un coup de menton, comme s'il la saluait et la reconnaissait, alors qu'ils ne s'étaient jamais rencontrés. April Waylon n'avait pas rejoint ses amis, donc Mallory soupçonna Sally d'avoir cafté. Apparemment, la serveuse avait été très bavarde pendant que son unique pensionnaire faisait la sieste.

Tous ces gens savaient-ils qu'elle était flic ?

À travers la salle, les têtes se tournaient, on souriait, on acquiesçait. Chaque table était jonchée d'affiches d'enfants disparus. Le convoi avait l'habitude de rencontrer et de saluer la police partout où il passait. Au moins, Sally n'avait pas pu leur dire ce qu'il y avait dans le coffre de la Ford verte.

Encore à l'entrée du restaurant, Mallory observa le vieux monsieur du fond. Il se démarquait des autres. Le groupe était un méli-mélo de tailles et de silhouettes, de races et de générations différentes, mais personne n'approchait l'âge avancé du patriarche. Sous sa tignasse de boucles blanches, son visage accusait de profondes rides. De plus, malgré la cohue, l'homme était seul à table. Certains membres du cortège avaient formé une petite queue devant lui : un par un, ils venaient lui parler, puis s'éloignaient et le laissaient à sa collection de plans et de cartes. Plus qu'un simple poisson-pilote, c'était leur chef.

La veste de costume était un peu ample, comme s'il sortait d'une longue maladie. À en croire la coupe du vêtement et la qualité de l'étoffe, il était loin d'être pauvre. Sous les traits émaciés, ses yeux sombres et enfoncés semblaient plus grands. Il se leva en souriant et invita Mallory à le rejoindre. À moins qu'il ne lui montre juste son assiette de beignets ? Selon la croyance populaire, c'était le meilleur moyen d'attirer un policier.

Pourquoi pas ? Elle avait faim.

Elle s'assit en face de lui et attaqua les beignets avant même qu'il ait le temps de se présenter.

— Paul Magritte. Vous devez être Mallory. Prénom ou nom de famille ? La serveuse n'a pas…

— Juste Mallory.

Quand un trio de voyageurs se décala, elle aperçut deux enfants, bruns aux yeux bleus, installés à une même table. Vu leur ressemblance physique, ils étaient frère et sœur. La fillette avait cinq ou six ans, mais l'aîné lui donnait sa crème glacée à la becquée, comme si elle était trop petite pour utiliser une cuillère.

Toujours soucieuse d'avoir la mainmise sur la conversation, qu'elle soit amicale ou hostile, Mallory souffla :

— Ces gosses devraient être à l'école.

— J'espère que vous n'allez pas les dénoncer, répondit le doyen du groupe. À mon avis, ils sont mieux avec leur père. Ils voyagent ensemble.

Sa remontrance était un premier signe d'alerte : le radar de Mallory détectait les psys à des kilomètres et elle s'en méfiait comme de la peste. Voilà qui expliquait le costume onéreux et les disciples vêtus de polyester. Autre conséquence immédiate : il était donc l'heureux propriétaire de l'unique voiture de luxe garée devant le restaurant. Tous les médecins étaient riches et, à en juger par sa clientèle, celui-là se sucrait sur le dos des pauvres.

Elle jeta un œil aux seuls enfants du cortège. Un grand adulte brun aux mêmes yeux clairs les avait rejoints. Il avait une solide carrure et un visage qui avait encaissé trop de coups. Vu l'oreille en chou-fleur, elle le supposa boxeur. C'était étrange de voir un colosse aussi tendre avec sa fillette : il lui caressait les cheveux et parlait d'une voix très douce. Un autre client, petite boule de nerfs au plateau surchargé de nourriture, heurta par inadvertance la chaise de la gamine. Aussitôt, l'enfant délaissa sa crème glacée et se balança d'avant en arrière. Les bras serrés contre la poitrine pour se protéger du monde extérieur, elle fredonnait les quatre mêmes notes. Bref, elle était folle – nouvelle preuve à charge contre le vieux leader du groupe. Paul Magritte était bien réducteur de têtes, analyste des secrets et des rêves, maudit sorcier.

73

Après avoir posé sur sa sœur un bras protecteur, le garçon foudroya l'inspectrice du regard, car il se méfiait de tous les yeux posés sur la petite. Ce bonhomme d'une dizaine d'années fut un des rares à remporter son duel silencieux contre Mallory : elle fut la première à détourner la tête.

— Donc… pas de mère. C'est elle qu'ils recherchent ?

— Non, répondit Magritte. La plupart des disparus sont des gosses du même âge que Dodie là-bas. Quelques ados, comme Ariel Finn. La sœur de Dodie. Désolé, je croyais que vous étiez au courant. Hoffman n'est pas très expansif.

Même lorsqu'il était sérieux, les commissures de ses lèvres étaient légèrement relevées. Quant à ses yeux brun sombre, ils donnaient toujours l'air de s'excuser.

— Sally m'a dit que vous portiez un insigne, mais vous ne venez pas nous parler des enfants disparus ?

D'un petit coup au carreau, mais sans quitter son interlocuteur des yeux, Mallory indiqua la berline verte :

— Vous avez déjà vu cette voiture ? La Ford immatriculée au Colorado ?

Il se retourna trop vite vers le parking et fixa trop longtemps le véhicule, fasciné par l'essaim de mouches devant le coffre. Peut-être comprenait-il même ce que voulaient les insectes, pourtant il sourit :

— Non, je ne la reconnais pas.

Sans mandat, les psys ne donnaient presque jamais de détails.

Mallory prit un beignet et se leva de table, comme si elle préférait le savourer ailleurs, loin de Magritte :

— Je n'ai donc plus besoin de vous parler.

De sa main aux veines saillantes, il voulut l'empêcher de partir.

Elle savait qu'il essaierait.

— *Quoi !* lança-t-elle à la Kronewald.

Sous-entendu : il valait mieux cracher le morceau ou la laisser s'en aller.

— Je connais un homme du Colorado. Il était censé nous rejoindre hier, mais il ne s'est pas présenté au rendez-vous.

— Où ça ?

Il n'hésita qu'un bref instant, car on ne pouvait guère parler d'information confidentielle.

— À Chicago.

Il sortit un stylo-bille publicitaire d'hôtel :

— À cet endroit-là.

— Il me faut le nom et l'adresse de votre ami.

Elle sentit une légère réticence. *Pas le temps de gamberger, mon vieux.*

— Donnez-moi son nom. Maintenant.

— Gerald Linden. De Denver. J'ai son numéro de téléphone.

Il fouilla dans les poches zippées de son sac à dos en nylon.

— En revanche, je crains de ne pas connaître son adresse. Nous communiquions uniquement par mails. Il lui est arrivé quelque chose ?

L'inquiétude de Paul Magritte était sincère.

Mallory savait la Ford enregistrée au nom de Gerald C. Linden à Denver mais, comme elle aimait plus écouter que parler, elle se contenta de dire :

— On a terminé.

Cette fois, il fut soulagé de la voir partir et elle comprit son raisonnement : il était sûr qu'elle aurait prolongé l'interrogatoire si la Ford avait appartenu à l'homme qu'il connaissait.

Mallory avait d'autres raisons de laisser tranquille un vieux monsieur fragile : la brigade criminelle de Chicago apprécierait qu'elle collecte des informations, mais pas qu'elle mène l'interrogatoire à sa place. Plus tard, l'équipe de Kronewald pourrait pister le psy et son régiment de parents. Ces gens-là, qui se déplaçaient à vitesse d'escargot, s'arrêtaient partout pour montrer leurs affiches et leurs photos d'enfants disparus. D'ici la tombée de la nuit, ils n'auraient pas parcouru beaucoup de kilomètres dans le Missouri et elle savait où ils allaient. Ils suivaient l'ancestrale Route 66 et, d'un coup d'œil aux cartes étalées sur la table, elle avait vu où ils camperaient.

Les parents sortaient du restaurant à la queue leu leu, les bras chargés de sacs en papier kraft. Certains portaient des glacières bourrées de glace et de sodas. Mallory jeta le reste de son beignet, se faufila derrière le comptoir pour vérifier le stock et eut l'agréable surprise de trouver tous les ingrédients d'un cheeseburger dans les placards dévastés de Sally.

La serveuse, toujours assise à la table centrale, pleurait doucement. Dernier à partir, le vieux psy lui offrit quelques mots de réconfort avant de rejoindre sa troupe à l'extérieur.

Quelques minutes plus tard, Mallory cuisait des steaks en écoutant les informations à la radio. En titre : pas d'effroyable meurtre à Chicago mais un brusque revirement météo et des prévisions de pluie.

La plupart des véhicules avaient quitté le parking, mais Sally n'avait toujours pas bougé de sa chaise. Elle inspira à fond, passa un chiffon mouillé sur la table et entreprit d'évaluer l'ampleur de la razzia dans son garde-manger. Deux femmes du cortège revinrent poser des affiches aux fenêtres du restaurant et ne quittèrent pas les lieux avant d'avoir récuré chaque comptoir et chaque table, chaque chaise et chaque tabouret, puis serré la main de Sally en la remerciant de sa gentillesse.

Enfin, la porte se referma derrière elles.

Tranquillité. Silence.

La serveuse se rassit, sidérée de voir ses vitres placardées de prospectus. Ses carreaux fraîchement nettoyés ! Elle contempla le visage de dizaines d'enfants perdus et refondit en larmes.

Mallory apporta deux cheeseburgers et décida de partager son repas avec elle :

— Ne vous inquiétez pas pour les affiches. Je vous aiderai à les décoller.

La serveuse fut choquée, mais ça ne dura pas :

— On a le droit ?

— Bien sûr.

Lavée de tout sentiment de culpabilité, Sally croqua alors à belles dents dans son cheeseburger.

La main sectionnée de Gerald C. Linden gisait juste à quelques mètres de l'endroit où Mallory savourait son repas en écoutant la radio. La brigade criminelle de Chicago et la police de l'Illinois avaient fait du bon travail : il n'y avait eu aucune fuite dans les médias. Hormis les forces de l'ordre, personne ne savait ce qui avait été attaché au cadavre du carrefour la nuit précédente. Les parents du convoi n'en avaient aucune idée non plus, car leurs visages avaient trahi beaucoup trop d'optimisme.

CHAPITRE IV

Par la fenêtre de son bureau, le lieutenant Coffey regarda le premier touriste de la saison se faire mitrailler de fientes de pigeon. C'était officiel : le printemps était de retour à New York. Dans la rue, les heureux piétons sur lesquels aucun volatile n'avait défequé délaissaient les pulls et tendaient leur visage vers le chaud soleil de midi. Hélas, malgré un ciel bleu éclatant, la brigade criminelle spéciale vivait une journée pourrie. À trente-six ans, Jack Coffey était plutôt jeune pour occuper un poste à responsabilités, mais son esprit était focalisé sur la retraite.

Il l'imagina la tête dans une cuvette de W.-C.

Toute la matinée, il avait frénétiquement pianoté sur son clavier de téléphone, tissé des mensonges et évité les questions, car il voulait donner l'impression d'assurer, même s'il ignorait pourquoi un de ses subalternes était parti en Illinois. L'avantage, c'était qu'à présent il était plus à l'aise pour remplir la paperasse de l'affaire Savannah Sirus et conclure au suicide. Si elle avait commis un meurtre, Mallory ne signalerait pas de véhicule abandonné ni de membre humain aux autorités locales pendant sa cavale.

L'autre fenêtre du lieutenant était un panneau de verre inséré dans la moitié supérieure du mur. Résultat : une vue plongeante sur le commissaire divisionnaire Beale, qui s'apprêtait à le rejoindre par l'escalier. Au passage du vieil homme décharné, les policiers armés se levèrent. Il était rare que le grand chef rende visite à ses sous-fifres, d'autant qu'il était venu sans sa garde rapprochée – aucun témoin. Il n'avait pas fixé de rendez-vous, ni même passé de coup de fil annonçant son arrivée et il n'y aurait aucune trace écrite de la rencontre. Le divisionnaire Beale voulait mettre la pression sur le FBI (les vieilles rancunes avaient la vie dure) et il avait besoin de Mallory.

Il la supposait en vacances dans l'Illinois. S'il avait vérifié, il se serait aperçu qu'elle n'avait déposé aucune demande écrite de congés. Ce matin-là, elle avait été enregistrée comme officier en service. Et, apparemment, elle était bien sur le terrain. Elle travaillait juste pour le mauvais commissariat, à des années-lumière de chez elle. Par conséquent, si les bœufs-carottes venaient faire un brin de causette avec son chef de service, Jack Coffey pourrait répondre :

— Hé, la gamine s'est trompée.

De mille cinq cents kilomètres.

Mais oui, *bien sûr*, ça fonctionnerait nickel.

Si on lui en redonnait l'occasion, il commettrait de nouveau la même erreur. La Maison avait abîmé son inspectrice, l'avait rendue inapte au service, donc elle lui était redevable. Autre solution ? La relever véritablement de ses fonctions, mais Kathy Mallory ne réussirait jamais l'évaluation psychologique indispensable à la restitution de son arme et de son insigne.

Les autres policiers l'avaient couverte. Quant à Riker, il avait été exemplaire : il s'était dépensé sans compter et avait obtenu des résultats pour deux, son équipière manquante et lui. Le divisionnaire Beale voulait prêter Mallory à Chicago ? Eh bien, voilà qui officialiserait sa présence en Illinois mais, d'abord, il fallait reconnaître les dommages causés à la jeune femme. Comment Coffey allait-il y arriver à quatre États de distance ?

Et où était passé son équipier ?

Le bureau de Riker était toujours désert, parfaitement rangé par les femmes de ménage et débarrassé de son éternel capharnaüm. Le portable du sergent-détective avait sonné occupé toute la matinée mais, au moins, il avait donné signe de vie. Jack Coffey contempla le message griffonné par un malheureux stagiaire pendant l'heure de pointe. À peine trois mots qui voulaient dire quoi, au juste ? Riker prévoyait-il d'avoir un jour de retard ou juste encore une heure ?

Le lieutenant essaya de le contacter une dernière fois et, enfin, son mollasson d'inspecteur répondit d'un :

— Oui, chef, comment ça va ?

— Riker ! Où êtes-vous, bon Dieu ?

— Sur la route. Vous n'avez pas eu mon message ?

— Si, je l'ai devant les yeux, mais il est un peu sibyllin.

Il brandit la feuille et lut les trois mots à haute voix :

— « *Un problème familial.* » À tout hasard, ça signifie que votre partenaire est toujours folle ? Je sais qu'avec Mallory le terme est relatif, mais faites au mieux.

— Elle ira bien, chef, promis.

Elle *ira* ? Oh, merde !

Riker était-il dans les choux ou savait-il ce qu'elle fichait ? Coffey, qui n'espérait guère de réponse franche, aborda le problème de façon détournée :

— Vous la voyez souvent en ce moment ?

— C'est marrant que vous me posiez la question, chef. Je passe justement la chercher.

— Je ne crois pas, Riker. Vous êtes en retard au

bureau. Mallory, elle, était à mille cinq cents bornes d'ici, dans le sud-ouest de l'Illinois.

— O.K. Vous m'avez eu. J'ai menti.

Tout en manœuvrant entre les voitures de l'Illinois, Riker fut étonné d'apprendre que même le commissaire divisionnaire avait localisé Mallory. Résultat : Coffey lui ordonnait de prendre l'avion jusqu'à Chicago et de limiter les dégâts.

— D'accord, chef. J'y vais le plus vite possible… Non, pas de problème. Je m'occuperai de la note de frais à mon retour.

La Mercedes emprunta la bretelle de sortie qui conduisait à une station-service de Chicago.

Le patron parlait toujours et Riker se contenta d'écouter sans l'interrompre, comme si c'était la première fois qu'il entendait parler de la main droite sectionnée de Gerald C. Linden. Kronewald lui avait fait un résumé succinct mais, là, il obtint des détails supplémentaires. Selon Jack Coffey, une cohorte de civils sillonnait le sud de l'Illinois à la recherche de leurs enfants disparus. Bien qu'il n'y ait *a priori* aucun rapport avec le meurtre d'un adulte à Chicago, Riker soupçonna Mallory d'avoir établi un lien. Dernier scoop de la matinée : une guerre de territoire entre la brigade criminelle de Chicago et le FBI.

— Ils peuvent piquer un cadavre à Kronewald ?… D'accord, mais je vais avoir besoin de Charles Butler.

Tandis qu'il tournait à droite, Riker écouta les arguments de son chef contre l'embauche de personnel extérieur : le budget était serré, il ne servait à rien de recruter un psychologue bardé de plusieurs doctorats et, cerise sur le gâteau, Charles Butler voyageait exclusivement en première classe.

— Je peux le persuader de payer son billet d'avion.

Lorsqu'il se gara devant la station-service où Mallory avait utilisé sa carte de crédit la veille au soir, il perdit le fil de la conversation et observa une silhouette fatiguée en salopette graisseuse. Le mécanicien déverrouillait une grille protégeant la porte d'un hangar. Il avait l'air de finir sa journée et non de la commencer. D'ailleurs, quel garage pouvait se payer le luxe de snober les heures de pointe des banlieusards et d'ouvrir aussi tard ?

Au téléphone, Coffey rabâchait que la police de Chicago grouillait de psychologues et que n'importe lequel ferait aussi bien l'affaire – gratis.

— Ça m'embête un peu, objecta Riker. *Primo*, les psys de la brigade sont nuls et, *secundo*, Mallory le sait très bien. Elle refusera de bosser avec eux. En revanche, elle apprécie Charles Butler et son vieux père l'aimait aussi… Non, je crois que le divisionnaire Beale sera d'accord.

Son patron mettrait quelques minutes à saisir la stratégie, mais tout finirait par s'arranger. Il était conscient que Charles saurait la boucler si Mallory était inapte au service – et elle l'était. Envoyer son propre analyste tiendrait les psys de l'Illinois à distance raisonnable d'une jeune inspectrice dérangée.

— Réfléchissez-y, chef, et rappelez-moi, d'accord ?

Après avoir raccroché, Riker vit le mécanicien relever la porte d'un garage grouillant de monde. Cravate défaite, veste de costume sous le bras, ils se serrèrent tous la main, puis sortirent d'un pas chancelant, aveuglés par la lumière du jour. Il y avait des outils pendus au mur du fond, mais aucune flaque d'huile à terre : juste des cadavres de bouteilles et des mégots, ce que n'importe quel flic s'attendrait à découvrir après un marathon clandestin de craps. Ce n'était ni une station-service ni un atelier de réparation, mais un bon vieux casino clandestin.

Trop facile !

Riker laissa sa voiture au bord de la route et alla se planter sur le parking, devant le hangar ouvert. Les mains dans les poches, comme s'il n'était absolument pas pressé, il regarda les flambeurs. Ils le regardèrent. Riker puait le flic à plein nez. Malgré son apparente décontraction, il avait la démarche confiante d'un homme qui ne se séparait jamais de son revolver. Inutile de sortir son insigne. Les joueurs se dispersèrent illico. Le seul qui n'avait nulle part où aller était leur hôte en salopette crasseuse.

De sa fenêtre, Mallory observa le parking du restaurant, où l'agent Hoffman était adossé à son véhicule. Il tenait délicatement un sachet de mégots et autres bricoles, sans doute charriés par le vent pendant la nuit. À voir, sa formation en investigation criminelle n'avait pas été complète. Au lieu d'être répertoriées dans des pochettes séparées mentionnant le lieu de la découverte, toutes ses trouvailles avaient atterri au fond du même sac-poubelle. Ses efforts étaient presque inutiles mais, au moins, il avait collecté les indices avant l'arrivée du convoi. Des voyageurs ultraméticuleux qui avaient tout nettoyé derrière eux. Conclusion : si Hoffman n'avait pas débarqué le premier, les preuves auraient disparu.

Une heure auparavant, elle avait contacté Chicago, mais elle n'avait pas encore informé le planton qu'au nord la guerre faisait rage à Flicville… et que le FBI fonçait au restaurant avec la ferme intention de lui arracher son sac-poubelle.

Kronewald s'accrochait à son enquête et il avait expliqué à Mallory qu'il comptait sur elle.

Pas de bol, mon vieux.

Dans l'esprit de la jeune femme, la dette de la police new-yorkaise avait déjà été pleinement remboursée.

Elle leva les yeux au plafond et écouta le vacarme au-dessus du restaurant. Dehors, les pales d'un hélicoptère créèrent une mini-tornade et le sac-poubelle échappa aux mains de son propriétaire. Hoffman courut rattraper ses précieux indices et sa casquette au fond du parking. À la vue de l'emblème du FBI sur le flanc de l'appareil, Mallory s'étonna qu'un agent fédéral ordonne d'atterrir si près de la Ford verte. Pourquoi détruire une scène de crime dans l'unique but de faire une entrée triomphale et d'impressionner un simple policier municipal ? La guerre concernant le cadavre de Chicago ne devait pas être encore terminée.

Trop vaniteux pour porter ses lunettes en public, Riker brandit le portefeuille à bout de bras, puis le rendit au garagiste après avoir lu qu'il avait trente-cinq ans de métier dans la police de Chicago. Du coup, il renonça à le menacer de dénoncer son tripot clandestin. Retraité ou pas, il y avait une étiquette à respecter, un traité des bonnes manières appris au quadrille des officiers : aucun flic ne voulait savoir qu'un collègue enfreignait la loi. Toute conversation entre eux devenait alors une valse autour d'un gigantesque tas de purin : on sentait la puanteur, mais on n'en prononçait jamais le nom.

Les deux hommes n'avaient pas encore échangé un mot quand Riker lança :

— La jolie blonde aux yeux verts qui roule en New Beetle argentée... vous lui avez fait le plein d'essence.

— Hier soir, acquiesça le garagiste, encore plus laconique. Elle est partie vers l'ouest, à destination d'Adams Street et de Michigan Avenue.

Riker sourit. L'expression « à destination de » sonnait plus avion long courrier que balade en voiture.

— Elle vous a donc dit où elle allait ?

Il en doutait fort. Son hôte disparut un instant dans le garage et leur rapporta deux bières fraîches.

Ah, l'hospitalité légendaire de Chicago !

Le garagiste enfonça l'opercule métallique de la canette, puis avala une longue gorgée et s'essuya la bouche avec sa manche la moins graisseuse.

— Elle n'a pas raconté grand-chose, mais les flics ne sont pas du style à balancer des scoops. Son bolide avait des plaques new-yorkaises. Elle planche sur une grosse affaire ?

— Qui vous dit qu'elle n'était pas juste de passage ?

— Je lui ai demandé si elle venait pour le meurtre au carrefour de Michigan Avenue et d'Adams Street. Elle m'a répondu qu'il y avait un truc bizarre à propos de la scène de crime.

Il se tapota le crâne, puis fronça les sourcils.

— À moins qu'elle ne m'ait elle-même posé la question.

— Elle a essayé de vous soutirer des infos ?

— Non. Elle n'a pas décroché un mot de plus, comme si elle s'en fichait, mais j'ai vu le scanner de police dans sa voiture. Je suis branché sur la même fréquence. Moi, je ne joue pas au craps. Je laisse la flambe aux clients. J'ai donc passé la nuit à écouter le flic jacasser sur les ondes. Quand votre copine Mallory a parlé du macchabée, j'ai cru qu'elle voulait savoir combien de détails le minot avait crachés à la radio avant qu'on lui coupe le sifflet.

— Et il en a craché beaucoup ?

— Un maximum. C'était le premier sur place et, comme je vous disais, il avait l'air jeune. Sans doute un bleu. Il a eu la trouille de sa vie en découvrant ce qui avait été abandonné sur la route. On le devinait à sa voix. Stupide gosse ! Au lieu d'émettre un simple code d'alerte (même si j'imagine qu'il n'existe pas de code pour une horreur pareille), il bavassait au sujet de la scène de crime. En ce qui concerne la victime, il est resté vague : j'ai juste entendu qu'on lui avait entaillé le visage. Deux lignes et un cercle. Un truc du genre. Hier soir, j'étais plutôt bourré. C'était le corps d'un homme adulte, fraîchement tué, mais, à la radio, le jeune flic n'arrêtait pas de parler des petits os.

— Des petits os, répéta Riker.

— « Des os de bébé », disait le bleu.

Mallory, qui préférait regarder la scène à distance, garda sa place près de la fenêtre. Sur le parking, Hoffman affrontait un agent fédéral rouquin, le seul à être en costume cravate. Le pilote de l'hélicoptère avait eu la sagesse de rester à bord. Également présents : quatre employés civils du FBI en uniformes d'experts scientifiques.

À force de trimer en extérieur sur l'affaire, l'agent fédéral avait son crâne dégarni encore plus brûlé par le soleil que son visage. Il agitait les bras, indiquait parfois le véhicule de patrouille et ordonnait sans doute à son jeune interlocuteur de déguerpir, mais Hoffman ne bougea pas d'un pouce. Cette maudite Ford verte lui avait valu une pénible matinée d'humiliation (avec les compliments de Mallory) et il n'avait aucune intention de la céder au FBI.

Le policier baissa sa garde et se tourna vers son propre véhicule. On l'appelait à la radio. Il fonça répondre et mit l'écouteur à son oreille pour que la conversation reste privée.

Mallory n'avait pas besoin d'entendre.

Le coup de poing qu'il flanqua sur le toit de sa voiture était assez éloquent : à Chicago, la police venait de perdre son duel contre le FBI. Stoïque, Hoffman porta son sac-poubelle à l'agent fédéral et, de bonne grâce, tenta de lui remettre ses pièces à conviction.

Mallory trouva le rouquin nettement moins élégant. Il s'en prenait à plus jeune que lui, ce qui n'était pas digne d'un FBI victorieux d'une importante guerre de territoire. Ces deux-là auraient dû s'embrasser, se rabibocher. Elle quitta le confort du restaurant, se planta sur le seuil mais attira juste l'attention des quatre techniciens scientifiques.

L'agent fédéral secouait la tête devant le pauvre sac-poubelle que le policier lui tendait désespérément.

— Merci, articula-t-il, frustré. Merci pour ce tas de conneries sans intérêt qui seraient rejetées au tribunal, même si le meurtrier avait noté son nom et son adresse sur chaque indice. Vous dormiez au cours sur les protocoles de scènes de crime ou quoi ?

Mallory se faufila derrière lui à pas de loup et le fit sursauter quand elle s'adressa à Hoffman :

— Ne vous occupez pas de lui et donnez votre sac aux experts.

Snobant toujours avec mépris le grand rouquin, elle se tourna vers l'aîné des techniciens, *a priori* chef de l'équipe scientifique, et lui montra le sac :

— Voici ce que l'hélico aurait balayé si ce policier n'avait pas quadrillé le périmètre avant votre arrivée fracassante.

Quand son interlocuteur esquissa un sourire, elle enchaîna :

— Je savais que vous apprécieriez. Vous refusiez d'atterrir sur le parking, non ?

Enfin, elle s'adressa à l'agent fédéral :

— Votre idée, je suppose ?

L'intéressé ne réagit pas et jugea aussi inutile de lui demander ses papiers. Mallory avait laissé sa veste sur le perron du restaurant et il fixait le gros calibre rangé dans son étui. Elle était armée, l'agent en tenue était sous ses ordres : elle était donc l'officier de police le plus gradé des lieux.

Sans un mot, Hoffman procéda au transfert des pièces à conviction, signa la paperasse et prit son reçu, puis il étonna tout le monde en sortant une liasse de polaroïds. Elle l'avait sous-estimé. Le gosse n'avait pas chômé pendant qu'elle se reposait dans son bungalow. Elle approuva même ses cachotteries.

— J'ai photographié chaque centimètre carré, expliqua-t-il. Au dos des clichés figure l'endroit où j'ai trouvé chaque indice.

Il posa le doigt sur la première photo :

— Ce billet d'un dollar est à moi. Je l'ai posé là pour estimer la taille des traces de pneus.

Mallory sourit. Au petit matin, après le fiasco de sa première rencontre avec Hoffman, elle avait emprunté le vieux Polaroïd de Sally pour photographier les marques de pneus dans la poussière avant qu'elles disparaissent. Elle avait obtenu un résultat plus net mais, à de nombreux égards, le policier s'était mieux débrouillé. La seconde photo resterait donc au fond de son sac.

— Je sais que les marques de pneus étaient là à l'aube, ajouta-t-il. Quand la serveuse a ouvert le restaurant. Elle n'a vu aucun véhicule se garer là-bas avant mon arrivée. Les empreintes étaient très proches de la Ford verte.

Les quatre techniciens s'intéressèrent de près à la photo.

Et l'agent du FBI ne desserra pas les dents.

Sage décision.

Hoffman signa le reçu des clichés, puis remit aux experts une autre surprise : un schéma du parking indiquant l'emplacement de chaque indice découvert. Il y avait même tracé un beau repère orthonormé.

Le technicien en chef approuva d'un air satisfait :

— Bon boulot, fiston. Surtout si ça part au tribunal. Effectué par le premier agent sur place.

En même temps que le diagramme, il brandit la meilleure photo et l'admira ouvertement :

— On ne peut pas trouver beaucoup mieux.

Le type du FBI passait déjà pour un crétin, mais Mallory lui infligea le coup de grâce :

— N'oubliez pas les traces que vous avez repérées sur le pare-chocs de la Ford.

Ils ne s'étaient pas parlé depuis plus d'une heure et Hoffman mit quelques secondes à comprendre qu'elle lui offrait sa trouvaille. Un beau cadeau, quoi !

— Des marques de chaîne, précisa-t-il. On dirait que la berline a été remorquée ici par une autre voiture.

L'agent fédéral avança d'un pas, car il voulait briser l'idylle entre ses hommes (les traîtres !) et le policier :

— Merci de ton aide, petit. On prend le relais.

Hoffman ne décolla pas d'un centimètre, les pieds vissés dans l'asphalte.

— On va chercher des empreintes, peut-être découper la garniture intérieure, mais pas question d'embarquer la bagnole à bord de l'hélico ! Alors tu peux y aller, pigé ? Je te téléphonerai quand on aura fini et tu pourras la faire remorquer où tu veux.

— Non, monsieur. Mon capitaine m'a demandé de rester et il veut la liste complète de tout ce que vous emporterez.

Du regard, il chercha l'appui de Mallory.

Elle soupira. Il allait s'écouler des heures (et non plus des minutes) avant qu'elle reprenne la route. En fin de compte, la brigade criminelle de Chicago n'avait pas cédé facilement, loin de là, et Kronewald avait de plus gros intérêts qu'un cadavre retrouvé dans sa ville natale.

— Reculez ! lança Mallory.

Elle s'adressait à l'agent fédéral, mais tous les yeux étaient braqués sur elle.

— Hoffman reste et ce n'est pas négociable. Vous n'êtes pas en supériorité numérique ici, alors on se calme.

— Les maths ne sont pas mon fort, sourit-il en se tournant vers le groupe d'experts scientifiques.

Lesquels restèrent de marbre.

— Je compte…

— Ce sont des civils : ils ne sont pas armés. Je me suis mal exprimée. J'aurais dû dire que vous étiez en minorité tout court.

Elle annonça aux techniciens – ou plutôt leur *ordonna* :

— Allez attendre près de l'hélicoptère.

Ils firent volte-face, puis s'éloignèrent jusqu'à ce que leur chef, médusé, retrouve sa voix et leur hurle :

— Stop !

Il se tourna vers Mallory et reprit sur un ton las mais plus calme :

— Montrez-moi votre insigne. J'aime savoir à qui je parle.

Elle sortit un portefeuille noir de sa poche de jean, l'ouvrit et brandit son écusson doré, comme s'il s'agissait d'un talisman anticrétins. Elle savait bien que son adversaire méprisait les flics, mais il arborait déjà son petit sourire propre à régler les conflits de territoire mineurs avec les flics locaux. Il examina l'insigne et la carte d'un peu plus près, histoire d'appeler la jeune femme par son nom et de gagner ainsi ses faveurs. Elle connaissait l'astuce par cœur.

— Une inspectrice de New York ?

Il brandit son propre badge d'identification au nom de l'Agent spécial Bradley Cadwaller du FBI.

— Ma carte bat la vôtre, Inspectrice Mallory.

— Pas dans le vrai monde. Vous faites partie de la brigade des tordus, non ?

Sinon, comment expliquer les erreurs de débutant d'un fédéral en pleine force de l'âge ? Avant qu'il confirme ou démente son appartenance à l'Unité scientifique des comportements, elle reprit :

— On ne vous laisse pas souvent sortir, hein ? Non, les gens de votre espèce veulent juste voir les meurtres en photo.

Elle lui indiqua la Ford verte.

— Rien qui ressemble à la réalité. Dommage que vous ayez oublié le protocole des scènes de crime. Je n'en reviens pas que vous ayez demandé à votre hélico d'atterrir au milieu du parking. N'oubliez pas qu'Hoffman vous a sauvé les miches avant que l'appareil balaie tous les indices.

Les experts scientifiques avaient retrouvé le sourire. Ils prenaient leur pied ! Mallory se demanda depuis quand ils étaient aux ordres de Cadwaller. Il fallait un moment pour saper la puissante autorité du FBI, même parmi les employés civils. Là, ils venaient chercher un bout de corps humain, mais ils devaient l'accompagner depuis beaucoup plus longtemps. Des mois, peut-être. Voilà qui pourrait intéresser Kronewald.

Elle appela les techniciens :

— Vous pouvez revenir.

L'un d'eux lui adressa un semblant de salut avant de les rejoindre. Bouche bée, Cadwaller mit quelques secondes à comprendre qu'il avait perdu tout ascendant.

Mallory donna ensuite ses derniers ordres de la journée :

— Hoffman va vous observer et prendre des notes. Veillez à lui remettre la liste complète de ce que vous emporterez.

Sur quoi, elle rebroussa chemin vers le restaurant,

consciente que l'émissaire du FBI la suivrait comme un toutou.

Un journal heurta la porte de la station-service avec le claquement d'un coup de feu lointain, puis le jeune livreur continua sa tournée à vélo. Le mécanicien ouvrit son exemplaire du *Chicago Tribune* et secoua la tête :

— Incroyable ! La presse n'en parle pas.

— Ouais, incroyable, murmura Riker. J'ai besoin de savoir ce que vous avez compris de l'affaire.

— Vous essayez de limiter les dégâts ?

— Aujourd'hui, c'est mon boulot.

Il ne mentait pas.

— Donc… des os de bébé.

— Oui. Le responsable radio a dit au bleu : « Tu as aussi trouvé un bébé ? » Il a répondu non, juste de petits os, une main d'enfant. C'est là qu'on lui a coupé le sifflet. Je n'ai pas tardé à faire le rapprochement avec les déterreurs de cadavres du FBI.

— Ils ont tout emporté ?

— Vous faites allusion au meurtre d'hier soir ? Pourquoi serais-je au courant ?

— Vous savez bien comment ça marche, lâcha Riker. C'est moi qui pose les questions et vous qui répondez.

— Je parle des vieilles affaires non résolues et remisées au placard, des enfants disparus. Les profanateurs de tombes du FBI se sont carapatés avec leurs os. Entre les flics du coin et les fédéraux, c'est la guerre et ça dure depuis un bail.

Sans un remerciement, l'agent du FBI accepta le café de la serveuse, puis interrompit son petit discours enjoué sur la première tasse offerte. D'un geste, il renvoya Sally à son comptoir, puis tripota son nœud de cravate et sourit à Mallory :

— Appelez-moi Brad.

Elle préférait son nom de famille, Cadwaller, vague mélange de « caddie » et de « voleur ».

— Je vous appellerai Kathy.

— Vous m'appellerez Mallory. Ou inspectrice.

— Est-ce une lubie féministe, l'usage de...

— Une lubie de flic. Et une superstition. Si un membre du FBI s'approche assez de votre enquête pour vous appeler par votre prénom, on prétend que ça porte malheur.

Elle ne détestait pas tous les fédéraux. À New York, il y avait quelques agents qu'elle n'abattrait pas si elle les apercevait sur une scène de crime. Ce qui l'agaçait le plus, c'était la brigade des tordus et ce type-là était sûrement profileur – charlatan sans doctorat.

— Dites-moi qui s'occupe de l'affaire.

— Vous l'avez en face de vous.

Cadwaller essuya une cuillère sur sa serviette, se mira dans l'inox du couvert et plaqua ses cheveux en arrière.

— C'est moi qui supervise.

Loin d'en être convaincue, Mallory se dit qu'il frimait. Jamais le FBI ne confierait une enquête à l'Unité scientifique des comportements. Un type comme Cadwaller était une source d'embarras qu'il valait mieux laisser à la cave. Il était surprenant qu'on lui ait permis de sortir assez longtemps pour se mettre à dos une équipe entière d'experts mais, vu l'ampleur inhabituelle des investigations, elle avait déjà deviné que les agents sur le terrain ne suffisaient pas.

— Vous, vous êtes flic à New York. Donc nous savons qu'il ne s'agit pas de *votre* affaire.

L'entendre souligner cette vérité agaça prodigieusement Mallory. Tôt ou tard, il le paierait en même temps que ses autres péchés : son petit sourire narquois, son arrogance, ses mensonges.

— Cadwaller, avez-vous une idée du nombre total de victimes ?

Kronewald n'avait pas mentionné de corps supplémentaires, mais le vieux briscard cachottier n'avait donné aucune information à Mallory, hormis la main décharnée posée dans le prolongement du corps mutilé de Linden. À présent, elle comprenait mieux les élucubrations radio d'un bleu affolé la veille au soir – les lignes et le cercle gravés sur la peau du cadavre.

— Le tueur en série qui a assassiné Gerald Linden était…

— Minute ! s'exclama-t-il. Personne ne dit qu'il s'agit d'un tueur en série.

— Ah bon ? Laissez-moi éclairer votre lanterne. Je sais que vous n'aurez jamais le droit d'approcher le corps, mais on vous donnera peut-être les photos.

Tout sourires, il prit un malin plaisir à la détromper :

— J'ai vu le corps.

— Bien. Vous avez donc remarqué les chiffres gravés sur le visage de Linden.

Munie de la seule description de deux lignes et un cercle sur le front d'un mort, elle bluffait, mais Cadwaller ouvrit de grands yeux ronds et elle sut qu'il n'avait jamais vu le cadavre.

— Il s'agissait d'un nombre élevé.

Mallory se cala sur son siège et le fixa derrière ses paupières mi-closes, comme si le sujet l'ennuyait ferme.

— Le premier flic sur les lieux a jeté un coup d'œil au corps et compris d'emblée qu'il s'agissait d'un meurtre en série, mentit-elle. Il était frais émoulu de l'école et vingt inspecteurs de Chicago ont confirmé ses déductions mais, vous, vous n'en êtes pas sûr ? Et c'est à vous qu'on a confié l'enquête ?

Cadwaller perdait peu à peu son sourire professionnel et il coulait de source qu'il ne savait rien du fameux nombre. Il avala son café d'un trait et la dévisagea un instant avant de répondre :

— La police de New York s'intéresse à l'affaire ?

— Les victimes viennent des quatre coins du pays.

C'était surtout une hypothèse, car Gerald Linden venait du Colorado, mais elle tenait le bon filon. Cadwaller plongea la tête dans le menu, comme si sa prochaine tactique figurait en marge du plat du jour de Sally.

— Oui, New York s'y intéresse. Donnez-moi le nom de l'agent spécial en charge de l'enquête.

— Tout ce que vous avez besoin de savoir, Mallory, c'est que le FBI a pris le relais.

— Maintenant, je *sais* que vous ne sortez pas beaucoup. Votre idée ne fonctionne que sur le papier.

Prochain bluff en ligne de mire ? Le lien entre la caravane des parents, la vieille autoroute qu'ils empruntaient et les coups de soleil de Cadwaller.

— Ça fait un bail que vous voyagez. Vous parcourez la Route 66 de long en large. Huit États au total.

Elle avait visé juste. La preuve ? Les yeux effarés du rouquin.

— Un tas de flics à gérer durant le trajet.

D'un coup d'œil à la fenêtre, elle fut ravie de constater qu'Hoffman se contentait d'acquiescer aux dires des experts scientifiques. Il n'avait qu'une mission : les écouter vider leur sac et compatir. Mallory se fichait pas mal de la liste des indices collectés : elle voulait juste les doléances.

Très silencieux, Cadwaller reprenait sans doute ses esprits pour affronter un autre round et peut-être se rappeler un détail utile de ses vieux cours de psychologie. Mais, non... il se leva de table, prêt à clore la discussion.

Mallory ne rompit le silence que pour l'obliger à rester à l'intérieur, loin de son équipe :

— Puis-je supposer que le FBI protégera le convoi ?

Il se rassit lentement.

Elle hocha la tête vers la Ford verte et enchaîna :

— Gerald Linden faisait partie des parents, mais j'imagine que vous le saviez déjà ?

Cadwaller tressaillit : il aurait préféré qu'elle ne relie pas l'affaire à la caravane. Les yeux rivés sur elle, il ne voulait plus ni confirmer ni démentir la moindre information.

— À présent, ils sont arrivés dans le Missouri, reprit-elle. Comme c'est vous qui êtes en charge de l'enquête…

Mais oui, *bien sûr.*

— … j'imagine que vous allez demander à la police régionale de les escorter, mais il faudrait d'abord réparer les dégâts que vous avez causés en Illinois.

Nouveau regard vers la fenêtre.

— Je vous suggère de lécher les bottes de l'agent Hoffman avant de partir.

Le temps de rejoindre la Mercedes, Riker décrocha son téléphone :

— Oui, patron. Quoi de neuf ?

Il écouta quelques secondes.

— Oh, bien sûr. Je me mettrai au parfum avec Kronewald… Oui, dès que j'arrive.

En fait, le rendez-vous était déjà programmé.

— C'est d'accord pour Charles Butler ? Génial… Non, ça va. Je lui en parlerai… Pas de problème. Il sera à Chicago aujourd'hui.

Riker ouvrit la portière et s'adressa à son passager somnolent, de quinze ans son cadet, qui mesurait un mètre quatre-vingt-quinze sans les chaussures – quand il pouvait se tenir debout. L'homme s'était réveillé pendant qu'ils traversaient l'Indiana mais, encore groggy, il se contenta de repousser les boucles brunes qui lui retombaient sur les yeux.

— Hé, Charles, on va te payer tes petites vacances.

— Des vacances… Oui.

Charles Butler hocha la tête, puis examina d'un air surpris le sac de cheeseburgers, comme s'il ne contenait pas des cochonneries saturées de graisse mais des roches lunaires. En réalité, il avait toujours cet air-là, la faute à ses petits iris bleus flottant au centre de gros yeux globuleux à paupières tombantes. Charles posait sur le monde entier le même regard étonné qu'un gosse dont le ballon vient d'éclater. Et pour couronner le tout, ce faciès grotesque avait un nez crochu aussi énorme qu'un bec d'aigle. À partir du cou, en revanche, cet homme de quarante ans aurait pu être mannequin vedette d'une campagne de publicité pour les costumes en tweed et lin des plus grands couturiers.

Riker reprit le sac de hamburgers :

— Ne t'inquiète pas. Je vais te trouver de la vraie bouffe.

Il passa la première et roula vers l'ouest.

— Impossible de commencer ce genre d'expédition sans un bon repas.

Charles, qui avait eu du mal à se réveiller (et surtout à comprendre que Riker l'ait emmené à mille trois cents kilomètres de chez lui), balbutia :

— Une autre… expédition ?

Hoffman entra au restaurant et s'approcha de la table que Mallory partageait avec l'envoyé du FBI. Il hésita un instant, sans doute conscient que l'ambiance s'était dégradée. D'un regard par-dessus son épaule, il s'assura que la serveuse n'entendait pas.

— Quoi de neuf, fiston ? demanda Cadwaller.

Hoffman ne s'adressa qu'à Mallory :

— J'ai la liste. Les experts sont prêts à partir. Il leur reste juste à emballer un pneu.

— Un pneu ?

L'agent fédéral avait tapé du poing sur la table, peut-être dans l'espoir d'attirer l'attention du jeune homme. Peine perdue.

Toujours à Mallory, Hoffman précisa :

— Le pneu à plat qui était au fond du coffre.

À grand renfort de tressaillements et de soupirs, Cadwaller n'hésitait pas à faire passer ses hommes pour des crétins :

— Je veux les photos et les sacs de pièces à conviction, point barre ! Allez leur dire qu'on n'embarquera pas leur foutu pneu à bord de l'hélico.

Le policier ne lui accorda même pas un regard. Dans cette pièce, Mallory était son supérieur hiérarchique et elle eut une réaction plutôt acide :

— Vous le prenez pour votre domestique ?

Cadwaller finit par comprendre que, ce jour-là, il était son propre messager et il quitta le restaurant. Hoffman attendit que la porte se referme pour s'asseoir en face de Mallory :

— Les techniciens pensent que le pneu dégonflé pourrait être important.

— Ils ont raison. Ils ont ouvert le portable abandonné sur le siège avant ?

— Non, madame. Il ne fonctionnait pas et ils étaient pressés. Cadwaller ne leur laisse jamais le temps de faire le boulot correctement, donc ils ont juste embarqué le téléphone.

— Et qu'est-ce que ça vous apprend ?

Avant de répondre, il réfléchit quelques instants. En une matinée, elle lui avait appris, à force de sarcasmes punitifs, à utiliser ses méninges. En signe d'impuissance, il haussa les épaules :

— Je sais qu'ils voyagent avec lui depuis un bout de temps et qu'ils ne peuvent pas le supporter. D'ailleurs, ce sont eux qui se tapent toutes les fouilles. Cadwaller, lui, reste planté là en leur demandant de creuser plus vite. J'ignore de quoi il s'agit. J'ai juste écouté. Ils déterrent des corps, non ?

— Donc ils enquêtent sur la même affaire depuis des mois, acquiesça Mallory.

Il fallait au moins autant de temps pour que des experts se plaignent à une personne extérieure au FBI.

— Et ils se chargent de creuser. Autrement dit, côté cadavres, ils battent les flics locaux. Notez-le.

À présent qu'ils avaient le même ennemi, Hoffman s'empressa d'obéir : il griffonna sur son calepin, puis releva la tête, crayon en l'air, et attendit l'instruction suivante. Mallory observait la scène sur le parking.

Un détail à propos de Cadwaller la dérangeait, la travaillait.

— Il faut vérifier les antécédents de cet agent.

Le policier n'eut pas le temps de s'étonner qu'elle expliqua :

— Le FBI n'affecte jamais d'experts scientifiques au service de la brigade des tordus. Il arrive qu'un profileur débarque en observateur, mais c'est rare. Savez-vous pourquoi ?

Elle désigna le rouquin en costume cravate.

— Ces crétins n'ont jamais résolu la moindre affaire. Ce sont les agents de terrain qui s'en chargent. Les profileurs préfèrent étudier les photos au fond de leur cave. Notez-le et, quand vous rédigerez votre rapport, souvenez-vous que c'est vous l'auteur de ces conclusions. Tous les corps qu'ils déterrent sont sur la Route 66.

Il releva la tête vers elle :

— Et j'ai trouvé ça comment ?

— Le convoi des parents, les affiches d'enfants disparus.

Elle posa sur la table la pile de tracts qu'elle avait décollés des baies vitrées avec la serveuse.

— Notre victime, Gerald Linden, était censée rejoindre le groupe à Chicago. L'inspecteur Kronewald est déjà au courant du rôle du cortège. Je l'en ai informé par téléphone. Peut-être a-t-il compris le reste, mais il appréciera votre compte rendu.

Et elle pourrait ainsi reprendre tranquillement la route.

— Kronewald ? répéta-t-il, incrédule. Vous voulez plutôt parler de mon commissaire ?

— Non. Ce soir, vous enverrez un rapport écrit à Chicago. J'arrangerai ça avec votre supérieur.

Tandis qu'il corrigeait ses notes à grands coups de gomme, Mallory observa de nouveau la scène du parking. Penché au-dessus du fameux pneu emballé, Cadwaller houspillait ses hommes. Le technicien en chef eut un geste de défaite : fatigué, furieux, las de se battre, il arracha ses gants en latex. Conclusion : la roue resterait sur place et le portable de la victime ne serait pas examiné de sitôt. Les relevés téléphoniques indiqueraient le dernier appel de Gerald C. Linden, mais Mallory doutait fort que le numéro soit lié à l'enquête.

Cadwaller agitait les bras et elle l'entendit hurler à son équipe des mots qui allaient forcément les rendre dingues :

— Grouillez-vous ! On active le mouvement, les gars ! On marche plus vite !

Un à un, les sacs restants furent traînés au bout du parking et hissés à bord de l'hélicoptère. Tous, sauf le sac du pneu.

Mallory nota un numéro de téléphone sur la première affiche d'enfant disparu et poussa le paquet de feuilles vers Hoffman :

— C'est la ligne directe de Kronewald. Dites-lui que les fédéraux ne sont pas au courant de la batterie manquante sur le portable de la victime. Il a de bonnes chances de leur damer le pion.

En réponse à la question silencieuse du policier, elle ajouta :

— Avant de mourir, Linden essayait de recharger son téléphone. Voilà pourquoi il n'a pas demandé d'aide quand il a remarqué le pneu à plat. Après avoir exploré le coffre, j'ai ouvert son portable : plus de batterie. Expliquez à Kronewald que le pneu a été saboté au dernier endroit où la victime s'est arrêtée pour manger.

— Ou prendre de l'essence ?

— Non, trop visible. Sur un parking bondé de restoroute, le tueur passait plus inaperçu. Quand vous aurez l'inspecteur en ligne, vous lui suggérerez…

Elle leva l'index, histoire de bien insister sur le terme.

— Vous lui *suggérerez* de retrouver le restaurant en épluchant les relevés bancaires de la victime. Il faudra que quelqu'un aille récupérer la batterie disparue sur le parking. Il y a peut-être des empreintes dessus. Kronewald l'aurait fait, de toute façon, mais il sera ravi du coup de main. Je le connais. Il vous appréciera aussi. Dites-lui que vous allez lui porter un pneu dégonflé jusqu'à Chicago. Le labo de la criminelle devrait trouver des marques d'outil sur la valve.

Les yeux ronds, Hoffman ne posait même plus de questions.

— Le meurtrier a dévissé la valve, puis remis le bouchon. Il avait besoin de saboter la voiture, mais il voulait qu'elle s'arrête en pleine cambrousse, sans témoins. Résultat : la victime se gare sur le bas-côté, un pneu à plat, et l'inspecte à la lueur d'une mini-torche. La route est sombre, pas de réverbères. Il ne trouve pas de trou dans le caoutchouc et conclut sûrement à un problème d'usure. Les trois autres pneus semblaient bons à changer. Il ne voit pas grand-chose avec sa loupiote. Vous avez noté la taille de l'ampoule brisée sur votre liste ?

— Oui, madame. Petit modèle.

— Exact.

— Kronewald ne va-t-il pas être obligé d'en informer le FBI ?

— Si, mais une preuve à la fois. Il égrènera toutes les conneries de Cadwaller aujourd'hui et il va en adorer chaque minute. Ensuite, il résoudra sans doute l'affaire à la place des fédéraux. C'est un bon flic.

Elle ramassa son sac à dos et se leva de table :

— Je vous laisse.

— Attendez, madame. S'il vous plaît ? Je peux vous demander autre chose ? Pourquoi le meurtrier n'a-t-il pas volé le portable de M. Linden ?

— Bonne question, répondit-elle sans l'ombre d'un sarcasme. Il est utile de savoir que l'arme n'est pas un revolver mais un objet pointu. Kronewald serait furieux d'apprendre que j'ai cafté.

D'un signe de tête, il promit de garder le secret.

Suite de la leçon :

— Le tueur s'est donné du mal pour chiper la batterie et c'était périlleux. Il a dû emprunter le téléphone et prévenir Linden qu'il ne fonctionnait plus. Voilà pourquoi le malheureux l'avait branché sur l'allume-cigare. Il le croyait déchargé.

— Et le pneu ? Pourquoi ne pas se contenter de l'entailler ? Ou de le percer ? Une petite incision aurait permis à l'air de s'échapper lentement. Le meurtrier risquait de se faire pincer en train de trifouiller la valve.

Mallory attendit qu'il réponde à sa propre question. Il avait de bons neurones et devait apprendre à s'en servir.

Bingo ! Il avait compris :

— Il voulait que tout paraisse normal quand M. Linden

s'arrêterait sur la route. Si on lui avait piqué son portable… si le pneu avait été taillardé…

Satisfaite, Mallory l'incita à continuer :

— N'oubliez pas le rôle du convoi de parents. La victime devait rejoindre le groupe. Gerald Linden était déjà hanté par des histoires de meurtre. S'il avait eu des soupçons, voire des craintes…

— L'assassin n'aurait pas pu s'approcher de lui. Pas sans qu'il y ait affrontement.

— Exact.

Tout en parlant, Mallory s'approchait de la sortie : elle était presque libre.

— Linden se retrouve donc sur une route sombre avec un pneu à plat, une torche faiblarde et un portable hors d'usage. Quand, soudain, le rêve devient réalité.

— Arrive un bon samaritain… pour le tuer.

— Vous avez compris.

Les yeux rivés à la pendule, elle avait la main sur la poignée de la porte.

— Et c'était un visage familier. Le type qui lui avait emprunté son téléphone. Linden est allé droit vers son bourreau et lui a serré la main.

— Attendez !

Hoffman se leva de table quand elle sortit du restaurant.

— Où puis-je vous contacter ?

— Vous ne pouvez pas.

Quand la porte se referma sur Mallory, Hoffman décida de rassembler ses notes et son paquet d'affiches. Il regarda par la fenêtre : la décapotable argentée se dirigeait juste vers la route. Soudain, une mouche le dérangea. Il ne lui fallut qu'une fraction de seconde pour écraser l'insecte, mais Mallory avait déjà filé. Il avait une vue plongeante sur la campagne environnante, mais il n'y avait plus aucune trace de la New Beetle. Elle était passée de zéro kilomètre-heure à *envolée*.

Cette disparition fut le seul événement inexplicable de la journée (étant donné le modèle de voiture) et elle déteindrait à jamais sur sa vision du personnage. À l'avenir, chaque fois qu'il raconterait sa meilleure histoire de la vieille Route 66, Hoffman ne rendrait pas Mallory plus grande qu'elle n'était. Même le calibre du revolver resterait le même. Rien n'aurait besoin d'être exagéré.

À des heures et des kilomètres du restaurant de l'Illinois, un véhicule changea discrètement de file et le conducteur s'approcha assez de l'antique Chevrolet des Finn pour apercevoir une fillette à l'arrière.

La gamine de six ans regardait de l'autre côté quand, soudain, elle se retourna vers son propre carreau, comme si on venait de lui souffler sur le cou. Le mateur se laissa de nouveau distancer et se fondit dans l'interminable convoi. Dodie Finn se pencha vers le siège avant et une vue rassurante : la nuque de son père. Elle commença à se balancer et à fredonner.

Son frère, Peter, fouilla la boîte à gants et lui tendit un chewing-gum :

— Ça va, Dodie ?

Au fond d'elle-même, elle hurlait mais, de l'extérieur, elle déballa sa sucrerie en souriant.

— Mets ta ceinture, Peter, rappela M. Finn.

Obéissant, le garçonnet se renfonça dans son siège et disparut avec le clic de sa ceinture de sécurité.

Dodie chantonnait les quelques notes qui lui apaisaient le cœur, le même refrain, encore et encore – tout ce dont elle pouvait se souvenir. Elle leva sa petite main pour se frotter la nuque et se débarrasser de sa désagréable impression.

CHAPITRE V

Charles Butler était bien réveillé. Sacré progrès depuis la veille, où il était rentré à New York de son voyage en Europe après s'être retrouvé bloqué à l'aéroport, avoir raté des vols à cause des contrôles de sécurité et souffert de longues nuits blanches. En fin de matinée, il s'était réveillé à bord de sa Mercedes en se demandant où il allait et ce qui lui avait pris de confier le volant à Riker. Un type qui n'avait même plus le permis de conduire ! Malgré ses efforts, il ne se rappelait aucune conversation de la veille et avait donc voyagé en silence, le cerveau embrumé par le décalage horaire.

En ce début d'après-midi, pourtant, il passait un bon moment dans un restaurant animé et savourait l'excellente compagnie d'inspecteurs de la criminelle qui, entre deux bouchées de steak ou de pommes de terre en salade, évoquaient les détails d'un récent meurtre.

Quel bonheur !

Kronewald ressemblait un peu au regretté Louis Markowitz, surtout quand l'imposant bonhomme aux mâchoires canines affichait un sourire éclatant. Riker semblait apprécier ce flic de Chicago et, manifestement, son usage répété de l'expression « petit salaud » était une marque d'affection.

— O.K., je vais te dire pourquoi Mallory t'a mouché, Kronewald. C'est ta manie de livrer les infos au compte-gouttes. Tu pensais que la gamine n'avait pas deviné tes cachotteries ? Elle est meilleur flic que moi et, un quart d'heure après notre arrivée en ville, j'étais déjà au courant des autres corps.

Riker se tut un instant, le temps de prendre la paperasse qui les détacherait, son équipière fugueuse et lui, auprès de la brigade criminelle de Chicago.

— Si tu ne nous dis pas tout, je ne réussirai pas à persuader Mallory de mener l'enquête.

Il déplia une carte de l'Illinois.

— Maintenant, Kronewald, si ça ne t'embête pas trop, petit salaud, indique-moi les endroits où les fédéraux ont déterré des cadavres d'enfants.

Devant son hésitation, il lui fourra un stylo dans la main :

— Mallory est une championne et tu le sais. À l'heure qu'il est, je te promets que ces sépultures sont tout ce qu'il te reste à nous donner.

— Non, il y a autre chose, répondit leur hôte (le repas était aux frais de la princesse). J'ai tout sur moi.

— Dépêche-toi de me le montrer avant que j'attrape des cheveux blancs.

— J'ai le rapport sur les antécédents de Paul Magritte.

Manifestement, Kronewald supposait que ses invités connaissaient ce nom-là.

Charles se pencha vers le robuste policier :

— Désolé, mais je ne suis pas très au courant des détails de l'affaire.

Il venait juste de découvrir que Riker et Mallory planchaient sur une enquête !

— Qui est M. Magritte ?

Tandis qu'il attendait la réponse, il vit Riker exprimer une gratitude soulagée. De quoi s'agissait-il donc ?

Kronewald se contenta d'un simple indice :

— Magritte dirige la parade des civils.

Aucune utilité. Quelle parade ?

Charles chercha des explications du côté de Riker. Lequel, hélas, semblait ne rien connaître des parades et peu enclin à admettre son ignorance.

Après avoir passé la frontière de l'État, Mallory chercha le vieux prospectus des grottes du Missouri qu'elle avait coincé derrière le pare-soleil, mais il n'y avait plus rien. Elle vérifia son sac et la boîte à gants. L'aurait-elle jeté par erreur ? Impossible. Même dans l'intimité de son propre cerveau, elle détestait reconnaître ses erreurs. Elle fouilla sous les sièges, sur la banquette arrière et explora même le coffre. En vain. Elle retourna aussi son duvet, vida son sac à dos et en inspecta deux fois chaque poche zippée ou boutonnée. Elle ne pouvait pas l'avoir jeté. À moins qu'un pickpocket ne sévisse au sein du convoi ? Avait-elle oublié de fermer sa voiture à clé ?

Oui, c'était ça.

Non, impossible. Il ne manquait rien d'autre et elle était la seule à chérir une vieille brochure déchirée, gribouillée par Peyton Hale. Elle inspecta de nouveau la voiture, chaque coin et recoin où elle pouvait passer la main mais, au bout d'un moment, elle se força à arrêter. Où avait-elle la tête ? Et le temps ? Elle n'avait pas beaucoup de temps.

Stop.

Mallory redémarra et décida qu'une bourrasque avait emporté sa brochure au moment où la voiture était décapotée. Oui, autant accuser le vent.

Kronewald tendit une liasse de papiers à son collègue :

— Voici le dossier des antécédents. Si Mallory a raison, tous les membres du convoi se sont rencontrés sur Internet. Paul Magritte organise des thérapies de groupe pour les parents d'enfants disparus et assassinés, mais on ne peut pas pirater son site.

— Attends, s'étonna Riker, dont la crédulité avait récemment été mise à rude épreuve. Tu me dis que Mallory ne réussirait pas à s'introduire dans un simple…

— Elle voyage sans ordinateur. Je croyais que tu étais au courant. Vous ne vous parlez donc jamais ? Ça lui arrive de répondre sur son portable ?

Charles et Riker échangèrent un regard entendu : comment Mallory avait-elle pu se déconnecter de ses ordinateurs ? Et pourquoi ? Riker était très perturbé par une métamorphose aussi radicale, car il avait souvent émis l'hypothèse que sa partenaire n'était pas juste fan de high-tech mais qu'elle avait besoin de batteries pour marcher et parler.

— Des experts vont m'aider à pénétrer le site Internet, reprit Kronewald, mais, sans mandat, je n'aurai pas accès aux forums de discussion privés. Là aussi, Mallory avait raison. Ce vieux bonhomme est un vrai psy. Son site est protégé par la confidentialité médecin-patient. D'ailleurs, à propos de réducteurs de têtes…

D'un charmant sourire, il s'excusa auprès de Charles.

— Pardonnez-moi l'expression, Dr Butler.

— Appelez-moi Charles.

Personne ne l'appelait jamais docteur, même si sa carte de visite fourmillait d'initiales symbolisant les nombreux diplômes d'un psychologue accrédité, voire un peu trop qualifié.

Kronewald fouilla dans une imposante mallette posée à ses pieds. Pendant que son collègue avait l'esprit ailleurs, Riker chaussa – en public – ses lunettes de vue, entorse exceptionnelle à sa seule coquetterie. Pressé de rattraper son retard, il étudia le dossier de Magritte : dès qu'il avait fini une page, il la tendait à Charles, qui, champion de la lecture rapide, la parcourait de A à Z en une fraction de seconde. Il y apprit qu'une bande de parents éplorés sillonnait les routes de l'Illinois en quête de leurs enfants perdus. Combien de bambins étaient morts et fourrés à l'état de squelette dans des sacs du FBI ? Et quel était le rapport avec le meurtre d'un adulte ?

Oh ! Sur la page suivante, il apprit que la victime, Gerald C. Linden, appartenait à de nombreux groupes Internet de parents d'enfants disparus. Sa propre fillette avait été enlevée par « un ou des inconnu(s) ».

Frustré de ne pas trouver ce qu'il cherchait, Kronewald hissa sa lourde mallette sur la table et déversa ses dossiers par-dessus la carte routière :

— Je pourrais demander une seconde opinion sur le tueur.

Il s'adressa ensuite à Riker, dont les lunettes avaient disparu par un habile tour de passe-passe :

— Je viens d'avoir un flic au téléphone. Il m'apporte le pneu à plat.

Charles et Riker acquiescèrent en souriant, comme s'il était très normal de parler soudain mécanique. L'allusion prit davantage de sens quand Kronewald leur exposa la théorie de Mallory sur le meurtre de M. Linden :

— On a donc une batterie de nouvelles questions. Je vais vous dire ce que le psy de la brigade a raconté à mon équipe. Selon lui, cette incroyable minutie (vol d'une batterie de portable, sabotage de la valve) révèle une personnalité compulsive, obsédée par le contrôle absolu. Tout doit toujours être en ordre.

Il consulta le rapport préliminaire sur l'autopsie de Linden.

— Après examen du dossier, notre psy en a déduit que le meurtrier devait être petit. Le légiste confirme que Linden regardait vers le bas quand on lui a tranché la gorge. Alors… le portrait complet ? On recherche un petit, maniaque du détail. Le tueur en série est sûrement très propre sur lui, sans un cheveu de travers. Il a entre vingt et trente-cinq ans et il tue pour s'amuser, éprouver le grand frisson. Selon le psy, il a aussi un comportement territorial. J'espère que sa dernière conclusion est solide, car les fédéraux n'ont pas le droit d'empiéter sur mon enquête si elle ne dépasse pas les frontières de l'Illinois. Donnez-moi votre avis, Charles.

En l'attente de réponse, le robuste Kronewald débarrassa sa paperasse de la carte de Riker pour indiquer les différents endroits où le FBI avait dérobé des os d'enfants. Tandis qu'il traçait une croix, il décida d'insister auprès de son invité civil :

— Vous pensez que notre gars a raison sur toute la ligne ?

— Non.

— Tant mieux, car je n'ai jamais fait confiance à cet abruti sans cervelle.

Il se renfonça dans son siège et afficha un sourire charmeur qui ne collait pas du tout avec son langage et ses manières.

— Que pouvez-vous me dire ?

— Pas grand-chose.

— Ton ami est honnête, souffla-t-il en aparté à Riker.

Radieux, Kronewald se retourna vers Charles, nouveau centre de son univers.

— Donnez-moi ce que vous avez.

— Je ne peux pas vous annoncer si le tueur est grand

ou petit, mais juste que l'autopsie accrédite la thèse de Mallory. Le bon samaritain (si tel est le nom qu'on lui prête) tenait sans doute la torche pendant que M. Linden changeait son pneu. Il s'est penché et lui a tranché la gorge. Par conséquent, l'inclinaison de la lame ne donne aucune indication sur la taille du meurtrier. Linden regardait son pneu, et non un nabot en face de lui. Vous ne devriez pas non plus vous limiter à une classe d'âge. C'est un poncif du FBI.

— On est quand même d'accord que l'assassin est un homme, intervint Riker.

— Pas forcément. À vous de décider. Voici les arguments qui plaident en faveur d'une femme : le meurtre témoigne d'une certaine timidité physique. On s'est donné beaucoup de mal avec la batterie de portable et la valve du pneu pour éviter d'éveiller les soupçons sur une route déserte en pleine nuit. D'autant que Linden se serait moins méfié d'une femme, non ? La minutie montre juste le désir que tout se déroule en douceur. La fille veut éviter d'affronter sa proie : un homme. Hormis le meurtre lui-même, on remarque une longue exposition à découvert et une sacrée témérité. Rappelez-vous les marques sur le pare-chocs : il fallait remorquer la voiture de la victime, une main tranchée dans le coffre. En revanche, on n'a couru aucun risque au moment de tuer M. Linden. Le plan était très ingénieux et les femmes sont plus attentives aux détails que les hommes.

— Je n'imagine pas une femme coupable d'horreurs pareilles, protesta Riker.

— Parce que les victimes sont des enfants ? Disons que Linden a été son premier adulte. Un gamin peut être facilement grugé et manipulé avec un minimum de force. Un grand gaillard adulte, c'est une autre paire de manches… pour une femme. D'où la planification soignée du meurtre opposée à des comportements plus risqués : transporter le corps et l'abandonner à un carrefour aussi fréquenté. J'y vois une effronterie synonyme d'expérience et de confiance en soi.

Kronewald paraissait sceptique :

— Vous croyez que le prochain mort sera un adulte ?

— Comme Linden était le père d'une fillette disparue (et sans doute assassinée), le tueur a peut-être changé de cible et s'en prend désormais aux parents.

— Ce qui nous ramène au convoi du Dr Magritte, déduisit Riker.

Son collègue inspecteur feignit de ne pas entendre : la caravane, véritable festin itinérant de *serial killer*, avait changé d'État et il allait être mis sur la touche. Il recommença à cocher les sépultures entre Chicago et la frontière sud-ouest de l'Illinois.

— J'ai un autre point de désaccord avec votre psychologue, reprit Charles.

Il n'avait guère besoin de consulter sa propre carte, où Riker avait signalé en rouge les différents noms de la vieille nationale tronçonnée et les nombreuses villes qu'elle traversait.

— Le meurtrier de Linden ne recherchait pas le grand frisson. Il lui fallait juste un autre cadavre pour décorer sa route.

— Sa… route, répéta Kronewald, le crayon en l'air.

Riker étudia ce qu'il avait déjà dessiné :

— Oh, merde. Cinq tombes sur l'itinéraire et tu n'as pas encore terminé, j'imagine ? N'essaie pas de m'entourlouper. Combien de corps jusqu'à maintenant ?

Kronewald lorgna sa carte :

— Je te jure que seules cinq sépultures avérées peuvent être reliées aux déterreurs de cadavres du FBI.

À contrecœur, il traça d'autres croix. Au total, il y en avait désormais dix. Il effleura le plan :

— Pour ces trois-là, on nous a raconté qu'un hélico

du FBI avait atterri. Il y a des traces de fouilles, mais le vol d'un corps par les fédéraux n'a pas été confirmé.

— Et les deux autres ? insista Riker. Allez ! Accouche !

— Il y a quinze ans, des gamins ont trouvé une tombe ici, expliqua-t-il en indiquant un point de la carte. Ils ont estimé qu'un tas de cailloux était trop net, qu'on y avait peut-être caché quelque chose et ils ont commencé à creuser.

Son crayon glissa vers la dernière croix de la carte.

— Quant au dixième caveau, on l'a découvert au moment où un poteau téléphonique a été déplacé. Il y a une dizaine d'années.

Riker, qui semblait en avoir vu assez pour la journée, ferma les yeux :

— Je ne te poserai la question qu'une seule fois. On m'a parlé des lignes et du cercle gravés sur le visage de Linden. Je sais que tu ne m'en aurais jamais parlé, alors pas d'embrouilles ! Dis-moi juste un truc : les traits formaient-ils un nombre ? Cent un ? Cent dix ?

Avant que l'autre inspecteur puisse répondre, Charles annonça :

— À mon avis, il y aurait cent un meurtres. Ça collerait bien au changement radical dans le profil des victimes, au passage des enfants aux adultes. J'ai raison ?

Kronewald approuva en silence.

— Votre psychologue attitré avait donc raison sur l'aspect territorial. Hélas, le meurtrier sévit jusqu'à trois mille kilomètres au-delà de l'Illinois. Il est obsédé par la Route 66.

Les yeux désormais grands ouverts, Riker se pencha vers Kronewald, comme s'il allait lui murmurer un secret au creux de l'oreille, mais il hurla :

— Sauf que, ça, tu le savais déjà !

Mallory avait parcouru cinquante kilomètres au cœur du Missouri et elle était arrivée à temps pour effectuer la dernière visite des grottes mais, jusque-là, elle avait été déçue. Traînant des pieds derrière un petit groupe de touristes allemands à cent mètres de profondeur, elle écoutait le baratin du guide sur les différents intérêts du site : trois espèces de chauves-souris quasi invisibles et un banc de poissons aveugles cavernicoles qui se cachaient aussi de la lumière, malgré leur cécité. De temps en temps, le guide appuyait sur un interrupteur pour illuminer, de façon spectaculaire, les stalactites et les stalagmites.

Mallory subissait.

Si seulement elle pouvait croire l'auteur des lettres ! Il avait promis que le meilleur était à venir et que « la récompense sera[it] Mlle Smith ».

En file indienne, le groupe monta lentement vers le clou de la visite, vendu comme la plus grande grotte souterraine du monde.

— Vingt mètres de haut sur dix-huit de large, annonça le guide. Elle remonte à des *millions* d'années.

Derrière les Allemands, Mallory gravit une cinquantaine de marches et déboucha dans une énième grotte, où des rangées de chaises faisaient face à une paroi sombre. Une fois le public installé, on alluma les projecteurs afin qu'il soit épaté par l'impressionnant spectacle de stalactites drapés en forme d'immense rideau de théâtre. Dessous, la plate-forme rocheuse ressemblait à une scène et on y distinguait le trou d'une alcôve où un narrateur aurait parfaitement pu se dresser.

Mallory comprit les vers de Rilke qui accompagnaient ce repère-là dans les lettres : « Et tu attends, attends l'unique chose/qui infiniment accroîtra ta vie,/ chose puissante, inhabituelle/l'éveil des pierres. » Elle contempla cette fantastique création de la nature, comme n'importe quel amateur de théâtre espérant que le vieux rideau se lève, que la roche s'ouvre. L'attente seule était exquise, presque magique.

Le guide récita l'histoire d'une opulente diva des années 1950, feue Kate Smith, ce qui attira de nouveau l'attention de Mallory, car Mlle Smith était la récompense promise.

— Que le spectacle commence ! lança-t-il avant d'appuyer sur le bouton d'une console.

Soudain, une voix féminine tonitruante chanta « *God bless America…* » à tue-tête. Les lampes lancèrent des flashes bleu, blanc, rouge et, pour le finale, un drapeau américain géant fut projeté sur la merveille naturelle du rideau de pierre.

Les touristes allemands furent délicatement, silencieusement choqués par un tel condensé d'époustouflante beauté et de kitsch. Déconfit, le guide espérait peut-être qu'on applaudisse la défunte diva, le drapeau et les lumières disco. Ceux qui connaissaient Mallory et juraient qu'elle n'avait pas le sens de l'humour n'auraient jamais deviné qu'elle était la source du gloussement. Il s'échappa de ses lèvres et, comme elle n'avait pas l'habitude des manifestations spontanées de joie, elle fut incapable de se retenir. Elle avait perdu l'interrupteur marche/arrêt de l'hilarité le jour où sa pauvre mère était morte. Elle pouffa – elle hurla de rire. Redoutant la crise d'hystérie, les autres spectateurs se pressèrent autour d'elle. Sans résultat.

Mallory se rappela une autre phrase de la lettre, qui l'avait amenée aux cavernes, et y vit la chute d'une excellente blague : « Le Middle West est un endroit particulièrement effrayant. »

Les fédéraux étaient réunis près d'une autre sépulture et l'agent spécial en charge de l'enquête observait les fouilles depuis la fenêtre de sa chambre.

Plus petit que la moyenne, Dale Berman avait des traits ordinaires, mais il savait que la plupart de ses collègues le trouvaient bel homme, dans la mesure où les personnes professionnellement charmantes semblaient plus séduisantes qu'en réalité – plus grandes et plus spirituelles aussi. Depuis six mois, il disait en plaisantant qu'il profiterait de sa retraite pour écrire un livre sur la Route 66, un guide de survie à ce genre de motels. Que les établissements soient luxueux ou miteux (comme celui-là), il dormait toujours du côté opposé au téléphone, car il voulait éviter l'oreiller sur lequel dix mille clients avaient déjà posé leurs fesses pour appeler chez eux.

Berman allait bientôt partir en préretraite et sa joyeuse épouse décomptait les jours en gravant de larges encoches sur la porte d'entrée. Résultat : quand le grand jour arriverait, la paperasse serait forcément en ordre.

Il s'approcha de la fenêtre et vit son équipe de fouilles faire la course avec la lumière du jour, brosser la terre et chercher des indices utiles à l'identification d'un squelette. Quand on frappa à sa porte, il lança :

— C'est ouvert !

Dernier rendez-vous de la journée. L'homme qui entra était le chef des experts scientifiques partis en Illinois. Ce pan de l'enquête avait toujours été un vrai champ de bataille.

Le Missouri ressemblait moins à une zone de guerre, car les déterreurs de cadavres avaient été plus discrets. Agents fédéraux et employés civils étaient rassemblés depuis des heures. Déterminé à s'adresser à ses troupes le lendemain, il leur raconterait des bêtises pour les rebooster et leur annoncerait qu'on avait avancé sur la traque du tueur en série baptisé « Mack the Knife ».

Interprétée par Bobby Darin dans la version préférée de Dale Berman, ce grand standard du jazz évoquait les nuits de Las Vegas, les salons enfumés et le tintement des glaçons au fond des verres de whisky. C'était la seule chanson de meurtre qu'il connaissait. Autrefois, la fille du boxeur savait la lui fredonner mais, depuis, le petit cerveau dérangé de Dodie Finn se rappelait à peine quelques notes. Il avait distribué des mémos aux agents qui l'accompagnaient ou sillonnaient la Route 66 : toute personne surprise en flagrant délit de chanter, fredonner ou siffler cette mélodie serait congédiée ou abattue au gré du patron de l'enquête, autrement dit lui-même.

Un portable sonna. Le temps de répondre, Berman fit signe à son invité de s'asseoir et de prendre le verre de scotch qui l'attendait :

— Votre marque de prédilection, non ?

Au bout de quelques instants, il soupira, jeta le téléphone sur le lit et adressa un sourire forcé au chef des experts scientifiques :

— En Illinois, c'est de mieux en mieux. À votre avis, Eddie, je pourrais avoir plus de merde dans mon assiette ? Rien n'est moins sûr.

Une liasse de papiers dans une main, un verre à moitié vide dans l'autre, Eddie Hobart attendait la pluie de reproches et devait s'étonner qu'elle tarde tant :

— J'imagine que vous avez déjà lu le compte rendu de l'agent Cadwaller.

— Impossible. Son dossier a pris feu alors qu'il l'avait encore entre les mains.

Berman appuya sur son briquet au butane et s'alluma une cigarette.

— Il est en train de le réécrire.

Le nouveau rapport de Brad Cadwaller ne blâmerait aucun membre de l'équipe scientifique. Aucun homme de Dale Berman ne commettait jamais d'erreurs. Du moins, sur le papier.

Comment Riker arrivait-il à dormir malgré les hurlements de la sirène perchée sur la Mercedes ?

Charles, lui, appréciait le vacarme (si exaltant !) et, surtout, il adorait l'impression de vitesse. Suivant les instructions de son ami, il avait pris l'autoroute afin de combler au plus tôt leur retard sur Mallory. Cent cinquante kilomètres-heure, c'était son record personnel de hors-la-loi dans l'intense circulation du soir et il espéra que Riker ne serait pas trop déçu de leur progression.

Il lorgna vers son passager endormi. Devait-il le réveiller pour l'avertir qu'un truc ne tournait pas rond ? Non, il n'eut pas le cœur de déranger un homme qui avait roulé mille trois cents kilomètres d'une traite. Hélas, il ruminait toujours son problème de temps et de distance. Le tableau de bord était jonché des notes de Riker sur les factures d'essence de Mallory entre New York et Chicago. S'il n'avait pas été exténué, l'inspecteur aurait compris tout seul, rien qu'en examinant les heures d'arrêt. Une Volkswagen ne pouvait pas avoir roulé autant et aussi vite. Même la Mercedes en était incapable.

Mallory conduisait-elle une autre voiture ?

L'esprit de Charles grouillait de cartes routières et de distances kilométriques. Quand son amie lui avait suggéré d'installer un système GPS, il s'était servi de sa mémoire eidétique pour lui réciter un atlas virtuel des routes américaines. À contrecœur, elle avait admis qu'il était à lui seul un navigateur GPS sur pattes. Farouche adversaire de la modernité, il avait savouré une rare victoire dans sa lutte acharnée contre tout ce qui était informatisé et édulcoré. Les disputes lui manquaient. Mallory lui manquait.

Résultat : il se chamailla avec le fantôme de la jeune femme.

Comment pourrais-tu dépasser les performances d'une automobile plus puissante que la tienne ?

Aucune explication ne respectait l'implacable logique de la géographie et de l'espace-temps.

Oh, le crétin !

Ce paradoxe de mécanique automobile lui rappela un autre détail bizarre : Mallory adorait les technologies de pointe, mais elle voyageait sans ordinateur. Elle avait peut-être troqué l'amour d'une machine contre une autre. Avait-elle bricolé sa New Beetle ? Bien qu'ils soient amis depuis des années, il ne l'avait jamais vue les mains dans le cambouis mais, au fond, c'était quoi une voiture, sinon un assemblage de puces informatiques qui marchaient à l'essence ? Néanmoins, aucun bidouillage ne changerait la donne : comparée à sa propre Mercedes, la Volkswagen possédait un moteur plus petit et assez médiocre.

Ou pas.

Était-il possible de mélanger une New Beetle et un bolide de course ?

Vingt-cinq ans après la rédaction des lettres, se profilait la fin d'une autre journée printanière et le soleil couchant dardait ses derniers rayons de chaleur. Mallory fonçait à tombeau ouvert sur la Route mère au son d'un rock *vintage*. Trente kilomètres plus loin, sous un ciel plus sombre, elle chercha le repère suivant.

C'était le bon jour du mois de mai, la bonne heure, mais des décennies trop tard.

La lettre décrivait une rangée d'arbres, mais il n'y avait plus rien. Mallory contempla le morne terrain vague semé de grosses souches. Dernier vestige en place : les fondations en ciment de l'ancienne épicerie.

Le ciel n'était pas non plus bardé de couleurs éclatantes, pas ce jour-là. Le soleil n'était qu'un morceau de gris clair sur une ligne d'horizon chargée, signe que la sécheresse locale touchait à sa fin.

Néanmoins, la halte ne fut pas une complète perte de temps. Les conseils musicaux des lettres prenaient désormais plus de sens. Composée sur un rythme enlevé, la chanson actuelle ne reflétait pas un ciel aussi couvert. Du bout du doigt, Mallory tourna la molette de son iPod ; l'autoradio diffusa alors une ballade en adéquation avec le temps nuageux d'une autre lettre et Bob Dylan lui chanta :

« ... *and you better start swimming or you'll sink like a stone...* »

D'une simple pression sur un bouton, le toit noir de la décapotable recouvrit l'habitacle, mais Mallory laissa les vitres baissées. Elle déplia soigneusement une lettre, de peur qu'elle ne parte en poussière au terme d'une énième lecture, et chercha la description du monde à ce moment-là de la journée, à cette époque-là de la vie.

« ... *the present now will later be past...* »

Soudain, une bourrasque lui arracha sa lettre et l'emporta par la vitre passager. Mallory sortit en trombe et chassa sa feuille de papier entraînée à travers la campagne, taquinée par les tourbillons capricieux du vent. Elle leva au ciel des yeux furieux, comme pour houspiller un Dieu de catéchisme qu'elle avait abandonné à six ans, presque sept, quand sa mère était morte.

Là, elle n'y croyait plus. Kathy Mallory était une enfant de la high-tech et de la froide logique. Sa seule punition ? La rafale de vent qui faisait virevolter sa lettre de plus en plus loin, de plus en plus vite. Après la colère surgit la panique – émotion inédite pour une femme armée d'un gros calibre, qui ignorait le sentiment normal et sain de la peur. Rien ne l'avait effrayée jusqu'à

120

ce qu'elle entende le roulement du tonnerre. L'orage arrivait. Tandis que le papier s'envolait de plus en plus haut, elle craignit de le perdre, entraîné par le vent ou noyé sous la pluie. Une véritable course contre la montre venait de s'engager.

Aux premières gouttes, la panique monta d'un cran. Puis la colère de Mallory revint : son vieil ennemi était bien là-haut, il se cachait, se dérobait encore à son regard.

Le Grand Salaud du ciel, Tueur de mère.

— J'en ai marre ! hurla-t-elle au vent, les poings serrés.

Elle avait de nouveau six ans, presque sept, déboussolée par des événements qu'un enfant ne pouvait contrôler.

— Rends-la-moi !

Soudain, la missive plana, immobile, en lévitation, tel un oiseau luttant contre la force du vent. Puis, lentement, elle redescendit vers le sol. Mallory se précipita, le cœur battant, comme si elle tenait plus à cette précieuse lettre qu'à sa propre vie.

Devant son ordinateur portable, Berman scannait les dernières informations en provenance de Chicago et, fasciné par les photos, il hochait la tête. Il n'avait lu que la moitié du rapport d'Eddie Hobart, mais tout était clair. Enfin, il comprenait comment un simple agent de police aux confins de l'Illinois avait donné du fil à retordre à son équipe de déterreurs de cadavres.

Hobart s'envoya son troisième whisky :

— Il m'a bien plu. C'est un bon gamin.

Berman acquiesça distraitement et se resservit à boire. À l'écran : un cliché transmis avec les compliments de l'inspecteur Kronewald de Chicago, agrandissement d'une valve sur le pneu à plat de Gerald C. Linden.

— Je suis sûr que la marque d'outil ne vous a pas échappé, Hobart.

— Si, hélas. Je n'ai pas eu le temps de vérifier sur place et Cadwaller nous a ordonné de laisser le pneu. Soi-disant que l'hélicoptère était trop lourd.

— C'était vrai ?

— Non. On avait quelques échantillons de sol et les corps de trois autres tombes. Ces petits squelettes ne pesaient pas grand-chose, mais le pilote n'obéit qu'aux ordres des fédéraux.

Il montra le rapport posé sur les genoux de Berman.

— Officiellement, j'en endosse toute la responsabilité. J'aurais dû abandonner Cadwaller là-bas et emporter le pneu.

Hobart regardait l'écran quand apparut la photo d'une empreinte relevée sur une batterie de portable.

— Ça aussi, je l'ai raté.

— Les flics l'ont trouvée dans les poubelles d'un restaurant au nord de Chicago. La victime s'y était arrêtée pour prendre son dernier repas et c'était à des kilomètres de votre itinéraire, Eddie.

— Non, j'ai foiré. Je ne savais même pas que le téléphone de Linden n'avait plus sa batterie. Je n'ai pas eu l'occasion de l'ouvrir. Et je ne suis pas convaincu que j'y aurais pensé, même si j'avais eu le temps de faire mon boulot correctement.

— Eh bien, quelqu'un l'a ouvert.

— Peut-être Hoffman ou la New-Yorkaise, Mallory. L'empreinte est bonne ?

— Non. D'après Kronewald, il s'agit d'une empreinte partielle souillée. Les crêtes ne sont pas nettes. Elle ne pourra même pas nous servir à éliminer d'éventuels suspects.

— Je me sens quand même stupide.

— Ne vous jetez pas la pierre, Eddie. Cette enquête vous a juste épuisé.

Berman remplit le verre de son invité, histoire de l'anesthésier encore un peu.

— Trop de corps d'enfants.

Surgit ensuite le problème de son étroite surveillance par un crétin particulièrement acerbe. À vouloir s'immiscer dans l'enquête, Cadwaller s'était attiré beaucoup d'ennuis et, soucieux de limiter les dégâts, Berman l'avait assigné à l'exhumation clandestine des corps. D'autres agents plus talentueux avaient été envoyés pour négocier avec les officiers de Chicago. L'affrontement avait été sanglant, mais Cadwaller avait encore fait pire avec la police de l'Illinois.

Et les problèmes n'étaient pas terminés. Ça continuait, coup après coup, tandis que le ciel s'assombrissait. Les glaçons tintaient au fond des verres et Berman écouta la légendaire histoire d'une grande blonde new-yorkaise qui avait mené la danse au restoroute de Sally. Pendant qu'il racontait, Eddie Hobart se nomma président du fan-club de l'inspectrice Mallory.

Berman hocha la tête en souriant :

— C'est la fille de Lou Markowitz.

— Non, merde !

— Vous avez entendu parler de lui ? Oui, bien sûr. J'ai connu son père à New York. Mon équipe bossait sur une grosse affaire avec la brigade criminelle spéciale, mais on s'est plantés. Ou, plutôt, *je* me suis planté. C'était ma faute. Markowitz a explosé. Il a viré tous les fédéraux du commissariat et nous a jetés sur le trottoir en même temps que les ordures. Puis son groupe homicide a bouclé l'enquête en moins de quatre heures. C'était humiliant... et instructif. Ce vieux salaud m'inspirait un immense respect. Et je l'aimais bien... même quand il me foutait à la porte à grands coups de pied au cul.

Il contempla son whisky.

— Parfois, quand on apprend la mort de quelqu'un, d'un collègue, on se dit : « Quel malheur ! » On le pense vraiment, mais on continue sa partie de golf et on ne rate pas un seul trou. Le décès de Lou Markowitz a bouleversé un tas de gens. Tous les fédéraux de l'agence de New York sont allés à son enterrement. Et il y en avait d'autres. À sa mort, ils ont débarqué de partout.

Il leva son verre pour porter un toast.

— Un sacré flic.

— Et Mallory ?

— Elle, c'est une emmerdeuse. J'ai vu que Cadwaller ne boitait même pas, aucune balle dans les rotules. La fille de Lou devait avoir pris un jour de repos.

L'orage avait cessé et pas une goutte de pluie n'était tombée sur cette bande d'asphalte. La lune se levait.

À l'approche des feux de camp et des lanternes, Mallory éteignit sa musique et ses phares pour ne pas se faire remarquer. Elle coupa le moteur et entra en roue libre sur le parking d'une épicerie. La cahute en bois n'était pas allumée et une pancarte « À vendre » était placardée à la fenêtre. La voiture se gara derrière le bâtiment, à l'ombre, et à l'abri du clair de lune. La majeure partie du convoi était stationnée de l'autre côté. Mallory descendit et contourna la boutique pour jeter un œil au campement. Réunis autour de petites flambées, les gens faisaient la cuisine. Ils étaient plus nombreux que la veille. Depuis son départ de l'Illinois, la caravane de Paul Magritte avait grossi.

Sur le seuil éclairé de son camping-car, une femme distribuait du matériel aux quelques personnes qui attendaient à la queue leu leu, et Mallory supposa qu'il s'agissait de nouveaux membres. Un homme reçut une étincelante hachette neuve qui, malgré sa petite taille, pouvait parfaitement trancher la main d'une victime de meurtre.

Le cortège venait d'arriver. On montait encore des tentes à la périphérie des autres. Certains parents étaient très pauvres : parfois, de simples tapis de couchage étaient étalés sous une bâche tendue par-dessus les voitures et fixée aux arbres.

Où était l'escorte de protection ? Mallory n'aurait pas dû pouvoir s'approcher si près du campement sans être repérée.

Des phares éclairèrent une allée de gravier en bordure du champ, mais ce n'était pas le FBI. Une étoile de shérif était peinte sur la portière et, loin de venir protéger le groupe, le conducteur était furieux. Il déracina un panneau interdisant l'accès au terrain. Sa mission ? Déloger les campeurs et les obliger à filer loin de sa juridiction. Il lui suffisait de brandir sa pancarte, signe de toute l'autorité nécessaire pour les renvoyer sur les routes.

Manifestement, Paul Magritte avait abouti à la même conclusion et il se dépêcha de rejoindre le shérif. Le vent soufflait vers Mallory, si bien qu'elle entendit leur conversation depuis sa cachette.

Le médecin agita un bout de papier :

— Bonsoir, monsieur. Voici l'autorisation du propriétaire pour utiliser son champ. D'après la date, vous constaterez que je me suis arrangé avec lui il y a long-temps.

Le shérif baissa son panneau d'interdiction, comme s'il s'était agi d'un revolver et qu'il n'avait pas encore décidé de tirer. Il le posa contre sa jambe, ce qui lui permit de prendre entre ses mains la feuille du vieux monsieur et sa torche électrique. Après avoir lu la lettre, il jeta un regard suspicieux à son interlocuteur :

— Il reste le problème des sanitaires. Je ne vois ni toilettes portables ni cabines de douche. Votre papier ne signifie pas que…

— Tout est réglé. Le fils du propriétaire va nous donner la clé de ce bâtiment.

Lorsqu'il désigna l'épicerie abandonnée, Mallory se blottit dans l'obscurité.

— On pourra utiliser les W.-C. à l'intérieur. Le propriétaire voulait être payé en liquide, donc on va organiser une collecte et remettre l'argent à son fils. Nous avons aussi des camping-cars équipés de toilettes.

Les autres parents, qui avaient remarqué la voiture du shérif, accoururent vers lui en brandissant les affiches de leurs enfants dans un indescriptible brouhaha. D'une voix plus forte, d'aucuns demandaient s'il avait des nouvelles de Christie, seize ans aujourd'hui, ou de Marsha, à peine six ans le jour de son enlèvement, et la liste des noms s'égrenait à n'en plus finir.

Le shérif battit en retraite, la mine coupable, comme s'il avait lui-même tué leurs bébés. Tête baissée, il marmonna quelques mots qui échappèrent à Mallory. Sans doute une prière ou un juron, car il prononça le nom de « Dieu ». Puis il se dépêcha de reprendre le volant et mit la gomme. Les roues dérapèrent, le gravier crissa, la berline rejoignit l'asphalte de la route et les gyrophares du toit disparurent à l'horizon.

Il s'était enfui.

Mallory revint à sa voiture. Sans allumer ses phares, elle quitta discrètement le parking et, sous le clair de lune, se lança aux trousses du shérif. Il ne faisait pas nuit noire, il aurait pu la repérer s'il s'était retourné, mais ce ne fut pas le cas. Autre preuve de sa culpabilité aux yeux de Mallory. Elle le suivit en ville, jusqu'à un bâtiment municipal où une porte indiquait le bureau du shérif. Toujours sur ses pas, elle était son ombre silencieuse. L'homme ne remarqua pas sa présence, mais il vit l'air étonné de son adjoint à l'accueil. Quand il se retourna et aperçut la jeune femme, il eut la peur de sa vie.

Parfait.

Elle montra son insigne doré et sa carte de police :

— Je m'appelle Mallory.

Elle crut qu'il allait fondre en larmes.

— Seigneur ! balbutia-t-il d'une voix rauque. Mallory ? Si ça ne suffit pas à vous faire croire aux signes, aux présages et à Dieu Tout-Puissant !

Il ne jeta qu'un bref coup d'œil à son badge de police, puis l'invita dans son bureau et lui montra une chaise :

— Asseyez-vous. J'ai l'impression que ça pourrait durer un moment.

CHAPITRE VI

Mallory s'assit dans un vieux fauteuil confortable qui ne correspondait absolument pas à son idée du mobilier de bureau. Le tapis multicolore semblait avoir été tissé au début du siècle dernier et l'unique symbole de modernité était un téléphone à renvoi d'appel.

Elle avait quelques questions franches à poser à ce shérif du Missouri mais, derrière son bureau en bois sculpté, l'homme faisait partie d'une immense cordée qui allait de la côte Est à la côte Ouest des États-Unis. Au lieu de lui demander pourquoi il avait fui la caravane des parents, elle lança :

— Dites-moi ce que vous n'avez pas dit à Magritte.

— Sûrement rien que le vieil homme ne connaissait déjà, rétorqua le shérif Banner. Il y a dix-huit mois, on a découvert la dépouille d'une enfant qui n'était pas de la région. J'ai supposé que c'était la raison pour laquelle ils débarquaient tous ce soir.

— Quel âge avait la fillette ?

— Elle pouvait être grande pour cinq ans ou petite pour sept. On ne peut pas non plus être formel sur le sexe. Le légiste a juste de bonnes raisons de croire qu'il s'agissait d'une fille. Sur la pierre tombale, la ville a donc choisi un prénom unisexe.

— Puis le corps s'est décomposé.

Impossible de demander s'il avait été enterré ou s'il manquait une main. Sinon, il aurait fallu faire des concessions et échanger des informations.

— Il n'était pas à vue.

— Mon Dieu, non. Le cadavre était enfoui et *plus* que décomposé. Il devait reposer là depuis des années. On ne l'aurait jamais retrouvé si un vieux schnock de Californie ne s'était pas mis en tête de se construire une maison de retraite sur la Route 66, berceau de ses meilleurs souvenirs. Une équipe de chantier a donc découvert le corps, ou plutôt le squelette, mais quels abrutis ! Ils n'ont pas eu l'intelligence de tout laisser en place et de prévenir la police. Non, ils nous ont apporté ce qui restait de la petite au fond d'un sac. Un sac d'os !

— Un détail bizarre à propos du squelette ?

— Rien qui indique la cause de la mort, si c'est ce que vous voulez savoir, mais, au moment de déballer les os, il manquait une main. Mes hommes ont fouillé le terrain de fond en comble. Sans résultat.

— Des éclats sur les os du poignet en question ?

Le shérif mit quelques secondes à réagir, écœuré par l'horrible image qu'elle lui avait flanquée dans le crâne.

— Aucune trace d'outil. La main n'a pas été tranchée. Des prédateurs ont peut-être attaqué le corps avant qu'il soit enterré, mais il n'y avait pas non plus de marques de dents.

Mallory préférait sa propre théorie d'un meurtrier revisitant la tombe de l'enfant après sa complète décomposition.

— Vous avez réclamé l'aide du FBI ?

— Ces salauds m'ont envoyé balader, persuadés qu'il s'agissait d'une simple fugueuse. Saviez-vous qu'à chaque minute de la journée, quatre-vingt-dix mille gamins en fuite errent sur les routes? Les fédéraux devaient penser que cet amuse-gueule m'intéresserait, car c'est tout ce que j'ai obtenu d'eux. Ils ne traitent pas ce genre d'affaire, ont-ils prétendu. Puis, il y a quatre mois, ils ont débarqué au cimetière et déterré la petite. Tout le monde a été choqué! Ils n'ont rien voulu nous dire. Dans cette ville, la population entière ou presque avait participé au financement de l'inhumation et de la pierre tombale.

Ses épaules s'affaissèrent, comme si le poids de la journée lui avait voûté le dos.

— J'espère que vous pourrez m'apprendre un truc utile… avant que les membres du convoi viennent frapper demain à ma porte en pensant que cette fillette était une des leurs.

Aucun risque. Il existait des règles sur la divulgation d'informations liées aux enquêtes des collègues et cette affaire-là appartenait à Kronewald. S'il était vif d'esprit, le shérif pourrait néanmoins saisir une miette ou deux et elle l'en croyait très capable.

— Avez-vous reçu des notices d'autres commissariats? Qui auraient eu des cas similaires?

— Pas vraiment.

Banner se redressa un peu. Il avait compris qu'on parlait peut-être d'un tueur en série. Le jeu était lancé.

— Il y a quelque temps, on m'a envoyé un fax du Kansas, mais il s'agissait d'une adolescente ou d'une jeune femme. De plus, la victime avait été abandonnée au milieu de la route. Aucune trace de décomposition. Le seul indice concordant, c'était la main en moins.

Il attendit qu'elle lui lance une autre pièce d'un vieux puzzle. De toute évidence, il était patient.

Inutile de demander si la police du Kansas avait trouvé les os d'une main d'enfant à la place de la main manquante : c'était un détail dont Banner n'aurait jamais eu vent. La brigade criminelle de Chicago ne voulait pas non plus ébruiter l'information.

— Le fax mentionnait-il un détail bizarre sur la scène de crime ? Les flics du Kansas avaient-ils des questions ?

— Je vous ai dit ce que je savais, Mallory.

Peu à peu, il comprit qu'il n'en apprendrait pas davantage et hocha la tête.

— J'espère que vous rencontrerez bientôt les fédéraux. Il y en a un paquet à une trentaine de kilomètres en aval. Si vous parlez à ces enflures, dites-leur qu'on aimerait récupérer la petite pour l'enterrer à nouveau... s'ils ne retrouvent pas sa famille. Dès que j'aborde le sujet, on m'envoie d'horribles réponses types.

Mallory étudiait le panneau d'affichage derrière le bureau du shérif, véritable fouillis de paperasse, listes de service, lettres et autres affiches. Au centre : la photo d'une pierre tombale, impressionnante stèle finement gravée d'anges, mais sans date de naissance ni de mort. Un déluge de fleurs jonchait le sol.

Intrigué, Banner suivit le regard troublé de la jeune femme :

— Mon Dieu, vous n'étiez pas au courant.

Les punaises volèrent lorsqu'il arracha le cliché du panneau en liège et, sur un ton désolé, il murmura :

— Je croyais que vous veniez pour elle. Je suis navré.

Il lui tendit la photo.

— C'est la tombe de la fillette. L'image qu'on a utilisée sur les affiches. Comme je vous disais, il fallait un prénom unisexe. Bon, le cliché est un peu flou. Sur la ligne illisible, il est marqué : « Enfant de quelqu'un ».

Mais le seul mot en grosses lettres qu'elle distinguait était *Mallory* – juste Mallory.

À la frontière sud-ouest de l'Illinois, Riker commanda un dîner tardif au restoroute où, en début de journée, on avait découvert une main tranchée dans un coffre de voiture. La serveuse, Sally, leur raconta l'habileté de Mallory à retourner les hamburgers et son aide pour ôter les affiches d'enfants disparus :

— Tous ces gosses, ça brisait le cœur.

Son café à la main, Riker rejoignit la table où son compagnon de route étudiait en détail le sac à main de Savannah Sirus.

— Désolé, annonça Charles. Si tu cherches le rapport entre un suicide et un tueur en série, tu ne trouveras rien au fond de ce sac.

— Ç'aurait été trop facile.

Par la fenêtre, Riker contempla les vestiges de la Route 66.

— Pourtant, ce suicide est lié au voyage de Mallory dans la région. Je ne crois pas aux coïncidences. Elle chasse. Et il y a forcément un lien avec l'enquête de Kronewald. Tu sais ce qui m'a inquiété ? Qu'elle ait roulé sur la scène de crime d'un autre flic. Ça, c'est le comble de la grossièreté.

— Sauf qu'il n'y a guère de connexion solide.

— Mallory consacre sa vie à ce genre d'enquêtes. Surtout depuis qu'elle n'a plus de vie en dehors de son métier.

Riker baissa la tête, comme s'il s'excusait d'avoir touché un point sensible.

Autrefois, Kathy Mallory faisait partie intégrante de l'existence de Charles Butler. Il était entré dans sa petite orbite sociale par la porte dérobée de son amitié avec Louis Markowitz. Champion de la ruse, Lou avait impitoyablement intégré Charles à un filet de sécurité, de manière qu'à sa mort, Mallory ne se retrouve pas seule.

Il n'avait pas compté sur elle pour se faire des amis : elle n'avait pas le mode d'emploi.

Hélas, Charles avait payé au prix fort sa rencontre avec la jolie blonde et, parfois, Riker se demandait si Lou avait aussi manigancé cette triste histoire d'amour à sens unique. Non, appelons ça plutôt de la foi : le père adoptif avait eu l'idée qu'un jour Mallory puisse avoir un cœur humain capable de battre et d'aimer.

Riker aurait voulu demander comment elle l'avait éconduit. Au lieu de quoi, il fixa le sac de la victime :

— Une femme meurt chez Mallory et la gamine disparaît le même jour. Au moins, là, il existe une solide corrélation.

— Sauf que les choses ne sont pas arrivées dans cet ordre. Tu m'as dit que Mallory avait quitté la ville avant de…

La voix de Charles se brisa. Il prit le billet d'avion aller-retour de Savannah, preuve que la malheureuse croyait à la vie après New York. Soudain, son visage de gentleman afficha l'équivalent d'un retentissant « *Oh, merde !* ».

— Tu crois que Mallory l'a aidée à sauter le pas ? Qu'elle l'a poussée au suicide… et qu'elle a ensuite quitté la ville, consciente de l'imminence du drame ? Le revolver appartenait-il à Savannah Sirus ?

Ce n'était pas vraiment une salve de questions. Plutôt un acte de télépathie.

— Charles, tu es parfois encore plus bizarre que Mallory.

En bordure du campement, l'épicerie vide était encore ouverte et, de la longue file d'attente, il ne restait plus que quelques personnes, avec savon et serviette, pressées de faire un brin de toilette. Le fils du propriétaire avait patiemment attendu la fin de la collecte. Paul

Magritte compta les billets de cinq et dix dollars, puis les remit à l'adolescent.

— Oui, bien sûr. On nettoiera les sanitaires avant de partir.

Il prenait congé lorsqu'il entendit une voix familière :

— Arrêtez-vous là, mon vieux.

Volte-face. Mallory avait surgi sans crier gare. D'où venait-elle ? Drôle de fille, si insaisissable. Aucun chien n'avait aboyé.

La voix de la jeune femme avait changé : débarrassée de ses intonations montantes, elle était presque mécanique, ce qui était encore plus déstabilisant qu'une simple méchanceté :

— Vous avez oublié de mentionner quelques détails essentiels de votre petite expédition.

Elle n'était pas plus grande que lui, un mètre soixante-dix-huit au maximum, et, quand elle s'approcha de lui, leur reflet dans la vitrine sombre de l'épicerie montra deux silhouettes de taille égale. Toutefois, il avait l'impression tenace de devoir lever les yeux vers elle. Comment accomplissait-elle pareil exploit ? Deux grands costauds sortirent, à leur tour, du baraquement et, au passage, ils semblèrent aussi obligés de lever la tête vers elle.

Enfant, ton nom est Paradoxe.

Pourtant, la première chose qui vint à l'esprit de Magritte fut un banal cliché, car il avait devant lui l'incarnation vivante d'une femme plus grande que la vie : sa présence excédait les limites de son corps. Ses yeux étaient glacés, de même que sa posture, bras croisés contre lui. Son visage exprimait une sinistre suspicion et c'était la seule chose qu'elle l'autorisait à voir. À leur précédente rencontre, ce charmant minois était resté un masque impénétrable qu'il n'avait pas réussi à sonder. À présent, il se rendait compte que Mallory le mettait en garde : elle savait qu'il pouvait lui en dire davantage et, avant qu'ils se séparent, il aurait obéi.

Bien qu'il considère chaque individu comme unique au monde, la jeune Mallory possédait certaines qualités familières qui tiraient la sonnette d'alarme. Il devinait le contrôle strict qui bridait son désir d'opportune destruction : elle faisait durer éternellement le moment avant que la corde tendue à bloc ne casse. Il savait combien elle était dangereuse – et elle lui donnait de l'espoir.

Souriant, Paul Magritte indiqua sa voiture au bout du campement :

— Il nous faut un peu d'intimité. Je vais vous dire ce que je peux.

Oh, non, rectifia Mallory d'un simple regard et d'un subtil signe de tête. Sans un mot, elle assena : *Vous allez plutôt me dire tout ce que vous savez.*

Charles, qui avait repris le volant, franchit la frontière du Missouri.

Riker fourra son portable dans sa poche de chemise :

— On a du bol, Mallory a rencontré Kronewald. Elle a découvert une vieille tombe le long de la route. Encore cent cinquante bornes et on aura comblé notre retard.

— À supposer qu'elle reste là-bas.

— Sinon, on pourra la dépasser.

Riker avait résolu l'énigme spatiotemporelle de Charles au sujet des Volkswagen : il y avait forcément eu un bug informatique dans le traitement des factures d'essence entre New York et Chicago :

— L'ordinateur a dû se planter. Ces satanées machines ne sont pas fiables !

Bien qu'il soit toujours le premier à tirer à boulets rouges sur les technologies modernes, Charles ne parut pas convaincu, mais il n'insista pas, préférant reprendre le fil d'un autre débat entamé au dîner :

— En ce qui concerne le mur de numéros chez elle, je ne pense pas que Mallory se soit coupée du monde pour téléphoner. Et si elle avait établi un contact avec Savannah Sirus *avant* de délaisser le commissariat ? Voilà qui aurait pu déclencher l'isolement.

Riker eut du mal à se faire à l'idée. Au bout de plusieurs kilomètres, il agita la main en signe de *peut-être*. Selon sa propre théorie, c'était le boulot qui avait démoli sa jeune équipière ou, plutôt, la brigade criminelle avait achevé de miner une pauvre gamine traumatisée.

— C'est l'éternel problème de l'œuf et de la poule, s'expliqua Charles. Qu'est-ce qui est venu en premier : l'absentéisme ou les coups de fil ? Tu ne pourrais pas te renseigner ? Vérifier auprès de la compagnie du téléphone ? Demande-leur juste la date du premier appel de Mallory à Savannah. Inutile de passer par le commissariat de New York.

— D'accord.

Riker ressortit son portable et, vu son attitude, il était clair qu'il voulait juste faire plaisir à son ami. Après s'être présenté à l'opérateur new-yorkais, il bâilla en attendant le relevé des appels. Soudain, il changea de couleur, remercia son interlocuteur, raccrocha et ferma les yeux :

— Elle a souvent téléphoné à Savannah, mais leur prise de contact remonte à plusieurs mois, avant qu'elle commence à rater des jours de boulot. Comment avais-tu deviné ?

— Tout le monde a un hobby. Celui de Mallory est juste un peu hors normes : elle adore téléphoner. Tu m'as dit qu'elle le faisait déjà enfant. Je doute qu'elle y ait jamais renoncé. C'est compulsif. Elle a dû composer une quantité incroyable de numéros avant de trouver la solution. Compte tenu de l'indicatif longue distance, moins les quatre chiffres identiques de départ, sans parler des codes géographiques qui ont changé et des nouveaux… Vu le nombre de combinaisons possibles, elle n'était pas près de tomber en panne de numéros. Voilà qui confirme ma théorie d'une activité de longue haleine – peut-être une manie obsessionnelle. Déclenchée par un stress inhabituel. Au fil des ans, elle a essayé beaucoup plus de numéros que ceux affichés au mur.

Riker leva la main, tel un agent de la circulation. Stop ! Overdose d'informations. Il préférait apprendre les choses par bribes, pas plus d'une ligne à la fois sur son calepin.

Dieu merci, Charles entreprit de lui faire un résumé :

— Mallory a reçu quelqu'un chez elle pendant trois semaines, mais qu'a-t-elle fabriqué le reste du temps ? Sais-tu quand elle a acheté sa nouvelle voiture ?

— Il y a quelques mois.

— Après son premier coup de fil à Mlle Sirus. C'est là qu'elle a commencé à planifier son voyage. Chicago, ville natale de Savannah, était une destination probable bien avant la mort de Gerald Linden. La scène de crime de Kronewald se trouvait juste sur la route de Mallory quand cette dernière a traversé la région. Le carrefour d'Adams Street et de Michigan Avenue est le point de départ officiel de la Route 66.

— D'accord, tu as raison.

Riker se frotta les yeux et se demanda ce que le manque de sommeil lui avait encore fait rater. Il avait mal au crâne, mal au cœur. Il fouilla dans le sac de bouteilles, sa trousse de secours à lui, et sortit une bière bien fraîche pour atténuer la douleur.

Emboîtant le pas à Paul Magritte, Mallory se faufila entre les braises des barbecues et les flammes éclatantes des feux de camp. Elle entendit fredonner les quatre mêmes notes, encore et encore : blottis sur une couverture, les deux seuls enfants du convoi admiraient une belle flambée. Mallory s'accroupit près d'eux et demanda à la fillette :

— Comment s'appelle ta chanson ?

Le garçon se rapprocha de sa sœur et étouffa ses fredonnements lorsqu'il la serra dans ses petits bras. Mallory concentra donc son attention sur lui – témoin numéro deux.

— Comment s'appelle ta chanson ?

— Mes gosses ne parlent pas aux inconnus, expliqua une voix derrière elle.

L'inspectrice se releva et se tourna vers le père. Il dévisageait son fils et n'aimait pas la méfiance au fond de ses yeux.

Magritte se chargea des présentations auprès de Joe Finn et de ses enfants, Peter et Dodie.

Sans quitter la fillette du regard, Mallory dit au père :

— Les quatre notes que Dodie n'arrête pas de pépier… Connaissez-vous le titre du morceau ?

— Non, madame, je n'ai pas l'oreille musicale. Je sais juste qu'elle chantonne quand elle se sent mal à l'aise.

Plus de doute : Mallory était visée.

Au coin des yeux et à la mâchoire, le visage de Joe Finn était grêlé de cicatrices de combat mais, rien qu'à sa posture (jambes écartées, poings le long du corps), elle sut qu'elle ne s'était pas trompée sur son compte : il était boxeur professionnel et avait encaissé de nombreux coups pour nourrir sa famille. De quoi serait-il capable pour les protéger ? Furieux, il s'interposa entre Mallory et ses enfants, lui intimant en silence de leur ficher la paix.

Elle s'attarda un moment, car il devait comprendre qu'elle n'obéissait pas aux civils. Une leçon qu'elle avait apprise de Markowitz, condamné à perpète à Flicville : « *Il vaut mieux passer un sale quart d'heure, Kathy.*

N'embarrasse jamais la Police. » Puis, à son rythme, elle quitta les lieux.

Sur la route, Charles Butler cherchait des stations-service et des motels :

— On abandonne donc l'idée qu'elle avait juste besoin de vacances.

— Oui. Mallory n'a pas piqué de bagnole pour se faire une virée printanière. Elle chasse en solo et elle est en train de dérailler.

À l'attention de Charles, il recensa certains signaux d'alarme, mais pas les pires.

— Un jour, notre maniaque de la ponctualité est arrivée en retard au bureau.

Ce qui avait marqué le début de ses lents au revoir. Plusieurs jours d'affilée, elle avait pointé après l'heure – du moins quand elle venait. Puis elle avait cessé de répondre au téléphone, aux mails et aux visiteurs. Leur patron, Coffey, avait parlé de surmenage. Les autres inspecteurs de la brigade ne l'appelaient plus Mallory la Machine, car ils lui avaient trouvé une faille humaine – temps perdu et temps d'immobilisation, douloureuses insomnies ébranlées par des tremblements et d'étranges pensées qui pouvaient juste être apaisés grâce à une bonne cuite, ou en avalant des cachets ou bien en se fourrant le canon d'un revolver dans la bouche, le haut du crâne arraché, en un clin d'œil – tout était parti. Les flics au bord de la noyade n'étaient jamais mis sous pression : on les surveillait de près et Riker avait été chargé de planquer au pied de son immeuble. La coutume voulait que les policiers surmenés soient pointés matin et soir afin que les retenues de salaire n'en rajoutent pas à leur anxiété.

Parfois, ils revenaient. Parfois, ils mouraient.

— Prends la sortie, indiqua Riker.

Le prochain pont autoroutier lui donnerait l'altitude dont il avait besoin. Quand la Mercedes gravit la rampe, il alluma une cigarette et baissa sa vitre.

— Tu sais ce qui rend les gens dingues ?

Le sergent-détective ne put s'empêcher de sourire. *Mais oui, bien sûr.* Charles était forcément au courant : la psychologie était son fonds de commerce mais, en parfait gentleman, il garda le silence.

— L'injustice.

Riker jeta son allumette calcinée par la fenêtre.

— La jeunesse de Mallory lui a joué de sales tours.

Il jeta un coup d'œil dans la nuit, comme s'il revoyait la fillette soutirer un peu de monnaie aux putains de la rue et se nourrir en fouillant les poubelles.

— À mon avis, la gamine est en mission. Elle fait le compte de toutes les tricheries qu'elle a subies, des trucs qu'on lui a volés ou qu'elle a perdus. Voilà ce qui rend les gens fous. Imagine l'existence qu'elle aurait pu avoir si sa mère n'était pas morte. Ironie du sort, je ne pense pas que cette autre vie aurait été à la hauteur.

— Comment peux-tu dire ça ?

Au sommet du pont, Charles prit un virage serré.

— Si elle avait eu sa mère, elle n'aurait pas fini clocharde et paumée.

— Paumée ? Jamais. C'est une survivante-née, mais disons que tu as raison. Admettons que, dans une autre vie, elle ait tout : deux parents en chair et en os, un chien, une balançoire au fond du jardin. Crois-tu qu'elle aurait mieux tourné ? Moi, pas. Les Markowitz l'ont fait évaluer lorsqu'ils l'ont accueillie chez eux.

— En effet, Louis m'en a parlé.

Charles s'arrêta devant une station-service et coupa le moteur.

— Elle était douée en maths.

— Oui, un petit génie des chiffres.

Riker voulut payer l'essence, mais son ami avait déjà dégainé sa carte de crédit.

— Elle était donc vouée à devenir un as de l'informatique. Là, aucun changement. Dans une autre vie, elle aurait aussi toujours été très jolie. Si tu l'avais croisée dehors, tu serais tombé sous le charme mais tu aurais passé ton chemin. La plupart des mecs auraient réagi pareil et tu sais pourquoi.

Charles regarda les chiffres défiler au cadran de la pompe. Oui, il savait. Combien d'hommes pouvaient raisonnablement croire qu'ils avaient un ticket avec elle ? À cause de son visage sans égal, elle aurait été aussi inabordable qu'à l'heure actuelle.

Riker sourit à l'homme qui, malgré ses yeux globuleux et son bec d'aigle, était amoureux de Kathy Mallory :

— Crois-tu qu'elle aurait été plus humaine ? Le genre de fille capable de voir son reflet dans un miroir ? Elle serait peut-être devenue une petite morveuse et tu n'aurais pas gâché cinq minutes de ta vie à boire une bière avec elle.

Oh ! Quelle hérésie pour Charles Butler, dont l'univers tournait tout entier autour du soleil Mallory !

— Non. Elle aurait eu une véritable enfance au lieu de vivre l'enfer. Ç'aurait fait la différence à propos de…

— Son talent lui vient, en grande partie, de ses années d'errance, rétorqua Riker. Ta Mallory *bis* n'aurait pas su crocheter les serrures. Tu aurais peut-être eu le droit de l'appeler Kathy, mais elle n'aurait pas eu l'étoffe d'un flic encore plus doué que son père – et je parle de Lou au summum de sa carrière.

Il avait décidé de jouer sur la corde sensible.

— Et sa façon de marcher ! Quand on la voit arriver

avec son badge, son flingue et toute sa puissance. Si elle avait eu une autre vie, elle aurait été ordinaire… ou pire.

Il laissa échapper un rond de fumée.

— Ce n'aurait pas été la gamine que Lou et Helen ont élevée, celle qui te fascine. Pas *ma* Kathy.

Il laissa tomber son mégot et l'écrasa d'un coup de talon :

— Je ne changerais pas une minute de son existence, pas un seul neurone bousillé de son cerveau. Rien. Quand tu la regardes, tu vois son immense potentiel et, moi, je voudrais juste lui montrer quelle fille géniale elle est.

C'était peut-être une sociopathe au regard froid mais, de la part de son entourage, Riker n'avait jamais espéré la perfection.

Le Dr Paul Magritte entraîna Mallory vers une splendide Lincoln. Il lui tint la portière pour la laisser entrer la première dans le véhicule, mais ça ne se passerait pas comme ça. Bien sûr que non ! D'ailleurs, il sourit de son erreur : jamais elle ne tolérerait la présence d'un inconnu derrière elle. La confiance ne faisait partie ni de son destin, ni de son style, ni de sa pathologie.

Il entra le premier et, lorsqu'elle referma la portière pour être plus tranquille, il rassembla ses forces.

— Votre campeur manquant, annonça-t-elle. Gerald Linden ? Il est mort. Son cadavre a été découvert à Chicago, au carrefour d'Adams Street et de Michigan Avenue.

Magritte ferma les yeux.

— Aucune corrélation possible. Voilà plus d'un an que le FBI retrouve des corps le long de la Route 66, mais il s'agit toujours d'enfants.

— Comment le savez-vous ?

— Par Internet. J'anime des groupes de thérapie en ligne pour les parents d'enfants disparus.

— Et assassinés. Vous avez omis ce détail.

— Oui, je vous demande pardon.

Ridicule ! Les gens comme Mallory avaient le pardon en horreur.

— Je dirige cinq groupes. Vingt-huit patients au total.

— J'ai dénombré quarante-deux personnes sur le parking du restaurant en Illinois.

L'accusait-elle de flagrant délit de mensonge ? Elle se tourna vers les rangées de voitures garées sur le champ.

— Combien de gens vous ont rejoints depuis ? Vingt ? Plus ?

— Les parents arrivent au fur et à mesure. Évidemment, ce ne sont pas tous mes patients et ils viennent parfois d'autres forums Internet. Il y a un an, le FBI a localisé les tombes de plusieurs enfants et annoncé aux familles l'emplacement des dépouilles. Les pères de deux petits martyrs participaient à mes séances de thérapie. Deux gamins enterrés près d'une route, ce qui a attiré mon attention. Le meurtrier courait le risque d'être vu en train d'enterrer sa victime : étrange comportement pour un tueur. D'habitude, les cadavres sont retrouvés dans des contrées lointaines, à l'abri des regards indiscrets et moins...

Il se rendit compte qu'elle perdait patience. Il lui racontait des choses qu'elle savait déjà et il ne devait plus commettre ce genre d'erreur. Il en eut la certitude quand elle se pencha vers lui, un brin menaçante, pour le remettre sur les rails.

Rapide à la comprenette, il enchaîna :

— Les sépultures étaient sur des routes différentes, mais une connaissance m'a dit qu'il s'agissait de portions de l'ancienne Route 66. Non seulement ce type connaît tout de cette voie légendaire, mais il est aussi très doué pour repérer les connexions et les schémas logiques. Quand il m'a donné les probabilités se rapportant à...

— Comment s'appelle-t-il ?

Devant l'hésitation du médecin, elle s'approcha à quelques centimètres de son visage :

— Nous savons tous les deux que « connaissance » et « doué » sont des noms de code signifiant « patient » et « cinglé ».

Paul Magritte battit sa coulpe et se jura de mieux choisir ses mots désormais :

— En contactant les psychologues de différents forums Internet, j'ai trouvé d'autres parents d'enfants assassinés et enterrés au bord d'une route. Certains corps ont réapparu il y a des années. Les tombes sont toutes situées sur la Route 66 et il s'agit toujours de fillettes entre cinq et sept ans.

— Vous saviez que vous étiez confronté à un tueur en série, l'accusa-t-elle.

— Oui. Selon mes sources, le FBI n'a contacté aucun parent depuis dix mois, mais la rumeur prétend qu'ils continuent à exhumer des dépouilles d'enfants. Une tombe a d'ailleurs été localisée à cinq kilomètres d'ici.

— Pourquoi entraîner tant de parents sur les terres d'un *serial killer* ?

— Le tueur ne s'intéresse pas aux adultes.

— Gerald Linden.

Mallory assena son nom comme un coup de marteau.

— Vous ne pouvez pas le relier à...

— Ah bon ? Vous êtes psy : vous savez qu'un meurtrier peut du jour au lendemain décider de s'attaquer à des victimes au profil différent, alors n'essayez pas de vous réfugier derrière vos théories à la noix. Revenons plutôt à ma question. Pourquoi mettre les parents en danger ?

— Ils affichaient trop leur souffrance. Je voulais les sortir d'Internet.

— Vous avez donc deviné que le tueur faisait partie d'un groupe de thérapie. De tous, sans doute. Vous saviez que les parents l'obsédaient.

Même si les pièges qu'elle lui tendait étaient purement verbaux, il l'imagina creuser un trou profond, puis le recouvrir de branches et de brindilles.

— Je ne suis pas aussi doué, se défendit-il. Je n'avais pas prévu qu'un tueur d'enfants si prolifique déciderait de s'en prendre à des adultes, mais j'ai compris les risques d'Internet. C'est une mine d'or pour qui se nourrit de la douleur d'autrui !

— Vous me cachez des informations. Vous êtes entré en contact avec ce monstre.

Elle se pencha vers lui, histoire de mieux enfoncer le clou.

— Vous venez de le diagnostiquer.

Il se tourna vers le pare-brise et les lumières du campement. La main de Mallory lui serrait le bras. Il ne pouvait pas s'enfuir.

— Gerald Linden faisait partie du noyau de votre groupe, ajouta-t-elle, des gens qui s'étaient donné rendez-vous à Chicago.

— Oui.

Il regarda les enfants Finn passer devant la voiture, main dans la main. Dodie s'était annoncée par son babillage. Quatre notes qui étaient presque devenues un mantra pour le Dr Magritte.

Mallory aussi observa la fillette :

— Vous devez éloigner les gens de cette route, sinon il y aura d'autres victimes.

— Ils ne peuvent pas rentrer chez eux. Si l'assassin a trouvé Gerald Linden avant qu'il rejoigne la caravane... Eh bien, vous comprenez ce que ça signifie.

Il couva du regard son troupeau, soucieux de la petite fredonneuse. Elle hantait ses pensées, ses visions.

— Le tueur connaît leurs noms et leurs adresses.

— Il lui en manque certaines.

Mallory oublia Dodie Finn et se concentra de nouveau sur le vieux psychologue :

— Il était au courant des faits et gestes de Linden, de l'endroit où il habitait, de la marque de sa voiture. Il avait tout appris à l'époque où il épiait sa fille. Le meurtrier ne connaît que les parents de ses victimes. Comme vous.

Dodie avait cessé de chantonner.

Anxieux, Magritte scruta le parking derrière chaque vitre de sa berline. Ah, les voilà ! Peter et Dodie étaient revenus au feu de camp, où leur père s'acharnait encore à monter leur tente. Mallory avait remarqué l'intérêt du médecin pour les petits Finn. Elle le regarda comme si elle l'avait surpris en plein acte obscène. Le considérait-elle comme un tueur d'enfants ou nourrissait-elle juste un début de soupçon à propos de la gamine dérangée ?

— En Illinois, reprit-elle, vous m'avez raconté qu'une fille de Joe Finn avait disparu. Quel âge avait-elle ?

— C'était une adolescente. Je ne peux vraiment rien vous dire de plus.

Était-ce bien nécessaire ? D'un hochement de tête, elle ajouta cette réponse à la liste de ses griefs contre Magritte. Puis elle observa de nouveau la petite famille de campeurs. En apprenant qu'Ariel n'avait pas été kidnappée enfant, elle aurait dû s'en désintéresser mais, non, sa curiosité était plus aiguisée que jamais.

Subtile Mallory.

Elle désigna Joe Finn et ses enfants :

— Vous ne vous inquiétez donc pas de leur sort ?

Tandis qu'elle cherchait sur son visage un plissement de front éloquent, voire un tic nerveux, il jugea sa méthode d'interrogatoire proche du vampirisme. Elle l'avait saigné jusqu'à obtenir satisfaction et, à présent, il était presque certain que le secret de Dodie appartenait à Mallory.

— Parlez-moi d'April Waylon, Dr Magritte. Je sais que vous l'aviez invitée à vous rejoindre à Chicago. Quand comptiez-vous me dire qu'elle manquait à l'appel ?

— Oh, mais elle est ici. Elle est arrivée il y a une heure.

Il vit une infime faille ébranler le visage de Mallory, l'ombre d'une surprise, éphémère – déjà envolée.

— Établissez la liste des cibles potentielles parmi les campeurs, puis demandez-leur de quitter la route pour les éloigner du radar du meurtrier.

— En les renvoyant chez eux ? Si le tueur vise les parents, ils sont plus en sécurité ici. Quelle chance auraient-ils, isolés dans leur maison ? Vous croyez qu'ils verraient ça venir ?

— *Ça*, répéta-t-elle. Vous parlez de l'assassin ? Le terme est intéressant dans la bouche d'un psy mais, bon, vous le connaissez mieux que moi.

Il secoua la tête mais, d'une petite moue, elle insinua qu'il était inutile de nier. Il crut que l'inquisition allait monter d'un cran, mais Mallory ouvrit la portière et, la main posée sur la poignée chromée, se prépara à prendre congé :

— Le shérif va bientôt revenir. Il est en train d'organiser votre escorte pour la nuit. Vous savez, les gens du coin ont un intérêt personnel dans l'affaire.

Elle sortit de la Lincoln.

— Peut-être confierez-vous au shérif Banner ce que vous avez refusé de me dire.

La portière claqua d'un coup sec.

Il pensa que Mallory était partie mais fut surpris de voir réapparaître son visage derrière la vitre.

— Un dernier détail à méditer : ce ne serait pas votre expédition qui l'aurait poussé à tuer un parent ? Si vous les aviez laissés sur Internet, il se serait peut-être contenté de leurs témoignages, se serait délecté de leur douleur mais, là, vous lui avez coupé les vivres.

Après avoir soigneusement démoli Paul Magritte par ses petites phrases assassines, elle se frotta les mains, comme si elle l'abandonnait à ses problèmes au fond de sa berline. Pourtant, lorsqu'il la regarda s'éloigner, il nourrissait toujours quelque espoir. À l'aube d'un nouveau siècle, il s'était remis à croire aux dieux et aux monstres – et elle était les deux.

CHAPITRE VII

Mallory devançait le convoi d'une trentaine de kilomètres quand elle trouva le motel. C'était le point de rendez-vous du FBI, *dixit* le shérif Banner.

Sur le parking, elle compta les fédéraux en uniforme postés à côté de leur véhicule. Douze au total. On était loin d'une force de frappe ordinaire. Chaque visage semblait tout neuf, sans l'ombre d'une ride. Où étaient donc passés leurs mentors ? Ces gamins à peine tombés du nid auraient dû être encadrés par des agents plus expérimentés. Le benjamin fonça lui barrer la route avant qu'elle puisse garer sa décapotable argentée sur la dernière place libre de parking.

Et Mallory ne lui roula pas dessus.

Erreur typique de débutant : les bleus couraient toujours devant les voitures en marche.

— Le motel est complet, madame. Si vous reprenez l'A44, vous arriverez à…

Elle brandit son insigne doré, mais pas assez longtemps pour qu'il déchiffre sa ville d'origine à la lumière faiblarde des néons :

— Qui dirige les opérations ?

Le jeune homme hésita une seconde de trop.

— L'agent spécial en charge de l'affaire, insista-t-elle. Donnez-moi un nom.

Forte de l'autorité que son plus gros calibre lui conférait, elle descendit de voiture pour affronter le gosse.

— Ne me faites pas perdre mon temps alors que des gens sont en train de crever. Je sais que vous avez reçu l'ordre d'être sympa avec les flics, alors je veux un nom.

— L'agent spécial Dale Berman.

Mauvaise nouvelle. La pire possible. Pourquoi lui ? Enfin, bon, ça expliquait la colonie de vacances d'agents débutants sans baby-sitters attitrés. Depuis quand Berman respectait-il le protocole ? Il faudrait la mort d'un ou deux bleus avant que Washington comprenne son erreur de casting à la tête de l'enquête.

— Où est-il ?

— Vous venez de le rater.

Il lui montra un champ, où un hélicoptère décollait dans un petit nuage de poussière.

— Berman part à plus de cent cinquante kilomètres d'ici, mais il sera de retour ce soir. Si vous ne pouvez pas attendre, on le contactera par radio.

Le temps de remonter en voiture, Mallory se demanda à quelle vitesse volait un hélicoptère. Il allait sûrement atterrir sur la Route 66 mais ne serait pas freiné par la circulation et les nombreux virages. Elle devrait donc reprendre l'autoroute pour le rattraper, voire le dépasser. Son moteur de Porsche était un vrai bijou en comparaison des tas de ferraille du FBI.

— Inutile que vous parcouriez une telle distance pour rien.

Le jeune agent fédéral dut élever la voix, car Mallory était partie en trombe, et il hurla littéralement :

— Berman va faire demi-tour et…

Il parlait dans le vide. Elle avait déjà disparu.

Tandis que Riker recrachait sa fumée à la vitre, la Mercedes se gara sur un champ éclairé par les feux de camp et les flammes, plus modestes, des bouteilles de propane. Les gyrophares éclatants des voitures de police illuminaient la route et des patrouilleurs en uniforme surveillaient le périmètre.

— Voici donc la caravane. Eh bien, elle valait le détour.

À peine descendu, Riker brandit son insigne sous le nez d'un shérif adjoint, qui s'intéressa ensuite à Charles Butler.

— Il est avec moi. Peut-être avez-vous croisé mon équipière ce soir, l'inspectrice Mallory ?

— Jamais entendu parler, monsieur. Je viens d'arriver.

Par-dessus le toit de son véhicule, l'adjoint indiqua un homme d'un certain âge, quelques mètres plus loin.

— Adressez-vous au shérif Banner. C'est lui qui dirige les opérations.

Avant d'y aller, Riker fixa sa plaque à la poche de sa veste. Les deux hommes se serrèrent la main et préférèrent s'éloigner pour parler plus tranquillement. De flic à flic.

Charles observa le campement. Certaines tentes tenaient plus de l'appentis. D'autres, en dôme, étaient éclairées de l'intérieur comme des igloos luminescents. Les gens se blottissaient par petits groupes autour des feux et des lanternes. C'était un décor de fin du monde, peuplé par les survivants d'une apocalypse, et, vu leur désespoir, la métaphore correspondait plutôt bien à la réalité.

Sur le passage de Charles, les chiens se mirent à aboyer. Quand leurs maîtres les firent taire, il entendit un fredonnement et, là, surprise !, il découvrit parmi les campeurs deux enfants en âge d'aller à l'école. Le jeune garçon semblait monter la garde devant un homme endormi près du feu, face contre terre. Sur le qui-vive, il assurait sa mission avec le plus grand sérieux. Lorsque le petit se décala un peu, Charles eut une meilleure vue sur la fillette, d'où provenait la musique, malgré un répertoire limité à un seul refrain. Assise sur une couverture, elle se balançait en levant parfois les yeux vers les étincelles du brasier. Simple réflexe, rien de plus. Elle n'était pas vraiment là. Elle avait l'esprit ailleurs.

Le garçonnet avait dix ans à tout casser, mais il dévisagea l'inconnu avec une méfiance d'adulte. Charles sourit et, aussitôt, le gamin parut amusé.

Évidemment.

Malgré son intimidant mètre quatre-vingt-quinze, il ressemblait à un pauvre idiot inoffensif et il le savait bien. Ce n'était pas sa faute mais celle de la génétique. Il était venu au monde avec un énorme nez crochu, des yeux globuleux qui lui donnaient en permanence un air étonné et, chaque fois qu'il souriait, on aurait dit un clown évadé d'une école de cirque.

Après avoir enfilé sa veste de costume froissée par le voyage et redressé son nœud de cravate, il s'accroupit près du feu et murmura pour ne pas réveiller l'homme endormi :

— Bonjour, les enfants. Je cherche le Dr Magritte.

Il avait roulé le *r* de « Magritte », le prononçant d'une drôle de façon, comme un Français. Il présenta sa carte d'identité au petit garçon flatté de se voir ainsi traité en homme.

— Moi aussi, je suis médecin.

— Le Dr Magritte, répéta l'enfant, perplexe.

— Oui, Paul Magritte.

— Ah ! Le Dr *Paul*.

Peter indiqua l'autre bout du campement.

— On le voit d'ici. C'est le vieux monsieur. Le seul qui ait des cheveux blancs.

Il mit ses mains en entonnoir et lui chuchota qu'il ne fallait pas rouler le *r* de « Magritte ». Par sa discrétion polie, il évitait d'embarrasser leur visiteur devant les campeurs voisins.

Magritte n'était donc pas d'origine française mais Américain de souche ; et sa citoyenneté remontait à tant de générations que ses ancêtres ne s'offusquaient même plus d'entendre leur nom de famille écorché. Charles se tourna vers le dernier feu de camp et aperçut une tignasse de boucles blanches au centre d'un public captivé.

C'était donc leur berger.

L'hélicoptère s'apprêtait à atterrir. Mallory avait maintenu une vitesse égale à celle de l'appareil durant tout le trajet, allant même plus vite que lui pour rattraper les kilomètres de virages. Elle s'arrêta près d'une camionnette jaune flanquée d'un logo de compagnie d'électricité. Les bâches plantées sur des piquets annonçaient une scène de crime déguisée en chantier peuplé de faux ouvriers. Même sans l'hélicoptère du FBI, leur couverture avait déjà volé en éclats et Mallory sut que Dale Berman voulait à tout prix voir (ou voler) un corps.

En descendant de voiture, elle se retrouva nez à nez avec un homme d'une vingtaine d'années et une femme qui en avait le double. Bien qu'ils ne portent pas de veste siglée, ils faisaient forcément partie du FBI. Mallory montra son insigne doré à l'agent supérieur. À New York, sa plaque lui permettait d'accéder à toutes les scènes de crime et elle avait l'habitude qu'on s'écarte sur son passage. Ces deux-là, en revanche, avaient manifestement prévu de lui donner du fil à retordre et ils ne bougèrent pas d'un pouce.

Halte-là !

— Désolé, je n'ai pas bien vu votre carte de police, souffla le jeune agent.

Quand Mallory tendit une seconde fois son porte-feuille, ce fut sa collègue, plus âgée, qui s'en empara et braqua sa torche dessus :

— Vous êtes loin de New York, inspectrice.

Mallory mit tout le poids d'un gros revolver dans sa voix :

— Vous croyiez que j'étais perdue ? Que j'allais demander mon chemin ?

Pouvait-elle plus clairement leur signifier qu'elle les considérait comme des sous-fifres ?

— Je viens voir votre chef. Dale Berman.

— Il n'est pas là. Allez patienter dans votre voiture.

— Au contraire, le voici, riposta-t-elle en montrant l'hélicoptère qui atterrissait. Il a une affaire urgente à régler et ne va pas tarder à repartir.

Son index glissa vers les bâches éclairées et la fausse équipe d'ouvriers.

— Dès qu'il aura vu la tombe de l'enfant. Vous voulez d'autres détails sur votre propre scène de crime ? Non ? Alors, du balai !

Ils n'essayèrent même pas de s'interposer quand elle passa devant eux et traversa le terrain vague jusqu'à l'hélicoptère. Les fédéraux avaient reçu l'ordre absolu de ne jamais poser la main sur un flic. Et pour cause, la police ne s'embarrassait pas de ce genre de protocole. Résultat : après leur fiasco, il n'était pas question d'employer la force et les deux agents se contentèrent de suivre Mallory – de près.

À son tour, Riker rencontra Peter et Dodie Finn. Il se ralliait à la théorie du shérif Banner, élaborée après avoir contacté Kronewald à Chicago : la présence d'une fillette traumatisée n'était pas une coïncidence.

Son garde du corps, dix ans à peine, lorgna vers Riker lorsqu'il voulut caresser les cheveux bruns de la petite.

— Tout va bien, Peter, sourit-il. Je ne ferais jamais de mal à ta sœur.

Il tapota la plaque fixée à sa veste, ce qui affola encore plus le garçon.

Bizarre.

À présent, le père était réveillé… et furieux. Un insigne de police, c'était un aimant pour tous les membres du convoi, une source d'informations, bonnes ou mauvaises, et un flic de plus à regarder leurs affiches mais Joe Finn, lui, aurait préféré le voir mort.

— Fichez la paix à mes mômes !

Le colosse se leva, muscles tendus, poings serrés.

— Vous, les tordus, vous avez déjà causé assez de dégâts.

En une fraction de seconde, le temps d'apercevoir l'éclair d'une plaque, il était passé du sommeil profond à une vigilance maximale. Avaient-ils le même ennemi ? Le mot « tordus » constituait un précieux indice.

Riker n'avait pas beaucoup de solutions. Pas question d'appeler le shérif en renfort, sous peine de perdre la face. Il pouvait donc se faire casser la mâchoire par un homme plus jeune et plus athlétique que lui ou, dernière solution : user de diplomatie.

— Je ne suis pas du FBI mais de la police. Si c'est ce que vous pensiez, je me sens insulté.

Joe Finn se radoucit. Il desserra les poings et fourra les mains dans ses poches, rangeant ainsi ses seules armes.

Riker s'excusa uniquement auprès du petit garçon :

— Désolé, fiston. Je n'embêterai plus ta sœur.

Il s'éloigna ensuite du feu de camp en compagnie du shérif. Les deux hommes étaient sur la même longueur

155

d'onde, car Banner aimait aussi mettre en relation les détails bizarres. Ils observèrent la famille de loin.

— Donc… vous croyez que j'ai raison ?

— Oui, répondit Riker. Dommage. Dodie a peut-être vu quelque chose, mais elle est incapable de témoigner.

En revanche, elle représentait un appât de choix pour un bourreau d'enfants et il chercha alentour les preuves de son hypothèse. Au sein du groupe, il devait y avoir deux taupes : pour des enquêtes sous couverture, les fédéraux travaillaient en binôme, alors que beaucoup de parents voyageaient seuls.

— Vous avez parlé à la plupart des campeurs, shérif ?

— Oui, tous. Et j'ai regardé leurs affiches. Un des enfants disparus ressemble fort à la fillette de notre cimetière.

Banner sortit un papier de sa veste et alluma sa torche.

— Vous voyez ce commentaire à propos d'une breloque en forme de fer à cheval ? Elle est gravée au dos. On l'a retrouvée enfouie à côté de la petite. Le FBI devait connaître l'identité des parents, mais il ne les a pas prévenus. Affreux, non ?

Il observa un couple qui, assis sur des tabourets de camping, buvait son café dans un silence complice de mari et femme.

— Maintenant, je dois leur annoncer la mort de leur gosse. Il m'arrive de détester mon boulot.

— Attendez demain matin, shérif. Je serai là si vous avez besoin de soutien.

En réalité, Riker aurait préféré affronter un revolver chargé plutôt que les parents d'une enfant assassinée. Il se demanda ce qui avait traversé l'esprit de Mallory quand elle avait visité le bureau du shérif et vu la photo de la pierre tombale avec son propre nom inscrit dans le marbre. Qu'est-ce que ça lui avait fait ? À quelle distance du précipice se trouvait-elle ?

C'était peut-être une mauvaise idée de la rattraper de nuit.

Oui, il valait mieux débarquer à la lumière du jour.

Il tenait à ce qu'elle le voie approcher, calme, zen et souriant comme au bon vieux temps. Elle aurait peut-être moins envie de le descendre du coup – et il ne plaisantait pas tant que ça : il la pensait capable de le flinguer !

Riker fut distrait par l'arrivée d'un pick-up sur le parking. Un grand barbu maigrichon se pencha au carreau pour montrer ses papiers à un policier, puis il se gara parmi les autres campeurs. Quand il descendit de voiture, il tenait un grand chien noir en laisse et les autres toutous, effrayés, reculèrent. Aucun n'aboya pour défier l'animal.

Le chien était mieux nourri que son maître, un grand échalas hirsute avec une dent en or et une autre en moins. Les bottes en cuir craquelé du nouveau venu étaient usées aux talons, il avait des yeux couleur de poussière et ses vêtements dégageaient une odeur fétide de linge sale.

Pourtant, aux yeux de Charles, ce n'était pas un miséreux. Plutôt un type qui se fichait des apparences. Qui avait perdu l'appétit des nourritures terrestres et du confort matériel. Au sein de la caravane, d'autres parents vivaient la même désolation. Cet homme respirait simplement parce qu'il ne pouvait pas faire autrement : son corps l'y obligeait. En revanche, tous les actes volontaires, il avait laissé tomber.

L'inconnu se planta devant le feu de Magritte et se présenta :

— Je suis le Papa de Jill. J'arrive d'Austin.

Ravi, le vieux médecin lui serra la main, car il avait, semble-t-il, reconnu l'homme à la simple évocation de sa fille.

— Bien sûr, comment allez-vous ?

Il se tourna vers Charles.

— « Papa de Jill » est le pseudo Internet de M. Hastings.

Charles, lui, s'intéressait surtout au compagnon à quatre pattes du Texan : sa fourrure était noire et épaisse. Peut-être un cousin du malamute ? Non. Il avait assisté à de nombreux concours canins à New York et, malgré sa mémoire eidétique, il ne se rappelait pas avoir vu de race aussi étrange. Même s'il n'en avait jamais eu, il s'entendait bien avec les animaux domestiques et voulut caresser la tête de l'animal.

Soudain, il interrompit son geste.

Il était devenu l'unique objet de l'attention du chien, qui fixait sur lui d'étranges yeux bleu pâle, dénués d'émotion, glaçants. Ce n'était pas un chien !

Riker surgit près du feu et s'empressa d'éloigner la main de son ami avant qu'elle lui soit arrachée :

— C'est un loup, non ?

Merci, merci.

— En grande partie, répondit le Papa de Jill. Il a peut-être un quart de corniaud.

Banner s'avança à la lumière du brasier, les doigts posés sur son revolver :

— Enfermez-le dans la camionnette. Si j'aperçois votre monstre cette nuit, je l'abats sur-le-champ.

Le Papa de Jill acquiesça. L'homme et le loup s'éloignèrent.

Riker observa l'animal un instant, puis il donna à Charles une tape dans le dos :

— Il a de drôles d'yeux, hein ? Terriblement froids.

Ça ne te rappellerait pas quelqu'un de notre connaissance ?

Par son air surpris, Magritte fut le premier à réagir. En silence.

— Je vois que vous avez eu une petite conversation avec ma coéquipière Mallory, sourit le sergent-détective. C'était amusant ?

Pour signaler une épreuve de force imminente, Mallory se planta devant l'agent spécial Berman. Une seule question restait en suspens : allait-elle simplement s'approcher ou le flanquer par terre ? Autant qu'il s'en souvienne, elle avait la rancune tenace et ruminait ses griefs pendant de longues années.

Cadwaller avait été congédié mais, en s'éloignant, il se retourna plusieurs fois. Berman lui fit signe d'accélérer le pas. Les agents d'escorte restèrent en place, car ils avaient deviné l'hostilité ambiante. « Hostile » était l'autre nom de Mallory. Face à la jeune New-Yorkaise, l'enquêteur admit qu'elle avait deviné juste à propos des taupes, des deux agents infiltrés au sein de la caravane.

— Je n'ai pas pu mobiliser plus d'effectifs.

— Deux agents sur Dodie Finn ? Pas d'accord. Il vous faut des gardes armés dans tous les coins.

Berman pouvait essayer de nier. Non, mauvaise idée. La demoiselle n'allait pas à la pêche aux infos, elle ne bluffait pas : elle savait des choses sur la petite fredonneuse.

— D'accord, Mallory. Je n'ai pas beaucoup de marge de manœuvre, mais je vais mettre deux agents supplémentaires en protection rapprochée.

— Vous ne protégez personne. Vous utilisez une gosse comme appât. Par conséquent, soit vous organisez une vraie patrouille de surveillance, soit je fais escorter la caravane par des flics sur les trois mille prochains kilomètres. Et j'avertis les médias.

— Vous n'oserez pas. C'est justement ce que le monstre attend.

— Croyez-vous que ça m'intéresse? Ces gens-là auront plus d'yeux braqués sur eux. Moins de risques d'être tués. Un tas de parents rejoignent la caravane en cours de route. Il est donc enfantin d'introduire de nouveaux agents. Je dirai à Magritte de confirmer leur couverture.

— O.K., affaire réglée. Je vais mettre des hommes dans tous les coins.

Berman leva les mains en signe de reddition.

— Vous voyez? Je suis ravi de me faire exploiter. Voulez-vous autre chose? Mon portefeuille?

Il tourna la tête vers son public, les agents Allen et Nahlman.

Mallory avança d'un pas :

— Encore un petit truc.

Il ne vit rien venir. Il souriait et, vlan!, se retrouva plié en deux par une douleur fulgurante à l'entrejambe. Mallory lui avait flanqué un coup de pied éclair dans les testicules. Berman ne s'attendait pas non plus à en recevoir un second. La rotule de la jeune femme lui heurta violemment la mâchoire et le repoussa en arrière. Il se retrouva les quatre fers en l'air, un filet de sang coulant de sa lèvre fendue.

Barry Allen ne réagit pas, les yeux écarquillés, mais il avait une bonne excuse : il débutait dans le métier, contrairement à l'agent Nahlman et ses dix-huit ans d'expérience. Berman, lui, eut le temps de se redresser sur un bras et de hurler à Mallory :

— Vous êtes *cinglée*?

Enfin, ses subalternes esquissèrent un geste (trop

160

tard, à son goût), mais il leva la main pour les arrêter et grogna :

— Fichez le camp.

Ils s'exécutèrent sans broncher.

Son équipe avait déguerpi alors qu'il se trouvait toujours à terre, aux pieds de Mallory. Bien décidé à l'affronter, il lutta contre la douleur, se releva et épousseta sa veste.

— J'imagine que votre père avait de bonnes raisons de me tirer dessus, mais qu'est-ce que je vous ai fait, à vous ?

Un demi-sourire aux lèvres, la jeune revancharde afficha un air ravi, puis elle pivota et s'éloigna tranquillement, comme si c'était la routine de flanquer une correction à un agent fédéral.

Riker s'allongea à côté de son paquetage sur le matelas bosselé du motel. Il était trop fatigué pour chercher sa brosse à dents.

Assis en tailleur sur l'autre lit, Charles fouillait le sac de Savannah Sirus, ainsi qu'une valise à peine sortie du coffre. Quant aux polaroïds de la défunte, ils étaient soigneusement alignés. Bref, il avait tous les indices matériels concernant l'autopsie psychologique d'une suicidée. Tandis qu'il triait ses preuves, Charles utilisa l'autre région de son gigantesque cerveau pour s'adresser à Riker et traiter un problème plus brûlant :

— Kronewald ne parle pas beaucoup. Tu es sûr que Mallory connaît le nom de l'agent spécial en charge de l'affaire ?

— Peut-être pas, mais ce n'est pas lui qui l'a poussée à prendre la route. Cette fois, la présence de Dale Berman est une coïncidence. Il a toujours été ambitieux. Ça ne m'étonne pas qu'il ait réussi à intégrer une enquête majeure.

Riker espérait qu'il s'agissait là d'un pur hasard, car Mallory n'était pas en état de régler de vieilles querelles avec cet agent du FBI. Son père adoptif était mort et enterré, débarrassé de ses souffrances et de ses regrets, alors à quoi bon traquer Dale ? Déprimé chaque fois qu'on lui rappelait l'existence de ce sale type, il n'avait plus envie d'en parler.

— Que peux-tu me dire sur la fillette du convoi, Charles ?

— Dodie ? Elle devrait être à l'hôpital.

Après avoir rassemblé les vêtements de Savannah Sirus, il rangea le tout dans la valise, puis étala les indices restants sur différents carrés du couvre-lit en patchwork. En effet, pendant qu'il discutait *serial killer* avec un ami, il continuait à travailler patiemment sur son histoire de suicide.

— La sœur disparue de Dodie ne correspond pas au profil des victimes. Ariel Finn était une adolescente.

Il releva la tête vers Riker, allongé sur le lit voisin.

— Mais tu le savais déjà, non ? Bien sûr. Désolé. C'est le shérif qui t'en a parlé ? Pourtant, tu t'intéresses toujours à la famille Finn.

Il déplaça les indices posés sur sa grille de patchwork et les empila en tas soignés. Le rouge à lèvres de Savannah fut associé à un chéquier et une enveloppe partagea son carré de tissu avec un cliché noir et blanc.

— Tu te demandes si Dodie Finn était la véritable cible. Ariel a peut-être contrecarré les plans du tueur.

Sans attendre que Riker formule sa question à haute voix, Charles poursuivit :

— Si Dodie a assisté au meurtre de sa sœur, le traumatisme expliquerait son état actuel, mais je ne peux rien affirmer de tel. Je ne suis pas devin.

— Très bien.

L'inspecteur continua à observer les opérations de tri

méthodique. Les photos *post mortem* de Savannah Sirus furent mises de côté, toutes sauf une. Il ne comprenait rien à la logique des différents tas d'effets personnels. Un permis de conduire tenait désormais compagnie au billet d'avion aller-retour.

— Avant de rencontrer Mallory, Mlle Sirus n'était pas suicidaire, annonça Charles en ramassant une carte plastifiée. Regarde la photo de son permis de conduire.

Riker roula sur le côté et examina un portrait grand comme un timbre-poste.

— C'est encore plus intéressant quand on sait qu'elle l'a renouvelé dix jours avant d'arriver à New York. Ses cheveux sont bien coiffés. Tu vois ? Elle est coquette : ombre à paupières, fard à joues, rouge à lèvres.

— Le grand jeu, acquiesça Riker.

À vrai dire, il feignait de distinguer les détails du mini-portrait. Inutile d'avoir une vue de lynx : Charles lui avait décrit les peintures de guerre d'une femme mûre qui menait la belle vie… jusqu'à ce qu'elle atterrisse à New York. Il eut moins de mal à étudier le grand cliché récent que son ami tenait dans l'autre main : le visage en gros plan d'une morte aux cheveux gras, sans maquillage.

— Mallory a causé autant de dégâts en trois semaines ?

— Tu ne crois pas qu'elle l'aurait délibérément poussée au suicide ?

— Bien sûr que non, protesta Riker.

Il devait d'abord découvrir ce que Savannah avait fait pour le mériter.

Charles brandit un chéquier :

— Mlle Sirus prévoyait un autre voyage quand elle a été interrompue.

— J'ai remarqué. Un talon de chèque au nom d'une agence de croisières.

— Elle voulait parcourir le monde. Avec trente mille dollars, elle s'offrait de nombreuses escales autour de la planète. Le paiement est récent mais, d'habitude, on réserve et on règle ce genre de voyage des mois à l'avance. Une personne suicidaire ne planifie jamais à si long terme. Elle ne se voit aucun avenir. Apparemment, Mlle Sirus (ou plutôt devrais-je dire le Dr Sirus) ne rencontrait aucun problème financier.

Il sortit une carte de visite professionnelle.

— Elle était dermatologue et, à en juger par les autres dépenses de son chéquier, elle avait beaucoup de succès. La mère biologique de Mallory aussi était médecin.

— Sauf qu'elle n'a pas connu la même réussite.

Cassandra avait exercé son métier de généraliste dans un patelin minuscule.

— Elle était sans doute payée en poulets plumés et autres bassines de patates.

— Il y a autre chose. Savannah vient de Chicago. Savais-tu que la mère de Mallory y avait fait son internat de médecine ?

— Je l'ignorais, bâilla Riker. La sale gosse ne me dit jamais rien.

— Mais tu savais que Cassandra était née en Louisiane.

Pour enfoncer le clou, Charles brandit le permis de conduire.

— D'autre part, Savannah est un prénom très répandu dans les États du Sud.

Riker pouffa. De Harlem à Battery Park, il avait rencontré un tas de putains new-yorkaises qui se faisaient appeler Savannah.

Sourire aux lèvres, Charles attendit patiemment que l'inspecteur exténué assemble les pièces du puzzle, car il ne voulait pas commettre d'impair en lui assenant des évidences.

— Tous ces coups de fil auraient un sens si Savannah avait connu la mère de Mallory dans sa jeunesse, grogna Riker.

Il songea à l'éternelle phrase d'une enfant qui passait ses nuits au téléphone : *C'est Kathy. Je suis perdue.* À l'époque, avait-elle essayé de localiser une vieille amie de la famille ? Auquel cas, pourquoi, au terme de joyeuses retrouvailles, Savannah se serait-elle suicidée chez Mallory ? De plus, quel était le rapport avec la Route 66 et un tueur d'enfants ? Il aurait voulu se taper la tête contre les murs. D'expérience, il avait appris que ça l'aidait souvent.

— Pourrais-tu voir si Mlle Sirus a déjà vécu en Louisiane ?

— Non, Charles. Je ne veux pas communiquer son nom aux autres flics avant d'avoir découvert ce qui s'est passé à New York. Ils risqueraient d'imaginer qu'il ne s'agit pas d'un suicide. Autre chose à m'apprendre ?

— J'ai trouvé une lettre dans la valise.

— Impossible.

Riker avait fouillé lui-même. Sauf qu'il avait à peine fermé l'œil depuis plusieurs jours. Il était donc passé à côté d'un indice – et peut-être d'un tas d'autres trucs.

— Elle était cachée sous la doublure, s'excusa Charles.

— Tu me la lis ?

— Elle est courte et remonte à plusieurs mois. Mallory a écrit : « Je veux le reste de mes lettres. Je les veux toutes. »

— Quoi ? Elle n'envoie jamais de courrier. Elle préfère les mails.

Ennemi juré des technologies modernes, Charles suggéra :

— Savannah n'avait peut-être pas d'ordinateur. Songe aux innombrables fois où Mallory l'a appelée. Elle ne voulait peut-être plus décrocher. Pense aussi aux jours où ton équipière ne s'est pas présentée au commissariat. Du moins, avant qu'elle décide de lâcher définitivement son poste. Elle est peut-être allée la voir à Chicago. Et on a refusé de lui ouvrir la porte. D'où la lettre. Le facteur, lui, arrive toujours à joindre un destinataire.

Charles agita une petite photo noir et blanc.

— Il y avait ça aussi dans la doublure.

Riker examina le portrait d'un garçon aux cheveux longs. À contrecœur, il chaussa ses lunettes et constata que le gamin arborait un T-shirt à l'effigie d'un groupe de rock d'un autre âge :

— Un des premiers albums des Rolling Stones. Il avait du goût.

— J'ai trouvé la photo avec la lettre de Mallory.

Il agita une grande enveloppe kraft, pliée en deux de manière à s'insérer sous la doublure déchirée de la valise.

— Vu sa taille, elle peut contenir un gros paquet de courrier.

— Oui, ça se tient, approuva Riker.

Mallory avait juste demandé des lettres et son invitée n'avait sûrement pas débarqué à New York les mains vides.

Charles ouvrit l'enveloppe, la retourna et la secoua pour bien montrer qu'elle était vide.

— *A priori*, Mallory a récupéré toute la correspondance, mais son invitée a jugé nécessaire de lacérer la doublure de sa valise et d'y dissimuler une simple photo. J'imagine que Mlle Sirus ne s'en séparait jamais.

C'était quoi ? De la sorcellerie ?

Riker roula sur le côté et examina le cliché à la lumière faiblarde de sa lampe de chevet :

— Merde alors ! Comment as-tu deviné, Charles ?

— Tu pourrais en apprendre beaucoup plus de ce portrait. Et si tu essayais de l'étudier au grand jour ?

Ce furent les derniers mots que Riker entendit avant de sombrer dans un profond sommeil.

CHAPITRE VIII

Après la bourgade endormie de Galena (Kansas), Mallory sortit d'une rue signalée en tant que portion de l'Historique Route 66. Elle prit un virage à droite, s'engagea sur un chemin étroit et coupa à travers champs. Fidèle à son itinéraire, elle décompta les kilomètres qui la séparaient du prochain tournant : quinze, seize, elle était presque arrivée. Par-delà les vastes étendues de verdure, elle aperçut la silhouette du garage décrit comme « aussi grand et imposant qu'un hangar à avions ». La lettre expliquait ensuite que l'endroit ne dormait jamais, que trois équipes de mécaniciens se relayaient 24 h/24 et que « le vieux Ray se levait toujours avant l'aube ».

Elle emprunta une longue allée de terre, puis s'arrêta, le temps de sélectionner un titre de Led Zeppelin pour accompagner son entrée théâtrale. Elle redémarra et mit le volume à fond, car elle savait que *Black Dog* était la chanson préférée de Ray Adler. Mallory arriva sur le parking en fanfare, fit rugir le moteur et, cerise sur le gâteau, klaxonna à toute volée. Puis elle éteignit l'autoradio et se cacha le visage derrière le pare-soleil. Immobile au volant de sa voiture, elle tournait le dos aux premiers rayons de l'aube.

Un homme d'une cinquantaine d'années sortit du garage et la lumière matinale l'obligea à cligner les paupières. Soudain, il reconnut la chanson, la voiture et, radieux, la rejoignit en trombe :

— Espèce de vieux bâtard ! C'est toi ? hurla-t-il, toujours à moitié aveuglé par le soleil. Je savais que tu reviendrais !

Pressé d'ouvrir la portière, il faillit l'arracher mais, quand il se pencha vers la conductrice, il resta médusé. Il s'attendait à trouver quelqu'un d'autre mais sourit de plus belle et recula d'un pas pour la contempler :

— C'est encore mieux. Tu es la fille de Peyton. Vous avez les mêmes étranges yeux verts. Uniques au monde. Et tu as hérité du joli minois de ta maman. En revanche, ce n'est pas la voiture de ton père. Merde alors ! Voyons un peu la bête, ma grande.

Il s'approcha du capot, siège du moteur sur les modèles récents, puis se figea :

— Non, ne me dis rien.

Il contourna le véhicule et, de bonne grâce, Mallory actionna le levier d'ouverture du coffre.

— Mon Dieu, quelle splendeur !

Elle sortit le rejoindre, tandis qu'il admirait le moteur Porsche.

— Tu as surpassé le vieux Peyton, trésor. Sa Porsche n'était pas de première jeunesse quand il l'a achetée, avant ta naissance. Quel tas de boue ! La carrosserie était cabossée, rayée de partout. Il l'avait échangée contre un dollar et la promesse de ne pas attaquer en justice l'ivrogne qui avait bousillé sa Volkswagen. L'accident s'était produit sur cette route, à même pas trente bornes d'ici. Bon sang, Peyton adorait sa vieille Coccinelle ! Ç'aurait été la dixième fois qu'il sillonnait la Route 66 à son volant. Qu'à cela ne tienne, il avait la ferme intention de terminer son voyage comme il l'avait commencé. Quand il a débarqué ici, il conduisait la Porsche et remorquait la Coccinelle, mais on ne pouvait pas les coller ensemble. Moi, je n'allais pas gâcher les meilleures pièces de cette voiture de sport. Il était donc exclu d'utiliser juste le moteur de la Porsche. Un jour, Peyton a installé un V-8 sur une Coccinelle, mais c'est une autre histoire. On a découpé la capote de la vieille voiture (le seul truc qu'on pouvait sauver de l'épave) et on l'a fixée sur une carcasse préfabriquée qui ressemblait fort à la tienne. Aussi grande qu'une New Beetle, peut-être un peu plus longue. Même peinture aussi. La couleur argentée assortie au toit noir, c'était mon idée. À l'époque, il n'existait pas deux bagnoles pareilles aux États-Unis.

Mallory connaissait déjà l'histoire, mais elle attendit patiemment que l'homme lui rabâche son aventure. Elle n'avait toujours pas prononcé un mot et Ray Adler, qui, enfin, s'en rendit compte, rougit jusqu'aux oreilles :

— Je parle trop. Ma femme, paix à son âme, n'arrêtait pas de me le répéter. Je ne laisse jamais les gens en placer une.

Il sourit, fasciné par ses yeux verts, ceux de Peyton Hale.

— Comment vont ton père et sa charmante épouse ?

— Lui, je ne l'ai jamais rencontré. Ma mère, elle, est morte quand j'avais six ans et elle ne s'était pas mariée.

Au motel, Riker tenta d'ignorer les coups répétés à la porte, mais son visiteur matinal insistait. La douche coulait dans la salle de bains : Charles ne serait donc d'aucune aide. L'inspecteur s'assit au bord du lit. Les rideaux, trop fins, laissaient la lumière inonder la pièce. Il enfila ses lunettes noires et alla ouvrir la porte.

Sous le soleil implacable d'une nouvelle journée sans nuages, le jeune réceptionniste qu'il avait croisé la veille au soir lui tendit un sac aux couleurs d'un restaurant local :

— M. Butler a déjà réglé la note. Pourboire compris.

De toute évidence, Charles avait enfin brisé la barrière de la langue et expliqué le concept de *room service* au personnel d'un motel de campagne. Vu le sourire éclatant du jeune livreur, il avait dû laisser un gros billet. Riker claqua la porte.

Trop de soleil.

Au fond du sac : du café pour relancer son cœur et des pâtisseries pour lui apporter sa dose de sucre. Il alluma une cigarette et son bonheur fut complet : il avait toutes les drogues nécessaires au bon démarrage de sa journée.

Les yeux désormais grands ouverts, il aperçut la photo noir et blanc d'un jeune homme en T-shirt rock. Il s'agissait de l'image que la suicidée avait dissimulée derrière la doublure de sa valise adossée au réveil pour qu'il ne puisse pas la rater. À en croire la date inscrite au verso, le garçon avait à peu près l'âge de Savannah. Riker contempla le portrait jauni d'un éphèbe d'une vingtaine d'années. Sous les longs cheveux blonds qui lui chatouillaient les épaules, le jeune homme avait un visage de rock-star : regard intelligent et sourire canaille. Usée au centre, la reproduction portait des traces de rouge à lèvres rose et il soupçonna Savannah de l'avoir maintes fois embrassée pour combler l'absence de l'amoureux. Elle l'avait donc perdu, leur aventure s'était terminée et il ne lui restait plus que la photo.

Ou peut-être pas.

Riker releva la tête vers son ami en peignoir et agita la photo :

— Au sujet du courrier réclamé par Mallory, elle parlait bien de vieilles lettres d'amour ?

— J'imagine. C'est le genre de correspondance que

Mlle Sirus aurait pu garder tant d'années. Tu as vu la date au dos ? Leur histoire s'est sans doute achevée quand Savannah avait l'âge du jeune homme.

— Ça ne m'explique pas pourquoi Mallory les lui réclamait.

Gentleman modèle, Charles ne pipa mot, car il avait l'intime conviction que son ami trouverait vite la solution.

Aussitôt dit, aussitôt fait. Tout était clair à présent, car, dans son petit mot à Savannah, la gamine avait réclamé les lettres comme si elles lui revenaient de droit. C'était donc sa propre correspondance qu'elle voulait récupérer.

— Elles ont été écrites par le père de Mallory.

— Logique, non ? Plus important, elles étaient destinées à une femme qui n'était *pas* sa mère.

Voilà qui expliquait un tas de choses, vu la façon compulsive dont leur amie n'oubliait jamais la moindre transgression, réelle ou imaginaire.

— Le père biologique a donc abandonné Cassandra pour s'enfuir avec Savannah Sirus.

Une trahison de plus, un autre compte à régler. Dans son autopsie personnelle d'un suicide suspect, Riker avait désormais un mobile.

Mallory, qu'as-tu fait à cette femme ?

— La première fois que j'ai rencontré ton père, c'était un gosse de seize ans qui venait de Californie et fauchait des voitures, raconta Ray Adler. Il n'avait même pas le permis.

Le patron du garage était assis à une longue table en bois maculée d'innombrables ronds de café.

— J'exagère, il ne volait pas vraiment les bagnoles. Je suis sûr que la vieille Volkswagen lui appartenait, même s'il n'était pas en âge légal de la conduire, mais

171

il essayait de piquer les pièces qui lui manquaient pour continuer à la faire rouler.

Mallory observa la cuisine et mourut d'envie d'y mettre un peu d'ordre. C'était le fourbi d'un homme qui vivait seul, malgré les empreintes de mains et les photos de petits-enfants collées sur le frigo grâce à des personnages de dessins animés aimantés. Dans un coin, la machine à laver servait juste à poser le linge sale que même ce bonhomme incroyablement crasseux ne voulait plus porter. Çà et là, on apercevait les touches laissées par son épouse défunte. Exemple : les rideaux imprimés boutons de rose. Les tasses à thé étaient aussi finement décorées. À en juger par la pile de vaisselle dans l'évier, il utilisait tous les jours son service en porcelaine, souvenir de sa femme décédée. Mallory regarda les motifs usés de sa cuillère en argent massif, et ce genre de couverts luxueux constituait un traditionnel cadeau de mariage. La pièce lui rappelait la maison de son père adoptif après la mort d'Helen, qui l'avait élevée depuis l'âge de dix ans.

Ray Adler lui servit un café, puis posa une brique de lait sur la table et un kilo de sucre d'où dépassait une autre cuillère du même type :

— La dernière fois qu'il est venu ici, dix ans plus tard, Peyton partait vers la côte Ouest. Il avait décroché deux diplômes universitaires et préparait le troisième. Il fallait s'y attendre. C'était un petit futé.

Mallory but son café noir et Ray lui raconta qu'une nuit le père Adler avait intercepté le jeune cambrioleur les bras chargés de pièces automobiles. Il aurait pu s'agir de sa propre histoire, car Lou Markowitz l'avait surprise, enfant, à voler carrément une Jaguar : elle était beaucoup plus précoce que Peyton Hale.

— Mon père ne l'a pas dénoncé. Il ne voulait pas ruiner la vie d'un gosse pour trente dollars de matériel.

Il lui a donc demandé de travailler au garage le temps de rembourser ce qu'il lui avait fauché. Résultat : il a eu l'impression de retourner à l'école – et moi aussi. Ce gamin savait rallumer le feu d'un carburateur foutu. En d'autres termes, il avait des doigts en or. Tout l'été, de vieux tas de ferraille sont arrivés au garage et en sont ressortis presque neufs. Un vrai magicien ! Notre clientèle locale a doublé et on attirait même des gens du Missouri. Peyton a convaincu mon père de continuer les travaux de carrosserie, les coques préfabriquées et les modifications les plus bizarres. On bossait sur quatre États. Aujourd'hui, je construis aussi des voitures de course. J'ai même des habitués qui viennent de l'Oregon. Ton père était très intelligent. La banquette arrière de sa voiture était toujours jonchée d'énormes vieux bouquins. Au lieu de lui verser un salaire, mon père lui a donné une part des bénéfices et, quand Peyton a voulu prendre la route, ton père avait amassé un petit pécule.

— Ensuite, il a repris le lycée.

— Oui, mais il revenait chaque été : il travaillait au garage pour se payer ses cours, puis il continuait son chemin jusqu'en Californie et revenait à la fin des vacances. La dernière fois, il écrivait une histoire sur la Route 66. Il voulait tout coucher sur le papier avant que cette voie mythique ne disparaisse, mais c'était plus qu'une simple histoire : il élaborait une nouvelle philosophie autour de la voiture. D'ailleurs, il suivait des cours de philo à l'université. Le plus marrant, c'est que ça lui allait bien. Si tu l'avais connu, tu en serais persuadée toi aussi.

Ray quitta la pièce une petite minute et rapporta un coffret en bois :

— Ce sont les affaires qu'il a laissées ici lors de son dernier passage.

Il tourna la clé de la boîte avec une certaine

révérence, comme si elle contenait des reliques sacrées, et sortit délicatement une photo :

— Le voici en compagnie de ta mère. Tu es le portrait craché de Cassandra. On dirait que c'est toi qui poses. En revanche, je ne connais pas la femme qui se pend à son autre bras.

Mallory, elle, savait de qui il s'agissait.

Le visage de la jeune Savannah Sirus était tourné vers Peyton Hale, qui, comme Cassandra sa mère, souriait à l'objectif. Était-ce le cliché d'un crime à venir, peut-être pris le jour où Savannah avait commencé à échafauder ses plans ?

Ce matin-là, les deux hommes étaient habillés de façon plus décontractée. Bien sûr, Charles portait un jean et une chemise assortie coupés sur mesure, teints de même, qui coûtaient plus cher que l'entière garde-robe de son ami, mais Riker adorait sa chemise en flanelle et son jean authentiquement délavé qui lui allaient à merveille. À force de le porter, le pantalon s'était détendu et usé aux genoux. Un *must* pour conduire ! Tandis que le sergent-détective roulait vers le bureau du shérif, ils reprirent leur conversation de la veille :

— Non, Charles, j'ignore le nom de son père. Pour moi, c'était Lou Markowitz, son papa. Tu crois qu'elle traque son géniteur pour se venger ?

— Se venger de quoi ? Réfléchis. Elle serait juste partie en quête de son père absent ? Je ne crois pas à l'idée des représailles.

Riker savait que Mallory était née hors mariage et, à présent, il pouvait en accuser Savannah, l'autre femme. Charles avait sûrement raison. Il y avait fort à parier que le père et la fille n'avaient pas éprouvé le besoin de se rencontrer. Néanmoins, il ne renonça pas à sa théorie de la vengeance :

— Supposons que Cassandra était enceinte quand il l'a abandonnée. Tu ne crois pas que Mallory serait furieuse ?

— Sans connaître les circonstances, je ne peux rien dire. Et l'agent spécial Berman ? Que lui a-t-il fait au juste ?

— Oh, même lui l'ignore.

De nombreux policiers auraient pu éclairer la lanterne de Dale, mais ils ne lui adressaient plus la parole.

— Il ne devait pas s'agir d'une broutille, reprit Charles. Pas si tu penses que Mallory lui en tient encore rigueur.

— Tu te fiches de moi ?

Riker s'arrêta à une rue du bureau du shérif.

— Tu l'as déjà entendue appeler Lou Markowitz par son prénom ? Non, jamais. Petite, elle disait : « Hé, le flic ! » Quelques années plus tard, elle s'était prise d'affection pour Lou et c'est devenu : « Hé, Markowitz ! » Je sais qu'elle l'adorait mais, jusqu'à la fin, elle a nourri de la rancune à son égard. Lou est toujours resté le flic qui l'avait pincée à l'époque où elle volait dans les rues. Jamais elle n'oublie, jamais elle ne pardonne.

— Berman a certainement sa part de responsabilité dans...

D'un geste, Riker refusa d'évoquer les péchés de l'agent fédéral, car ça lui fichait toujours le moral à zéro. Il remit le contact et jeta un œil à l'horloge du tableau de bord avant de redémarrer :

— À l'heure qu'il est, Mallory doit être en Oklahoma.

— Tu veux plutôt parler du Kansas. C'est le prochain État traversé par la Route 66.

— La portion de Kansas était riquiqui. Tu clignes des yeux, tu la loupes.

Quand il l'aurait enfin rattrapée, Mallory lui ferait

payer son incursion dans sa comptabilité personnelle. Elle ne mettrait qu'une poignée de secondes à établir un lien entre le patrouilleur de Chicago et lui. Elle le soupçonnerait d'avoir activé le dispositif antivol de sa New Beetle pour la pister et, une fois n'est pas coutume, sa paranoïa rejoindrait la réalité. Ultime question en suspens : Mallory savait-elle que Savannah Sirus était morte ?

Il fallait qu'il voie son regard au moment où il lui annoncerait la nouvelle.

Une autre question lui traversa l'esprit. Il n'aimait pas se mêler de la vie privée des gens, mais il n'avait pas le choix : tout ce qui pouvait expliquer la maladie de sa coéquipière avait son importance.

— Mallory est aussi fâchée contre toi, Charles ?

— Non, pourquoi m'en voudrait-elle ?

Les yeux rivés au pare-brise, il évita de croiser le regard de Riker et rougit légèrement, comme s'il avait un truc à cacher, mais c'était plutôt un petit bobard, un mensonge par omission. Le pauvre Charles avait le visage si expressif qu'il ne savait rien dissimuler, ni même bluffer au poker.

À l'approche du bureau du shérif, la Mercedes ralentit. Riker tenait à poursuivre la conversation :

— J'imagine que vous vous êtes disputés. Pendant des mois, Mallory s'est cloîtrée chez elle et, toi, tu es parti en Europe. Que dois-je en déduire ? Que s'est-il passé ?

— Je lui ai demandé de m'épouser.

Charles pointa le doigt vers le pare-brise.

— Oh, regarde ! Un comité d'accueil.

Surpris, Riker faillit renverser un policier lorsqu'il donna un coup de volant pour entrer sur le parking municipal. Un autre agent en tenue le dirigea vers un emplacement libre.

Charles baissa sa vitre :

— Nous ne sommes pas en retard, j'espère ?

— Non, monsieur, répondit l'agent. Ils ont juste démarré de bonne heure. Les fédéraux ne voulaient pas attendre.

Il les conduisit à l'intérieur. Au bout d'un long couloir, dans une petite salle de conférences, la réunion avait déjà commencé.

Le shérif Banner se chargea des présentations :

— Vous connaissez déjà le Dr Magritte, mais pas ceux-là, au fond de la pièce.

Riker s'attendait à tomber sur un jeune couple du convoi, en qui il avait cru reconnaître les taupes du FBI, mais ces deux visages-là lui étaient inconnus. Il snoba le jeune agent, qui devait se raser depuis huit jours à peine, et fixa sa collègue.

Personne ne l'aurait trouvée jolie, mais elle était attirante. À voir ses cheveux bruns semés de fils d'argent, elle semblait avoir la quarantaine, mais sa coupe courte lui donnait un faux air de garçon manqué et on se perdait facilement dans la sérénité de ses grands yeux gris. Le soleil lui avait semé des taches de rousseur sur le nez et elle avait un peu les dents en avant, deux autres qualités que Riker adorait chez une femme. Habillée comme un mannequin de catalogue de camping, elle portait même un couteau suisse à la ceinture. Où rangeait-elle son revolver ? En tout cas, il était bien caché.

Le blondinet qui l'accompagnait avait reçu sa tenue dans la même pochette surprise, mais il était beaucoup plus jeune : frais émoulu de sa formation au FBI, il arborait un visage adéquat, sérieux et bien propre – sans rides, ni expérience.

— Je vous présente les agents Christine Nahlman et Barry Allen, annonça Banner. Ils vont infiltrer la caravane des parents. Le Dr Magritte a accepté de collaborer avec le FBI.

— Vous serez donc quatre, conclut Riker.

Dans son calcul, il incluait les deux campeurs qu'il considérait déjà comme des taupes. Par son silence un peu froid, Nahlman confirma sa théorie.

Le shérif tendit un message à Riker :

— Ça vient de leur patron. Il a téléphoné ce matin et il a tout organisé.

L'inspecteur déplia le bout de papier et lut la simple question de Dale Berman, *Qu'est-ce qui tracasse Mallory* ?, suivie d'un numéro de portable ultraconvoité que même son épouse ne devait pas connaître.

Problème.

Il agita le mot sous le nez des deux fédéraux :

— Vous avez rencontré mon équipière ? L'inspectrice Mallory ?

Oh oui, ils l'avaient vue, aucun doute, et, à voir leurs coups d'œil inquiets, l'expérience n'avait pas dû être des plus agréables. Riker sourit :

— Elle fait toujours une sacrée première impression, hein ?

Par là, il entendait des ravages permanents.

— Comment va le vieux Dale ? Je ne l'ai pas croisé depuis longtemps. Aucune plaie par balle récente, aucune fracture ?

— Elle lui a flanqué un coup de pied dans les roustons, bredouilla l'agent Allen, encore intimidé.

— Je reconnais bien mon bébé, apprécia Riker avec fierté… et soulagement.

Le châtiment de Berman aurait pu être autrement plus cruel.

Après avoir étudié l'itinéraire approuvé par le FBI, il écouta leur projet de rejoindre l'Oklahoma d'ici la tombée de la nuit : c'était jouable s'ils prenaient l'autoroute, qui leur permettrait de mettre les gaz. Néanmoins, il se rangea à l'avis du Dr Magritte, qui s'inquiétait de l'hôtel proposé, et il brandit la carte marquée d'une grosse croix :

— Le médecin a raison. Ils devraient camper sur ce terrain privé. Comme il est isolé, il sera plus facile de veiller sur le troupeau. Cette nuit, il ne faut pas les installer à l'intérieur, même s'il pleut des cordes. Évitez de placer des murs entre eux et vous.

Forte de son expérience, Nahlman approuva l'idée, mais son jeune partenaire demanda :

— Pourquoi ?

Toujours patient avec les enfants, Riker répondit :

— Vous devez pouvoir entendre les cris.

— À sa dernière visite, ton père n'est resté que quinze jours, raconta Ray Adler. Juste le temps de rafistoler la Porsche en piteux état.

Mallory n'écoutait presque plus, fascinée par la photo de son père à vingt-cinq ans. Les cheveux blonds noués en arrière, il affichait un petit sourire charmeur.

Beau et sauvage, disait sa mère les rares fois où elle acceptait de parler de lui à sa fille de six ans.

Autre détail marquant : des montures en acier dépassaient de la poche poitrine de sa chemise.

— Il portait des lunettes.

— Disons plutôt qu'il en possédait, rectifia Ray.

Il sortit une photo plus ancienne de Peyton Hale et lui quand ils étaient adolescents.

— Ton père avait à peine seize ans. Tu vois les binocles au fond de sa poche ? Je ne l'ai jamais vu les porter. Les hommes peuvent être aussi coquets que les femmes. Parfois plus.

Ray avait chaussé ses propres lunettes pour trier les papiers du coffret.

— Ton père m'écrivait de temps en temps. Je recevais toujours ses vœux à Noël. Après sa dernière visite, il m'a envoyé quelques cartes postales, le temps de rentrer chez lui, et puis plus rien.

Bien calé dans sa chaise, il remonta ses lunettes sur le haut de son crâne.

— Rien depuis toutes ces années.

Il poussa un long soupir et fixa le carrelage en silence.

— J'adore Peyton Hale. Et je ne dirais ça d'aucun autre homme au monde.

Il tourna ses yeux tristes vers Mallory.

— Si tu le croises sur la route, passe-lui le bonjour de ma part. S'il est mort, je préfère que tu me mentes, car je n'ai aucune envie de le savoir… Tiens, ce coffret t'appartient aujourd'hui. Les vieux carnets, les photos, etc. Prends le temps de tout examiner au calme.

Il se leva de table.

— Excuse-moi, je vais surveiller mes mécanos. Je leur ai demandé d'installer un arceau de sécurité sur ta voiture.

— Mais je n'en veux pas !

— Tu en auras un quand même. Si tu fais un tonneau, c'est la mort assurée.

Mallory, qui avait déjà vu une pierre tombale à son nom, ne résista pas davantage. Une fois seule, elle ouvrit un carnet de Peyton Hale et lut les premières lignes : « Au commencement était la roue. Puis vint le feu du moteur à combustion interne. La voiture était née. Et nous partons… loin. C'est une romance sans fin. »

Elle s'attarda ensuite sur le portrait de ses parents posant avec Savannah Sirus. Après avoir déchiré la tête de l'intruse, elle jeta le fragment de photo dans un cendrier et chercha des allumettes pour y mettre le fcu. Foutre Savannah à la poubelle ne suffisait pas. Elle méritait la destruction totale.

Les deux parents de la caravane étaient arrivés, remplis d'espoir et d'excitation. L'attente occupait toute leur vie. Ils habitaient encore un monde imaginaire où les fillettes ne mouraient jamais, où un enfant disparu pouvait être retrouvé alors qu'il errait innocemment à travers bois, peut-être un peu sale après tant de temps (des années entières) mais pas blessé, toujours intact. Ni mort ni assassiné. Le couple jetait des regards à travers la pièce ou se penchait un peu pour regarder derrière la longue table et les chaises. Charles tressaillit. Ces pauvres gens croyaient récupérer leur fille vivante et la ramener à la maison.

Le shérif Banner brandit une breloque de porte-clés en forme de fer à cheval. La mère s'en empara, la sortit du sac plastique et l'embrassa. Puis il annonça qu'on avait retrouvé l'objet près de la dépouille de son enfant.

— Votre petite était enterrée près d'ici. Elle était parmi de bons villageois et sa tombe était toujours entretenue. Des fleurs fraîches tous les…

La mère s'effondra. Elle serait tombée à terre si les bras puissants de son mari et du shérif ne l'avaient pas rattrapée. On l'assit sur une chaise. Le père resta planté derrière elle pour qu'elle ne voie pas son visage tordu de douleur, son « Non ! » hurlé en silence et les larmes qui coulèrent sur ses joues tremblantes.

Habitué à ce genre de scène, Riker murmura à Charles :

— Il n'existe pas de bonne manière pour annoncer le drame aux parents, mais je crois qu'il vaut mieux vous dépêcher. Ne pas les torturer trop longtemps.

À l'écart, Magritte observait un sage silence. Le couple n'était pas prêt à entendre les conseils d'un psy.

Seuls les crétins rêvaient de tourner la page. Ce jour-là, la souffrance allait éclater pour de bon et leur imagination leur donnerait le vertige.

Charles se tourna vers la grande brune à côté de lui : la profonde compassion qu'il lisait au fond de ses yeux la rendait moins sévère.

— J'imagine qu'ils ne peuvent pas rentrer chez eux ?

— Non, répondit Nahlman. On attend une escorte et on va les mettre à l'abri jusqu'à ce que l'affaire soit terminée.

— Plutôt radicale comme solution, commenta Charles.

Le doute était contagieux et Riker lui avait communiqué un de ses soupçons, et si Gerald Linden n'était pas l'unique victime adulte ?

— Croyez-vous qu'une réelle menace pèse sur les parents ? Que le meurtrier a définitivement changé de cibles ?

Il sut qu'il n'obtiendrait aucune réponse quand Nahlman releva le menton, preuve d'une intraitable ténacité. Elle se ressaisit en silence et perdit la douce tristesse de son regard – désormais impénétrable.

Riker se pencha vers elle :

— Vous devriez aussi éloigner le reste des parents.

Autant s'adresser à l'immeuble de pierre qui abritait une gigantesque administration fédérale ! Sourde à son bon conseil, la jeune femme se contenta de le fixer droit dans les yeux. Riker s'approcha encore :

— Enfin, ce n'est qu'une question de vie et de mort, hein ?

Voilà qui attira l'attention de Nahlman. Elle se retourna et, d'un imperceptible hochement de tête, lui signifia qu'elle avait à peine une meilleure opinion des décisions du FBI que lui. Néanmoins, elle suivrait les ordres. La preuve ? Le bon petit soldat entraîna son équipier derrière elle et suivit Magritte, qui, lui, conduisait les parents hors de la pièce.

Le shérif s'assit et dodelina de la tête, épuisé, comme s'il venait de courir le marathon :

— Je vais vous dire ce que le Dr Magritte m'a appris. Le FBI ne s'est jamais intéressé au cas de leur petite fille, même après sa mort. Quand elle a disparu, les fédéraux ont annoncé aux parents qu'elle ne correspondait pas aux critères. Vous imaginez ? Leur bout de chou ne rentrait pas dans les cases ! Aucun agent n'a daigné se déplacer.

Il se pencha à la fenêtre. Dehors, une voiture venait chercher le couple meurtri.

— Je leur ai conseillé d'engager un avocat pour traiter avec le FBI : ils doivent récupérer le corps de leur enfant et lui offrir des funérailles décentes.

Il détourna les yeux de la triste scène qui se déroulait sur le trottoir, de l'homme éploré, de la femme détruite qu'on faisait presque entrer de force à l'arrière du véhicule, comme des criminels.

— Ce matin, j'ai parlé à d'autres parents du campement. Hier, un type a rejoint la caravane dans l'Illinois. Plaques californiennes. Il remontait la Route 66 à contresens. Je vous ai dit qu'il avait l'air barjo ?

— Tous les parents du convoi le sont plus ou moins, objecta Charles.

Il repensa au père qui voyageait avec un loup. C'était sans doute une lubie récente, car il n'avait détecté aucune affection particulière entre l'homme et son... animal domestique.

— Le chagrin peut rendre les gens très bizarres.

— Ce mec-là est un phénomène, insista le shérif. Obsédé par les structures logiques, il ne peut pas tenir une conversation sans parler de points de repère et de sites répertoriés sur une carte. Les deux fédéraux viennent de l'envoyer balader mais, barjo ou pas, il mérite le détour.

Il hocha la tête vers le policier qui attendait à la porte :

— Allez me chercher M. Kayhill.

Ray Adler avait promis à la fille de Peyton que l'arceau de sécurité serait installé en un temps record et il n'avait pas menti. Seulement, à l'heure de New York, deux jours, c'était une éternité. Au garage, Mallory fut sidérée de retrouver sa voiture en pièces détachées.

Lorsqu'elle repartit vers la maison, Ray lui emboîta le pas et expliqua à son dos :

— Si mes mécaniciens étaient juste doués, ce genre de transformation prendrait quinze jours : pour bien fixer un arceau de sécurité, il faut l'intégrer au châssis. Heureusement, j'ai embauché des artistes aux doigts d'or. Deux jours, c'est donc ultrarapide. Aucun autre garage du pays n'arriverait à t'installer ça aussi vite. Du moins, si tu veux un résultat soigné.

Il talonna Mallory, qui entra chez lui par la porte de derrière. Il n'avait pas vu sa cuisine depuis plus de trois heures et ouvrit des yeux ébahis, médusé d'effroi, persuadé, l'espace d'une seconde, d'avoir développé un Alzheimer fulgurant, d'avoir pénétré dans la maison d'un inconnu. Franchement, le premier mot qui lui vint à l'esprit fut *cinglée*, suivi de *folle à lier*.

Le regard rageur, Kathy Mallory noua des rideaux fraîchement lavés sur une tringle. Ray ne put s'empêcher de remarquer que le tissu s'était éclairci de six tons. Tandis qu'elle lui tournait le dos pour suspendre la barre à la fenêtre, il balaya la salle du regard.

Comment avait-elle fait en moins d'une matinée ?

Il avait oublié les motifs du linoléum sous les couches de crasse mais, après un bon coup d'encaustique, les carreaux multicolores avaient retrouvé leur éclat. La montagne de vêtements sales avait disparu et le sèche-linge fonctionnait à plein régime. La vieille table en bois avait été récurée, débarrassée des innombrables éclaboussures et traces de verre, souvenirs d'anciens repas. Même le robinet étincelait. Voilà comment elle lui remboursait, à sa manière, l'arceau de sécurité : Ray avait refusé son argent mais, Seigneur !, sa cuisine était d'une incroyable propreté.

Il s'assit et regarda Mallory astiquer une poignée de placard qu'on n'aurait pas pu décaper davantage, à moins d'en enlever le chrome.

— Tu es une sacrée machine à nettoyer. Comment se fait-il que tu ne sois pas encore mariée ?

Elle posa deux tasses et deux soucoupes sur la table :

— Ça ne m'a jamais traversé l'esprit.

— Tu ne veux pas d'enfants ?

— Non.

Elle apporta une étrange cafetière qui ne comportait plus la moindre trace de doigt.

— Ça alors ! s'étonna-t-il.

Elle remplit sa tasse d'un breuvage plus parfumé que tout ce qu'il avait avalé depuis la mort de sa femme et se demanda, tardivement, si c'était lié au fait d'avoir briqué la cafetière. Quand Mallory s'installa en face de lui, il ne put s'empêcher de demander :

— Pourquoi ne veux-tu pas d'enfants ?

Elle réfléchit un moment et lâcha :

— Je ne vois pas à quoi ils servent.

Les deux agents du FBI étaient revenus vers la salle de conférences du shérif. Plantés à la porte, ce qui signalait peut-être un départ imminent, ils projetaient de mener M. Kayhill au terme de l'entretien. Nahlman consulta ostensiblement sa montre.

Charles était assis à côté du nouveau membre de la caravane, surnommé Monsieur Logique. Kayhill était beaucoup plus petit que la moyenne, à peine un mètre soixante. On aurait dit une poire blanchâtre et distraite aux lunettes cerclées de noir. Il était aussi très maladroit. D'ailleurs, il s'en excusa et épongea le café renversé sur ses cartes routières. Une nervosité et une gaucherie qui résultaient certainement d'une méchante overdose de caféine.

Horace Kayhill se targua d'avoir bouclé la Route 66 en trois jours, temps record, avec à peine plus que du café et du Coca-Cola.

Riker en resta bouche bée d'admiration :

— Dans les années 1960, je l'ai faite en quatre jours, mais j'étais bourré à la tequila. La meilleure, avec un ver au fond de la bouteille.

Le shérif Banner reconnut qu'adolescent il avait parcouru la Route 66 « sous l'influence d'une substance [qu'il] n'oserait même pas nommer ». Il n'avait gardé aucun souvenir du voyage et fut déclaré vainqueur.

Charles, qui n'avait jamais roulé sur la voie mythique, étudia les cartes de Kayhill.

Monsieur Logique avait passé infiniment plus de temps sur la route lors de sa dernière expédition, ce qui expliquait son retard au moment de rallier le convoi à la frontière de l'Illinois. Sur le papier, il indiqua des sépultures symbolisées par de petites croix :

— J'en ai déniché quelques-unes grâce aux forums Internet.

Il avait trouvé les autres en enquêtant auprès des riverains de la Route 66.

— Cette tombe a été découverte il y a dix ans. Les gens du coin m'ont dit que le corps était momifié. Parfois, il ne reste plus que des squelettes et, un jour, on m'a raconté que les os étaient même tombés en poussière quand ils avaient déterré la victime, mais il s'agissait d'un site peu profond en zone inondable.

Il effleura la région désertique d'une carte de Californie.

— Ces trois tombes sont situées à une trentaine de kilomètres les unes des autres. On pourrait y voir un agglomérat, mais on aurait tort. J'y distingue plutôt une ligne continue, longue de plusieurs milliers de kilomètres. Au moins cent sépultures.

Sans croiser le regard étonné de Nahlman, il ajouta :

— Les fédéraux peuvent confirmer ma théorie.

Charles la vit croiser les bras et fixer le plafond. Elle n'avait pas l'intention de soutenir Kayhill. Les lèvres pincées, son collègue, Allen, aurait préféré cracher ses dents plutôt que de confirmer ou d'infirmer. Il avait les yeux rivés sur le plan de Californie semé de petites croix, chacune représentant une victime.

Soudain, Monsieur Logique se leva et le foudroya du regard :

— Dites-leur !

Aussitôt, le shérif Banner lui fit signe de se rasseoir :

— Du calme !

Après avoir repris ses esprits et même retrouvé sa dignité, Kayhill insista :

— C'est le FBI qui a creusé la tombe centrale.

Il indiqua la première croix d'une rangée de trois.

— Il y a vingt ans, ce site a été mis au jour lors d'un chantier d'autoroute.

Son doigt glissa jusqu'à la dernière croix de la série.

— Quant à celui-là, sa découverte remonte à neuf ans. Entre les deux : soixante kilomètres.

Kayhill releva la tête vers Allen.

— Comment vos collègues auraient-ils pu fouiller au milieu et trouver une autre tombe s'ils n'avaient pas deviné l'existence d'une structure plus large ? Vous saviez pertinemment où creuser.

Les deux fédéraux ne pipèrent mot. Frustré, Kayhill déplia d'autres cartes où des arcs étaient dessinés par-dessus les croix.

— J'ai élaboré d'autres schémas. Voulez-vous savoir d'où venaient les enfants ?

Nahlman s'approcha de la table :

— Je crois qu'on en a assez vu. Il se fait tard. L'agent Allen et moi allons vous reconduire au campement.

— Non. Je veux expliquer mes données.

Nahlman déguisa en requête un ordre discret :

— Nous devrions partir.

Ce qui incita Riker à proposer un autre café à Horace Kayhill.

Charles s'empara d'une carte. Certaines croix étaient tracées à l'encre. Les autres, au crayon, marquaient sans doute l'emplacement hypothétique de tombes encore virtuelles.

— On dirait du profilage géographique.

— Exactement ! s'écria Monsieur Logique, heureux qu'on s'intéresse enfin à son travail. Une technique fondée sur l'espacement constant des tombes. J'ai localisé quatorze corps exhumés le long de la route, ce qui suffit à projeter des nombres pour le groupe entier. Certaines informations proviennent de sites Internet consacrés aux enfants disparus.

Il jeta un coup d'œil à Nahlman.

— L'un d'entre eux est d'ailleurs géré par le FBI.

Il se pencha ensuite vers Charles, son auditeur préféré :

— Considérez la Route 66 comme la base de départ du tueur.

Le shérif Banner tendit un papier à Riker, qui acquiesça en silence et se tourna vers Monsieur Logique :

— Par conséquent, il roule peut-être en camping-car.

— Bien sûr ! s'exclama Horace, ravi du zèle de l'inspecteur. Excellent ! Il vit sur la Route 66. La route tout entière !

Charles rapprocha sa chaise de Riker pour mieux lire le papier qu'il avait entre les mains : la déclaration d'immatriculation d'un camping-car au nom de M. Kayhill.

L'exubérant bonhomme déplia ses cartes, qui recouvrirent bientôt chaque centimètre carré de la table :

— Vous voyez les demi-cercles tracés à l'encre verte ? Ils représentent la distance maximale entre les lieux d'enlèvement et les tombes. S'il est aussi malin que je le crois, il kidnappe les enfants dans un État et les enterre dans le suivant traversé par la Route 66. Bien sûr, ma théorie est fondée sur les deux seules fillettes jamais identifiées. Les recherches d'enfants disparus sont souvent confiées à la police d'un seul État. À moins que le FBI ne s'en mêle mais, en général, ces gosses-là ne les intéressent pas.

Nahlman se raidit puis, d'un geste, signifia à son collègue de passer un coup de fil et Allen s'empressa de quitter la pièce.

— Horace aime son café avec un peu de lait et beaucoup de sucre ! lança Riker.

Il sourit à Nahlman, qui, elle, fixait le plancher.

— On peut le comparer à un requin, reprit Monsieur Logique.

— Un requin ? s'étonna Nahlman. Comment l'analogie vous est-elle venue ?

Ce n'était pas de la simple curiosité. Charles détecta une pointe d'autorité dans sa voix. Malgré son sourire forcé, elle glissait doucement vers l'interrogatoire et Kayhill lui rendit son sourire, content qu'elle s'intéresse enfin à ce qu'il racontait.

— Le requin correspond pile au schéma tactique. Cet

189

animal règne sur un vaste territoire, il se déplace sans arrêt et cherche toujours de nouvelles proies.

Du plat de la main, il balaya les cartes étalées sur la table.

— L'alignement des tombes ne respecte pas l'ordre chronologique. Le meurtrier rôde donc sans arrêt le long de la route. Regardez ici.

Il montra les grands traits rouges qui barraient un des plans.

— Voici son terrain de chasse extérieur. Là, je dois reconnaître que j'ai peu d'informations. Seul un corps frais a été découvert et on a retrouvé la tombe le lendemain de l'enlèvement. Je suppose donc qu'il ne garde pas ses victimes plus de vingt-quatre heures. Par ailleurs, il respecte les limitations de vitesse.

— Il ne veut pas attirer l'attention de la police, approuva Charles.

— Absolument ! se réjouit Monsieur Logique. Voilà comment j'ai déterminé les limites géographiques de son territoire.

— Excellente théorie, intervint Riker. Sans compter qu'il peut se cacher derrière son camping-car, le temps de bêcher en bord de route. Bon sang ! Il peut creuser une tombe n'importe où en plein jour. Il lui suffit de dégonfler un pneu, de placer le cric en évidence et il est sûr qu'aucun flic ne viendra proposer son aide.

Il étudia les lignes tracées aux quatre coins de la carte.

— Sur quel territoire votre requin règne-t-il ?

— J'estime qu'il couvre une zone de quatre mille kilomètres de long sur mille kilomètres de large. Incroyable, non ?

De sous son amas de plans, il sortit un calepin.

— Voici des estimations plus spécifiques sur des tombes encore potentielles. Je me suis servi des distances entre les sépultures connues, mais j'ai aussi tenu compte des régions peuplées et des endroits inaccessibles. En Illinois, par exemple, une section de la Route 66 aboutit dans un lac.

Il tendit son carnet à Riker.

— Je vous le donne. Il vous sera sûrement utile.

— Vous avez raison.

Le sergent-détective accepta le cadeau avec un petit sourire fourbe, puis il alluma une cigarette et s'avachit sur sa chaise, détendu, presque inoffensif.

— Et vous, Horace ? Avez-vous perdu un enfant ?

— Non. Je n'ai même jamais été marié.

— Sans blague ! Alors que faites-vous ?

— Je m'intéresse aux statistiques, aux schémas tactiques et, bien sûr, à la Route 66. J'en connais chaque site Internet. Voilà comment j'ai rencontré deux patients du Dr Magritte sur un forum de discussion. Ainsi que d'autres parents. Ils s'échangeaient des chiffres, des histoires d'enfants assassinés et retrouvés le long de cette route légendaire.

Riker laissa échapper une volute de fumée :

— Comment gagnez-vous votre vie, Horace ?

— Je suis statisticien.

— Bien sûr, sourit-il. J'aurais dû y penser !

Un policier entra et posa un papier devant son patron. Après y avoir jeté un œil, le shérif tendit la feuille à Riker et Charles lut par-dessus son épaule : les antécédents de Kayhill confirmaient les soupçons. Frappé d'une incapacité totale de travail, il était inemployé et inemployable. Le dossier succinct ne mentionnait pas la nature des troubles, mais Charles avait sa petite idée : ce type-là était un obsessionnel compulsif, ce qui expliquait toutes les strates de schémas tactiques soigneusement liées les unes aux autres.

Riker étudia la carte du Missouri, qui incluait les

régions limitrophes des États voisins. Une croix au crayon figurait à trente kilomètres du campement. La suivante marquait le Kansas. Il posa l'index sur celle qui noircissait une petite portion du Kansas traversée par la Route 66.

À son tour, Banner observa la carte :

— C'est là qu'on a retrouvé l'adolescente à la main coupée, mais elle n'était pas enterrée. Son cadavre gisait sur la route, à peine vingt-quatre heures après son meurtre.

— Une adolescente ? s'étonna Kayhill. Impossible. L'absence d'inhumation contredit aussi le mode opérationnel habituel. Tout est dans le mode opérationnel. Il y a un corps d'enfant enfoui là-bas. Simplement, vous ne l'avez pas encore localisé.

Il se pencha vers Riker et tapota le calepin qu'il lui avait offert.

— Mais vous le trouverez. Vous les trouverez tous.

Ray Adler remit à Mallory les clés de son propre pick-up afin qu'elle termine son inspection de la Route 66 au Kansas :

— Elle traverse juste un petit bout de cet État. Il faut à peine un quart d'heure pour aller de Galena à Baxter Springs. Un peu plus longtemps si tu dois descendre de la camionnette et la pousser.

Mallory rejoignit l'ancienne route et rebroussa chemin jusqu'à Galena, où les passants ne cessèrent de la saluer : peu soucieux de l'identité du conducteur, ils voyaient juste une fourgonnette vert fluo dont le fabuleux pare-chocs, issu d'une énorme Jaguar de collection, était orné d'un félin argenté. Quelques minutes plus tard, elle ralentit et contempla le vieux pont voûté, autre emplacement cité dans les lettres. Néanmoins, on avait rccouvert les graffiti de peinture et l'édifice ne servait plus : on circulait sur un nouveau pont voisin.

La halte lui prit une minute supplémentaire de son temps.

Mallory suivit le virage intérieur de la route qui jalonnait ce segment du Kansas. Elle s'arrêta près d'un terrain de base-ball qui, cette fois, n'avait rien d'un vestige du passé. Le petit stade rouge et blanc resplendissait de briques flambant neuves et de ciment frais. Le vieux terrain dont Peyton Hale parlait dans l'Illinois avait disparu, un nouveau avait surgi au Kansas.

Mallory perdit encore une autre minute de sa vie.

Ce qui l'intrigua ensuite, ce fut le matériel d'excavation au bord de la nationale. Elle roula doucement, car elle voulait se faire remarquer – et elle y réussit sans problème. Elle coupa le moteur à quelques mètres d'une camionnette utilitaire et d'un van anonyme. Les véhicules masquaient une partie du chantier de fouilles et la majeure partie du trou avait disparu derrière une bâche en plastique. Les ouvriers avaient tous remarqué Mallory et ils se dévisagèrent jusqu'à ce qu'une voiture de patrouille vienne se garer derrière elle. Elle savait qu'ils avaient appelé la police pour la faire déguerpir.

Un agent s'approcha du pick-up et sortit la formule habituelle :

— Permis de conduire et papiers du véhicule, s'il vous plaît.

Mallory ne répondit pas et se pencha au carreau :

— C'est ici qu'on a retrouvé le corps d'Ariel Finn ? Il y a environ un an. L'adolescente à qui il manquait une main ?

Évidemment, le policier fronça les sourcils, car il la prenait pour une énième touriste adepte des scènes de crime. Un an auparavant, quand la jeune fille mutilée avait fait la une des journaux, il avait dû se coltiner quelques badauds curieux. Il en conclut que la jeune conductrice était donc morbide mais inoffensive. Sa réplique suivante ne la surprit donc pas :

— Oublions le permis et la carte grise, d'accord ? Je vous demande juste de circuler.

— Très bien, répondit-elle, ravie de s'être débrouillée pour que Bermann n'apprenne jamais sa présence sur les lieux. Dites-moi juste où est votre patron.

Dix minutes plus tard, elle se gara devant un commissariat, où un vieil officier de police en jean était assis sur un banc, le visage baigné de soleil. Sous les volutes de son cigare, il se tourna vers Mallory en souriant et s'approcha de son carreau :

— Je suppose que vous avez tué Ray. À moins de lui rouler sur le corps, il ne vous aurait jamais laissé conduire sa camionnette.

Elle voulut lui montrer sa plaque et sa carte de police, mais il refusa d'un geste :

— Inutile de me montrer votre permis de conduire, mademoiselle. Les amis de Ray sont mes amis, même si vous l'avez vraiment flingué.

Lorsqu'ils se présentèrent et qu'elle prononça le mot « inspectrice », il l'emmena jusqu'au banc et lui expliqua qu'il faisait trop beau pour travailler à l'intérieur. Il lui demanda si le cigare la dérangeait. Non, pas du tout. Lou Markowitz adorait fumer la pipe et elle avait grandi dans l'odeur de tabac. Parfois, ça lui manquait. Elle avait oublié de demander à Ray Adler si son père biologique fumait et, soudain, ce détail-là devint plus important que la récente tombe découverte en bord de route. Elle serra le poing et enfonça ses longs ongles rouges au creux de sa main. Douleur. Concentration. Elle savait que la coïncidence n'expliquait pas la découverte de deux corps à un an d'intervalle, au même endroit. Il y avait une autre raison. Quelques secondes plus tôt, tout était encore clair dans son esprit.

Ressaisis-toi.

Elle rouvrit le poing avant que ses ongles la blessent jusqu'au sang, signe qu'elle aurait perdu le contrôle absolu d'elle-même.

Deux corps au même endroit – un sur la route et l'autre enfoui.

Voilà, elle avait trouvé. Son interlocuteur se garderait bien de divulguer l'information, même à un autre flic. Il faudrait donc qu'elle devine du premier coup.

Riker promit à Horace Kayhill que le convoi ne démarrerait pas sans lui :

— Ils ont prévu un départ tardif.

Nahlman consulta sa montre :

— Il est midi. Ils ne devraient quitter le campement que dans une bonne heure.

— Mais on arrivera au Kansas avant…

— Non, monsieur Kayhill. Nous empruntons un autre itinéraire. La caravane va contourner le Kansas. Mon équipier et moi allons vous emmener en Oklahoma par l'autoroute. Maintenant, si vous voulez bien nous suivre ?

Sur le trottoir, Riker et Charles regardèrent Kayhill s'éloigner dans la voiture du FBI. Ils avaient enfin un peu d'intimité et c'était le moment idéal.

— Alors, comme ça, tu as demandé à Mallory de t'épouser ?

Riker tourna les paumes vers le ciel, un brin frustré de se heurter à un silence obstiné.

— Et c'est tout ?

Gêné, Charles acquiesça et lorgna la pointe de ses chaussures. Le pauvre avait fêlé, brisé, détruit son image de vieil ami de la famille : il avait osé proposer le mariage à Mallory, qui l'appréciait mais le traitait plus comme un gentil toutou.

Bien sûr, il avait essuyé une fin de non-recevoir, mais Riker trouvait cela mieux ainsi. Il était persuadé que Charles serait plus heureux avec un être humain issu de la planète Terre, une femme douce et normale qui ne collectionnait pas les armes à feu. Une future épouse qui voudrait des enfants. Charles ferait un père merveilleux et Riker n'avait aucun mal à l'imaginer avec une nichée de bambins à bec d'aigle et aux yeux globuleux. En revanche, il refusait de croire à un monde où il existerait plus d'une seule Mallory : une bande de petits clones blonds aux prunelles vertes avec les mêmes penchants que sa coéquipière, c'était trop risqué. D'ailleurs, il n'était pas sûr qu'elle se serait souvenue de leur donner à manger.

Riker n'avait plus envie de poursuivre l'interrogatoire. Tandis que la voiture du FBI s'éloignait, il changea de sujet :

— Dis-moi ce que tu penses du petit bonhomme.

— Kayhill ? Un obsessionnel compulsif.

Son supplice terminé, Charles avait retrouvé de l'entrain.

— Il possède d'excellentes capacités de raisonnement cognitif mais ne parvient pas à soutenir les regards. Associé à sa manie des cartes, c'est peut-être le symptôme d'un autisme léger. Ses structures logiques l'absorbent complètement.

— Certaines sont un peu tirées par les cheveux, mais on en saura bientôt davantage. Banner est en train de passer un coup de fil au Kansas.

Son sac posé sur les genoux, Mallory était assise devant le bureau du chef de la police. Ils avaient décidé de continuer la discussion à l'intérieur, le temps de vérifier les informations de la jeune femme par téléphone.

La conversation entre le shérif et son homologue Banner commença à mots couverts en formulant des réponses souvent monosyllabiques, puis, rassuré, il se montra plus bavard :

— Oh, bien sûr que je m'en souviens… Oui, c'était quand, déjà ?… Non, on a identifié la fille… Non, c'est ce qu'on pensait au début. En réalité, elle était plus jeune : seize ans à peine… On a mené l'enquête dans sa ville natale… Elle s'appelait Ariel Finn… Sans blague ! J'ai cru qu'il avait identifié sa fille. On a renvoyé le corps là-bas.

L'indiscrète Mallory se demanda pourquoi Joe Finn suivait des parents d'enfants disparus si sa fille, elle, avait été retrouvée. Une réponse immédiate ? Le déni. Elle l'imagina devant la dépouille, refusant obstinément de croire qu'il s'agissait de son bébé. Un cadavre n'avait rien d'un corps endormi. Quelques heures à peine après la mort, les traits du visage changeaient de manière imperceptible, les yeux se voilaient et rentraient au fond des orbites, la peau perdait son éclat, si bien que certains parents invoquaient chaque infime transformation pour refuser d'identifier leur enfant.

Mallory préféra l'autre explication : Joe Finn voulait peut-être rencontrer l'assassin de sa fille et savourer, à son tour, le plaisir de tuer.

Quand le chef de la police raccrocha, elle lança :

— Vous n'avez pas dit au shérif Banner que les fédéraux creusaient au bord de la route.

— Les fédéraux ? Non, ce sont juste des ouvriers qui réparent un câble souterrain.

Un brin sarcastique, il ajouta :

— Je suis sûr que vous avez remarqué le nom de la compagnie d'électricité sur leur camionnette.

Ses yeux plissés et son sourire firent écho aux propres pensées de la jeune femme : *Mais oui, bien sûr.*

Mallory décida de se montrer ironique elle aussi :

— Vous n'avez pas non plus parlé des os retrouvés à la place de la main manquante d'Ariel Finn.

Bouche bée, il révisa son jugement sur la demoiselle :

— Soit vous êtes une flic hyperdouée, soit le FBI vous en a appris beaucoup plus qu'au shérif du Missouri.

Le temps d'allumer un autre cigare, il réfléchit au dilemme.

— Si vous étiez venue hier, je n'aurais pas su de quoi vous parliez. Il y a un an, deux gosses sont tombés sur le corps d'Ariel Finn en revenant de l'école. La mère de l'un d'eux est très méfiante. Hier après-midi, elle a passé sa chambre au peigne fin, persuadée qu'il se droguait. Et le petit n'a qu'onze ans ! Je vous jure, où va le monde aujourd'hui ? Imaginez donc sa surprise quand elle a découvert des os au fond d'une vieille boîte à cigares.

Il se tut et attendit que Mallory ajoute son grain de sel. Laquelle prononça les bons mots :

— Les minuscules os d'une main d'enfant. Pas celle de l'adolescente abandonnée sur la route.

— La boîte contenait la moitié des os, acquiesça-t-il, car les deux garçons voulaient conserver un souvenir de leur trouvaille. Fichus gosses ! L'autre avait pris le reste mais il s'en est débarrassé depuis longtemps. Soi-disant que ça lui donnait des cauchemars. Je suppose qu'il est toujours traumatisé par le corps mutilé de la victime. Sa moitié de main a donc fini à la poubelle avec la carcasse du poulet dominical.

Il signifia à Mallory que c'était à elle de parler.

Elle gardait toujours une longueur d'avance :

— Quand ils ont trouvé cette main squelettique, quelle direction indiquait-elle ? Pointait-elle vers la toute dernière tombe ?

D'un sourire, il confirma ses hypothèses :

— À quelques mètres de la route, j'ai trouvé un monticule de cailloux trop bien empilés pour être l'œuvre de

Dame Nature. D'autant que le sol était concave, comme si la terre s'était retassée après une inhumation. Je n'ai pas dû creuser profond avant que ma pelle heurte un crâne. Un crâne minuscule.

Chaque pièce du puzzle prenait sa place et, bien qu'Ariel Finn soit morte un an plus tôt, Mallory n'en démordait pas : le tueur d'enfants avait décidé *récemment* de s'attaquer aux adultes.

— À l'époque où vous avez découvert le corps d'Ariel, vous avez eu des difficultés à estimer son âge. Vous avez dit à Banner qu'il s'agissait d'une adolescente ou d'une jeune femme. J'en conclus qu'à seize ans elle était donc plutôt grande et bien formée.

— Sa mort ne cadre pas avec un bourreau d'enfants, hein ?

— Non, je crois qu'il a raté son coup. Quelque chose est allé de travers. Il l'a sans doute tuée parce qu'elle pouvait l'identifier.

Son interlocuteur avait sans doute eu le même raisonnement, car il acquiesça :

— Comme il ne voulait pas gâcher un cadavre, cet abominable salaud a utilisé le corps d'Ariel pour attirer l'attention sur sa véritable œuvre : l'assassinat d'une fillette. Et il s'est aussi planté. À votre avis, dois-je chercher d'autres corps dans les environs ?

— Aucune idée.

Elle prit un papier et un crayon.

— Je suis sûre que vous avez passé les routes de la région au peigne fin à la recherche d'indices, d'une autre tombe, mais vous avez fait chou blanc.

Elle griffonna un numéro de téléphone :

— Appelez l'inspecteur Kronewald à Chicago. Il sait où sont enterrés des tas de petits corps. Je crois qu'il aimerait entendre votre histoire.

— Des petits corps ? Un tueur en série qui s'en prend

aux enfants… J'avais donc vu juste. Ariel n'était pas censée mourir ce jour-là.

Il fit rouler sa chaise jusqu'au grand classeur à dossiers et en sortit une enveloppe kraft, qu'il jeta sur le bureau :

— Voici le rapport d'autopsie d'Ariel. Je vous en laisserai une copie. Photos comprises, si vous voulez. La pauvre a reçu cinquante coups de couteau. La moitié de ses blessures ont été infligées *post mortem*, mais elle a largement eu le temps d'être terrifiée. Vous imaginez ce qui a pu la hanter pendant qu'elle se vidait de son sang ? Et il s'agissait d'une erreur !

Oui, une erreur. La cible programmée du tueur, c'était la fredonneuse, cette petite dérangée de Dodie Finn. La sœur aînée s'était juste retrouvée en travers de son chemin.

Un par un, Mallory étudia les nombreux clichés d'autopsie, comptant les plaies sur les mains et les bras de la victime qui avait sans doute essayé de se débattre. La mise à mort avait duré longtemps. La jeune inspectrice avait du mal à éprouver de la pitié et elle n'essayait pas la plupart du temps : à quoi bon ? Ce fut donc avec un sentiment proche de l'approbation qu'elle imagina l'adolescente – terrorisée et seule dans son duel contre un tueur en série – se battre pour protéger sa petite sœur et lui donner une chance de s'enfuir, de vivre.

Farouche Ariel.

CHAPITRE IX

Ray Adler resta planté sur le pas de la cuisine. D'abord attiré par un délicieux fumet de rôti de bœuf, il fut rebuté par les photos que la fille de Peyton avait étalées sur la table. Toutes ces images de mort lui coupèrent l'appétit.

— Ma deuxième équipe de mécanos bosse sur ta voiture. Je te promets qu'ils auront terminé demain, mais il sera peut-être très tard.

Elle hocha la tête en silence, puis étudia les photos une à une.

— La chambre d'amis devrait te plaire. C'est là que ton père dormait.

Dès qu'il posa les yeux sur les clichés, impossible de s'en détacher : il avait identifié la portion de route et ce n'était pas tous les jours qu'une adolescente était assassinée dans son coin paisible du Kansas.

— Il s'agit bien de la fille de Joe Finn ?

— Vous le connaissez ? demanda-t-elle en relevant la tête.

Le charme magique des photos était rompu.

— Je ne l'ai jamais rencontré, mais j'ai assisté à son dernier combat.

Ray s'assit à table.

— Il y a un an, à Kansas City. Il ne faisait pas le poids et avait un peu perdu la main, mais il a refusé de se coucher. Je crois que son adversaire s'est épuisé à le bourrer de coups de poing. Le match a dû avoir lieu au moment où on retrouvait le cadavre de sa fille... à quelques kilomètres de là. Triste histoire !

De sa chaise, Ray voyait l'autre pièce et il constata que sa jeune invitée avait bien travaillé. Il sentait l'odeur des produits ménagers tout droit sortis des sacs de courses qu'elle avait rapportés en plus de ses photos sanglantes.

Mallory vérifia la cuisson du rôti au four et, quand elle ouvrit le réfrigérateur, le vieux garagiste vit ses bouteilles de bière alignées comme des petits soldats sur la claie du bas. Les autres compartiments étaient remplis de légumes frais, viandes et fromages aux six couleurs différentes. Ses mécaniciens allaient se régaler au dîner. Dommage qu'elle se croie obligée de travailler pour payer l'arceau de sécurité ! Enfin, pas question de la contrarier. La fille de Peyton était du genre obstiné et elle était armée.

Dale Berman leur avait demandé d'escorter les parents jusqu'à l'autoroute, car il voulait rallier au plus tôt le prochain point de rendez-vous. Il semblait obsédé par la vitesse, alors qu'aux yeux de l'agent Christine Nahlman, son chef n'avait jamais mis beaucoup de bonne volonté à mener l'enquête.

En tête du cortège, elle fut la première à constater la désertion des patrouilleurs, qui abandonnèrent le convoi et partirent de leur côté. Deux agents infiltrés roulaient en queue de peloton, mais il incombait à la police du Missouri d'empêcher les parents de s'échapper vers l'ancienne Route 66. Et voilà que l'escorte prenait la clé des champs.

Nahlman se tourna vers son jeune équipier, qui, captivé par sa carte routière, ne regardait pas ce qui passait devant lui. Dans son rôle de nourrice pour agent fédéral débutant, elle demanda :

— Tu as remarqué quelque chose ?

— Hein ?

Allen se redressa et tourna la tête de tous côtés.

— Où sont passés les patrouilleurs ?

Aussitôt, il se rendit compte de la stupidité de sa question.

— J'ai compris.

Il sortit son portable et appela Berman :

— C'est Allen, chef… Oui, chef… On avançait bien, mais les flics nous ont lâchés… Oui, je vais le dire à Nahlman… Non, chef… Désolé, je croyais que vous étiez au courant de… On les emmène camper sur un terrain privé… Oui, chef. Je transmets.

— Laisse-moi deviner. Ce changement de programme ne l'emballe pas.

— Il n'y aura plus d'escorte policière. À partir de maintenant, on tient les poulets à distance. Il ne savait pas que tu éviterais le motel de Springfield. Tu ne lui en avais pas parlé ? De toute façon, il a réservé d'autres chambres à Joplin.

— Ça ne marchera pas.

— Les campeurs ne voudront pas y aller ?

— Un truc du genre.

Elle n'avait pas l'intention d'aligner les parents dans un couloir d'hôtel comme de la viande fraîche sur un étal de boucher.

— Appelle les taupes. Ça fait un moment qu'ils n'ont pas donné de nouvelles.

Allen téléphona aux deux agents infiltrés qui

roulaient en fin de convoi. Au bout de trente petites secondes de conversation, il lâcha :

— Oh, merde.

La mine inquiète, il s'adressa à sa coéquipière :

— On a perdu quelques parents quand les patrouilleurs nous ont faussé compagnie. Deux d'entre eux ont pris la sortie vers la Route 66.

— Bien sûr qu'ils sont partis, sourit-elle. Ils cherchent leurs enfants.

Jamais lasse d'éduquer son chiot à la propreté, elle ajouta :

— Et on n'aura plus les flics pour nous ramener les fugueurs.

Allen fixa son portable, comme s'il allait lui exploser dans la main :

— Je suis sûr que Berman avait de bonnes raisons.

— De bousiller nos renforts ?

Les mains de Nahlman se crispèrent sur le volant. Il valait mieux ne pas pousser son collègue dans ses retranchements : il défendrait toujours Dale Berman, qui avait le don de s'assurer une fidélité imméritée de la part de ses collaborateurs.

— Ne t'inquiète pas, Barry. Je ne te demanderai pas d'appeler les secours. On ne les obtiendrait jamais.

— Et s'il arrive malheur à une brebis égarée ?

— C'est là qu'interviennent les chiens de berger. Je savais qu'il avait envoyé l'escorte policière pour balancer un peu de poudre aux yeux. Berman voulait juste satisfaire le shérif Banner. Je suis surprise que ça ait duré plus de cinq minutes.

Retour à l'école pour l'agent Allen : il allait apprendre l'importance capitale d'un plan B.

— J'ai demandé au flic new-yorkais et à son ami de suivre l'itinéraire touristique. Quand les parents sortent de l'autoroute, les taupes communiquent à Riker leurs plaques d'immatriculation et il les rattrape.

— Quand pensais-tu me le dire ?

— Que Dale allait nous saboter l'aide policière ? Tu aurais vraiment voulu l'entendre ?

Son sourire refléta une affection sincère. Elle savait que Barry Allen aurait donné sa vie pour elle, mais elle ne pourrait jamais compter sur lui.

Assis sur le perron de la cuisine, Ray Adler et Mallory s'envoyaient de bonnes bières fraîches sur fond de rock'n roll. Vu le ciel sans nuages, le coucher de soleil n'était pas extraordinaire, mais Ray assura le divertissement nocturne en racontant l'ultime combat de Joe Finn :

— J'y ai assisté avec mon père, grand fan de boxe. Une vraie boucherie. Presque un meurtre, disait-il. Joe avait trente-cinq ans environ et il était resté trop long-temps dans le métier : il avait reçu trop de beignes en pleine tête et perdu beaucoup de sa réactivité. Ses agents avaient organisé une rencontre contre un gosse. Un jeunot sans talent qui multipliait les coups bas. Un vrai tueur qui avait les faveurs des bookmakers. Finn, lui, n'était plus un gamin et il n'avait aucune chance. Il ne lui restait plus assez de jus. Mais le jeu de jambes ? Putain, je n'avais jamais vu une grâce pareille, même quand il avait du sang plein les yeux et qu'il rebondissait contre les cordes. On aurait dit qu'il dansait. Mon père a parié sur le danseur même s'il le savait perdant. Il était fan de Joe Finn et, ce soir-là, on était assis aux premières loges pour la sortie du champion.

Ray Adler serra le poing.

— Ce boxeur avait un cœur immense. Même à moitié mort, il refusait de jeter l'éponge ! Chaque fois qu'il faisait mouche, la foule rugissait, y compris ceux qui avaient parié contre lui : tout le monde était debout, ça hurlait, ça sifflait, quelle soirée ! On l'a regardé souffrir le martyre pendant dix rounds et je pense qu'on avait payé l'arbitre pour regarder ailleurs. J'ai cru que Finn allait mourir. Le sang de ses blessures lui coulait dans les yeux mais, même aveugle, il ne flanchait pas et combattait sans relâche. L'arbitre a fini par stopper la rencontre… Mon père était ému aux larmes… De ma vie, je ne l'ai jamais vu pleurer pour un autre que Joe Finn.

Clic clac.

Dans le viseur, la femme en rouge sortit de l'épicerie où elle avait réglé son plein d'essence et collé son affiche à la fenêtre. L'appareil photo la suivit lorsqu'elle ouvrit la portière de sa berline écarlate. Elle se figea, parcourue par un léger frisson, et tourna lentement la tête.

Avait-elle senti des yeux braqués sur elle ?

Oui. Elle regarda au fond du parking, vers la rangée de voitures et de camionnettes, puis, affolée, se glissa maladroitement au volant et mit le contact. L'air d'un pneu arrière s'échappait d'une valve tout juste brisée, mais le boyau n'était pas à plat. Pas encore. Elle s'en apercevrait des dizaines de kilomètres plus loin, quand elle se retrouverait hors de vue des maisons, loin des gens – et des secours.

Clic clac.

Campeuse en fuite, parfois aveuglée par l'amour, April Waylon s'agenouilla devant sa voiture hors d'usage. Elle observa le pneu dégonflé, sereine et consciente qu'elle allait bientôt mourir. Au loin, on apercevait les lumières de l'autoroute, mais personne ne l'entendrait hurler.

Pourtant, elle ne céda pas à la panique. Ça lui passait désormais au-dessus.

Bien qu'on ne distingue aucun phare sur l'ancestrale Route 66, elle avait de la compagnie. Sa dépression profonde l'avait rattrapée comme un fidèle chien noir. Elle la sentait l'envahir, écrasante. Les yeux d'April s'embuèrent de larmes. Une fillette attendait sa maman quelque part sur la route. Elle l'attendrait à jamais.

Une voiture approchait.

April se tourna vers le ronronnement lointain du moteur. Deux faisceaux de lumière fonçaient sur elle, puis ralentirent et avancèrent presque au pas. Elle se rendit compte que son enfant disparue n'était plus à des kilomètres mais juste à quelques minutes d'elle et qu'une odyssée de dix ans allait bientôt s'achever. Elle courba l'échine et récita une triste prière.

Puis elle attendit.

Le supplice qu'on avait infligé à son bébé, elle allait le subir à son tour, ce qui répondrait à toutes ses questions sauf une : Pourquoi ?

Une portière claqua. Des bruits de pas résonnèrent. Il était arrivé très près et elle regarda les chaussures qu'il portait – si proche.

D'un instant à l'autre.

— J'espère que vous avez une roue de secours, madame, souffla l'inspecteur new-yorkais.

Lorsqu'il entra sur le parking de la station-service, Riker précédait un parent fugueur. Une fois devant les pompes à essence, il rappela au père fautif :

— Ne laissez pas votre véhicule sans surveillance. Si vous avez besoin d'aller aux toilettes, demandez à Charles Butler d'y jeter un œil. Vous devez être le seul à approcher cette bagnole. Pigé ?

Il allait insérer sa carte de crédit dans la machine, mais son ami dégaina plus vite que lui.

— Hé, Jo la Gâchette, comment se passe le baby-sitting ?

— C'est un groupe bien sage, répondit Charles.

— Impec. À moins que les taupes n'aient raté des plaques d'immatriculation, on les a tous retrouvés sauf un.

— Pendant ton absence, j'ai parlé à April Waylon.

Charles hocha la tête vers la dame en rouge.

— Elle m'a raconté ses aventures avec Mallory... et un patrouilleur qui pistait les voitures volées.

Il se tut, croyant peut-être qu'on éclairerait sa lanterne sur le sujet, mais, non, Riker n'y était pas disposé. Et Charles enchaîna :

— À part ça, l'histoire de Mme Waylon ressemble fort à ce qui est arrivé à M. Linden. On a volé sa batterie de portable et, ce soir, on lui a aussi dégonflé un pneu. Le problème venait d'une...

— Valve sabotée ? Merde alors, elle survit au pire et décide quand même de repartir seule dans la nature. Il faut quoi pour l'effrayer, cette nana ?

Il consulta sa montre.

— Encore une ville à vérifier. On n'est pas près de rattraper le convoi.

Riker releva les yeux vers April Waylon, qui enfreignait clairement son ordre formel de ne jamais laisser de voiture sans surveillance. Après avoir pris une affiche sur son tableau de bord, elle laissa la portière ouverte et alla coller le portrait de sa fille sur la vitrine de la station-service.

— Pourquoi ne l'abattrais-je pas illico ? soupira l'inspecteur. Ça me ferait moins de boulot.

Charles observait aussi April Waylon :

— Elle s'habille en rouge depuis que son enfant a disparu il y a dix ans.

Il tendit à Riker un café salutaire et les deux hommes s'adossèrent à la Mercedes.

— Toute sa garde-robe est rouge, expliqua le psychologue. Ça lui évite ainsi d'avoir à choisir le matin. Trop difficile. Ce type de réaction est courant chez les grands dépressifs mais, récemment, ses journées se sont structurées : elle a du pain sur la planche et elle ne pense pas retrouver sa fille sur une autoroute.

Riker écrasa le gobelet vide au creux de son poing.

— O.K., j'ai compris. J'en parlerai aux fédéraux, mais un parent manque toujours à l'appel.

Il se glissa au volant et disparut dans la nuit, abandonnant son stupide petit troupeau pour partir à la recherche de la brebis égarée.

Le campement avait pris forme sous le ciel de l'Oklahoma et il était très tard.

Nahlman regarda l'homme au loup traverser la lointaine prairie. D'après les consignes de Riker, le dénommé Papa de Jill avait un petit quart d'heure pour promener son animal et le temps imparti était presque écoulé.

Il avait proposé de camper seul au bord de la route, ce qui aurait confirmé son statut de paria au sein du groupe – mais pas à cause du loup. Les autres parents se méfiaient de lui, car il n'avait aucune photo de son enfant disparu et que ses yeux (autant que ses espoirs) étaient éteints.

Nahlman regarda sa montre. Fin de la balade. Elle agita sa torche pour lui demander de rentrer au bercail.

La plupart des feux de camp couvaient doucement et certains avaient été étouffés au profit de radiateurs acétylène à l'intérieur des tentes. Portée par la brise, une douce odeur de café flottait dans l'air. Le Dr Magritte distribuait des gobelets en carton, entouré par la cour des parents qui n'étaient pas encore couchés. Il semblait leur apporter du réconfort, mais Nahlman doutait de sa capacité à les tenir tranquilles.

Elle regarda l'homme au loup rebrousser chemin. Une main posée sur son revolver, elle tenait son portable dans l'autre mais écoutait à peine Berman lui annoncer la mauvaise nouvelle de la journée : un des parents fugueurs avait échappé à Riker. Le chef ne reconnaissait même pas les mérites de son plan B, qui avait pourtant ramené quatre autres fuyards au camp.

— Rien ne serait arrivé si vous aviez envoyé le groupe à l'hôtel, grogna-t-il.

— Si je les avais emmenés là-bas, ils auraient été beaucoup plus nombreux à filer et seraient désormais éparpillés sur toute la Route 66.

Il lui raccrocha au nez. Nahlman oubliait parfois que le protocole lui interdisait de se justifier mais, bon, il la rappellerait plus tard. En la matière, Dale Berman était ultraprévisible : il prétendrait qu'ils n'avaient jamais eu cette conversation, qu'elle n'avait pas failli le traiter de bon à rien et il lui pardonnerait les erreurs qu'elle n'avait pas commises.

Quand le loup fut enfermé à double tour dans la cabine du pick-up, l'agent Allen rejoignit son équipière :

— Pourquoi ne pas avertir les services vétérinaires ? Ils nous en débarrasseraient.

— C'est l'idée de Riker et on lui doit bien ça. Demain matin, à toi de surveiller la bête.

Le jeune officier ne sauta pas de joie.

Soucieuse de parfaire l'éducation de son binôme débutant, elle expliqua :

— Ne rate jamais l'occasion de rendre service à un flic. Ça leur donne l'impression d'être stupides quand ils se prennent la tête avec toi.

Après l'avoir envoyé dormir pendant qu'elle prenait

le premier tour de garde avec une taupe, elle en profita pour vérifier les plaques d'immatriculation sur la liste établie à la dernière halte. Loin d'avoir diminué de cinq fugueurs, le convoi s'était étoffé, alors que seuls les parents déjà présents étaient censés connaître l'emplacement du camp. Comme Magritte détenait sûrement la clé de l'énigme, elle attendit qu'il ait fini de discuter autour du feu avec ses ouailles.

Vingt minutes plus tard, quand elle s'approcha de lui, il leva des yeux inquiets, croyant qu'elle venait lui annoncer de mauvaises nouvelles concernant le parent fugueur surnommé Brebis Égarée par Riker.

Nahlman aurait bien aimé que le reste du convoi s'effraie aussi facilement :

— Monsieur, votre caravane grossit d'heure en heure.

— Aucun problème. Je connais les nouveaux arrivants.

— Je suppose que vous les avez guidés ici par téléphone ?

— Oui.

Le Dr Magritte sembla soulagé : elle voulait juste le sermonner et non lui communiquer la découverte d'une nouvelle victime.

— Tout le monde ne pouvait pas être au départ de Chicago. Certains parents nous rejoignent des États voisins à mesure que…

— Combien de participants ?

— Des centaines.

— Pardon ?!

Il avait perdu la tête ou quoi ?

— Vous n'êtes pas sérieux. Ils vont engorger les routes et…

Mais oui ! Elle venait de comprendre la stratégie.

— C'est ce que vous cherchez, hein ? Vous allez

211

provoquer des kilomètres d'embouteillages... Comme si vous lanciez une fusée de détresse.

Magritte salua d'un large sourire l'intelligence de son élève :

— Excellente métaphore, la fusée de détresse. Savez-vous ce que les parents endurent dans le simple but qu'on continue à parler de leurs enfants ?

Il contempla la caravane endormie.

— Ils sont invisibles depuis si longtemps. Vous avez parfaitement réussi à tenir les journalistes à l'écart.

Bien qu'elle ne soit pas responsable du contrôle des médias, Nahlman hocha la tête. Pour manipuler la presse, Berman avait le génie d'un savant idiot. Il fallait bien reconnaître qu'il était très doué à ce petit jeu-là.

— Les médias ignorent notre existence, mais je crois que c'est bientôt terminé. Plus le convoi grossit, plus on le remarquera. D'ailleurs, votre présence nous garantit l'attention des journalistes. Enfin, le FBI va nous apporter son aide !

— Pourtant, la plupart des parents ne sont pas concernés par l'enquête : leurs enfants n'ont pas le profil des victimes.

La phrase de Nahlman se termina dans un murmure. Bien sûr qu'il le savait et elle comprit que les parents devaient eux aussi en avoir conscience :

— Le principe des corps enterrés le long de la Route 66 n'est donc qu'un prétexte.

— Exact. Pour participer à l'expédition, il suffisait d'avoir un enfant disparu.

Avec une étonnante clarté, elle revoyait à présent la liste de plaques minéralogiques d'États côtiers, centraux et méridionaux. Elle comprenait ce qui les liait les unes aux autres. Les parents venaient des quatre coins du pays pour exprimer leur chagrin, qu'ils aient les yeux ronds ou bridés, quelle que soit leur couleur de peau, qu'ils trimballent un tapis de prière, une croix ou une étoile à six branches. Bel exemple de démocratie ! L'Amérique cherchait ses enfants, elle avait déplacé des foules et rien ne l'arrêterait.

La sonnerie du portable de Nahlman retentit mais, quand le nom de Dale Berman s'afficha à l'écran, elle ne décrocha pas, trop fatiguée pour affronter une nouvelle partie du jeu préféré de son chef : le Je-Sais-Tout-Mieux-Que-Tout-Le-Monde. Elle avait juste envie d'écouter tranquillement un bon vieux standard qui résonnait au loin. Ça venait de l'autoradio d'une Mercedes. Au volant, Riker entrait sur le terrain de camping, suivi de cinq voitures. Cinq ! Le parent disparu avait été retrouvé.

Le jour n'était pas encore levé et le pick-up vert fluo sillonnait les petits chemins du nord-ouest du Kansas, à des kilomètres de la Route 66. Mallory avait rendez-vous avec un fermier d'un village lointain. Elle aurait pu atteindre l'endroit plus vite, mais elle se retrouva bloquée derrière un énorme tracteur dont les pelles mécaniques empiétaient sur la voie de gauche : impossible de doubler. Elle n'avait que deux heures et demie pour arriver chez les Finn à l'heure précise où un car scolaire était passé un an plus tôt, le jour où Ariel avait été kidnappée et tuée.

En respectant les limitations de vitesse d'un *serial killer* qui ne voulait pas écoper d'une contravention, l'inspectrice allait être en retard. Cependant, elle ne fit rien pour bousculer le tracteur qui lui entravait le passage : elle ne klaxonna pas et ne lui colla pas au train.

Mallory avait la tête ailleurs.

En fait, elle écoutait les paroles d'une chanson familière diffusée sur une radio locale.

« ... *some fine things have been laid upon your table...* »

Le titre ne figurait pas sur la liste de Peyton Hale et il ne lui rappelait pas non plus le temps où Lou Markowitz lui apprenait à danser le rock.

« … *but you only want the ones that you can't get…* »

C'était tiré d'un album des Eagles que Riker lui avait donné quand elle avait onze ans. À l'époque, il avait prétendu lui offrir plus que de la musique : il lui avait même trouvé une chanson appelée *Desperado*. Une ballade qu'elle avait écoutée mille fois, avant de ranger définitivement l'album à l'âge de douze ans.

« … *your pain and your hunger, they're driving you home…* »

De l'avis de Riker, Nahlman n'avait pas le talent de Mallory pour effrayer les gens.

Elle était beaucoup trop aimable avec les parents d'enfants disparus :

— Vous ne pouvez pas quitter le groupe et mettre votre sécurité en danger en partant chacun de votre côté. Vous savez tous ce qui est arrivé à Gerald Linden, mais vous ignorez un détail : il n'est pas le seul parent assassiné.

Pour Riker, il s'agissait là d'un scoop et il se demanda si Kronewald était au courant.

— Le corps d'un parent a été retrouvé en Californie, précisa-t-elle. Un autre en Arizona. Des scènes de crime identiques à celle de M. Linden. Vous étiez nombreux à connaître les victimes. Vous faisiez partie des mêmes groupes Internet. Un tueur en série a donc jeté son dévolu sur votre caravane.

Le jeune équipier de Nahlman, Allen, commit le péché de sourire quand il leur tendit l'itinéraire de la journée. Deuxième erreur, il décida de se montrer poli :

— Je sais que vous n'avez pas envie de prendre l'autoroute mais, *s'il vous plaît*, évitez d'en sortir.

— Ou vous mourrez, ajouta Nahlman sur un ton plus ferme. Si vous quittez le groupe, il vous tombera dessus un par un.

Elle leur demanda ensuite un peu de patience, car le convoi ne partirait qu'en fin de matinée.

Riker ne vit aucun inconvénient à ce délai. Il se cala sur le siège inclinable de la Mercedes pour rattraper son manque de sommeil de la nuit. Une heure s'écoula à l'horloge du tableau de bord. Pourtant il lui sembla avoir à peine fermé les yeux quand Charles le réveilla en sursaut :

— Les fédéraux ont compté les présents. Six autres parents manquent à l'appel. Ils se sont volatilisés.

Mallory aimait bien le Kansas, État plat mais régulier, dont les champs carrés étaient sagement alignés le long de routes rectilignes se croisant à angle droit.

Bien qu'il soit en retrait sur une propriété privée, elle aperçut vite l'imposant hangar. Sa façade latérale avait été louée pour vanter les mérites d'une boutique de la ville voisine. Elle emprunta une allée de gravier, longea le bâtiment et continua vers la ferme vide des Finn. Le bois des murs était peint d'un blanc éclatant et, sous le toit couvert de bardeaux, saillaient des fenêtres à pignons. Derrière la maison : une grange, mais aucune trace d'animaux. Ni d'âme qui vive. Malgré le mobilier en osier brun du porche, l'endroit semblait désert. Elle imagina le jardin tel qu'il devait être un an auparavant : la vaste pelouse verte jonchée de jouets et de vélos, signe que de jeunes enfants vivaient là.

Mallory se trouvait à mi-chemin de la maison quand elle s'arrêta et se retourna vers le terrain. Le tueur avait sûrement attendu sa victime à l'abri du long hangar, près de la route. Aucun passant n'aurait été intrigué par un véhicule garé sur une propriété privée. Quant au brise-vent d'arbres, il empêchait les occupants de la maison de le voir quitter la chaussée et se cacher derrière la remise.

Combien d'habitations le meurtrier avait-il étudiées avant de trouver la configuration idéale qui lui permettrait d'agir en toute discrétion – et d'éviter ainsi la confrontation avec un adulte ?

Mallory roula jusqu'à la maison. Une jeep était garée dans l'allée, mais l'homme qu'elle venait voir l'attendait sous le porche. Il se leva de son fauteuil en osier et lui adressa un sourire chaleureux. Le shérif avait sans doute jugé nécessaire de lui expliquer pourquoi une inspectrice new-yorkaise conduisait un pick-up vert fluo au capot de Jaguar.

Après avoir montré sa plaque, elle endura les banalités d'usage que les gens de la campagne adoraient lors des premières rencontres. Le temps de redescendre au hangar, elle apprit que l'enquêteur Myles White avait pris sa retraite anticipée après des années de bons et loyaux services pour le shérif du comté. Le père de son hôte n'avait plus la force d'entretenir la ferme familiale et il avait fallu prendre le relais. Avant d'atteindre la route, elle connaissait déjà le nom de ses quatre enfants, dont aucun n'envisageait de devenir agriculteur, alors que M. White savait de Mallory ce qu'il avait lu sur sa carte de police. Néanmoins, d'un regard, il comprit qu'ils en avaient terminé avec les présentations.

C'était une femme très occupée.

Il entama donc son histoire de meurtre par la fin :

— Le corps d'Ariel est resté à la morgue une bonne semaine, mais Joe a refusé de l'identifier, d'admettre qu'il s'agissait de sa fille. Comment pouvait-elle être morte ? Non, elle avait juste disparu, répétait-il. Les voisins l'ont donc enterrée au cimetière du village. La pierre tombale est vierge, car ils pensent qu'un jour, Joe va reprendre ses esprits et leur permettre d'y graver son nom. Nous sommes très patients dans la région.

Il raconta ensuite le jour où on avait vu l'adolescente en vie pour la dernière fois :

— Joe est veuf. Une voisine s'occupait de sa progéniture quand il partait sur les routes. Ce matin-là, le jeune Peter s'est réveillé enrhumé et Mme Henry est rentrée chercher du sirop contre la toux, laissant donc les trois enfants, Ariel, Peter et Dodie, seuls à la maison.

— Où était Finn ?

— À l'hôpital de Kansas City. Son dernier combat l'avait salement amoché. Quand je lui ai appris la nouvelle, il avait les yeux si gonflés qu'il ne voyait rien, mais il tenait absolument à rejoindre ses gosses. Il était incapable de conduire, mais il serait rentré chez lui à pied si je n'avais pas pris le volant.

— Les trois enfants étaient donc à la maison, insista-t-elle.

— Ariel préparait sa petite sœur pour aller à l'école. Peter était couché, mais Dodie avait de sacrés poumons et il l'entendait la tanner de vite lui préparer son déjeuner, sinon elle allait arriver en retard et le chauffeur partirait sans elle.

Il indiqua le bout de l'allée.

— Le bus s'arrêtait à cet endroit-là.

— Ils prenaient tous le même ?

— Non. Dodie avait raté la date limite d'inscription au CP et elle était si déçue que Joe l'avait inscrite un an en école privée. Peter allait au collège public, à deux pas de la maison. Son car passait quarante minutes plus tard mais, comme je vous le disais, le petit était malade ce jour-là.

— Et Ariel ?

— Elle ne prenait pas le bus. C'était une gamine douée, bachelière à quinze ans. Elle avait décroché une bourse d'études dans une université de la côte Est mais avait repoussé son entrée d'une année. Son père la trouvait encore trop jeune pour quitter la maison.

— Vous connaissez bien la famille.

— Je connais Joe Finn depuis qu'il est né.

Myles White s'arrêta au bout de l'allée.

— Je vois où vous voulez en venir avec cette histoire de bus scolaire. Vous croyez que le tueur a espionné la maison, le temps de mémoriser les habitudes de tout le monde. Certains pensent qu'il passait juste par hasard et qu'il a vu Dodie seule dehors. Moi, je suis de votre avis. Il l'attendait.

— Vous saviez donc que Dodie était la véritable cible.

— Oh oui, et je vais vous expliquer pourquoi, justement.

Il se retourna vers la maison.

— Peter était couché quand Ariel a hurlé à Dodie d'attendre son déjeuner. Elle criait très fort, comme si sa sœur était au bout du jardin. Ensuite, la porte d'entrée a claqué et le petit frère a cru qu'elle courait après Dodie.

Myles White fixa un carré de terre, à l'angle du hangar.

— C'est ici qu'Ariel a laissé tomber la boîte à sandwiches.

Il marcha jusqu'au milieu du bâtiment, côté route.

— Et, là, j'ai retrouvé du sang mais pas son corps. Le sol en était gorgé : elle était forcément morte.

Mallory acquiesça. Le véhicule du tueur avait dissimulé le meurtre aux yeux d'éventuels passants.

— J'imagine que Dodie ne vous a pas beaucoup aidé lors de l'enquête.

— Détrompez-vous. Elle se rappelait la couleur du fourgon et m'a donné les trois premiers chiffres de la plaque d'immatriculation. Des mois plus tard, on l'a retrouvé en Oklahoma, abandonné de l'autre côté de la frontière. Son propriétaire n'avait pas signalé le vol. C'était un vieux tas de ferraille et il n'avait pas jugé utile d'avertir la police.

— Les fédéraux vous ont-ils aidé à localiser la camionnette ?

— Ils n'ont pas levé le petit doigt ! Les mois ont passé et ils n'ont répondu ni à mes coups de fil ni à mes lettres. Soudain, un jour, ils sont venus interroger Dodie, mais Joe les a envoyés paître. À sa place, j'aurais réagi pareil. Résultat : ils lui ont flanqué la Protection de l'Enfance sur le dos et on lui a retiré un temps la garde de ses gosses. Peter a été placé en foyer et les fédéraux se sont barrés avec la petite. Ils appelaient ça le programme de surveillance d'un témoin majeur.

— Ils ont alors compris que la cible était Dodie, pas sa sœur.

— Ce que je leur avais dit le jour de l'enlèvement d'Ariel !

— Ensuite, ils ont laissé tomber jusqu'à ce qu'ils relient l'affaire à une enquête de plus grande envergure.

Mallory se demanda si, entre-temps, un autre corps mutilé avait été retrouvé sans main sur la Route 66. Voilà qui aurait tiré la sonnette d'alarme au sujet du meurtre d'Ariel. Gerald Linden n'avait peut-être pas été le premier parent à mourir.

— Les fédéraux, cracha Myles White. J'ai mis des semaines à blanchir Joe des fausses accusations qui pesaient sur lui et à récupérer ses enfants. À son retour, Dodie avait changé. Elle qui jacassait tout le temps, elle était devenue muette.

— Une idée de ce qui lui est arrivé en résidence surveillée ?

— Aucun moyen de le savoir. J'ai juste une théorie.

À mon avis, ils l'ont persuadée qu'Ariel était morte par sa faute. Pur mensonge ! Ce jour-là, sa sœur n'a pas eu l'ombre d'une chance. Le tueur s'en est pris à elle pour ne laisser aucun témoin. Pendant qu'il la poignardait, Ariel n'a pas hurlé une seule fois.

Il leva les yeux au ciel.

— Vous avez vu les photos de l'autopsie. Savez-vous combien de temps elle a mis à mourir ? Tous ces coups de couteau !

— Je vais vous dire pourquoi elle n'a pas crié, répondit Mallory. Elle protégeait les petits. Elle ne voulait pas que Peter sorte de la maison et elle a laissé à Dodie le temps de s'échapper. Vous vous êtes trompé sur un seul point : Ariel a eu une chance de sauver sa peau. Elle aurait pu s'enfuir, mais elle est restée se battre.

Myles White dodelina de la tête. Les conclusions de la jeune inspectrice ne cadraient pas avec sa vision des tendres adolescentes.

— Vous pensez que…

Mallory, qui n'aimait pas se répéter, l'interrompit net :

— Je vais vous montrer.

Elle sortit les clichés d'autopsie et pointa les articulations rougies de la main droite :

— Ariel a essayé de le flanquer par terre. C'est elle qui a frappé la première. Elle n'avait qu'une seule chance d'atteindre sa cible. Ensuite, elle a essayé d'esquiver la lame du couteau et s'est battue pour sa vie.

— Mon Dieu, balbutia-t-il, tremblant. J'ai regardé ces photos une centaine de fois.

Seulement, sa petite bourgade n'était pas la capitale du meurtre et il s'était contenté de voir ce à quoi il s'attendait : les plaies défensives d'une jeune fille impuissante. Il n'avait pas compris le sens des marques plus légères sur la main droite d'Ariel : des blessures de combattante, comme son père.

Ils rejoignirent la maison en silence.

Riker termina sa journée à l'endroit où il l'avait commencée. Après des heures passées à chercher les parents fugueurs, il avait du mal à garder les yeux ouverts. Quelle perte de temps ! Il ne s'était pas rapproché de Mallory et une brebis égarée du troupeau lui avait échappé.

Nahlman lui tendit la moitié de son sandwich et leur resservit un café :

— Ça suffit. Vous êtes épuisé. Je les avais avertis du danger. Pourquoi refusent-ils de m'écouter ?

— Ce matin, je les ai observés pendant que vous leur faisiez la leçon. Ils regardaient autour d'eux, comptaient les têtes et évaluaient leurs chances. Comme s'ils participaient à une sordide loterie.

L'agent Allen les rejoignit. Portable collé à l'oreille, il parlait à son chef et relayait ses excuses à Riker :

— Il regrette de ne pas pouvoir envoyer de renforts, mais il manque d'hommes.

Le sergent-détective lui arracha son téléphone et assena à Dale Berman une bordée d'injures qui s'acheva par « tête de con ». Puis il coupa court à la conversation en balançant l'appareil à travers les vastes prairies de l'Oklahoma.

Mallory arriva au garage de Ray Adler, les clés du fourgon vert à la main. Sa New Beetle n'était plus en pièces détachées, mais il y avait encore du travail.

— On aura terminé ce soir, promit le patron. Demain matin, dernier carat.

Elle repartit à la maison et, armée de l'aspirateur, s'attaqua au dernier bastion de poussière : le sous-sol. À minuit, elle finissait d'étiqueter des caisses de bricoles que Ray n'utilisait jamais mais dont il était incapable de se séparer. Il n'avait pas de platine pour écouter ses vinyles ou ses cassettes. Sa chaîne hi-fi ne lisait que les CD. Parmi sa collection d'objets inutiles, elle avait aussi trouvé un carton de disques au nom de Peyton Hale et elle se demanda quelle était sa chanson préférée. Aucune lettre ne la lui avait révélée.

À une heure du matin, douchée et prête à se coucher, Mallory téléphona à Chicago. Elle avait retardé sa corvée le plus longtemps possible dans l'espoir de tirer Kronewald d'un profond sommeil. Vu les ennuis qu'il lui causait de nouveau, chaque petite vengeance comptait.

Groggy, il décrocha et marmonna :

— Ça a intérêt à valoir le coup.

— C'est Mallory. Regarde si on a retrouvé d'autres corps d'adultes sur la Route 66. À moins que tu ne le saches déjà ?

— Il y en a eu deux.

Peut-être sans s'en rendre compte, il venait d'avouer qu'il lui avait dissimulé des informations.

— L'un en Californie, l'autre en Arizona, mais attends la meilleure : tu te souviens du nombre gravé sur le visage de Linden ? Eh bien, ils l'ont tous. Pile le même : 101.

Ariel Finn n'avait la chair marquée d'aucun numéro, mais Mallory n'en parla pas.

— Bizarre, non ? reprit-il, plus réveillé. Il ne compte pas les adultes dans l'inventaire de ses meurtres.

— Tu m'avais donc encore caché des trucs.

— Non, Riker me l'a appris tout à l'heure au téléphone. Vous ne vous parlez jamais ?

Il supporta son silence trois secondes, extrême limite de sa patience :

— Autre chose ?

— As-tu la liste actualisée des campeurs du

Dr Magritte ? Ceux dont les enfants correspondent au profil ?

— Oui.

— Vérifie s'ils habitent en zone rurale, sans voisinage immédiat. Je crois savoir comment ce tordu choisit ses proies. Il suit le car scolaire, ce qui lui permet d'espionner les fillettes et les alentours.

— D'accord, notre meurtrier est peut-être un voyeur. Merci pour l'info. Je m'en occupe. Où es-tu ?

— Toujours au Kansas. Il aime bien faucher des bagnoles. Il roulait sans doute en voiture volée quand il a tué Linden. Tout tourne autour de la route. Il adore conduire. Les longs trajets ne l'effraient pas.

— O.K. Je commence par les déclarations de vol de véhicule pour le…

— Non, à mon avis tu ne trouveras pas de rapport de police. Cherche plutôt des voitures abandonnées, de vieilles guimbardes sans alarme sophistiquée, ni système antivol. Tu auras peut-être du bol avec les experts scientifiques.

— Tu as transmis les infos à Riker ?

Mallory raccrocha sans plus de politesse. Demain, elle allait peut-être renverser Riker – au sens littéral du terme.

Clic clac.

Le Polaroïd sortit de l'appareil et l'image mit quelques secondes à apparaître. Un sang écarlate s'échappait de la gorge tranchée et coulait sur une route d'Oklahoma.

Un photographe moins inspiré aurait jeté le cliché pour en prendre un autre. Il aurait attendu que son modèle soit immobile. Or la victime convulsait toujours : elle était encore vivante.

CHAPITRE X

Tiré de son sommeil par une sonnerie de portable, Riker eut du mal à ouvrir les yeux. Il ne se rappelait pas être descendu de voiture pour dormir la veille au soir et, à présent, il faisait jour. Il se retrouvait à l'avant de la Mercedes. Par chance, Charles Butler avait pris le volant.

— Allô ?

Sans la moindre compassion, il écouta Kronewald lui raconter qu'à Chicago il avait, lui aussi, été réveillé en fanfare.

— Elle appelait d'où ?… Donc le tueur était un voleur de voitures… Oui, merci.

Il jeta son téléphone sur la banquette arrière, où il ne dérangerait plus personne.

— Mallory est au Kansas. Et moi, je suis où ?

— Près d'une aire d'autoroute.

Au fond d'une poche de chemise, Riker trouva un paquet de cigarettes froissé :

— Dis, Charles, ça doit te faire bizarre de traquer Mallory ?

Il cherchait toujours le moyen de lui reparler de sa

224

dernière rencontre avec la jeune femme, celle qui s'était terminée par une demande en mariage.

— À mon avis, elle ne s'attend pas à me revoir.

— J'imagine qu'elle n'a pas pris de gants.

Au bout de quelques minutes, Riker revint à la charge :

— Elle t'a dit au revoir, au moins ?

Charles engagea le véhicule vers la sortie pour entrer sur une aire d'autoroute :

— Un soir, après le dîner, je l'ai raccompagnée à son appartement et elle m'a embrassé.

Il tendit la joue gauche pour bien montrer que Mallory n'y avait mis aucune passion.

— Un mois plus tard, quand elle n'a plus répondu au téléphone et ne m'a plus ouvert sa porte, j'ai compris que son baiser était, en réalité, un adieu.

Charles se gara sur le vaste parking.

— C'est l'heure de déjeuner.

L'endroit était aussi un point de rendez-vous fédéral. Il suffisait de voir la batterie de véhicules d'État ou de location stationnés un peu partout. Riker observa les jeunes gens postés à proximité des voitures, presque au garde-à-vous. Ils n'affichaient aucun logo officiel, mais ils étaient tous habillés pareil : jean, chaussures de randonnée et veste bleu marine où il ne manquait que les initiales du FBI. La couleur des T-shirts variait, mais l'inspecteur ne fut pas dupe de leur minable tentative de camouflage.

— Mallory a quitté le Kansas, annonça Charles.

Riker tourna la tête à temps pour voir arriver sa New Beetle argentée sur le parking, capote baissée. Pétrifié, muet de stupeur, les inquiétudes et les tensions qui l'assaillaient avaient atteint leur paroxysme. Finalement, il réussit à descendre de la Mercedes et offrit aux passants une explosion d'émotion involontaire.

Alors qu'elle marchait vers le restaurant, Mallory reconnut la puissante voix rigolarde. Elle se tourna vers Riker, qui, fourbu, s'approchait d'elle d'un pas chancelant et montrait l'arceau de sécurité. De l'autre main, il se tenait les côtes, hilare. Les observateurs impartiaux auraient pu croire à une crise d'hystérie, car il ne pouvait plus s'arrêter. Il était si heureux qu'il en avait les larmes aux yeux.

Plus tard, il attribuerait son erreur au manque de sommeil mais, là, il commit le pire des impairs sur l'échelle mallorycienne des outrages personnels : la dérision. Il pointa l'index vers la décapotable et lança, peut-être un peu trop fort :

— Un arceau de sécurité sur une Volkswagen ?

Lorsqu'il eut retrouvé l'usage de la parole entre deux crises de rire, il ajouta :

— J'aurai tout vu. Maintenant, je peux mourir.

Mallory le foudroya du regard, comme si elle préparait sa disparition.

— Hé, gamine ! Tu prévois de courir le Grand Prix ?

Après avoir balancé sa meilleure vanne, il se retrouva impuissant et s'adossa à la Volkswagen. Il s'amusait tellement qu'il craignit de s'effondrer par terre.

D'une froideur glaciale, l'obsédée du contrôle tourna le dos sans même lui dire bonjour – malgré tout le temps qu'ils avaient passé loin l'un de l'autre.

Charles s'approcha de son ami :

— Tu as peut-être poussé le bouchon un peu loin. Je lui expliquerai que tu étais crevé, à bout de nerfs.

— Allez, mon vieux ! L'arceau de sécurité, c'est quand même tordant !

— J'ai une autre théorie.

Charles fixa la grande baie du restaurant.

— Elle entre aux toilettes dames. On regarde sous le capot ?

— Si sa voiture est équipée d'une alarme, et je te promets qu'il y en a une, Mallory ne prendra même pas la peine de sortir du resto. Elle te descendra à travers la vitre et se commandera un cheeseburger.

Pour vérifier l'hypothèse, Charles actionna la poignée et la portière de la voiture s'ouvrit en silence.

— Mauvais signe, lâcha Riker. D'habitude, sa parano l'oblige à verrouiller la voiture.

Là, elle s'était éloignée d'une décapotable en la laissant ouverte. Il se pencha à l'intérieur et trouva la commande d'ouverture du capot. Bizarrement, Mallory n'avait pas équipé le tableau de bord de ses traditionnels gadgets sophistiqués. Il n'y trouva ni ordinateur intégré ni navigateur GPS, juste un scanner de police, mais qui (hormis son ami réfractaire aux nouvelles technologies) n'en possédait pas ?

Charles souleva le capot et resta bouche bée.

Riker s'approcha de l'avant de la voiture, persuadé que l'autre n'y connaissait rien en mécanique automobile. S'attendait-il à trouver un équipage de chevaux – ou un truc évident qui justifierait l'usage d'un arceau de sécurité ?

Merde alors !

Sous le capot, à l'endroit habituel du moteur sur les New Beetle, il n'y avait qu'un sac marin.

Impossible.

— Problème réglé, souffla Riker. Cette gamine me donne trop la chair de poule.

Charles se dépêcha de rabaisser le capot : à l'intérieur du restaurant, la porte des toilettes pour dames venait de s'ouvrir. Les deux hommes s'éloignèrent furtivement de la voiture et Riker respecta désormais davantage le véhicule.

227

Mallory s'assit à l'unique table libre près de la fenêtre. Elle sortit son calepin, où elle avait répertorié les attractions en bord de route, et cocha le Mickey Mantle Boulevard à Commerce (Oklahoma). Elle pointa aussi la baleine bleue qu'elle avait trouvée à Catoosa.

Une fois débarrassée de sa corvée quotidienne, elle foudroya le type à la table voisine : il l'avait remarquée mais, même les yeux baissés ou fermés, rien n'échappait à Mallory. Pris en flagrant délit d'espionnage, le nabot d'une cinquantaine d'années fit profil bas et se replongea dans l'étude de ses cartes, comme n'importe quel voyageur arrêté sur une aire d'autoroute. Lui, en revanche, tremblait beaucoup et il renversa son café brûlant sur une grande besace posée à terre, ce qui détrempa ses autres plans et les teignit en marron. Elle se rappela l'avoir vu au restoroute de l'Illinois : un client aussi nerveux ne passait pas inaperçu.

C'était la carte étalée sur la table qui le rendait particulièrement intéressant. L'Oklahoma y était couvert de lignes ou d'arcs multicolores et une petite croix avait été tracée à l'encre verte. Marqués au crayon, d'autres repères temporaires étaient situés à égale distance le long de la Route 66.

— On le surnomme Monsieur Logique, annonça Riker. C'est son pseudo Internet.

Superbement ignoré par Mallory, il prit une chaise et s'installa à côté d'elle. Charles, qui attendait d'être invité à s'asseoir, resta debout. Comme il ne s'était pas moqué de sa voiture, elle le salua d'un signe de tête. À présent, ils étaient trois.

— Il s'appelle Horace Kayhill, insista Riker.

Charles expliqua son curieux penchant pour les structures logiques, mais Mallory n'y prêta guère attention. Elle observait Dodie Finn, assise avec son frère au milieu de la salle. Un plateau à la main, leur père faisait la queue au comptoir et commandait à manger. La fillette ne disait rien, mais elle avait commencé à se balancer, traditionnel prélude à son petit fredonnement.

Riker posa une mallette en cuir devant Mallory :

— Je te l'ai apportée de Chicago. Cadeau de Kronewald. Il m'a dit que tu avais laissé ton ordinateur chez toi.

Sur le ton mielleux qui servait d'ordinaire à persuader les enfants d'avaler leurs légumes, il continua :

— Il y a sûrement installé tes joujoux préférés.

Devant son indifférence, il haussa les épaules, puis partit chercher du café et des hamburgers.

Mallory ouvrit la mallette et contempla l'ordinateur portable. C'était un modèle récent, mais elle doutait fort qu'il soit équipé des logiciels habituels. Elle n'espérait y trouver aucun programme illégal de piratage, rien qui lui permette d'entrer par effraction dans le cyberespace. Néanmoins, elle avait tout ce qu'il lui fallait pour ranimer ses ordinateurs new-yorkais en veille.

— Vu l'autocollant à la fenêtre, il doit y avoir un accès Internet quelque part, nota Charles.

Elle déroula un fil électrique, le brancha sous le distributeur de serviettes en papier et alluma l'ordinateur.

Bonus.

À l'écran, une icône du FBI afficha le mot de passe de Kronewald mais, d'abord, un peu d'improvisation : Mallory pianota sur le clavier et, à plusieurs milliers de kilomètres de là, un ordinateur se ralluma à New York. Après un miniconcert de bourdonnements et de ronronnements, il lui envoya ses clés de piratage, ses outils d'Arsène Lupin de l'informatique et son catalogue très convoité de mots de passe volés. Une fois déconnectée de l'ordinateur distant, elle s'introduisit dans le serveur du FBI sans laisser de traces. Elle pénétra l'enclos Internet des fichiers de police et, trois clics plus tard, atteignit le site protégé qu'elle voulait consulter. Le FBI avait une conception très archaïque de la sécurité. Ayant infiltré les dossiers top secret, elle était désormais libre de piller et de saccager à sa guise. Néanmoins, elle n'en tira pas grande fierté, car le piratage du système informatique désuet des fédéraux constituait un rite de passage pour tous les petits Américains.

Elle leva les yeux de son écran et sourit à Charles. Si elle voulait l'empêcher de faire du zèle, elle devait lui trouver une occupation :

— Tu vois le couple à la table du coin ? Ceux qui ont des casquettes de base-ball rouge et vert ? Ils font partie du convoi.

— Oui, je les ai rencontrés.

— Observe-les un moment et dis-moi ce que tu en penses.

Ses doigts coururent sur les touches du clavier : grâce à une petite danse de codes, de mots de passe, elle contourna alarmes et systèmes de surveillance pour accéder au dossier de son ennemi. Ah, voilà que la porte était ouverte et que Dale Berman se retrouvait tout nu à l'écran. En examinant les détails de sa biographie, elle trouva son rapport sur le fiasco de New York avec Markowitz, suivi du blâme de Berman et de sa promotion. Une promotion qui la mit en rage mais ne la surprit pas outre mesure. Autrefois, l'homme était chargé de rattraper les bourdes des autres agents. Il aurait été trop risqué de le renvoyer ou de le rétrograder. Au début du C.V., elle apprit qu'il était diplômé en psychologie, puis elle chercha sa lettre de candidature au FBI, même si elle n'avait jamais cru au mythe de l'enquête infaillible sur les futurs agents fédéraux.

D'une légère pression sur le bras, elle détourna Charles de son observation du couple :

— C'est vrai qu'il manque des cases à la plupart des étudiants en psychologie ?

Il la dévisagea un instant, sans doute curieux de savoir si elle parlait de lui.

— Beaucoup de spécialistes ont été confrontés très tôt à la question de la santé mentale, répondit-il, mais il peut s'agir de toutes sortes de thérapies.

Ça suffisait.

Elle referma le dossier de Berman :

— Alors… le couple à la table du coin ?

— Ils portent des alliances mais ne sont pas mariés. Et ne l'ont jamais été. Je pense que leur relation est assez récente. On le devine à leur langage corporel. Il se met en mode drague et flirte avec elle. Elle jette des coups d'œil à la ronde dans l'espoir que personne ne les entende. C'est un jeu auquel ils ont déjà joué. L'équivalent conversationnel des caresses. Elle reste en retrait mais aime monopoliser l'attention. Tu vois ? Elle réprime un sourire. Si on n'était pas au restaurant, je dirais qu'il s'agit d'une amourette de bureau, le genre de relation favorisée par une proximité permanente, peut-être le temps qu'ils ont passé ensemble au sein du convoi.

Charles se tourna vers Mallory :

— Ce sont les taupes du FBI. Voilà comment Riker me les a présentés. Oh, désolé, tu aurais peut-être préféré la réponse courte ?

Elle sourit à l'ami que son père adoptif lui avait légué. Pour montrer qu'il lui avait manqué, elle n'avait pas interrompu sa tirade et ne lui avait même pas signifié d'accélérer le mouvement.

— Je veux juste savoir qui ils surveillent.

— Pas la fillette, lâcha-t-il, ravi de la surprendre un bref instant. Une fois n'est pas coutume, Riker s'est trompé. Non, à part eux-mêmes, ils ne s'intéressent qu'au Dr Magritte.

Mallory jeta un coup d'œil à la table des Finn, car Dodie avait commencé à fredonner :

— Toujours les quatre mêmes notes.

Charles, qui avait l'oreille absolue, rectifia :

— *Huit* notes. Il y a une infime différence au début de la deuxième mesure.

Il leva le doigt, comme s'il pointait les notes égrenées par l'enfant.

— Elle s'arrête une fraction de seconde après la huitième note... et elle reprend. Tu entends ? Il s'agit d'un vieux standard.

Il siffla la suite de notes sur un rythme plus enlevé.

De retour à table, Riker apporta les hamburgers, le café et les paroles de la chanson :

« *Oh the shark, babe... has such teeth, dear...* »

Puis il ajouta d'autres mesures au refrain limité de Dodie :

« *... and he shows them... pearly white...* »

Soudain, il se tut et Mallory suivit son regard vers une grande brune assise à côté d'un homme plus jeune. Riker adorait les femmes d'une quarantaine d'années – ou de toute autre tranche d'âge. Nahlman le fixait, subjuguée.

— Putain, je suis doué, murmura-t-il en saluant son admiratrice. Maintenant, ma phrase préférée : « *Scarlet billows... start to spread.* »

Alors que la clientèle civile avait à peine remarqué Riker, Mallory vit les autres pivoter vers lui d'un même élan. Il était très facile de reconnaître les agents du FBI et ils ne sautaient pas de joie.

Où était passée Dodie ?

Un petit soulier gisait près de la table des Finn. Mallory vit que Peter feuilletait une bande dessinée au rayon librairie, puis elle repéra la sœur. Dodie, qui avait perdu une chaussure, s'était réfugiée sous la table. Elle ne fredonnait plus et s'était refermée comme une fleur à la tombée de la nuit, tête baissée, les genoux serrés contre la poitrine. Quant aux orteils de son pied nu, ils étaient tout recroquevillés.

Charles observait aussi l'enfant et, la mine grave, lança à son ami :

— Arrête de chanter.

Conscient que les fédéraux de la pièce voulaient aussi le faire taire, Riker grogna :

— On me critique toujours.

Dale Berman s'était figé à la porte du restaurant et Mallory comprit qu'il l'avait entendu entonner *Mack the Knife*. Riker avait aussi repéré Berman et il fixa le carrelage, refusant d'établir le moindre contact, même visuel, avec leur ennemi commun. Lorsqu'il pencha la tête, il aperçut la fillette sous la table.

— Dodie ! hurla Peter Finn.

Il venait de s'apercevoir que sa sœur n'était plus assise sur sa chaise. Affolé, il scruta la salle.

— Tout va bien, fiston, le rassura Riker. Je l'ai retrouvée.

Quand il voulut lui prendre la main, Dodie se mit à hurler. Il recula, peiné, car il adorait les enfants.

— Qu'est-ce que j'ai fait ? L'autre soir, elle n'a pas bronché.

— Laissez-moi deviner, intervint Berman. Vous ne portiez pas cette chemise rouge.

L'agent fédéral s'accroupit devant la table et sourit à la fillette roulée en boule :

— Bonjour, Dodie. Tu te souviens de moi ? Ça fait longtemps, n'est-ce pas ?

Les hurlements cessèrent. Elle n'esquissa pas de geste

vers lui mais ne protesta pas non plus lorsqu'il lui prit la main pour la sortir de sa cachette.

— Elle ne vous avait pas vu depuis longtemps ? lança Riker. Elle a une bonne mémoire des visages ?

— Non, c'est sans doute mon costume.

Manifestement, Berman estimait que la chemise en flanelle et le jean délavé de son interlocuteur laissaient à désirer.

— Dodie a passé beaucoup de temps avec des gens en costume. Elle se plie facilement aux…

— Interrogatoires ? s'étonna Riker. Une gosse ?

Berman ne releva pas. Il se contenta de sourire à la fillette, mais Dodie regardait droit devant elle, aveugle et sourde au monde extérieur.

— N'y voyez rien de personnel. C'est juste votre tenue vestimentaire. La chemise rouge.

Riker quitta le restaurant et rejoignit la Mercedes. Mallory le vit sortir son sac du coffre et y chercher sans doute une chemise potable d'une autre couleur, histoire que la fillette n'ait plus peur de lui. Il ne pouvait pas résister aux enfants, d'autant que Dodie avait des taches de rousseur, son autre faiblesse.

— Tu sais que Berman a menti à Riker, murmura Charles. Le problème ne vient pas de la couleur de sa chemise mais de la chanson.

Mallory avait deviné.

Elle observa Joe Finn, qui mit du temps à traverser la salle. Chacun de ses pas faisant l'objet d'une mûre réflexion, il essayait de garder son sang-froid mais n'y réussissait qu'à moitié. Bien que ses poings pendent le long de son corps, il avait des yeux pleins de haine lorsqu'il se planta enfin devant Berman, pauvre petite chose comparée au champion de boxe.

D'une voix étrangement douce, presque rassurante,

il donna l'impression de lire à sa fille un conte de fées quand il souffla :

— Éloignez-vous de mes enfants ou je vous casse les dents. À vous de choisir.

Mallory approuva le boxeur, ennemi de son ennemi.

De retour au restaurant, Riker avait une autre chemise entre les mains et Mallory lui adressa de nouveau la parole. En son for intérieur, il promit de ne plus se moquer de sa voiture.

Elle prit la chemise, qu'elle posa sur un dossier de chaise :

— Tu n'en auras pas besoin.

Soutenue par un Charles Butler approbateur, elle lui expliqua que Dodie Finn se fichait de la couleur de ses vêtements :

— Crois-moi, elle a perdu la boule. Elle serait incapable de dire si tu portais une chemise rouge ou une robe.

Elle tourna l'ordinateur pour lui montrer le dossier du FBI qu'elle venait de pirater. Le nom de code que les fédéraux avaient attribué au tueur en série était Mack the Knife.

— Mon Dieu, qu'ai-je fait à cette enfant ?

Eh bien, il lui avait fredonné les paroles de l'air qui la terrorisait, puis, en bon croque-mitaine, il avait voulu lui prendre la main.

— Et la petite histoire de Dale sur ma chemise rouge ?

— Simple manœuvre de diversion, expliqua Charles. La clé de tout bon tour de magie. En te focalisant sur la chemise, tu ne pensais pas à la chanson.

Soudain, un grand rouquin, cheveux en brosse et costume sombre, entra dans le restaurant.

— Riker, on est dans la mouise, annonça Mallory. Ce type-là est un charlatan.

— L'agent Cadwaller? sourit Riker. Kronewald m'a téléphoné pour que je te prévienne. Tu avais raison. Il vient de la brigade des tordus.

— L'Unité scientifique des comportements? rectifia Charles. Pourtant, cette formation ne propose pas de doctorat. Je croyais qu'à tes yeux un charlatan devait être accrédité par...

— En effet.

Mallory l'interrompait toujours quand ses longues phrases prévisibles mettaient sa patience à rude épreuve.

— Cadwaller est un pauvre crétin. Voilà sans doute pourquoi ils l'ont expédié chez Dale.

Riker le regarda s'entretenir avec Berman, qui lui indiqua la table des Finn. Tandis que Cadwaller rejoignait la petite famille, Joe se leva de sa chaise, bien décidé à jouer des poings pour renvoyer l'agent fédéral sur le parking – à travers une vitre brisée – s'il osait toucher un cheveu de ses enfants.

Cadwaller se moquait de perdre la face devant un parterre de flics et de fédéraux : il afficha un sourire rassurant et, d'un geste, demanda pardon tandis qu'il *reculait*. On voyait bien qu'il n'avait guère (sinon, jamais) l'occasion d'aller sur le terrain. Le règlement du FBI imposait d'être armé, mais cet agent-là n'avait pas l'habitude de trimballer un gros calibre. À moins qu'il ne l'ait laissé à l'hôtel, avec ses bijoux de famille. Au début, Cadwaller avait semblé être un homme ordinaire, presque insignifiant mais, à présent, Riker le trouvait vaguement effrayant, doux et asexué.

Peter Finn, dix ans, regarda le rouquin s'éloigner à distance raisonnable de son père et tendre un papier à Berman. Les deux collègues observèrent Dodie. La dernière fois, les deux enfants avaient été arrachés à leur foyer. Les fédéraux n'avaient eu aucun mal à titiller Joe pour qu'il livre son dernier combat, au terme duquel les services sociaux avaient emmené les gamins qui réclamaient leur père à grands cris.

Peter savait ce qui allait arriver. Joe Finn aussi, car il secouait la tête, l'air de dire : « Non, pas encore. » Il se tourna vers son fils, un demi-sourire aux lèvres, mais ne réussit pas à le rassurer, à lui promettre que, cette fois, les choses se dérouleraient autrement.

Le garçonnet chercha ailleurs un champion que les fédéraux ne pourraient pas coffrer pour s'être défendu. Il élimina Riker, qui s'entendait trop bien avec la fille du FBI, et s'arrêta sur la grande blonde, la jolie dame qu'il avait rencontrée au restoroute de l'Illinois. Elle avait aussi rejoint leur campement du Missouri et parlé au Dr Paul. Peter se souvint qu'elle lui avait donné la chair de poule. Comment le vieux médecin l'avait-il appelée déjà ?

Mallory.

Et elle avait un revolver.

Berman se dirigea vers Dodie. Comme il fallait agir vite, Peter n'hésita pas une seconde. Il se leva d'un bond, fonça à la table de la jolie dame et haleta :

— Vous êtes bien flic ?

Sans quitter son écran du regard, Mallory répondit :

— Je croyais que tu ne parlais pas aux inconnus.

— Maintenant, je parle, O.K. ? J'ai besoin d'aide. Ils vont emmener ma petite sœur.

— Tu parles du programme de protection des témoins ? intervint Riker. Ça vaut peut-être mieux, fiston.

— Non !

Peter flanqua un coup de poing sur la table, les yeux rivés sur Mallory.

— Ils se fichent pas mal de papa et de moi. C'est Dodie qu'ils veulent. La dernière fois qu'ils l'ont enlevée, elle est rentrée encore plus traumatisée. Elle n'ouvrait même plus la bouche.

Mallory releva la tête :

— Elle t'a dit quoi… à l'époque où elle parlait encore ?

— S'il vous plaît, ça urge. Il faut l'arrêter, supplia Peter, le doigt pointé sur le patron de l'enquête.

Trop tard.

Joe Finn repoussa Berman, qui tentait de poser la main sur Dodie. Quelques secondes plus tard, l'agent fédéral, prudent, tenta une nouvelle approche, mais il se retrouva les quatre fers en l'air, la lèvre en sang… et tout sourires.

Mallory se leva en même temps que Riker et, au passage, souffla au jeune garçon :

— On discutera tout à l'heure. Marché conclu ?

— Trop tard.

Peter observait l'homme blessé et s'apprêtait à subir les douloureuses conséquences de cette situation. Sa famille allait bientôt être séparée, comme la dernière fois.

— Pas encore, sanglota-t-il. Pas le même cauchemar.

Il regarda le visage de Mallory, ses étranges yeux verts : aucune pitié.

Des quatre coins de la salle, les fédéraux convergèrent doucement vers le boxeur. En présence de civils, ils voulaient paraître naturels et normaux, mais Joe Finn les vit arriver. Sauf qu'il s'en fichait. Il les prendrait un par un, ou par groupes de deux ou trois. Vu sa posture et ses poings serrés, sa détermination sautait aux yeux, et Mallory appréciait de plus en plus le champion.

Dale Berman s'appuya sur un coude mais préféra rester sagement au sol, loin de tout danger immédiat.

Seuls les membres du convoi ne bougèrent pas de leur chaise et se turent quand, chacun leur tour, ils virent l'homme à terre, puis remarquèrent le cercle menaçant d'hommes et de femmes prêts à dégainer.

Les deux inspecteurs new-yorkais s'empressèrent de rejoindre le boxeur, ce qui coupa les fédéraux dans leur élan : leurs intentions étaient désormais moins claires et ils baissèrent les yeux vers Berman. Figés, ils attendaient les instructions.

Mallory s'approcha de Joe Finn :

— Le salaud que vous avez flanqué par terre m'appartient. Ne vous mêlez pas de mes affaires et asseyez-vous. Je suis flic, alors n'essayez pas de me doubler.

D'un signe de tête, le boxeur reconnut qu'elle avait la priorité et accepta son autorité sans broncher. À aucun moment il n'avait voulu jouer les gros bras : il cherchait juste à défendre ses enfants. Lentement, il se rassit.

Riker brandit son insigne doré et Mallory écarta un pan de sa veste en jean, histoire de bien montrer son revolver. Mieux qu'une plaque, son geste hurla : *Guerre de flics !*, tandis qu'elle établissait un contact visuel avec tous les fédéraux de la salle. Ils ne battirent pas en retraite mais n'avancèrent plus d'un pouce et rangèrent leurs armes sous le regard médusé des autres clients. Ce jour-là, on ne se tirerait pas dessus, pas tant qu'il y aurait de nombreux moutons dans la bergerie – et jamais contre des flics.

— Berman, chuchota-t-elle, dites-leur de s'éloigner *avant* de vous relever. Si je vous renvoie au tapis, vos hommes ne l'oublieront pas de sitôt.

Il esquissa un sourire :

— Vous trouvez ça pire que de me foutre un coup de pied dans les roustons devant…

— Bien pire, lâcha-t-elle, impassible.

Sa voix n'était qu'un sévère murmure et, aux yeux des

agents qui assistaient à la scène, leur discussion devait sembler très normale.

— Vous savez, le moment où vous vous remettrez debout ? Quand vous vacillerez encore un peu ? C'est là que je vous balancerai ma meilleure droite. Poing serré. Ils en parleront de longues années. Et je ne retiendrai pas mon coup... comme le boxeur l'a fait.

Riker s'accroupit. Paré d'un joli sourire de façade, il sembla consoler l'homme à terre mais souffla :

— Vos dents de devant, ce sont des couronnes, non ? Elles vous ont coûté cher ?

— Ne vous en mêlez pas, grogna Berman. Et ça vaut aussi pour votre équipière. Je vous accuserai de coups et blessures...

— C'était de la légitime défense, rectifia-t-il poliment.

— Je saigne.

— Vous aviez déjà la lèvre fendue en entrant au restaurant, sale tricheur. Vous avez vu le coup arriver. Vous l'avez même cherché et vous vous êtes laissé tomber. Je dirais qu'il vous a juste donné une pichenette. Manque de bol, Finn a rouvert votre plaie à la lèvre. D'ailleurs, je me demande d'où elle vous vient.

D'un même élan, ils relevèrent les yeux vers Mallory. Berman dit à voix basse, croyant peut-être qu'elle écoutait :

— Vous avez trois secondes pour démissionner, mademoiselle.

— Comptez très lentement, lui conseilla Riker. Vous donnez des ordres à Mallory ? La bonne blague pour un mec qui a encore du mal à marcher droit ! Vous avez mal pris son coup de pied dans les roubignoles ?

Il rit d'une voix un peu plus forte, ce qui rassura les fédéraux de la salle et fit retomber la tension ambiante.

— Ne vous moquez pas de ma partenaire. D'un coup

de dent, elle vous décapitera sur-le-champ. Un jour, je l'ai vue tuer six pigeons de cette manière.

Riker ébouriffa les cheveux de Berman pour lui montrer qu'il plaisantait, puis il murmura :

— Je n'ai aucun contrôle sur elle.

La formule magique !

L'homme à terre y crut immédiatement.

— O.K., ça suffit ! lança Berman aux fédéraux. Que tout le monde se calme et aille se rasseoir. Maintenant !

— Joe Finn n'écopera d'aucune amende, renchérit Mallory.

Il se releva en grommelant :

— Et puis quoi encore ? Finn est boxeur professionnel. Il connaît la loi. Ses poings sont…

— Considérés comme des armes, termina Riker. On sait.

Avant que Berman puisse ajouter quoi que ce soit, il lui coupa l'herbe sous le pied et fredonna les premières mesures de *Mack the Knife*.

— D'accord, accepta le grand chef, magnanime. Aucune charge ne sera retenue contre lui.

L'agent spécial Berman resta à bonne distance de Mallory, pendant qu'elle parlait au fils du boxeur. Un glaçon toujours posé sur sa lèvre fendue, il s'assit auprès des deux autres New-Yorkais et posa un fax officiel sur la table :

— Petite mise au point. C'est le shérif du Missouri qui nous a demandé d'escorter les Finn.

Riker ne prit même pas la peine de regarder le communiqué :

— On va s'en occuper. À partir de maintenant, Mallory et moi, on assure leur protection. Un autre détail : vous devriez prier le ciel que Joe Finn ne contacte

241

pas d'avocat. Provocation, abus de pouvoir… sans oublier le jour où vous lui avez arraché sa fille.

— Dans vos rêves.

Riker jeta un œil à la table du fond, où son équipière discutait meurtre avec un enfant.

— Peter ferait un supertémoin, non ? Je parie qu'il sait pleurer sur commande, ce qui pourrait se révéler très pratique. Il y a aussi le kidnapping de Dodie. L'accusation ne tiendrait pas au tribunal, mais elle intéresserait les journaux télévisés du soir… à une heure de grande écoute. Ce serait la honte. Jusqu'alors, vous avez réussi à tenir les médias à distance, alors soyez sympa avec le boxeur. Vos roustons lui appartiennent désormais.

Quand Riker alla poser un ordinateur portable devant Mallory, son imposant ami, Charles, se retrouva seul à alimenter la conversation. En manque d'inspiration, il bredouilla :

— C'est donc vous qui êtes chargé de l'enquête.

Berman sembla vaguement apprécier la sèche conclusion de Butler, puis son sourire s'élargit au retour de Riker :

— J'ai les cadeaux que Mallory a envoyés à Kronewald. Si vous avez des questions sur la marque d'outil imprimée dans la valve du pneu et l'empreinte digitale…

— Trop imprécis pour établir une concordance, l'interrompit le sergent-détective. Je sais.

— Mallory et vous pensez nous donner un coup de main ?

— Une collaboration ? Ce n'est pas votre genre. D'habitude, vous préférez vous débarrasser des flics.

— Hé ! Je n'étais pour rien dans l'histoire avec Kronewald à Chicago, mentit-il. Je ne me trouvais même pas sur place.

Là, au moins, il disait vrai. Muni de son plus beau sourire de brave garçon, il frappa la table du plat de la main :

— Alors on passe un marché, Riker ? Fifty-fifty ?

— Comme au bon vieux temps... avec Lou Markowitz ?

— Vous m'en voulez toujours ? Et Mallory aussi ? D'accord, j'ai caché des infos à Markowitz, mais ça remonte à des années et il n'y a pas eu mort d'homme.

La réaction de Riker fut brutale et instantanée : chaque muscle de son corps se raidit. On voyait bien que l'envie de le cogner le démangeait. Au lieu de quoi, il se leva de table mais, déterminé cette fois-ci à ne pas revenir, il alla s'avachir, sans sourciller, sur une chaise du fond.

Berman se tourna vers Charles :

— Savez-vous de quoi il s'agit ?

— La vieille querelle avec Louis Markowitz ? Désolé, j'ignore tout de cette affaire mais, vu la réaction de Riker, il paraît évident qu'il y a bien eu mort d'homme.

Dale Berman n'eut pas plus de chance avec Mallory. Il attendit que Peter ait quitté la table pour s'asseoir à côté d'elle :

— On pourrait se donner un coup de main sur l'enquête.

Dans le regard de la jeune femme, il lut sans aucun mal : *Mais oui, bien sûr*.

— J'ai l'autorisation légale de placer Dodie Finn sous protection.

De peur qu'elle ne se méprenne et ne lui flanque encore son genou dans les parties intimes, il leva la main en signe de reddition :

— Ce n'est pas une menace. Je ne me le permettrais pas, d'accord ? Voyez-vous, j'essaie juste de…

— Alors voilà le nouveau FBI, version améliorée ? lâcha-t-elle, les yeux rivés à son écran. Maintenant, vous savez faire disparaître les fillettes ? Comment vous y êtes-vous pris la dernière fois ? Vous vous en êtes débarrassés comme d'une terroriste ? Oh, attendez, j'oubliais. Les fédéraux ne sont plus tenus de se justifier.

Berman avait de quoi riposter, mais il fut interrompu par une imposante dame qui vint se présenter à Mallory : Margaret Hardy, veuve de Jerold Hardy et mère de la petite Melissa, disparue à l'âge de six ans.

— Chaque jour, je pense à elle.

Mme Hardy sortit de son sac une poignée de photos où l'enfant apparaissait dans plusieurs tenues et poses différentes. Apparemment, il s'agissait d'une artiste-née et, que ce soit en tutu ou en costume de Halloween, elle minaudait toujours devant l'objectif.

— Là, c'est au spectacle de l'école. Elle est déguisée en carotte. Elle aime bien les carottes, les petits pois – juste les couleurs, pas le goût – et elle joue du piano. Je me suis dit que vous deviez savoir… quelque chose… de personnel.

Malgré son éternel sourire, la pauvre était toujours au bord des larmes.

D'une sagesse exemplaire, Mallory contempla chaque photo et posa quelques questions polies sur l'endroit où vivait Melissa :

— Des voisins proches ? Votre fille prenait-elle le bus pour se rendre à l'école ?

Avant même que la mère réponde, Berman savait que la petite disparue correspondait au profil des victimes et, à présent, Mallory l'avait aussi deviné.

L'estomac noué, il se demanda quels autres éléments l'inspectrice avait découverts par elle-même. Quand

Mme Hardy s'en alla et que Mallory se replongea dans l'informatique, Berman rapprocha sa chaise :

— Pour en revenir à Dodie Finn, je ne voulais pas...

La fin de sa phrase lui échappa, car elle leva enfin la tête vers lui et il aurait préféré qu'elle s'abstienne.

Quel regard glacial!

Elle se pencha vers lui, beaucoup trop près, empiéta sur son espace vital et chargea ses mots du même poids. Il lui sembla entendre parler un métronome :

— Si vous touchez encore un cheveu de la petite, je vous en ferai baver un maximum.

Elle se reconcentra sur son ordinateur. Mallory considérait Berman comme mort, alors elle se fichait qu'il quitte ou non la table. Ils ne discuteraient pas du bon vieux temps, ni de sa dernière affectation à New York. Les années avaient passé. Comment pouvait-elle encore nourrir de la rancune à son égard ? À cause de lui, l'enquête avait piétiné, mais l'enfant kidnappé avait été retrouvé vivant. Il en conclut que Charles Butler devait avoir tort. Personne n'avait pu mourir parce que Berman avait fait une crasse à Lou Markowitz. Hélas, l'idée allait le hanter jusqu'au soir.

Chacun leur tour, Riker et Charles jetèrent des regards discrets vers Mallory, restée seule au fond de la salle. Les membres du convoi la dévisageaient aussi. Apparemment, un flic rentre-dedans les impressionnait plus que dix fédéraux, mais aucun parent n'eut le cran de Mme Hardy : ils préférèrent admirer la jeune inspectrice de loin.

— Je me sentirais mieux s'il y avait un lien entre Savannah Sirus et le tueur en série, annonça Riker. C'est casse-pieds de mener deux enquêtes de front.

— Je suis sûr que Mallory n'est pas soupçonnée de la mort de Mlle Sirus.

— Non, Charles. Le Dr Slope a officiellement conclu au suicide. Elle ne sera pas inquiétée, mais des détails vont filtrer et les flics de la ville vont s'interroger. Sans parler de sa mystérieuse disparition, de ses absences répétées au boulot. Aujourd'hui, grâce aux agissements d'un *serial killer* extérieur, je peux faire courir le bruit que, depuis tout ce temps-là, elle bossait sur l'affaire. Il me faut néanmoins justifier le suicide de Savannah, lui donner un motif sérieux. Un truc auquel les collègues pourront croire... sinon, plus personne ne voudra travailler avec elle.

Charles observa Mallory :

— Elle semble aller très bien.

Le visage de Riker s'illumina, comme celui d'un parent fier de sa progéniture :

— Vise un peu ! Elle s'amuse sur son clavier. Ce qui m'inquiétait le plus, c'était qu'elle voyage sans ordinateur. Et au volant d'une pauvre Volkswagen sans gadgets technologiques ! Tu te souviens de son ancienne voiture ? Elle était équipée de joujoux que seul un autre ordinateur pouvait reconnaître.

Comme Charles allait évoquer l'absence de moteur à l'endroit prévu, il s'empressa de poursuivre :

— On met de côté l'histoire du moteur invisible. Tu as regardé le tableau de bord ? Rien que des équipements très banals, non ?

— Moi, je n'ai pas de scanner de police dans *ma* voiture.

— Tu n'aurais même pas de voiture si tu pouvais encore te déplacer à cheval mais, en ce qui concerne Mallory, son choix du rudimentaire est très curieux.

Riker se cala au fond de sa chaise et sourit.

— Maintenant, elle est de nouveau reliée à un ordinateur, comme avant. C'est bon signe. Très bon signe même.

La jeune femme se leva puis, sans leur dire au revoir, elle quitta le restaurant, s'engouffra dans sa voiture et sortit du parking. Riker fixa l'écran qui luisait toujours sur la table. Elle avait abandonné le PC, ce qui ne lui ressemblait pas. Il ferma ses yeux gorgés de sommeil.

— Je retire ce que j'ai dit.

Soudain, une petite main tira sur sa manche : Peter Finn.

— Où va-t-elle ? bredouilla-t-il, affolé.

— Ne t'inquiète pas, fiston. Elle va revenir.

Y croyait-il vraiment ?

Tout dépendait de la façon dont Lou Markowitz avait élevé sa fille adoptive et de ce qu'elle avait retenu des leçons du vieil homme. Il se rappela un conseil clé de son ami : *Ni le mouton... ni l'agneau tu n'abandonneras.*

Selon Kronewald, une autre tombe d'enfant avait été creusée en amont. Mallory se gara sur le bas-côté, alluma son scanner, écouta jacasser quelques minutes, puis lâcha :

— Tu as raison.

Au bout du fil, l'inspecteur de Chicago s'étonna :

— Quoi ? Tu ne pouvais pas me croire sur parole ?

— Comment ont-ils trouvé la sépulture ?

— Ils n'ont rien fait du tout. C'est moi qui l'ai découverte. Un peu grâce à Riker et à toi. Merci pour les dossiers du FBI, mais ils ne contenaient pas les rapports de l'agent Nahlman. J'ai donc contacté mon propre spécialiste et...

— Pourquoi espérais-tu lire ses rapports ?

— Cette fédérale est profileuse géographique. Tu ne le savais pas ? J'ai vérifié ses références. Un vrai crack. Le top du top.

Ça n'avait pas de sens. Mallory se targuait d'être une voleuse hors pair : elle ne laissait rien passer. Le travail d'une profileuse géographique aurait dû constituer le fondement de l'enquête. Pour quelles raisons ses analyses ne figuraient-elles pas dans les dossiers piratés ?

— J'ai communiqué à mon spécialiste tous les emplacements de tombes connus, reprit Kronewald. Conclusion : il m'a donné le même périmètre de trente kilomètres que Monsieur Logique avait annoncé à Riker. Il y a dix-huit ans, en Oklahoma, à environ trente bornes de l'endroit où tu te trouves, un ivrogne a renversé un chien sur la route.

— Je vais te raccrocher au nez.

— Deux secondes, ma grande, le meilleur arrive. Ce type adore les chiens. Au milieu de nulle part, il décide donc d'enterrer l'animal et sort sa ridicule pelle de camping. Avant de creuser un trou, il cherche quelques pierres pour recouvrir la dépouille, car il ne veut pas que des bêtes sauvages dévorent le pauvre corniaud. Maintenant, rappelle-toi, le mec est ivre mort mais décidé à bien faire les choses. Il tombe sur un tas de cailloux. Dessous, le sol est très meuble. La terre a été retournée. Ça lui donnera moins de boulot, non ?

— Il a donc creusé la tombe d'un chien et exhumé un cadavre d'enfant.

— En effet. Le meurtre était récent. Une seule plaie : la petite a eu la gorge tranchée. Les flics de l'Oklahoma n'ont plus les conclusions de l'enquête, mais ils affirment qu'elle n'a pas été violée.

— Ils ont perdu le dossier ?

— Non ! Il y a neuf mois, l'équipe de Berman leur a rendu visite et a dû emporter les rapports sur l'affaire. Je leur ai donc demandé de chercher un autre tas de cailloux le long de la route.

Enfin la réponse à une question toute simple ! Mallory raccrocha sans crier gare.

Sur son iPod, elle sélectionna *Stairway to Heaven*

de Led Zeppelin, comme conseillé par Peyton Hale. Lequel avait ensuite écrit : « Si on se contente de suivre le chemin de Bouddha, on pourra juste aller où va Bouddha, savoir ce qu'il sait. Mais toutes nos questions sont personnelles. Pourquoi suis-je ici ? D'où viens-je ? Où vais-je ? »

Elle reposa la lettre. Son portable sonnait de nouveau, sans doute Kronewald, et elle aboya :

— Quoi encore ?

— Je sais ce que vous avez fait, lui annonça une voix familière. Vous êtes devenue maboule ?

— N'accusez pas la police dès que vous foirez un coup.

Elle se demanda si Berman enregistrait leur conversation dans l'espoir pathétique de consigner les traces de son passage sur le réseau informatique du FBI.

— Ne me racontez pas de conneries, Mallory. Je vous parle de la base de données. Maintenant, Kronewald dispose des détails de l'enquête et des flics l'appellent de sept États différents. Tous nos efforts de discrétion sont ruinés. C'est à vous qu'on le doit, j'imagine ?

Il se tut un instant, comme s'il attendait un aveu de culpabilité, puis enchaîna :

— Dites-moi que vous n'avez pas contacté les médias.

Mallory avait le doigt posé sur le bouton de fin d'appel.

— Une dernière question : le salaud qu'on recherche, est-ce un autre psychopathe aux sinistres yeux verts ? L'aliénation mentale est-elle héréditaire chez vous ?

Nahlman et Riker comparaient leurs notes sur les parents disparus du convoi :

— On a contacté l'Homme au loup par C.B. Il a perdu son pot d'échappement il y a quelques kilomètres.

— Le Papa de Jill, rectifia-t-il.

Il aimait bien le pseudo Internet de ce type brisé et détestait le surnom digne d'un film d'horreur que les fédéraux lui avaient attribué.

— J'ai demandé à Kronewald d'effectuer des recherches. Sur l'acte de naissance, la petite s'appelle Gillian. Gillian Hastings.

Nahlman haussa légèrement les sourcils et coinça sa lèvre inférieure entre ses dents, deux signes imperceptibles que le nom officiel de la fillette ne lui était pas inconnu. Elle semblait d'ailleurs si préoccupée qu'elle acquiesça d'un air distrait quand Riker accusa les fédéraux d'avoir saboté la dernière partie du voyage :

— La situation est devenue incontrôlable et, si vous essayez de garder les parents sur l'autoroute, ça va empirer.

— Je n'ai pas le choix, inspecteur. La vieille quatre voies ne pourrait pas accueillir tout le monde : le convoi provoquerait des embouteillages monstres. Il y a un terrain de camping public à quelques heures d'ici. Dale veut qu'on rassemble les parents au même endroit tant qu'il fait encore jour.

— Pour qu'il compte ses ouailles ? Quelle importance ? Les taupes ne savent même pas combien de voitures nous ont lâchés aujourd'hui. Je ne les blâme pas : moi-même, j'ai perdu le fil. Ces malheureux veulent reprendre l'ancienne route. Laissons-les y aller. Il n'y a pas que la vitesse dans la vie.

Nahlman se leva de table :

— Impossible.

Il savait qu'elle était d'accord, mais jamais elle ne critiquerait son patron, le roi des cons.

— La meilleure solution serait de choper le tueur. Et *fissa*.

Riker la rattrapa par le bras :

— L'obsession de Dale pour la vitesse, c'est de l'inconscience pure. Ne le laissez pas vous mettre en danger. Si vous êtes en mauvaise posture…

Il griffonna quelques chiffres sur une serviette en papier à moitié détrempée.

— Voici mon numéro de portable. Appelez-moi. Je viendrai vous chercher.

Elle fourra ses coordonnées dans sa poche, reprit sa mine sérieuse et rejoignit les autres fédéraux.

À la fenêtre, Riker contempla le parking. Magritte et Charles essayaient toujours de raisonner Dale Berman, mais son sourire diplomatique montrait bien qu'il n'écoutait rien. D'ici une heure, tout le monde aurait redémarré… et pris la mauvaise route. Combien de parents allaient-ils encore perdre avant le coucher du soleil ?

L'inspecteur baissa les yeux vers l'ordinateur que Mallory avait – encore – abandonné. D'un simple clic, l'écran se ralluma. Ouf ! Elle l'avait laissé en veille. D'habitude, Riker mettait une heure à trouver le bouton d'alimentation sur une machine inconnue… quand il avait la gueule de bois. Ce jour-là, il était juste en manque, mais il trouva la solution à portée de main : il décapsula sa bière, alluma une cigarette et se souvint de dire le bénédicité. Il remercia l'Oklahoma de ne pas être devenu intransigeant en matière de tabagisme passif. Que Dieu aime ces gens-là ! Ils mettaient même des cendriers sur les tables.

À l'écran, une icône portait le nom de Riker. *Merci, Mallory*. Il ne serait pas obligé de réclamer les conseils techniques d'un gamin de dix ans. Peter Finn prit sa sœur par la main, l'emmena à la fenêtre et ils fixèrent la route où Mallory était partie, comme s'ils espéraient la voir réapparaître d'un instant à l'autre.

Riker posa l'index sur la souris digitale et déplaça le curseur vers l'icône. D'un clic, un menu simple apparut à l'écran. Mallory lui avait créé plusieurs options : aux yeux de Riker, le document intitulé F***. doc dégageait une obscénité exagérément polie, mais il s'agissait juste de l'ancien code mallorycien pour *Fédéraux*, qui, dans le dictionnaire de la jeune femme, était rangé parmi les termes grossiers. Il savait que les éléments collectés sur le FBI avaient été piratés, mais il s'agissait de marchandises de choix. Il fut surtout intrigué par l'icône suivante, où il trouva des liens vers de nombreux sites d'informations en ligne et une liste de liens Internet à peine plus légitimes. À la fin, elle lui avait laissé une lettre personnelle, qu'il ouvrit en premier :

Riker, quand tu liras ces mots, Mack the Knife figurera dans la base de données de la police de Chicago et de nombreux flics postés le long de la route rendront des comptes à Kronewald. Il ne va pas tarder à t'appeler. Tu entendras peut-être aussi le bruit des hélicoptères. Ceux des journalistes. Plus il y aura d'yeux braqués sur le troupeau, mieux cela vaudra. Bonne chasse.

La lettre de Mallory disparut à mesure qu'il la relisait : les mots s'effaçaient sous ses yeux. Les autres documents restaient disponibles, mais il sut qu'elle ne laisserait aucune trace de son passage sur l'ordinateur.

Bonne chasse ?

Qu'est-ce que ça voulait dire ? Jamais elle n'abandonnerait le convoi à Berman et à ses congénères. Non, il fallait qu'elle revienne. Sinon, qu'allait-il raconter à Peter Finn ? Comme s'il avait lu dans ses pensées, l'enfant tourna la tête vers Riker, qui se sentit défaillir.

Son portable sonna.

Il décrocha et, avant même que Kronewald lui transmette le rapport d'un policier de l'Oklahoma, Riker sut qu'un parent fugueur avait été assassiné. Soudain, un tas de monde s'agitait sur le parking. Les sirènes rugirent et, dans une odeur de caoutchouc brûlé, les agents fédéraux partirent en trombe vers une scène de crime toute fraîche.

Kronewald ajouta un détail : la tombe d'un autre enfant avait été découverte le long de la route, mais dans la direction opposée – celle qu'avait prise Mallory.

Tandis que The Mamas and the Papas chantaient *California dreaming… on such a winter's day*, Mallory roula lentement devant les ouvriers occupés à creuser et elle se gara en bord de route, près d'un fourgon de la brigade scientifique.

Un policier s'approcha. Sans prendre la peine de vérifier son identité, il eut la galanterie de lui ouvrir la portière :

— Vous devez être l'inspectrice de New York. Un certain Kronewald, de Chicago, nous a avertis que vous passeriez sans doute jeter un œil.

Le temps d'une poignée de main, ils se présentèrent : Henry-J.-Budrow-mais-appelez-moi-Bud et Mallory-juste-Mallory.

Il déplaça une barrière de police qui leur bloquait le passage et ils rejoignirent une petite tombe en contrebas. Penchés au-dessus du trou, un homme et une femme, beaucoup plus jeune que lui, maniaient la brosse douce pour débarrasser de sa couche de terre un petit crâne qui avait encore ses dents de lait.

Mallory apprit que les deux civils venaient d'une faculté d'anthropologie, puis son guide en uniforme demanda :

— Qui tient les rênes ? La police de Chicago ou le FBI ?

— C'est l'enquête de Kronewald. Il vous servira d'intermédiaire avec les fédéraux.

253

En d'autres termes, le vieil inspecteur se délecterait à lâcher des bribes d'informations pour humilier le FBI.

Budrow fixa le sac à dos de Mallory :

— Votre portable sonne.

— Oui, ça arrive, répondit-elle sans remuer le petit doigt.

— Le mien a le même problème toutes les cinq minutes, sourit-il. Quelle saleté d'invention !

Il regarda l'anthropologue et son étudiante exhumer peu à peu le squelette de l'enfant, puis il se retourna vers Mallory :

— Vous savez qu'un corps beaucoup plus récent gît à une trentaine de kilomètres d'ici. Il s'agit d'un adulte, mais Kronewald m'a dit que les deux affaires étaient liées.

Elle hocha la tête, impassible, et lorgna au fond du trou :

— Vous devriez trouver un indice susceptible de faciliter l'identification. Un truc qu'un enfant porterait.

— On l'a déjà.

Budrow l'entraîna vers le fourgon de police. La porte arrière était ouverte, et il n'eut qu'à tendre la main pour attraper un sachet soigneusement étiqueté :

— C'est ça que vous cherchez ?

À travers le plastique transparent, elle aperçut un bracelet d'identité :

— Je n'arrive pas à déchiffrer l'inscription.

— Le métal est corrodé, mais sa petite robe a tenu le coup. Incroyable, non ?

Non, la pauvreté présentait un avantage. Sous terre, le polyester bon marché et le similicuir étaient inusables.

Il brandit ensuite une empreinte au fusain :

— Le professeur a décalqué les mots pour les rendre lisibles.

Le minuscule bracelet signalait que Melissa, six ans, était diabétique.

Devant une scène de crime plus récente, à une trentaine de kilomètres en aval, Dale Berman contempla la dépouille d'une femme mûre et se demanda à voix haute :

— Que fait-il avec leurs mains ?

Abandonné sur le bas-côté, le corps avait la main droite sectionnée au niveau du poignet. Nahlman nota que l'amputation avait été réalisée *post mortem*. La mare de sang venait uniquement de la plaie à la gorge. Le reste de la mise en scène correspondait aussi aux autres crimes. De minuscules os avaient été déposés près du moignon : ils provenaient d'une main d'enfant, et indiquaient une autre sépulture en bord de route. La police locale s'était approprié la scène de crime et attendait que ses propres hommes, armés de pelles, déterrent la plus jeune victime découverte dans la matinée.

Kronewald avait tardé à partager le scoop avec les fédéraux, qui étaient obligés d'assister à l'exhumation derrière des barrières de police. Berman se pencha vers un jeune agent :

— Prenez une photo du visage et faxez-la aux taupes restées au restaurant. Ils la reconnaîtront peut-être.

— Moi, je peux l'identifier, annonça Nahlman. Elle avait rejoint le convoi dans le Missouri.

— Pourquoi a-t-il fallu qu'elle quitte la caravane ?

Il avait posé sa question en toute innocence, comme si elle ne l'avait pas averti du problème des parents fugueurs et du besoin urgent de renforts. Il attendait toujours des explications.

Bien sûr.

Devant témoins, il voulait prouver l'incompétence de

Nahlman, son échec à empêcher les départs intempestifs au sein du groupe. Abattue, elle le regarda du fond de son abysse, du trou noir où plongeaient les agents déchus, et elle vit Dale lui dire au revoir tandis qu'elle dégringolait de son piédestal.

— Je ne vous reproche rien, Nahlman.

La main sur son épaule, quasi baiser de Judas, il l'accusait en public et, par son généreux pardon, le petit salaud faisait bonne impression, d'autant qu'il pouvait compter sur elle pour ne pas se défendre.

— Nous ne perdrons plus de parents, annonça-t-il. Je prends personnellement le commandement de la caravane. Il sera plus sûr d'obliger les parents à rester sur l'autoroute.

— Non, protesta-t-elle. Ce sera juste plus rapide. Je vous ai expliqué pourquoi...

Elle ne termina pas sa phrase. À quoi bon essayer encore ?

Il lui en voulut peut-être de le contredire mais n'en laissa rien paraître. Son indéfectible sourire enjôleur constituait presque une invitation à faire l'école buissonnière, mais elle était vaccinée contre les professionnels du charme. Les yeux posés sur la défunte, Nahlman cessa d'écouter les jacasseries de Berman sur l'importance capitale des décisions de chef.

Allen fonça vers eux, portable en main :

— Les parents s'apprêtent à quitter le restaurant.

Quand il s'arrêta, hors d'haleine mais droit dans ses bottes, Nahlman s'attendit presque à le voir saluer son héros.

— Ils vont...

Manifestement, Berman ne comprenait pas cet élan collectif de désobéissance civile :

— Je leur ai dit de rester tranquilles jusqu'à notre retour. Combien sont-ils à partir ?

— Tous, patron.

— Sur l'ordre de qui ?

— De Riker, l'inspecteur de New York.

Sur le parking, le Dr Paul Magritte distribuait placidement des cartes de la région et l'itinéraire à suivre. À quelques mètres de là, une insurrection se préparait avec son accord et sa bénédiction.

Adossé à l'aile de la Mercedes-Benz, Riker sirotait sa bière en braillant des instructions aux parents qui l'entouraient.

Un jeune homme, qui s'était fait passer pour un père éploré, révéla qu'il était agent fédéral. Il agita son insigne et tenta d'attirer l'attention du sergent-détective :

— Vous ne pouvez pas faire ça !

— Pourtant, je le fais, rétorqua Riker avant de s'adresser à la foule. N'oubliez pas de remplir vos réservoirs d'essence ! Il n'y aura pas de halte avant la nuit ! À partir de maintenant, je vous demande aussi d'espacer les voitures. Si on roule plus vite, il est possible qu'on double les escargots. Pas question de transformer l'autoroute en parking géant. Au prochain bivouac, vous rencontrerez les journalistes qui assureront votre médiatisation aux quatre coins du pays.

Des cris de joie fusèrent de tous côtés.

— Que personne ne nous fausse donc compagnie ! Je ne veux voir aucune voiture fuir vers l'ancienne route. Les fugueurs ruinent leurs chances de passer à la télé nationale. Pigé ?

— Oui ! rugit l'assistance.

— Bien. Nous allons prendre l'autoroute jusqu'à la sortie indiquée sur vos cartes. Suivez notre Mercedes et souvenez-vous : pas d'escapade ! Pissez dans la bagnole s'il le faut, mais personne ne s'arrête.

Un murmure d'approbation parcourut la foule et, tandis que les parents reprenaient le volant, Riker s'assit à l'avant de la Mercedes :

— O.K., Charles, on se met en position. C'est toi qui ouvres la route.

Son ami mit le contact et rejoignit l'entrée du parking. D'autres voitures suivirent.

— Je me demande combien de personnes on a déjà perdues.

— N'y pense plus.

Une fois présentée par l'officier Budrow comme l'envoyée spéciale de Kronewald, Mallory s'accroupit près du professeur d'anthropologie, qui devait avoir dix ans de plus qu'elle : il époussetait un petit humérus encore à moitié incrusté dans la terre. Quant à sa jeune étudiante, elle brossait délicatement les minuscules chaussures.

— Des traces d'arme ?

— Pas encore, répondit-il. Rien d'évident. J'en saurai plus quand on aura ramené le corps à la morgue.

À New York, elle entendait souvent le même refrain.

— La tombe n'est pas profonde, constata Bud. Le meurtrier n'a pas perdu beaucoup de temps à creuser.

Mallory examina l'uniforme d'écolière qui habillait le squelette. Les taches marron foncé apparaissaient au niveau du cou et s'étalaient jusqu'aux souliers.

— C'est du sang.

— Peut-être.

Un sourire condescendant aux lèvres, la jeune assistante venait de s'autoproclamer expert scientifique des lieux.

— Nous devons analyser les taches avant de…

— Moi pas. C'est le sang d'une plaie à la gorge,

annonça Mallory en tirant légèrement sur la robe au niveau du cou. Arrêtez ce que vous êtes en train de faire et nettoyez ces os-là.

Brosse en main, l'adolescente se pencha sur les ossements, mais son professeur la retint :

— Non, Sandra. C'est à moi qu'elle parle.

Tandis qu'il s'affairait sur les os exposés, l'étudiante se remit à épousseter les chaussures.

Budrow se tourna vers Mallory, sa nouvelle experte scientifique :

— Vous croyez que ce tordu a fait quelque chose à Melissa avant de la tuer ?

Elle se rappela les rapports d'autopsie des victimes retrouvées le long de la Route 66 :

— Sur un cadavre encore frais et quelques corps momifiés, la gorge avait juste été tranchée.

Accaparé par son travail, le professeur d'anthropologie lâcha :

— Les corps momifiés ne vous aideront pas à établir de structure logique. Les plaies de la peau au niveau du cou sont monnaie courante, quelle que soit la cause de la mort.

— Aucune entaille à la colonne vertébrale, jubila presque son assistante. Aucune trace de coup de couteau.

L'anthropologue continua à brosser la petite nuque :

— Je n'espérais trouver aucune entaille, Sandra, à moins que l'assassin n'ait voulu décapiter l'enfant.

— La blessure n'était donc pas profonde, conclut Mallory. On sait maintenant qu'il ne s'agissait pas d'un meurtre barbare. Il voulait juste la tuer. Toutes les taches de sang proviennent d'une plaie unique au cou.

— J'imagine que les os ne pourront pas nous en apprendre beaucoup plus, ajouta Budrow. Un moyen de savoir s'il y a eu agression sexuelle ? C'est ce que je me demandais. Les parents vont poser la question. Ils le font toujours.

— La science ne vous aidera pas à le déterminer, déplora l'étudiante. Sans chair, ni fluides…

— Melissa n'a pas été violentée, intervint Mallory.

La mort de Gerald Linden avait été planifiée afin d'éviter au maximum les contacts physiques. Ça valait aussi pour les enfants.

— Les pédophiles ont plutôt l'habitude d'étrangler leurs victimes.

Avant que Mallory puisse finir d'énoncer sa pensée, l'étudiante lança à l'officier Budrow :

— Vous voyez, la clé du mystère réside dans l'os hyoïde.

— Non, Sandra, souffla le professeur.

Il semblait fatigué de devoir tout lui expliquer et Mallory décida de prendre le relais. Elle allait lui apprendre à ne plus interrompre les gens :

— L'os hyoïde ne se solidifie qu'à l'âge de vingt ans. Or Melissa n'avait que six ans. Elle est morte trop jeune. Si elle avait été étranglée, l'os hyoïde se serait tordu, mais il n'aurait pas cassé.

Voilà pour la leçon de simple observation.

— Regardez les traces de sang sur la robe : elles descendent jusqu'aux chaussures. Elles indiquent donc que Melissa était debout au moment de l'attaque. Quand il l'a tailladée, elle n'était donc pas encore mortellement blessée. Les assassins n'ont pas l'habitude d'étrangler les fillettes *après* leur avoir tranché la gorge.

L'étudiante avait perdu son petit sourire agaçant. La mine sombre, elle n'avait rien appris.

— Affaire réglée, conclut Bud. Le tueur a utilisé un couteau.

— Ce qui est assez étrange, ajouta Mallory. À mon

avis, il n'aime pas toucher ses victimes, tant qu'elles sont en vie.

Elle fixa la route par où elle était arrivée.

— L'autre scène de crime dont vous parliez, Budrow, le corps encore frais… Ils ont trouvé une autre tombe près du corps de la victime ?

— Oui, un policier a découvert le cadavre d'une femme sur la route. Abandonnée à tous les regards. Elle avait une main sectionnée et…

— Une femme. Comment s'appelait-elle ?

Quand elle apprit qu'il s'agissait d'April Waylon, Mallory éprouva soudain l'envie de traquer la pauvre morte pour la tuer à nouveau.

CHAPITRE XI

Les véhicules de la caravane suivirent les instructions de Riker et, à force de grands signes, ils réussirent à former un campement très structuré. On se serait cru dans un Far West de dessins animés, où on installait toujours les roulottes en cercle. Souriant, l'inspecteur vit les fédéraux arriver en masse mais finir exilés sur les places de parking les plus éloignées, en périphérie de la petite tribu.

On déchargea les provisions d'un camping-car, mais il s'agissait d'un ravitaillement purement automobile : bidons d'huile, liquide de transmission, bouchons, vis platinées et rustines pour pneus fatigués. Un parent, mécanicien, passait d'un tacot à l'autre, tel un médecin faisant la tournée de ses patients. Il écoutait les drôles de cliquetis, grincements et autres bruits de moteur qu'il était seul à savoir interpréter. Son pseudo Internet était *J'aiperdumonalice*, mais les parents l'appelaient Le Magicien.

À la tombée de la nuit, Riker et Charles acceptèrent l'hospitalité du Dr Magritte : il préparait des côtes de bœuf tout juste sorties d'un congélateur à roulettes, qui distribuait au compte-gouttes la même nourriture aux autres campeurs. Ils apprirent que le médecin avait loué trois camping-cars au bénéfice de parents sans voiture. Bon cuisinier, il préférait poser une grille de barbecue sur le feu et il y avait mis le prix.

Même si, de l'avis de Riker :

— Les meilleurs grils sont les petits systèmes pliants qu'on pique sur les caddies de supermarché.

Au cours de ce délicieux dîner, le sergent-détective continua à travailler en toute décontraction : tandis qu'il mastiquait sa viande ou sirotait son café, il repérait chaque nouveau visage (il y en avait un paquet !) et cherchait les signes de tourment. Il n'eut aucun mal à en trouver.

— Docteur, vos fidèles sont terrifiés. Regardez leur artillerie.

Il indiqua les tentes biplaces et les appentis où était exposé, au grand jour, un arsenal de fusils de chasse et de carabines.

— J'ai toujours su qu'ils étaient armés mais, hier, tout était planqué. Ce soir, en revanche, ils annoncent la couleur.

— Ça les rassure, expliqua Magritte. Et les fédéraux n'y ont vu aucune objection.

— Vous savez pourquoi. À l'exception de Nahlman, ils débutent tous dans la profession. Vous vous en étiez aperçus, non ?

Paul Magritte ouvrit une glacière pour récompenser d'une bière fraîche le zèle de la police. Il sourit. Riker non, mais il prit la canette :

— Il y a aussi le problème des revolvers.

Étonné, Magritte scruta les feux de camp lointains.

— Vous ne les verrez jamais, mais ils sont là, cachés à l'intérieur des tentes et des sacs de couchage. De vraies bombes prêtes à exploser.

Sur quoi, il prit congé, remercia leur hôte et lâcha au moment de partir :

— N'allez pas vous balader la nuit. L'endroit fait vraiment flipper.

Il consulta sa montre. C'était l'heure de promener le loup.

George Hastings, alias le Papa de Jill, tenait l'animal en laisse et Riker les suivit hors du cercle des véhicules. Quand le loup sortit de la camionnette, aucun chien n'aboya, car les pauvres corniauds tenaient à la vie : muets de peur, ils restèrent ventre à terre, espérant que la mort passerait son chemin. Tandis que l'homme et la bête s'enfonçaient droit dans la sombre campagne, Riker posa sa torche électrique, un revolver et un pack de bières sur le sol et s'assit. À jeun, il n'était pas très bon tireur mais, s'il devait tuer un animal qui lui fonçait dessus, quelques gorgées d'alcool stabiliseraient sa main et, au bout de quatre ou cinq balles, il toucherait sûrement un organe vital. Il avait appris au Papa de Jill à ne pas dévier du faisceau de sa torche. Riker ne quitta le loup du regard qu'une seule fois, lorsqu'il leva la tête vers un ciel non pollué par les feux du campement : les étoiles du soir apparaissaient les unes après les autres. Soudain, il entendit le premier hélicoptère.

Enfin ! Il commençait à se demander quand les médias allaient débarquer.

Nahlman vint lui tenir compagnie pendant qu'il surveillait le loup. Munie de sa liste d'immatriculations, elle s'installa à côté de lui :

— Jusqu'ici, je n'ai trouvé qu'un intrus.

Elle braqua son stylo-lampe sur une feuille, fit glisser son doigt le long de la page et s'arrêta :

— Darwinia Sohlo.

Elle redressa la tête et vit qu'il n'avait pas sourcillé :

— Vous étiez au courant.

Riker lui tendit une bière :

— J'ai toujours pensé qu'il s'agissait d'un faux nom mais, nous, on cherche un homme. Ne vous en offusquez pas, Nahlman. À mon avis, les femmes font de meilleures meurtrières.

Les yeux au ciel, il lut l'indicatif d'appel d'une grande chaîne télévisée sur le ventre de l'hélicoptère :

— Hé ! On va passer au vingt heures.

— Saletés de journalistes ! grogna Nahlman. Mes hommes ont arrêté le reste de la presse en bas de la route.

Merde !

— Vous devez les laisser passer. Si on veut gérer les reporters, il faut leur donner un os à ronger. Quand on les oblige à creuser (et, par là, à vraiment gagner leur croûte), on perd le contrôle.

— Ce n'est pas moi qui décide, Riker.

— Si, vous pourriez.

Il l'invitait clairement à sortir du rang.

— Disons qu'on leur donne des règles simples. Aucun parent ne quitte le cercle sans escorte et seuls les membres du convoi sont admis à l'intérieur du camp. Vous sentez comme les choses sont simples quand votre patron n'est pas aux commandes ? Maintenant, allez libérer la foule des journalistes en contrebas.

— Je n'ai pas le…

— Vous voyez Dale Berman quelque part ? Non, il s'est cloîtré dans un motel, pendant que votre équipier et vous dormez par terre. Quand on a besoin de lui, on ne le trouve jamais. Par conséquent, vous êtes ici l'agent le plus gradé. Dites à vos gamins de laisser passer les journalistes – ou maman donnera la fessée.

Oups ! Grosse erreur.

Manifestement, Riker n'avait rien retenu des cours sur la diversité au sein de la police new-yorkaise. Nahlman tordit la bouche et détourna la tête. Il fixa sa bouteille vide, mais impossible d'accuser la bière. C'était bien le problème des alcooliques sévères : on pouvait avaler un tonneau sans se mettre à parler ou marcher de travers.

Nouvelle tentative, une main sur l'épaule de la jeune femme :

— Désolé, mais j'ai besoin que vous me rendiez ce service. Pour les campeurs. Ils n'arrivent même pas à décrocher cinq secondes d'antenne dans un obscur journal télévisé. C'est leur unique chance de s'exprimer sur une chaîne nationale et, demain, vous savez qu'ils suivront la caravane. Terminé, les brebis égarées… si on laisse les reporters rejoindre la parade.

Nahlman se laissait attendrir : il le devina à l'affaissement de ses épaules.

— Si c'était vous, Riker, qui le lui demandiez, Dale donnerait peut-être son accord. Je crois qu'il vous respecte. Dieu sait pourquoi. Et vous avez son numéro de portable.

— Pas question. Je n'ai pas encore bu assez de bière.

Il sortit une autre bouteille du pack.

— Je suis sûr qu'une jolie minette aurait plus de chances.

Waouh !

Nahlman se releva très vite et ses poings glissèrent sur ses hanches. Épreuve de force ! Qu'était censé faire un mâle ? Riker était trop imbibé pour gagner à la loyale contre une femme mais pas assez soûl pour encaisser une nouvelle conversation avec Berman.

— Je vais boire plus vite, souffla-t-il.

Christine Nahlman décida de ne pas en référer à son chef, mais ce, non pas à cause de la deuxième bière de Riker : en réalité, elle ne voulait plus de victimes au sein du convoi qu'elle surveillait.

Les vannes furent ouvertes au bas de la route, le flot des journalistes se déversa et, badaboum!, le cirque débarqua en ville. Bardées de projecteurs et de caméras, de micros et de trousses de maquillage, les équipes de reportage s'installèrent en marge du cercle des campeurs. Fous de joie, les parents brandissaient leurs affiches et se pressaient autour des intervieweurs... sauf le Papa de Jill, qui avait pourtant enfermé son loup à l'avant de son pick-up. Darwinia Sohlo, ou quel que soit son vrai nom, fuyait aussi étrangement les caméras. Joe Finn n'était pas non plus de la partie mais, en l'occurrence, Nahlman ne s'en étonnait pas.

Pendant qu'ils attendaient de passer au micro, Mme Hardy et deux autres parents comparèrent le temps de parole qu'avaient accordé les télévisions locales à leur tragédie, le nombre de lignes écrites par la presse locale et d'affiches qu'ils collaient tous les mois sur les poteaux téléphoniques.

Rechercher son enfant disparu était un travail de titan.

Enfin, Mme Hardy put se planter face caméra et raconter à l'Amérique entière :

— Ma petite Melissa joue du piano.

Elle brandit la photo d'une fillette de six ans.

— Elle a les yeux les plus bleus, le sourire le plus éclatant du monde. Et elle joue du piano. Oh, désolée ! Je vous l'ai déjà dit ? Je n'ai plus toute ma tête.

Après le dîner, Peter Finn regarda son père s'acharner sur les piquets, la bâche et les cordes de leur tente. À force de pratiquer, le colosse aurait dû s'en sortir comme un chef mais, en fait, c'était de plus en plus dur. Finalement, il prit le manche d'une hachette pour enfoncer les pieux dans la terre et ainsi mieux arrimer la toile de tente.

Un an auparavant, Joe Finn était le monstre des ténèbres, une créature qui, la nuit, s'asseyait près du lit de Peter. Parfois, il avait le visage si tuméfié que son fils ne le reconnaissait même pas. Le sang suintait à travers les bandages posés par le soigneur, autre monstre dans l'univers mythique de la boxe du point de vue du petit garçon.

Après la disparition d'Ariel, les combats avaient cessé et Joe s'était mystérieusement métamorphosé en petite souris des dents de lait, cuisinier, femme de ménage et confectionneur de sandwiches. Il ne savait pas très bien exécuter les tâches qu'Ariel accomplissait jadis à la perfection, sans effort. Semaine après semaine, tandis que son père s'efforçait de mieux plier le linge, Peter avait souvent fondu en larmes, submergé par un trop-plein d'amour et de chagrin.

Joe enfonça le dernier pieu dans le sol. Toutes les cordes étaient tendues et les piquets tenaient droit. Hélas, il s'aperçut qu'il avait dressé la tente sur un tas de cailloux. Après avoir déterré chaque sardine (en silence, sans se plaindre), retiré la bâche et posé les piquets, le boxeur se remit à l'ouvrage.

Le jeune Peter baissa la tête. Ses joues étaient baignées de larmes.

Riker assurait seul la garde de nuit, sauf si on comptait les fédéraux en couches-culottes. Ceux-là, il préférait les oublier.

Les interviews étaient terminées depuis des heures et les journalistes s'étaient installés dans une ville voisine. Quelques chacals rôdaient toujours autour de la caravane, sans doute en quête de sang frais, voire du scoop providentiel d'un hurlement au cœur des ténèbres. Les feux de camp n'étaient plus que des braises, mais les odeurs de cuisine restaient entêtantes. Cette nuit-là, le site était mieux éclairé. Avant que les équipes de télévision prennent le large, Riker avait réquisitionné leurs groupes électrogènes et leurs projecteurs. À cela, il fallait ajouter les faisceaux des torches braquées par les fédéraux en patrouille. Hormis le grésillement de quelques radios et le murmure des conversations, tout était calme.

Quand, soudain, Mallory débarqua.

Riker n'entendit ni son moteur ronfler ni sa portière claquer. Lorsqu'il se retourna, elle avait surgi de nulle part et passait déjà son chemin, sac à l'épaule. Ces jours-ci, elle ne s'en séparait jamais. Peut-être y conservait-elle les lettres de la défunte Savannah Sirus ?

Quand elle s'approcha de Mme Hardy, il sut quelle fillette avait été retrouvée dans la dernière tombe.

Et la mère eut un mauvais pressentiment.

Assise sur une couverture, devant un feu agonisant, elle esquissa un sourire forcé, sans doute persuadée de pouvoir encore s'enfuir, mais, non, Mallory fondait sur elle avec la détermination d'une inéluctable catastrophe ferroviaire : rien ne l'arrêterait. La femme d'âge mûr attendit donc patiemment qu'une gamine vienne la détruire à coups de mots. L'inspectrice s'installa sur le plaid et le rituel commença : la mère secoua la tête – incrédulité – non, pas son bébé – il y avait erreur. Quand elle comprit enfin qu'il ne servait à rien de nier, Mme Hardy s'effondra dans les bras de son bourreau. Et pleura longtemps. Aucun parent ne l'approcha, comme si la mort d'un enfant était contagieuse. Mallory, elle, ne l'abandonna pas.

Joe Finn détourna son regard triste de Mme Hardy, jeta un seau d'eau sur les cendres de son feu et déposa un baiser sur le front de son fils endormi. Le sommeil restait son unique occasion de l'embrasser, car Peter avait atteint l'âge douloureux où il ne voulait plus donner la main à son père en public : il était trop grand. Bientôt, l'adorable Peter serait remplacé par une grande asperge d'adolescent, un gosse renfrogné et boudeur qui refuserait même de lui adresser la parole et ce jour-là arriverait bien trop vite. Joe l'embrassa de nouveau, si heureux d'être encore autorisé à l'aimer.

Il le coucha à l'intérieur de la tente, près de la petite Dodie endormie. Les yeux rivés sur sa benjamine, il pria le ciel qu'elle retrouve ses esprits. Soucieux de la protéger, il déplia son sac de couchage devant la tente afin que son corps empêche tout intrus d'arriver jusqu'à ses enfants.

L'ironie ne faisait pas partie de son vocabulaire, mais il la ressentait dans chaque frémissement de douleur lié à ses vieilles blessures de boxe. Soucieux d'assurer un bel avenir à sa progéniture, il avait encaissé tant de coups et passé tellement de temps loin de chez lui ! À présent, il consacrait toutes ses économies à rechercher la fille qu'il avait perdue, car il n'avait pas su assurer sa sécurité.

Ariel, mon Ariel.

Sa défunte épouse avait puisé dans ses racines juives le prénom de leur aînée. En hébreu, il signifiait Lionne de Dieu.

Mallory tenait la femme en pleurs dans ses bras :

— Que pensez-vous pouvoir entendre ?

Entre deux sanglots, Mme Hardy bredouilla :

— Je veux tout savoir. De A à Z. Il le faut.

Derrière elles, Nahlman signala enfin sa présence à la mère éplorée. Depuis le début, Mallory l'avait repérée : elle était arrivée en traînant les pieds, signe qu'elle rechignait à approcher l'émotion brute.

L'agent fédéral s'agenouilla à côté de Mme Hardy :

— J'ai lu le vieux rapport de police. On avait trouvé du sang devant l'arrêt de bus. C'est donc là que Melissa est morte.

— Donc il n'a pas… il n'a jamais…

— Je vous rassure, elle n'a pas été violée. Les enfants que nous avons retrouvés n'ont toujours eu qu'une seule plaie mortelle. Voilà comment je sais qu'elle est décédée à l'endroit où ils ont repéré le sang.

La mère acquiesça, car cela confirmait les dires de Mallory.

— La mort a été rapide, reprit Nahlman. Je doute que Melissa ait vu le couteau. Elle n'a même pas eu le temps d'avoir peur. C'est arrivé trop vite. Elle était en état de choc et elle a perdu conscience.

— Comme si elle s'endormait ?

Mme Hardy se détacha de Mallory pour chercher une lueur d'approbation dans son regard, mais l'inspectrice se contenta de fixer l'agent fédéral en s'étonnant qu'une mère croie encore aux contes de fées.

— Oui, hésita Nahlman. Comme si elle s'endormait… sans crainte.

Soulagée d'avoir accompli sa bonne action de la soirée, elle se releva et s'éloigna.

Mallory n'aimait pas raconter de bobards aux parents affligés. Elle imaginait la fillette, le cœur battant, la peur au ventre, voir son sang jaillir de sa gorge tranchée, s'étaler sur sa robe et éclabousser ses chaussures. Elle lisait même la terreur au fond de ses yeux.

Toute la nuit, elle consola Mme Hardy et la berça en attendant patiemment qu'elle découvre la vérité derrière les mensonges. Il était difficile de berner une mère très longtemps et Mallory le savait mieux que personne pour en avoir eu deux : Cassandra, qui l'avait mise au monde, et Helen, qui l'avait élevée. Les mères pressentent les

271

choses. C'est un don extraordinaire qui donne la chair de poule.

Au petit matin, la mère de Melissa se remit à sangloter :

— Elle a dû avoir si peur.

— Oui.

Mallory porta une bouteille d'eau à ses lèvres et l'obligea à boire.

— Je vais vous dire une vérité.

Elle se servit de sa propre expérience pour trouver les mots.

— Quand les enfants sont terrifiés, ils appellent toujours leur mère à l'aide.

— Mais ma Melissa…

— Elle n'a pas pu hurler, car elle avait la gorge tranchée, mais je sais qu'elle a essayé. Voilà comment j'ai la certitude qu'à l'heure de sa mort, votre fille pensait à vous.

La portière avant gauche de la Mercedes était ouverte. Riker avait un pied à terre et la main sur son revolver. Aux premiers rayons de l'aube, il avait enfilé ses lunettes de soleil pour regarder le type promener son loup. Ce campeur avait un tas de noms différents : sur le calepin de l'inspecteur, il s'agissait de George Hastings, propriétaire d'un pick-up d'après le service des immatriculations. Sur sa liste croissante de parents, Magritte ne connaissait, lui, que son pseudo Internet. Quant aux jeunes recrues du FBI, elles l'avaient rebaptisé L'Homme au loup, ce que Riker considérait comme une erreur. Ce père-là n'était ni méchant ni soupe au lait. Il semblait, au contraire, très patient et c'était justement ça le plus inquiétant.

Le Papa de Jill emmena sa bête près de la Mercedes et tendit la montre qu'il avait au poignet pour confirmer qu'il respectait les quinze minutes réglementaires d'exercice. Il rejoignit ensuite sa camionnette, où l'animal fut enfermé comme convenu.

Riker rangea son arme mais observa quelques secondes les deux acolytes. *A priori*, l'homme n'aimait pas particulièrement son loup. Le fauve, lui, n'aimait personne. Il ne lui tenait pas compagnie et ne servait pas non plus à assurer la sécurité de son maître, car il ne hurlait jamais. Quant à Hastings, il voyageait sans le portrait de sa fille disparue, se fichait des journalistes et encore plus du FBI.

Quel regard triste et vide ! Pourtant, le Papa de Jill repérait d'emblée les nouveaux arrivants et, chaque fois, il était déçu. À l'évidence, il attendait quelqu'un, une personne qu'il reconnaîtrait au premier coup d'œil.

Riker savait qu'il vaudrait mieux tuer le loup, l'abattre sans hésiter. Seulement, le Papa de Jill pourrait s'acheter un flingue et l'inspecteur n'avait pas envie de le descendre lui aussi.

Après avoir bu son café revigorant du matin, il alluma une cigarette et jeta l'allumette. Depuis quand n'avait-il pas vu de voiture équipée d'un cendrier ou d'un allume-cigare ? De nos jours, il n'y avait plus qu'une prise destinée aux chargeurs de batterie. Il brancha un téléviseur portable qu'il avait confisqué à une équipe de journalistes. L'écran mesurait à peine vingt centimètres de diagonale, il fallait avoir de bons yeux, mais le son était impeccable. Il écouta la rediffusion d'une interview de Mme Hardy, puis la présentatrice annonça au pays que la petite Melissa, six ans, ne jouait plus de piano. Qu'elle était morte.

Riker descendit de la Mercedes pour accueillir une voiture de police qui s'était garée à l'entrée du campement. Deux civils émergèrent de la banquette arrière qui se présentèrent comme des membres de la famille

Hardy en provenance directe de l'Oregon. Au téléphone, une certaine Mallory leur avait demandé de venir chercher leur cousine. Ils avaient pris le premier avion.

Combien de Hardy Mallory avait-elle appelés avant de tomber sur quelqu'un capable de ramener la mère de Melissa en sécurité à la maison ? Au fond d'elle-même battait donc un cœur d'être humain ? Hélas, il s'agissait aussi d'une procédure policière et Riker n'avait toujours aucune preuve de la sollicitude de son équipière.

Soudain, elle reprit la route au volant de sa New Beetle. Peter Finn assista à la scène mais, cette fois-ci, il ne s'en alarma pas. La veille au soir, elle était rentrée, signe que Riker n'avait pas menti et que Mallory ne l'avait pas abandonné – pas encore.

Côte à côte, ils regardèrent la voiture argentée disparaître à l'horizon. Riker posa la main sur l'épaule de Peter :

— Laisse-moi deviner, fiston. Tu te demandes si les yeux de Mallory brillent dans le noir.

Il tira une bouffée de cigarette et souffla en même temps que la fumée :

— Et la réponse est oui.

Le soleil était à moitié levé et Mallory était en retard à son rendez-vous avec la route. Après avoir garé la voiture sur le bas-côté et éteint le moteur, elle déplia une lettre rédigée depuis des décennies, la dernière fois que Peyton Hale avait traversé l'Oklahoma. Il y expliquait comment admirer un lever de soleil en ne regardant que le bitume. Le paysage, qui s'éveillait doucement, passait du gris au vert, du silence aux doux murmures et au gazouillis des oiseaux.

Sauf que la matinée était gâchée. Le bas de la lettre était maculé d'une marque de rouge à lèvres qui appartenait forcément à Savannah Sirus. Un défaut réparé d'un long coup d'ongle écarlate. Et hop ! Tout avait disparu.

Ou presque.

L'image de Savannah à genoux, les joues zébrées de mascara, était toujours là. Savannah qui pleurait depuis des jours, qui prenait le paquet de lettres – bref instant d'horreur, car ce courrier appartenait désormais à Mallory. La main de Savannah qui agrippait le vide.

La jolie blonde ne se rendit pas compte qu'elle fermait les yeux, mais elle se réveilla une heure plus tard. Elle voulut cocher sa dernière halte mais ne retrouva pas son stylo en or, vieux cadeau d'anniversaire de Charles.

Un crayon ferait donc l'affaire.

De retour sur la route, elle se rappela avoir posé son stylo sur une serviette au restaurant. Quand elle avait voulu s'essuyer la bouche, elle n'avait plus vu la serviette et oublié son stylo préféré. Comment était-ce possible ? Elle ne s'en séparait jamais. Elle attribua sa petite négligence au manque de sommeil.

Comme elle n'avait pas l'âme d'une campeuse, ni d'une amoureuse de la nature, Mallory prit une chambre d'hôtel. Son portable était éteint et le robinet de la douche emplissait de vapeur la salle de bains. Une fois débarrassée de la poussière du voyage, elle s'apprêta à savourer quelques heures de sommeil, mais Morphée se fit attendre. Elle décida donc de vider son sac à dos sur le couvre-lit : aucune trace du stylo égaré. Les clichés de l'autopsie d'Ariel se mêlaient aux photos d'un homme aux yeux verts. L'image la plus douloureuse ? Un portrait de Peyton et Cassandra. Les questions posées par la lettre de la veille résonnaient en une sorte d'éternelle mélopée : D'où venons-nous ? Pourquoi sommes-nous ici ? Où allons-nous ?

Mallory n'en avait aucune idée.

Et voilà que tous ces mystères se réduisaient à un seul : *Pourquoi a-t-il fallu que je naisse* ?

Riker termina sa conversation téléphonique avec les fédéraux infiltrés qui fermaient la marche du convoi, puis il se tourna vers le conducteur :

— Ça fonctionne, Charles. Aucune fugue à signaler. Qui avait dit que la presse nous filerait un sacré coup de main ?

Revers de la médaille, dix nouveaux parents avaient rejoint le cortège. Bien qu'il compte désormais cent cinquante véhicules, le convoi avalait les kilomètres d'autoroute à vive allure. Par miracle, seul un vieux tas de ferraille avait rendu l'âme et il était remorqué par un camping-car.

— On y est, annonça Riker. Prends la sortie 108.

Ils arrivèrent au Cherokee Restaurant, autre aire de repos surplombant l'autoroute. Sur le parking, les équipes de journalistes étaient déjà arrivées, occupées à décharger le matériel son, les projecteurs et les caméras.

Le temps que Charles se gare, Riker aperçut une pancarte « Tartes maison » et, dès que la voiture s'immobilisa, il posa la main sur la portière. Son ami, en revanche, ne bougea pas d'un pouce.

— Un problème, Charles ? Accouche.

— À propos de Mallory... Quand avais-tu prévu de me raconter la suite ? Elle n'a pas simplement déserté le commissariat. Cette affaire va plus loin. Tu es persuadé qu'elle part en vrille. Tu ne crois pas que tu peux me confier toute l'histoire ?

— Ce n'est pas ça.

Riker lâcha la poignée de la portière, baissa sa vitre et alluma une cigarette. Ils n'étaient pas sortis de l'auberge.

— Une nuit, son portier, Frank, m'appelle et me

prévient qu'on tire des coups de feu chez elle. Je lui demande s'il a appelé la police. Il ne répond pas. Finalement, il m'explique qu'il a parlé avec Mallory à l'interphone. Quelqu'un, soi-disant, avait laissé une fenêtre ouverte… et elle avait dû tuer quelques mouches. Le problème, c'est que la gamine laisse de sacrés pourboires. Frank ne l'aurait pas dénoncée, même si elle avait abattu quatre locataires sous son nez. Résultat : il préfère me téléphoner. J'y vais. Mallory m'entrouvre à peine sa porte. Je dois forcer le passage. Elle va chercher son flingue et vise le mur. Je regarde – je vois une mouche – j'entends une détonation. Et voilà que la balle fait un trou dans le mur à la place de l'insecte. Elle est douée. Je ne connais pas un flic capable d'une précision pareille.

Charles ferma les yeux :

— C'est arrivé quand ?

— Il y a quinze jours.

— Savannah se trouvait à New York.

— Mais je l'ignorais. Je te jure que je n'ai relevé aucune trace de sa présence dans l'appartement.

— La pauvre femme se cachait. Donc Mallory…

— Torturait son invitée ? Sans doute.

Riker souffla la fumée par la fenêtre et évalua le risque qu'une commission d'enquête apprenne l'histoire. Il savait que Charles n'hésiterait pas à mentir pour sauver Mallory – si seulement il avait appris à dissimuler. Hélas, on lisait sur son visage comme dans un livre ouvert et le moindre mensonge le faisait rougir jusqu'aux oreilles.

— Tu ne lui as pas confisqué son arme ?

— Non. Ce n'était pas son flingue habituel mais un petit pistolet, et Mallory refroidissait juste des mouches sur la double rangée de briques d'un mur de façade. Un calibre 22 n'a aucune pénétration.

— C'est un calibre 22 qui a transpercé le cœur de Mlle Sirus, rappela Charles.

— J'ai dit à la gamine qu'ils l'enverraient direct à l'asile si elle ne la mettait pas en sourdine.

— Un bref séjour en observation lui aurait peut-être fait du bien.

— Je ne me sentais pas capable de le lui infliger. En passant par la case « hôpital psychiatrique », elle aurait dit adieu à sa carrière de flic. Moi, je suis allé beaucoup plus loin qu'elle quand j'étais bourré. Le souci de Mallory, c'est qu'elle a ce genre de réaction à jeun. Quoi qu'il en soit, il n'y a pas eu d'autre coup de feu.

— Jusqu'à la mort de Savannah Sirus. Une idée de ce qui a déclenché le safari mouches ?

— Juste ce que Mallory a dit au portier. Quelqu'un a ouvert une fenêtre et laissé entrer les bestioles.

— On devine de qui il s'agit, non ? Pour que des insectes envahissent l'appartement, il fallait aussi relever la moustiquaire. Mlle Sirus a peut-être tenté de se suicider une première fois – interrompue par Mallory, qui a voulu apprendre à son invitée qu'on ne laissait pas entrer les mouches.

Riker ravala ses sarcasmes et jeta sa cigarette dehors :

— Ta théorie me plaît. La gamine rend donc service à Savannah : elle l'empêche de se suicider en lui flanquant la peur de sa vie.

— Autre hypothèse : c'est peut-être Mlle Sirus qui torturait Mallory.

Berman entraîna Riker et Magritte à l'écart du Cherokee Restaurant : après une gigantesque statue d'Indien, ils longèrent une étroite route sinueuse et l'enclos d'un troupeau de bisons.

— Ah, les bons hamburgers sur pattes ! saliva

l'inspecteur, prêt à croquer les pâquerettes si cette fichue promenade ne s'achevait pas très vite.

À l'entrée du terrain de camping public, Dale leur vanta les mérites du site :

— Les gérants sont extra. Ils ont accepté de filer gratis leurs installations au convoi.

De l'autre côté de la zone pavée, Nahlman veillait sur les parents soigneusement alignés devant un petit bâtiment. Munis de serviettes et de trousses de toilette, ils avaient hâte de prendre leur première douche chaude depuis des jours.

Loin d'être enthousiaste, Magritte observa les emplacements réservés aux voitures et aux camping-cars :

— Il n'y a pas assez de place pour tout le monde.

— Si, protesta Berman. L'immense parking du restaurant accueillera le trop-plein et, là-bas, ajouta-t-il en montrant un bosquet, il y a six bungalows. On a donc ce qu'il nous faut : de quoi manger et un endroit où dormir. De plus, les journalistes apprécient le principe d'une base permanente.

— Il parle en vrai pro des relations publiques, lança Riker au Dr Magritte. D'ailleurs, il travaillait là-dedans il y a quelques années. Il a, hélas, gardé la mauvaise habitude de négliger les détails.

— Le restaurant est situé sur les hauteurs, se défendit Berman. Si un intrus s'approche de la caravane, on le repérera illico.

— Ça pourrait marcher si on attendait une attaque d'Indiens, plaisanta Riker. Croyez-vous reconnaître ce tordu au premier coup d'œil ?

— Aucune chance, intervint Magritte.

Aussitôt, il regretta de s'en être mêlé, s'éloigna et fit mine de s'intéresser aux bisons.

Riker décida de rebrousser chemin. Il mourait de

faim et la pancarte du restaurant lui avait promis des tartes maison.

Berman cria :

— Ce soir, on reste ici et on voit comment ça se passe.

— Hors de question.

L'inspecteur espérait dévorer une tarte aux myrtilles, mais il ne cracherait pas non plus sur une garniture aux pommes et prévoyait d'arriver au Texas avant la nuit.

Une fois en haut de la route, il redescendit vers le parking du restaurant. Soudain, un bruit l'interpella. La main posée sur son revolver, il se tourna vers le pick-up de George Hastings.

Boum !

La tête du loup venait de heurter le carreau. Combien de temps lui faudrait-il pour briser la vitre ? L'animal recula : les yeux rivés sur l'inspecteur, il ne voyait en lui qu'un gros bout de viande. Riker sentit ses mains devenir moites et poisseuses, l'adrénaline lui glacer le sang, son cœur battre à tout rompre. Comme s'il tombait amoureux.

Boum !

Nouvelle tentative, mais la vitre tint bon.

Riker se demanda si Hastings avait cessé de nourrir la bête.

Dale Berman raccompagna le Dr Magritte jusqu'au parking du restaurant, puis il partit en voiture et le vieux médecin décida de « surveiller ses surveillants ». À Chicago, les deux agents infiltrés s'étaient présentés comme les parents éplorés d'un enfant disparu, mais il n'avait jamais trouvé le couple crédible. Riker non plus : il les surnommait les taupes ou, parfois, M. et Mme Taupe, bien qu'ils ne soient sûrement pas mariés.

Inutile d'avoir une thèse en psychologie pour

discerner les premiers signaux du désir amoureux entre ces deux-là, mais leur histoire n'avait démarré qu'au cours de la première nuit sous les étoiles, à plusieurs centaines de kilomètres de Chicago. Depuis, leurs sentiments s'étaient inexorablement renforcés. À présent, ils ne voyaient plus que l'un par l'autre et se jetaient des œillades enfiévrées. Ils avaient même élaboré un langage secret à base de gestes, de signes de tête, de clins d'œil et de plissements de paupières. Ils étaient seuls au monde et Paul Magritte n'eut aucun mal à s'éclipser.

Il rejoignit la pente douce du chemin, longea l'enclos à bisons et s'enfonça sous un bouquet de pins afin d'y trouver la solitude nécessaire à son rituel.

Charles avait réussi à trouver une table dotée d'un cendrier pour son ami fumeur. Un jeu d'enfant, car la zone non-fumeur était toujours prise d'assaut. Un adolescent en T-shirt rouge prit sa commande et s'éloigna. Tant mieux : il préférait rester seul.

Lui qui avait passé des mois à panser ses plaies dans la solitude de chambres d'hôtel européennes, il avait l'impression de redécouvrir le tintement des verres et le brouhaha des conversations (quelle cacophonie !), preuve qu'il existait une vie après Mallory. Comme elle lui avait manqué ! Voilà qu'il la pourchassait de nouveau mais, cette fois, il s'était résigné. La suivre était un plaisir. La rattraper, un calvaire. Néanmoins, il regarda au carreau et attendit d'apercevoir sa voiture sur le parking. Au moins, elle n'éprouvait aucune gêne résiduelle. Il aurait dû savoir que, dès le lendemain, elle aurait oublié sa stupide demande en mariage. Chaque fois qu'il la voyait, il en crevait, mais il se réjouissait de la retrouver.

Soudain, il fut distrait de sa vigie par une curieuse attraction à deux pas de sa table. Une femme d'une cinquantaine d'années se faisait mitrailler de flashes chaque fois qu'elle s'arrêtait et prenait la pose avec un parent. Un de ses jeunes courtisans tendit un prospectus à Charles : apparemment, il s'agissait d'une « profileuse criminelle de renom », qui interrompait une tournée nationale de dédicaces pour une séance photos au cœur du convoi.

Charles reçut un exemplaire de son dernier livre, que l'agent Cadwaller laissa tomber sur la table avant de s'asseoir. La jaquette racoleuse était éclaboussée d'encre d'imprimerie rouge sang et une définition du métier de l'auteur y figurait en gros caractères.

— Psychiatre médicolégale ? s'étonna Charles.

Cadwaller se mira dans l'inox d'un couteau à beurre et plaqua ses cheveux en arrière :

— C'est le nom qu'elle se donne.

Lorsqu'il lut la biographie au dos du livre, Charles remarqua d'emblée la faculté de médecine de troisième zone et l'État natal de cette femme. Quel malheur que certaines régions permettent au plus incompétent des docteurs d'ouvrir un cabinet et de s'autoproclamer « psychiatre » !

Un jeune homme se présenta comme l'assistant personnel de l'auteur et protesta mollement à la remarque de Cadwaller :

— Elle *est* psychiatre médicolégale. Accréditée et reconnue par l'ordre des médecins.

Il lui tendit un bout de papier :

— Voyez par vous-même.

— Je l'ai déjà lu. Elle a obtenu son accréditation d'une bande de clowns, d'un groupe sans exigences. Par conséquent, c'est peut-être légal, mais ce n'est pas forcément une bonne chose.

Charles connaissait bien l'université qu'elle avait intégrée. La formation était plus poussée quand on voulait obtenir le droit d'être plombier ! Et voilà que

Madame s'approchait d'autres parents. Il se pencha vers Cadwaller :

— Vous ne croyez pas que c'est une mauvaise idée, vu le sujet de son livre : les tueurs en série ?

Le profileur du FBI utilisa le reflet de son couteau pour redresser son nœud de cravate :

— J'ai essayé de m'y opposer mais, aujourd'hui, les journalistes mènent la danse. Ils veulent des scoops, des détails pittoresques, sanglants, et Berman ne fera rien pour les décourager.

Charles était atterré. Devant les objectifs des reporters, une psychiatre de pacotille étreignait, contre son gré, un père médusé.

— Que savez-vous d'autre sur elle ?

— Elle bosse pour les avocats de la défense. Si votre client est un violeur doublé d'un assassin et qu'il lui faut se dédouaner en prétendant qu'on a raté son éducation, elle accourt.

Cadwaller pointa une ligne de texte sur le prospectus :

— Là, elle ment. Elle n'a jamais collaboré à une enquête policière. Ses bouquins établissent le profil des criminels *après* leur arrestation et leur incarcération, mais ça ne l'empêche pas de raconter n'importe quoi.

Quand l'auteur et sa cour foncèrent droit sur la famille Finn, Charles se leva d'un bond, renversa son siège et lui bloqua le passage :

— Vous n'avez pas besoin d'être photographiée auprès de ces enfants.

En fière souveraine confrontée à l'ignominie d'un gueux, la psychiatre lorgna vers le jeune homme qui lui servait d'intermédiaire avec la populace. L'assistant se pavana devant Charles et bomba sa poitrine d'oisillon.

— Vous êtes de la police ? pérora-t-il en croisant ses bras maigrelets. Je ne le croyais pas.

— Moi, j'en suis, intervint Riker.

Il lui suffit de toucher le torse du gamin pour qu'il se dégonfle aussitôt.

— Sors d'ici, mon vieux.

En un clin d'œil, la salle de restaurant redevint une zone sans auteur ni cour et les trois hommes décidèrent de déjeuner ensemble.

Cadwaller jeta un coup d'œil à la ronde :

— Je pensais que le Dr Magritte nous rejoindrait.

Désinvolte, Riker hocha la tête vers le parking :

— Je l'ai laissé avec Dale, près des bisons. Il ne devrait pas tarder. À mon avis, il ne va plus supporter longtemps les idées stupides de votre patron en matière de sécurité.

Cadwaller sourit, ravi de la pique à l'encontre de son supérieur. Charles s'en étonna, mais il fut surtout intrigué par les mains de l'agent, qui, sans s'en apercevoir, alignait soigneusement la salière et le poivrier.

À sa place, Mallory aurait fait pareil.

Après avoir trouvé un endroit tranquille derrière les arbres et les buissons, Magritte se plongea dans son rituel quotidien.

Il avait l'habitude de remonter le temps comme s'il reculait juste les aiguilles d'une montre. On pouvait parler de pénitence : il s'efforçait de lutter contre les effets néfastes des heures, des jours et des décennies, jusqu'à ce que toutes les victimes, sauf une, n'aient pas été tuées. Venait ensuite la reconstitution d'un après-midi, dans le moindre détail.

Il baissa les paupières pour mieux visualiser la scène.

La vieille maison des Egram était perchée près de la nationale qui se prolongeait loin de part et d'autre de l'Illinois. Certains l'appelaient la Grande Route de l'Amérique. Les contours de la bâtisse n'étaient pas d'aplomb : le porche s'affaissait et ses poutres penchaient vers l'avant, infime avertissement aux visiteurs qui osaient pénétrer le jardin. La vue était à moitié bouchée par une camionnette garée dans l'allée. Sur un flanc, le propriétaire avait peint le nom de son entreprise en grosses lettres maladroites : *Petits et longs trajets* – un business qui ne rapportait pas grand-chose.

La police n'avait jamais attendu de demande de rançon.

Il imagina l'aîné des enfants Egram sur la pelouse. La plus jeune était déjà morte et enterrée ce jour-là.

Paul Magritte rouvrit les yeux. Il avait les doigts crispés sur une petite bourse en velours, sanctuaire d'os minuscules, juste une main, celle de Marie Egram, cinq ans. Elle avait été la première à mourir.

CHAPITRE XII

Miam ! Une tarte aux myrtilles. Riker planta sa fourchette dans la pâte feuilletée encore tiède.

Charles avait terminé son traditionnel repas de civil : viande, légumes et pas de sucreries. Qui pouvait s'alimenter de la sorte ? Désormais pendu au téléphone, il était en train de perdre sa guerre contre les technologies modernes.

— J'ai une nouvelle théorie sur le meurtrier, annonça-t-il à Kronewald. À mon avis, ce type...

— Ou cette nana, intervint Riker.

Charles couvrit un instant le micro du portable :

— Non, j'ai abandonné cette idée.

Il reprit sa conversation avec Chicago. Il dut se répéter, signe que Kronewald lui avait aussi rappelé sa première hypothèse.

— Oui, je sais, mais je viens d'apprendre qu'il tue les enfants à l'endroit où il les trouve. Il serait plus logique de les kidnapper en vitesse et de les emmener à l'abri des regards. Il ne veut pas les manipuler tant qu'ils sont encore en vie, mais les cadavres ne lui posent aucun problème. Ce que je considérais comme de la timidité, des réticences à avoir un contact physique avec sa victime adulte… Oh, je vois… Oui… Merci.

Il raccrocha, rendit son portable à Riker et souffla :

— Mallory avait déjà pensé à la phobie.

— Elle est douée, non ? sourit-il. Barrée ou pas, c'est quand même un sacré flic.

— Désolé. Elle n'a sûrement jamais douté que l'assassin était un homme.

— J'imagine. Donc notre tordu est phobique. Quand je t'ai confié mon appréhension de l'avion, tu m'as répondu qu'il existait des traitements pour remédier à ce type de blocage.

— Oui, je suggérerais une…

— Et le tueur en série ? Sa phobie à lui ?

— Est-ce qu'on peut la guérir ? Si elle est diagnostiquée assez tôt et qu'on la combat par un cocktail de médicaments et de séances de thérapie, il y a une chance.

— Supposons qu'il se soit soigné. Ses massacres à la chaîne indiqueraient une récidive. Dans sa jeunesse, il a peut-être rencontré le bon médecin. Crois-tu qu'il aurait pu avoir un enfant ?

Il suffisait de regarder les prunelles de Charles pour le voir établir des connexions à la vitesse de la lumière. En fait, on parlait de l'enfant de Cassandra : Mallory. Riker comprit que son scénario tenait debout. Les yeux désolés du Dr Butler en disaient long.

L'attention de l'inspecteur se posa sur une mère qui évitait les caméras et se cachait derrière le long voile de ses cheveux. Au sein du groupe, son comportement semblait bizarre. Soudain, un caméraman s'avança et braqua l'objectif sur elle, ce dont rêvait chaque parent de la caravane.

Elle se leva de table et partit aux toilettes. Pour s'y terrer ?

Riker sortit un calepin et griffonna quelques mots sur sa liste de suspects, où il avait remplacé le nom de Darwinia Sohlo par sa véritable identité. Il ajouta une étoile en marge, sa méthode personnelle de marquage des meurtriers potentiels. Il se redressa quand Dale Berman franchit la porte du restaurant en compagnie du profileur rouquin.

— Maintenant que vous avez un peu bavardé, que penses-tu de Cadwaller ?

— Je ne sais pas trop, sourit Charles, ravi de changer de sujet. Pour un membre de l'Unité scientifique des comportements, il me paraît étonnamment ignorant.

Le Papa de Jill passa devant eux. Son bol d'eau était destiné au loup, mais Riker trouva cet homme léthargique soudain beaucoup trop pressé. Il délaissa donc sa tarte aux myrtilles et le suivit dehors. Nahlman était postée près de sa voiture. Il n'eut qu'à lever l'index pour l'avertir d'un truc pas clair et, tandis qu'elle acquiesçait en silence, il se dirigea vers le pick-up.

Le bol d'eau était renversé par terre, près du pneu avant. Le Papa de Jill avait ouvert la portière passager et, par sa chaîne, tiré le loup hors de la cabine. Pour la première fois, il exprima une émotion – un étonnement coupable – quand il se retourna et vit un revolver braqué sur l'animal.

— On avait un accord, grogna Riker. Interdiction de balader votre caniche sans surveillance.

— Ça ne se reproduira plus.

— Allons faire un tour.

Riker ramassa le bol vide et fixa la bête :

— Il doit avoir soif. J'ai vu une fontaine au bas de la route.

Le loup ouvrit la marche vers le parc à bisons et Riker suivit le Papa de Jill dans l'espoir d'en terminer vite. Il était temps d'agir. Toutes les réponses à ses questions ne valaient pas le coup d'attendre. Le plus grand risque ? Tuer l'animal devant son maître.

— Elle se trouve juste derrière l'enclos, annonça-t-il, conscient qu'il n'y avait aucune fontaine là-bas.

Comme prévu, le loup s'arrêta devant les barrières, son regard bleu et glacial rivé sur un jeune bison. Pressés de se dorer au soleil de l'autre côté de la prairie, ses vingt congénères adultes avaient abandonné le bébé du troupeau. Seul le loup adorait le bisonneau. Mâchoires grandes ouvertes, il salivait d'amour, avide et impatient de l'attraper, et se dressait sur ses pattes arrière, comme s'il pouvait arracher la barrière métallique avec ses griffes. Le Papa de Jill tira sur la chaîne pour l'obliger à se remettre à quatre pattes et l'éloigner de l'enclos. L'animal s'étrangla : il résistait et, soudain, il se retourna contre son maître. Babines retroussées, il s'accroupit et lui bondit dessus.

Riker ne tira qu'une fois. Deux détonations retentirent. Le loup s'effondra, raide mort.

— Désolé, mon vieux, lâcha-t-il, même s'il n'était responsable que du coup de feu en pleine poitrine.

La balle qui avait emporté un œil bleu était celle qui avait abattu le loup. Riker se tourna vers Nahlman, qui, venue en renfort, rangeait son revolver. Derrière elle, une flopée de fédéraux armés jusqu'aux dents accoururent, prêts à tirer. Dale Berman donnait les ordres... depuis l'arrière.

Riker posa son gros calibre et leva les mains en criant :

— Du calme ! L'animal est devenu un peu dingue. Point barre.

Surpris qu'aucun journaliste n'ait encore débarqué, il se demanda si les détonations avaient couvert le brouhaha des chacals qui se goinfraient au buffet du restaurant.

Berman se porta en tête de meute et écarta ses agents, qui, ne lui servant plus de bouclier humain, lui bloquaient désormais le passage. Il foudroya Nahlman du regard et lui montra le grand échalas au regard effaré :

— Dites-moi que vous n'avez pas abattu le chien de ce pauvre monsieur.

— Elle lui a sauvé la vie ! s'emporta Riker.

Pourquoi la bonne nouvelle semblait-elle décevoir l'émissaire du FBI ?

Berman tourna les talons et ramena sa petite troupe au restaurant. De son côté, le Papa de Jill s'écroula à terre, pauvre tas de bâtons décharnés pliés au niveau des coudes et des genoux.

— Il n'a même pas su qui j'étais.

Nahlman s'accroupit près de lui :

— Moi non plus, je ne vous avais pas reconnu, M. Hastings. La dernière fois qu'on s'est vus, vous n'aviez pas de barbe et je crois que vous portiez un costume-cravate.

— Un costume flambant neuf. Acheté pour l'enterrement.

Les yeux embués de larmes, il dodelina de la tête.

— Ce n'était pas juste ! Tous les documents étaient en règle.

Il prit son portefeuille dans la poche de son pantalon et en sortit un bout de papier, qu'il tendit à Riker.

— C'est l'autorisation de ramener le corps de Jill par avion. Ma femme et moi, on avait acheté l'emplacement au cimetière et le cercueil, la pierre tombale était commandée, la cérémonie était organisée, mais ce salaud a refusé de nous rendre notre bébé. Ma femme attend toujours que je la ramène à la maison, murmura-t-il avant de se tourner vers Nahlman. Ce sont des gens comme vous qui nous rendent cinglés.

Riker devina la fin de l'histoire. Manifestement, la petite Jill Hastings avait été enterrée deux fois. Après avoir exhumé son corps, les fédéraux l'avaient ensevelie sous un déluge de paperasse administrative. Il se pencha vers Hastings et découvrit l'origine de la bosse suspecte dans sa poche : il ne s'agissait pas d'un revolver mais d'un flacon de ketchup. Sauf qu'il sentait le bacon. Riker dirigea l'embout vers le sol et appuya sur la bouteille en plastique :

— De la graisse de bacon ?

Malgré son plan bourré de défauts, ultrarisqué et totalement dingue, force était d'admirer l'ingéniosité de George Hastings. Asperger un agent fédéral de graisse de bacon était un acte criminel dans le seul microcosme des teinturiers, mais une mort brutale sous les crocs d'un loup affamé. Il avait trouvé là un moyen très original d'attirer l'attention. À moins qu'il n'ait jamais eu l'intention d'échapper à son châtiment ? Riker comprit que M. Hastings était à deux doigts de tout avouer et une tentative de meurtre sur agent fédéral était passible de cinq ans de prison.

— Hé, Nahlman ? Pas besoin d'en savoir plus, lâcha-t-il, comme si elle avait mieux à faire.

Comme si elle ignorait ce qui allait arriver.

D'un signe de tête, elle accepta de jouer un rôle dans un futur crime, une conspiration du silence, et repartit seule vers la colline.

Riker fixa l'unique œil bleu du loup mort :

— Superbe plan. Si vous tenez votre langue, au pire, vous écoperez d'une amende.

Il donna un petit coup de pied à l'animal.

— Aucune plaque d'identification, reprit-il d'une voix plus douce. Vous visiez Dale Berman, n'est-ce pas ?

Le Papa de Jill hocha la tête :

— Si ça ne vous dérange pas, j'aimerais annoncer la nouvelle à ma femme avant que vous m'arrêtiez.

D'un geste, Riker repoussa l'idée :

— Oh, non. L'imbécile ! J'ai oublié de vous lire vos droits.

Il s'accroupit pour mieux voir les yeux de son interlocuteur.

— Je vous propose un marché, George. Vous oubliez Berman et je retrouve le corps de votre fille. Je vous renvoie Jill à la maison.

Une heure plus tard, le loup – la preuve – fut enterré sous les hauts pins. Riker ferma le pick-up à clé, donna une tape sur un véhicule de patrouille et envoya George Hastings en résidence surveillée, le temps qu'ils attrapent un tueur en série. Il avait beau apprécier le Papa de Jill, il ne croyait pas les fous capables de tenir leurs promesses.

La caravane s'ébranlait. Il se glissa à l'avant de la Mercedes et Charles, au volant, lui demanda :

— Quand vas-tu annoncer à Mallory le suicide de Savannah Sirus ?

— Je ne trouve jamais le bon moment. Ce matin, je lui ai appris la mort d'April Waylon. Elle était déjà au courant et le prenait plutôt mal. Je pense qu'elle m'en veut et elle a raison. April a échappé à ma surveillance.

« Je crois en la voiture, écrivait Peyton Hale. Mets-la en pièces détachées et étale celles-ci sur le sol d'un garage. Supposons que personne n'ait jamais vu de voiture entière. Que ferait-on de tous ces morceaux ? Certains se raccrocheraient à la batterie : ça, ils connaissent et ils savent qu'elle pourra alimenter leurs lampes électriques. Les adeptes de l'accumulateur n'ont aucune idée de ce qu'est une automobile : ils ont vu la lumière mais restent dans le noir. D'autres prendraient les pneus, les lanceraient du haut d'une colline… et les perdraient aussi vite. Ils se concentrent juste sur la capacité du pneu à aller quelque part sans eux. Les ailes et le capot, toutes les pièces métalliques extérieures, sont réservées aux incroyants : ils devinent comment les différentes parties s'emboîtent mais n'y voient qu'une coquille vide. Inutile, diront-ils.

« Bénis sont ceux qui considèrent la voiture dans son ensemble, car ils regardent la route devant eux au lieu de rester focalisés sur un tas de cochonneries au fond d'un garage. »

Trop distraite pour en lire davantage, Mallory rangea la lettre au fond de son sac, puis elle remit le contact et reprit la bonne vieille Route 66.

Depuis quelque temps, la regrettée April Waylon voyageait à ses côtés. Il lui manquait une main, mais elle n'avait rien perdu de son entrain :

— C'est une belle journée. Vous devriez porter vos lunettes de soleil, très chère.

Sauf que Mallory les avait égarées. Ce matin-là, au départ du motel, elle les avait posées avec ses clés de voiture sur le bureau de la réception. C'était la dernière fois qu'elle se rappelait les avoir vues avant de les perdre. Comme son esprit.

Pendant que la voiture avalait les kilomètres, la défunte April continua à jacasser.

Clic clac.

Au loin, la décapotable Volkswagen n'était plus qu'un petit point argenté dans l'œil sombre d'un Polaroïd. Le photographe tenait des lunettes de soleil sport à monture dorée. Il y passa sa langue, comme s'il était possible de goûter Mallory en léchant ses verres. Puis il replia les lunettes et les rangea dans la boîte à gants, où elles rejoignirent le butin dérobé à la jeune inspectrice :

une brochure sur des grottes, un stylo et une serviette en papier. Petit à petit, chaque pièce qu'il lui dérobait contribuait à élaborer son plan à long terme.

Des kilomètres et des heures avant la caravane, Mallory entra au Texas. Elle s'arrêta dans la petite ville de Shamrock, où elle effectua sa visite réglementaire au U-Drop Inn mais, vu l'heure matinale, le café n'était pas encore ouvert. Elle resta juste le temps de cocher la case correspondant sur sa liste de sites incontournables. Elle nourrissait de plus grands espoirs à l'égard de la halte suivante.

Continuant vers l'ouest, elle suivit les instructions de la carte vers un bout de champ, puis quitta la route et se gara sur une morne prairie texane – « avec une vue sur le bout du monde ». Elle descendit de voiture et marcha vers l'horizon. Elle avait laissé tout signe de vie derrière elle, hors de vue.

Et elle attendit.

« Il n'existe qu'une seule manière de voir l'Amérique, écrivait Peyton Hale. Oublier l'avion ou le train. Pour sentir la terre sous ses pieds. Être seul et courir le risque de perdre son chemin. Oh, l'immensité de la contrée peut mettre un homme à genoux. Vaste étendue ouverte, cette prairie a ce genre de pouvoir. C'est l'impression débordante de vide qu'on ressent. Quelques pas hors de la route et on se perd – on change. »

Sans tomber à genoux, ni changer d'un iota, Mallory revint à sa voiture, ouvrit son carnet et cocha une déception de plus.

Ce n'était pas la faute de Peyton.

La jeune femme connaissait bien le sentiment de vide.

Au bout de quelques kilomètres, elle convoqua un passager. Il y avait parfois tant de fantômes à l'intérieur de la décapotable qu'elle avait du mal à respirer. Cette fois-ci, la victime de meurtre fut obligée de voyager sur la banquette arrière. Mallory n'arrivait pas à lâcher April Waylon mais, morte ou vive, cette fille-là l'agaçait toujours autant.

La mère fraîchement assassinée croisa son regard dans le rétroviseur et se pencha en souriant :

— Ce n'était pas votre faute, vous savez. Enfin… mon meurtre. On ne peut pas attendre de vous que vous sauviez indéfiniment la vie des gens.

Soudain, l'esprit de Mallory fit apparaître une portière à l'arrière de la décapotable. Elle s'ouvrit d'un seul coup et April fut éjectée de la voiture.

La jeune inspectrice ressuscita ensuite sa mère adoptive, Helen Markowitz, qu'elle installa à côté d'elle. Elle lui redonna les charmantes rondeurs que le cancer lui avait volées des années auparavant.

Douce Helen, ne me quitte jamais.

— Kathy ! Regarde-moi ce bazar.

La défunte contemplait les canettes de soda vides et les facturettes chiffonnées qui jonchaient le tapis de sol. Helen ne se moquait pas. Elle avait toujours été la plus gentille et la plus soignée des femmes. Tout ce que Mallory savait sur les détergents et les acariens, elle le tenait de cette extraordinaire fée du logis. En revanche, elle avait poussé l'exigence à l'extrême et ne supportait plus le moindre objet dérangé, la moindre saleté, le moindre…

Perplexe, Helen toisa le monceau de gobelets vides :

— Quelque chose ne va pas. Ça ne te ressemble pas, Kathy.

Diplomate, elle ne dit rien sur la poussière du tableau de bord mais Mallory, elle, l'avait remarquée et elle répertoria en silence les autres signes de malaise : un ongle abîmé, un pare-brise maculé d'insectes et un miroir où se reflétait un regard embué de larmes.

Pourtant, son visage restait sec. C'étaient peut-être les yeux verts de son père – et ses larmes à lui.

À la dernière halte en Oklahoma, quand tous les membres du convoi et les journalistes furent rassasiés, Riker répéta ses instructions aux parents qui venaient d'arriver. Le parking était bondé.

— Faites le plein d'essence et ne laissez jamais votre véhicule sans surveillance !

Le FBI et la police locale n'avaient pas ébruité l'histoire des mutilations – les mains droites tranchées – mais la presse avait découvert l'identité des parents assassinés. Le Dr Magritte reçut ensuite l'autorisation d'inviter ses ouailles à respecter une minute de silence en l'honneur des victimes de la Route 66, mais ce moment de prière ne fut guère marqué par une immobilité révérencieuse : des fourmis dans les jambes, tout le monde trépignait, avait envie de lever le camp… et souriait.

Riker comprit pourquoi. Une mère avait été tuée la veille mais, eux, ils étaient toujours en vie. Forts de l'image des meurtres qu'ils voyaient à la télévision, ils croyaient que tout irait bien s'ils suivaient le manuel du bon campeur pour traverser une route génératrice de mort brutale.

Charles Butler, qui sirotait son café, avait manifestement lu dans les pensées de son ami :

— Il vaudrait peut-être mieux ne pas donner de règles. Le voyage en devient presque facile, comme s'ils étaient en excursion scolaire.

— J'aimerais les éloigner de la route, mais la loi est contre moi. Les fédéraux veulent que les parents restent ici.

— En tant qu'appâts ?

— Oui mais, même si je le leur annonçais en face, ils

refuseraient de partir. À chaque mort, ils pensent se rapprocher un peu plus de leurs enfants. Et ils ont raison. Cruel, non ?

Mallory fonçait à vitesse grand V et, à fond sur l'autoradio, les Who chantaient *Won't get fooled again*.

Était-ce celle-là ?

À New York, elle avait demandé :

— Quelle était la chanson préférée de mon père ?

Refusant d'admettre son ignorance, Savannah avait répondu :

— Il y en avait tellement.

Mallory avait donc décidé d'attendre jusqu'à ce qu'une vérité éclate, puis une autre. Son ennemie s'était affaiblie de jour en jour.

Le fantôme Savannah Sirus ne viendrait jamais faire un tour à bord de sa voiture.

Jamais... elle... n'oserait.

Mallory rallia l'ancienne route et entra dans une petite ville texane, berceau du très cher cinéma Avalon de Peyton Hale. À l'époque de la lettre, l'affaire était florissante mais, depuis, l'établissement avait fermé. Les affiches de films s'étaient décollées, les portes étaient cadenassées et la vitre du guichet était fendue. Un écriteau insistait sur le caractère historique de l'endroit. Comme la décapotable argentée était l'unique voiture de la rue, Mallory avait le parking à elle toute seule. En chemin, elle avait traversé d'autres villes désertes, mais celle-là comptait quand même quelques habitants. Certaines vitrines étaient garnies et un musée municipal indiquait des horaires d'ouverture.

La petite cité résistait.

Mallory cocha le vieux cinéma sur sa liste mais, cette fois-ci, sans éprouver de sentiment d'échec. Elle avait compris que ce genre de repère était « comme le signet d'un souvenir ».

En aval, elle trouva la vieille station-service Phillips 66, minuscule bâtisse en brique qui n'avait été restaurée qu'en apparence : on n'y vendait plus une seule goutte d'essence. Quelques mètres plus loin : une portion de route idéale pour y enterrer un corps, des policiers très occupés à creuser. En matière de tombes d'enfants, le schéma logique de Kronewald continuait à fonctionner au Texas.

Mallory ne s'arrêta pas devant le chantier de fouilles. Qu'il s'agisse de sites géographiques ou de personnes physiques, elle avait eu son compte de morts pour la journée : elle avait débarrassé sa voiture des fantômes et en avait terminé avec la Grande Faucheuse. Elle rejoignit la nouvelle section d'autoroute qui avait remplacé la vieille Route 66 et appuya sur le champignon. Le rythme de la musique s'accéléra, devenant presque frénétique.

« Le rock'n roll symbolisait la fin de l'enfance, expliquait Peyton Hale. J'avais la musique vissée au crâne et mes orteils battaient des mesures que j'étais le seul à entendre. Les chiens n'étaient plus si pressés de venir me lécher la main. Les pères me voyaient arriver à des kilomètres. Quant à leurs filles, elles me trouvaient dangereux et j'adorais ça. Moments de jeunesse, moments criminels. La route et la musique… J'avais juste seize ans. Maintenant que je suis devenu un vieillard de vingt-cinq ans, ma route disparaît à mesure que j'écris, à mesure que je roule. »

Mallory emprunta la sortie suivante et rebroussa chemin vers les policiers fouineurs de tombes, sans trop savoir pourquoi. Elle avait remboursé sa dette envers Kronewald. Sans doute parce qu'April Waylon s'était réinvitée à bord, les yeux écarquillés, en quête du moindre indice susceptible de localiser son enfant perdu.

Peut-être avait-elle enfin trouvé une piste.

Tandis que le convoi passait de l'Oklahoma au Texas, Riker se pencha vers l'autoradio et coupa court aux élucubrations d'un évangéliste survolté :

— Ça suffit, assez de couleur locale. Tu pourras parler à Joe Finn quand on s'arrêtera pour la nuit ?

— Inutile, répondit Charles. Il ne quittera pas la route. M. Finn n'est pas différent des autres parents.

— Au contraire.

Riker avait eu sa dose de scoops.

— Sa fille Ariel est enterrée dans un cimetière du Kansas et il doit savoir qu'il s'agit de son corps. Je ne gobe pas ces conneries de déni. J'ai déjà connu la situation. Ça ne dure pas un an – mais seulement quelques petites minutes en général. Les parents secouent la tête, comme si on était cinglé. Comment leur enfant pourrait-il être mort ? « Non, vous vous êtes trompé, abruti de flic. » Puis ils fondent en larmes. Joe, lui, n'a même pas voulu voir la dépouille. Je crois qu'il cherche à se venger. Sans doute pense-t-il trouver le meurtrier avant nous.

— Il n'entraînerait pas deux jeunes enfants dans une mission pareille.

— Tu as raison. C'est du délire.

Riker se tourna vers sa vitrine, convaincu que les pères d'enfants assassinés n'étaient pas des individus très stables.

Au bout de quinze kilomètres de prairies texanes, Charles brisa le silence :

— La culpabilité va toujours de pair avec un décès dans la famille. Toujours. Les gens se rappellent les derniers jours, se demandent ce qu'ils auraient changé si on leur avait donné une seconde chance et, bien sûr, le pouvoir surnaturel de lire l'avenir. On ne peut pas les guérir à grands coups de raisonnements logiques. *Idem* quand un enfant disparaît. Voilà pourquoi les parents sont incapables de quitter la route. Ils seraient rongés de culpabilité s'ils ne faisaient pas l'impossible pour ramener leur progéniture à la maison.

— Ou ils mouraient en essayant.

— Ça n'entre pas dans l'équation. Tu as sûrement remarqué que la plupart des familles sont monoparentales. Ils ont connu le divorce. J'ai même entendu parler d'un suicide. Sans compter l'alcoolisme et la dépression. Je sais comment tu as repéré les espions du FBI. Ils jouaient au couple marié et heureux en ménage.

— Ces taupes ne sont même pas fichues de surveiller la petite.

— Désolé. Parfois, j'oublie que Mallory n'est pas une championne de la communication. Je croyais que tu étais au courant. Les fédéraux ne surveillent pas Dodie. L'autre jour, quand elle a disparu sous la table et que Peter hurlait son nom, ils se sont aussitôt focalisés sur Magritte. Il constitue leur unique préoccupation. Normal ! Je suis certain que tu soupçonnais le meurtrier d'appartenir à son groupe de thérapie. Les assassins s'immiscent parfois dans…

— Oh, merde ! Voilà pourquoi Dale a monté sa combine contre Joe Finn. Il peignait une cible sur Dodie. Il éloigne ainsi le feu de son meilleur témoin : Magritte.

Témoin ? Ou suspect ?

Le portable de Riker sonna : les taupes avaient perdu Monsieur Logique et Berman refusait d'envoyer une équipe à sa recherche. Horace Kayhill ne faisait pas partie des parents : donc, aucune raison pour que le FBI intervienne.

— On peut donc se passer de lui ?… Oui, *bien sûr*…

« Je suis désolé », ça ne marche pas avec moi, fiston…
Non, dites au crétin qui dirige l'enquête…

Tuut-tuut-tuut.

Saletés d'espions !

Aussitôt, Riker contacta Berman :

— Allô, Dale ?… Oui, c'est au sujet de Kayhill…
Non, vous allez envoyer une équipe… Pourquoi ? Eh
bien, si ce gringalet ne figure pas sur votre liste de suspects, vous êtes le dernier des cons.

Après quelques secondes à écouter la réponse, il
raccrocha et rangea son téléphone dans sa poche de
chemise.

— Ils vont essayer de le retrouver.

— Bien joué, apprécia Charles. Je sais à quel point tu
méprises l'agent Berman, mais tu l'appelles toujours par
son prénom, comme un vieil ami.

Il haussa ensuite les sourcils puis les épaules, l'air de
dire : *Je suis juste curieux, je ne veux pas me mêler de
ce qui ne me regarde pas.*

La Lincoln du Dr Paul Magritte suivait la Mercedes
quand il vit Riker se retourner vers la banquette arrière.
Le médecin freina, se laissa distancer de quelques
mètres et jeta un dernier coup d'œil à la photo floue
d'April Waylon. Le sang coulait encore de sa gorge
tranchée. C'était un visage empreint de terreur. Pas tout
à fait mort. Le conducteur se reconcentra sur la voiture
qui le précédait. Riker l'observait toujours.

La culpabilité sembla inspirer à Magritte l'idée folle
et dérangeante que les yeux de l'inspecteur pouvaient
traverser plusieurs voitures, prendre un virage et plonger vers les recoins les plus sombres. Même si Riker ne
distinguait pas la photo que le vieil homme avait dans la
main, le praticien la fit rapidement disparaître au milieu
des cartes routières posées sur le tableau de bord.

CHAPITRE XIII

Riker était ravi d'entendre la voix de Mallory. Apparemment, dans un moment d'égarement, elle avait oublié d'éteindre son portable.

Tandis que les prairies du Texas défilaient derrière la vitre, il lui raconta l'histoire du loup mort et du complot avorté pour éliminer Berman. Malgré une brise coquine qui agitait sa liasse de feuilles, il lui lut des extraits de la correspondance entre le gouvernement américain et George Hastings :

— Dale a trouvé le cadavre de l'enfant, mais il a refusé de le remettre à la famille afin qu'il soit enterré. Les mois ont passé. Lassé de réclamer le corps de Jill, Hastings a décidé d'en référer aux supérieurs de Dale et il a carrément écrit à Washington. J'ai des copies de tous les documents. Il n'a reçu que des réponses types, mais devine d'où elles venaient ?

Silence au bout du fil. Mallory n'aimait pas les devinettes. Il lui donna un gros indice :

— Du directeur adjoint des enquêtes criminelles.

— Harry Mars. Il ne peut pas cautionner un tel cirque.

— Non, en effet, et je vais te dire comment je le sais.

302

Son bureau a envoyé un paquet de courriers bateau. Un vrai catalogue ! À mon avis, le FBI ignore où Dale planque les corps des gosses. Intéressant, non ? En revanche, j'ai appris qu'il en déterrait depuis presque un an.

— Très bien. On cherche donc une morgue de fortune dans la zone de prédilection de Dale, près d'un bureau du Texas. Comme les dépouilles ne sont pas toutes retrouvées à l'état de squelette, il lui faut un endroit réfrigéré. Procure-toi le décompte des victimes sur les plans d'Horace Kayhill.

— Impossible. Monsieur Logique s'est fait la belle. J'ai envoyé une équipe de fédéraux et de flics à ses trousses. J'ai même réquisitionné un hélico de journalistes. Sans résultat. Par chance, le battage médiatique risque d'effrayer le meurtrier jusqu'à ce qu'on retrouve Horace.

— Non, il adore. Imagine la décharge d'adrénaline !

Riker en était incapable mais, question sociopathes, il faisait confiance à Mallory.

— Le FBI a enfin vérifié les plaques d'immatriculation. Un des parents, Darwinia Sohlo…

— Elle s'est inscrite sous un faux nom.

La communication s'interrompit. Inutile de rappeler. Le portable de Mallory ne fonctionnait que dans un sens – à la convenance exclusive de la jeune femme.

Riker n'avait pas envie de confier aux taupes la vie d'autres personnes. Il demanda à Charles de changer de voie et de se déporter en queue d'un cortège qui s'étirait sur près de deux kilomètres. Il chercha les panneaux de sortie et les éventuelles défections vers la Route 66, mais tous les parents semblaient contents de rouler sur l'A40, vers leur prochain entretien avec la presse.

À la radio, le présentateur donnait des informations de circulation sur le convoi :

« ... il est donc conseillé d'éviter cette portion de l'autoroute. D'après notre hélicoptère, deux cent soixante-quinze véhicules y roulent à une vitesse inférieure à celle autorisée. »

Bel euphémisme !

Le compteur de la Mercedes n'affichait que soixante-dix kilomètres-heure et l'aiguille baissait à vue d'œil. La caravane avait envahi le bitume, mais les mises en garde routières n'avaient pas découragé les habitants du coin. Des tas de gens, jeunes et vieux, s'étaient garés sur l'herbe des talus et, paniers de pique-nique ou bébés dans les bras, ils faisaient signe aux parents qui passaient. Certains brandissaient des pancartes « Bonne chance ! » ou « Dieu vous garde ! » en lettres capitales que même Riker déchiffrait sans lunettes. Comme il n'était pas myope, il vit aussi décoller le premier avion en papier. Un grand gaillard texan, venu en famille, l'attrapa au vol. Tandis que la Mercedes continuait sa route, il déplia l'avion : il s'agissait du portrait d'un enfant disparu.

L'hélicoptère des journalistes relaya l'information auprès du présentateur radio quand d'autres projectiles en papier surgirent. Bientôt, des escadrons entiers s'envolèrent des véhicules de la caravane. Il y en avait tellement que le reporter parla d'un essaim. Certains montèrent vers le ciel, d'autres furent capturés par des mains tendues et des enfants qui les pourchassaient.

Petites coques de noix chargées d'immenses espoirs.

Entre autres numéros de portable très convoités, Mallory avait celui de Harry Mars, mais elle tomba sur le répondeur. Comme elle voulait exploiter le nom d'un bon flic (pas le sien), elle laissa le message suivant :

— C'est la fille de Markowitz.

Son estomac se noua de culpabilité, pour la énième

fois depuis son départ de New York. De temps en temps, elle avait l'impression de trahir l'homme qui l'avait élevée depuis l'âge de dix ans. Grâce à la musique, elle pensait à lui, encore et encore, tout le long du chemin.

La musique était l'unique point commun entre ses deux pères. Louis Markowitz n'avait jamais été jeune – sauf tard le soir, après le dîner, quand il poussait à fond le volume de la stéréo et qu'il lui apprenait à danser le rock. Sa femme, la douce Helen, l'avait surnommé « l'excité du pas de deux ». Ils roulaient le tapis du salon et elle virevoltait entre ses bras. Ces folles nuits passées à se trémousser faisaient d'ailleurs partie des meilleurs souvenirs de Mallory.

Lou Markowitz ne vivait que pour la danse.

Peyton Hale ne vivait que pour conduire. Cassandra avait raconté à sa fille ce détail éclairant sur son père biologique, mais pas grand-chose d'autre. À moins que… ? Mallory avait six ans et demi à la mort de sa mère. Combien de souvenirs avait-elle perdus ? Elle avait toujours connu le nom de son père et savait qu'elle lui devait ses splendides yeux verts, même si Cassandra n'avait conservé aucune photo : sans doute avait-elle voulu oublier leur douloureuse séparation.

Avant la visite de Savannah Sirus, Mallory ignorait tout du chagrin de sa mère. Une souffrance chaque jour renouvelée quand la jeune Kathy sautait sur le lit et la réveillait avec les grands yeux verts de Peyton.

Nouvelle boule à l'estomac.

Son portable sonna.

Le parking du restaurant ne pouvait pas accueillir tous les véhicules. Arrivés les premiers, journalistes et fédéraux avaient investi la plupart des places disponibles. Quand Riker descendit de la Mercedes pour réguler la circulation, Charles le regarda dénouer l'imbroglio de voitures, inciter les parents à se garer sur les terrains voisins et crier ses instructions afin qu'ils forment de belles rangées.

— Faites semblant ! Comme si vous étiez au centre commercial !

En quête de sa propre place de parking, Charles contempla la meute de reporters. Soudain, une cacophonie de sonneries de portable retentit.

Et ce fut la débandade.

Tout le monde fonça vers sa voiture. Un petit bataillon d'hélicoptères souleva la poussière du terrain, fit ronfler les moteurs et décolla. Les fédéraux sortirent du restaurant en courant et se précipitèrent au volant. On entendit le claquement malsain d'une aile sur une autre, tandis que berlines et camionnettes engorgeaient l'étroit chemin qui les ramenait à l'autoroute.

Charles pouvait désormais choisir sa place de parking et il se gara à l'entrée du restaurant. Une agréable surprise l'attendait à l'intérieur : il n'y avait plus la queue au comptoir. Pendant qu'il commandait à manger pour deux, son ami Riker trouva une table près de la fenêtre. Les parents entraient encore en file indienne, mais sans les fédéraux. Sur le parking presque désert, le Dr Magritte était escorté par les deux espions du FBI, seuls agents restés à leur poste.

Bizarre.

Que risquait-il d'arriver ? On était en plein jour. Le convoi ne courait aucun danger. Pourtant, un sentiment d'abandon envahit la salle de restaurant. L'exode du FBI et des médias avait beau être terminé, tous les yeux restaient rivés sur le parking.

Portable collé à l'oreille, Riker pianota sur la table, signe qu'on le faisait attendre.

— Je suis toujours là, petit salaud.

Il devait parler à Kronewald.

Riker griffonna quelques mots sur une serviette en papier et raccrocha.

— À ton avis, où sont allés tous ces fédéraux et ces journalistes ? demanda Charles.

— À une quinzaine de kilomètres en aval.

L'inspecteur rangea son téléphone.

Charles posa le plateau de hamburgers, puis jeta un nouveau coup d'œil dehors :

— Je ne peux pas m'empêcher de remarquer qu'ils sont partis dans des directions différentes.

— Ouaip ! Kronewald m'a dit qu'à l'est les flics fouillaient un coin de parking. À l'ouest, une tombe a été découverte en face d'une maison de retraite. La plupart des fédéraux seront bientôt de retour. Les journalistes, non. Déterrer de petits os, c'est le top pour les infos du soir. Deux sépultures, ça n'attend pas. Beaucoup plus divertissant que des parents qui appellent à l'aide en brandissant leurs posters.

— Encore un coup de Mallory ?

— Non, cette fois, on le doit à la police de Chicago. Ils ont un nouveau jouet, le profilage géographique, et ils indiquent l'emplacement des tombes à leurs collègues de la région. Maintenant, le FBI fait la course avec les flics. Les forces de police de huit États en réfèrent direct à Kronewald. Ce petit salaud est au sommet de la gloire. Il a fini par remporter la guerre : c'est lui qui dirige les opérations. Il m'a aussi dit que le soleil se levait et se couchait sur Kathy Mallory. La gamine sait vraiment renflouer la Banque des Services.

Alors qu'ils contemplaient le parking presque vide, une voiture du FBI revint se garer. Cadwaller en sortit et décrocha sa veste du cintre pendu à l'arrière. Il s'approcha de la vitrine du restaurant et se servit du reflet pour lisser ses cheveux roux. Il ne semblait pas gêné de se pomponner à quelques centimètres des deux hommes.

— Un cintre, lâcha Riker, dont la propre veste était roulée en boule au fond de son sac. Pas un simple crochet mais un cintre.

Voilà qui avait de quoi éveiller les soupçons.

— Et vise un peu sa bagnole. Tu as vu les gouttelettes d'eau sur le coffre ? On découvre des scènes de crime de chaque côté de la route et, lui, il s'arrête à une station de lavage.

Charles acquiesça. Peut-être s'agissait-il d'une maniaquerie excessive. Même Mallory avait laissé la poussière et la boue s'accumuler sur sa voiture, sans parler des moustiques écrasés sur le pare-brise.

Cadwaller se retourna vers les dix pauvres véhicules perdus sur l'immense parking de cent places. Il vit ensuite la New Beetle de Mallory arriver puis, écœuré par la saleté du pare-brise de la jeune femme, il prit un porte-documents sur le siège avant de sa propre berline.

Ravi, Riker observa la décapotable argentée :

— Ah ! La championne des obsédés de la propreté vient de débarquer.

Déjà focalisée sur Cadwaller, Mallory descendit lentement de voiture.

— Et maintenant, enchaîna-t-il sur un ton de commentateur sportif, elle a repéré son adversaire. C'est un affrontement au sommet ! Elle vient de s'apercevoir que sa voiture à lui était plus propre que la sienne.

Cadwaller redressa son impeccable nœud de cravate et se dirigea vers le restaurant, sans se rendre compte que Mallory marchait juste derrière lui, les yeux rivés sur sa nuque.

— Tu sais, Charles, elle adore la compétition ! se réjouit Riker.

L'agent fédéral, qui avait remarqué le duo, s'approcha d'eux :

— Je cherche Darwinia Sohlo.

— N'allez pas lui parler, intervint Mallory.

Il sursauta et fit volte-face. Riker sourit.

— J'ai reçu l'ordre de l'interroger, expliqua Cadwaller.

Mallory croisa les bras :

— Parce qu'elle voyage sous un faux nom ? Elle n'a rien à voir avec l'affaire. Vous le sauriez si vous preniez la peine de fouiller le passé des suspects.

Charles scruta la salle et, dans un coin, aperçut la discrète Darwinia Sohlo. Elle semblait un peu effrayée, mais rien d'inhabituel. Quand deux parents s'installèrent à sa table, ses épaules se voûtèrent et elle essaya de se faire plus petite.

Sans répondre à Mallory, Cadwaller s'adressa directement à Riker :

— Je n'ai pas l'intention de tirer sur Mme Sohlo. Je veux juste discuter. On m'a demandé de...

— Qui ça ? Dale ? Il vous a roulé, mon vieux. Il cherchait juste à vous occuper.

Devant la réaction de Cadwaller, Charles estima qu'il n'était pas surpris. Il balaya la foule du regard, se dirigea vers le Dr Magritte et, au terme d'une brève conversation, le vieil homme lui indiqua la table du fond. Cadwaller se redressa et avança vers Darwinia Sohlo à pas comptés. Tout portait à croire qu'il la considérait comme une criminelle.

Mallory se pencha vers son coéquipier :

— Il joue un rôle.

— Oui, on croirait que Darwinia planque une mitrailleuse.

Fidèle représentant de la loi, Cadwaller adopta un ton plein d'autorité et annonça d'une voix calme mais puissante :

— Miriam Rainard ? Suivez-moi, je vous prie.

Il indiqua la porte.

Charles se tourna vers Riker, qui répondit à sa question silencieuse :

— C'est son véritable nom mais, moi, je préfère son pseudonyme.

La prétendue Darwinia secoua lentement la tête en signe de crainte respectueuse et non de défiance. Cadwaller ne posa pas la main sur elle. Inutile. Charles voyait les ficelles invisibles qui, depuis longtemps, manipulaient le psychisme de cette femme. Pendant des années, elle avait été le jouet d'un tyran. Elle se leva de table, sans même réfléchir à l'ordre qu'on venait de lui donner. C'était une réaction machinale. Soudain, les ficelles se relâchèrent. Elle recula contre le mur et secoua de nouveau la tête, cette fois pour dire non : elle n'irait nulle part avec lui.

Charles s'adressa à Mallory :

— Tu sais ce qui se passe, j'imagine ?

— Oui. Sa chirurgie esthétique au rabais, c'est du boulot de réparation.

Bien sûr ! Un passé de femme battue expliquait parfaitement sa timidité vis-à-vis des caméras. En fuite, elle se cachait d'un mari abusif.

— Tout ce temps, elle vivait donc dans l'angoisse permanente d'être découverte ? raisonna Charles.

— Aujourd'hui, Darwinia ne sait plus quelle est sa priorité : rester en vie ou retrouver son enfant, expliqua Riker.

— Si vous ne la suspectez pas, vous devriez convaincre Cadwaller de la laisser tranquille.

Là, il avait gaspillé sa salive.

Mallory s'assit à côté de Riker pour assister au spectacle. Quant à Charles, il vit la résolution de Darwinia fondre comme neige au soleil. La pauvre femme se dirigea vers la sortie, talonnée par l'agent fédéral. Lorsqu'elle aperçut Mallory, la championne du boxeur, elle lui jeta un regard implorant, mais ce fut Riker qui vola à son secours. Il se planta devant le tandem et les empêcha de franchir la porte. *A priori*, l'intervention de l'inspecteur ne figurait pas sur le planning bien huilé du profileur. Il s'arrêta net et perdit toute autorité, tel un acteur ignorant la suite de son texte.

— Elle ne peut pas vous aider, Cadwaller. Contrairement à mon équipière et moi. Venez vous asseoir, on va vous raconter.

Riker s'adressa ensuite à Darwinia :

— Tout va bien. Allez terminer votre repas.

L'agent du FBI rejoignit Charles et les inspecteurs à leur table, puis il ouvrit un calepin, ignorant qu'il était en réalité devenu le sujet de l'interrogatoire. Charles, lui, s'en rendit compte quand il vit ses deux camarades afficher le même sourire et se pencher vers Cadwaller.

Pause-déjeuner.

— J'ai l'impression que vous ne connaissez pas bien votre patron, annonça Riker. Depuis quand êtes-vous aux ordres de Dale ?

— Trois mois.

— Pourtant, vous ne passez pas beaucoup de temps ensemble, renchérit Mallory. Il préfère vous laisser sur la route ? Loin de ses jeunes agents ? Ils ont tous été envoyés sur les scènes de crime alors que, vous, vous êtes là, en mission de pacotille.

Soudain, Cadwaller comprit. Ses joues pâles rosirent de honte, il sortit un crayon et fixa la page blanche de son carnet :

— Alors ? Qu'avez-vous à m'apprendre sur elle ?

— Il y a douze ans, son enfant a disparu, expliqua Riker. Les flics du Wisconsin ont d'abord soupçonné le père et ils n'espéraient aucune aide de l'épouse maltraitée. À cause d'un lourd passif de disputes conjugales. Elle s'est retrouvée deux fois avec la mâchoire cassée mais n'a jamais porté plainte. Deux ans après la disparition de sa fille, Darwinia – ou Miriam, peu importe – s'est volatilisée à son tour. Cette fois, les policiers savaient qu'ils ne cherchaient pas de cadavre. Ils lui ont juste souhaité bonne chance. Enfin, Nahlman aurait pu vous renseigner. C'est elle qui a découvert la vérité et l'a racontée à Dale.

Riker se pencha encore un peu plus, comme pour partager un secret.

— On sait que vous appartenez à la brigade des tordus…

Sous le regard étonné de Charles, Mallory corrigea les mauvaises manières de son équipier :

— À l'Unité scientifique des comportements. Ce n'est pas la faute de Cadwaller.

Elle offrit à l'intéressé sa meilleure version de la compassion :

— Dès que vous avez aperçu Darwinia, vous avez compris que Dale avait déconné, non ? Qu'il vous faisait encore perdre votre temps.

Et voilà comment éviter à un agent fédéral de passer pour un imbécile.

Ce n'était pas le genre de la belle blonde.

Cadwaller flanqua son calepin sur la table et, d'un regard reconnaissant, remercia Mallory de lui avoir sauvé la mise. À son tour, elle se pencha vers lui et ajouta sur le ton de la confidence quasi conspiratrice :

— Et s'il n'avait pas déconné ?

— Quoi ? s'énerva Riker, qui se leva et s'assit à côté de la jeune femme. Tu défends cet idiot de Dale ?

Ce nouveau jeu de chaises musicales et d'alliances inversées troublait Charles.

Les yeux de Mallory restèrent rivés sur Cadwaller :

— Si Berman se moquait de vous ?

Le temps de ranger son calepin, l'agent spécial feignit d'être fasciné par une bouloche invisible sur sa manche :

— Je pense qu'on a terminé.

Il se leva de table et, sans dire au revoir, quitta le restaurant.

Charles passa d'un inspecteur à l'autre :

— Qu'est-ce que j'ai raté ?

— Pas grand-chose.

Riker se rassit devant son plateau-repas. Il poussa l'ordinateur portable vers Mallory, mais elle n'y jeta même pas un regard. Perplexe, il y vit un autre problème, comme si elle avait oublié de prendre ses vitamines.

— Je savais que Cadwaller n'était pas l'agent préféré de Dale mais, s'il a une dent contre Berman, il n'envisage pas de nous en faire profiter.

Charles s'approcha de Mallory :

— Berman ne te paraît donc pas juste incompétent pour diriger un détachement spécial ?

— Non. Avec toutes ses erreurs il a vraiment dépassé les bornes.

— Oui, renchérit Riker. Des erreurs très stupides.

— Tu en es sûr ? Réfléchis, Riker. Un jour, Dale a été assez futé pour berner Markowitz.

Elle prit son sac à dos, ramassa ses clés de voiture et s'apprêta à partir.

— D'après mes souvenirs, toi aussi il t'a embobiné.

Elle se pencha à son oreille et lui assena le coup de grâce :

— D'ailleurs, il continue.

Nahlman ne savait pas où Barry Allen était parti. Elle supposa qu'il avait été réaffecté sur les lieux de la sépulture située plus à l'ouest. Berman adorait séparer les deux partenaires. Ce jour-là, il l'avait prêtée à la police locale et cantonnée au contrôle des médias. Écartés de la scène de crime, les reporters avaient été conduits dans une zone où ils pourraient installer projecteurs et caméras. S'ensuivrait la procession des divas, journalistes hommes ou femmes : après avoir pris position, ils interviendraient en direct à la télévision et parleraient d'une petite tombe qu'ils n'auraient jamais le droit de voir. Ensuite, on la solliciterait pour qu'elle répète cent fois « Pas de commentaires », quitte à reformuler sa phrase à l'intention des reporters les plus bouchés. Se quereller avec ces charognards et leurs maquilleuses, c'était le seul truc pour lequel Dale était doué, mais on ne pouvait pas le déranger. Non, il préférait laisser les larbins se charger du sale boulot.

Nahlman attrapa un jeune policier par la manche, le promut porte-parole des forces de l'ordre et repartit vers le site de fouilles encerclé de flics.

Oh, non !

Le corps n'était pas complètement décharné. Elle s'était habituée aux squelettes, mais le sol aride avait momifié cet enfant-là. On n'avait aucun mal à distinguer un nez pointu, un menton délicat – une gorge tranchée.

Nahlman lorgna vers la route, comme si elle pouvait voir jusqu'au restaurant. Le convoi y attendait des nouvelles : le nom d'une fillette. Certains parents avaient des enfants susceptibles de correspondre au profil. Beaucoup d'autres étaient éparpillés à travers le pays et ils devaient suivre les informations, ne s'éloignant jamais du poste de télévision, tandis que le corps était exhumé, couche de terre après couche de terre.

Qui recevrait le coup de fil ce jour-là ?

Contrairement à Berman, les autorités locales ne voulaient pas laisser les parents dans l'ignorance et la fillette aurait droit à de dignes funérailles. L'un des fouisseurs brandit un objet au creux de sa main. Ce solide gaillard de la région avait sans doute lui-même des enfants et il souffla d'une voix rauque :

— J'ai trouvé un médaillon. Elle s'appelait Karen.

Le prénom ne correspondait à aucune gamine disparue de la caravane. Nahlman connaissait les histoires de tous les parents, savait quelle fillette détestait les asperges et quelle autre adorait le base-ball. Elle observa le corps au fond du trou.

De qui es-tu l'enfant ?

Une carte de bus scolaire plastifiée fut soigneusement extraite du poing serré de la petite. Grâce à elle, ils avaient tous les éléments nécessaires pour ramener Karen chez elle.

La caravane était partie depuis vingt minutes et le Dr Paul Magritte se sentait enfin à l'aise : désormais en position centrale, il avait laissé de nombreuses voitures s'intercaler entre la Mercedes et lui. Quant aux taupes du FBI, elles roulaient en queue de cortège.

Le médecin bénéficiait d'une intimité totale.

Sans quitter la route des yeux, il plongea la main dans son sac en nylon et fouilla à l'aveuglette jusqu'à ce qu'il trouve la photo d'une April Waylon agonisante. Il l'écrasa entre ses doigts, remplaça la pipe du cendrier par le cliché froissé et tapota ses poches de chemise. Où étaient passées ses allumettes ? Peu importe. L'allume-cigare ferait l'affaire. Quelques secondes plus tard, Magritte en posa le bout rougeoyant sur le visage chiffonné d'April.

Le cliché s'enflamma et une épaisse fumée s'en dégagea aussitôt. Le médecin, qui n'en avait jamais brûlé dans sa voiture, ne s'y attendait pas. Plus cérémoniaux, ses autres petits feux avaient toujours été déclenchés par des bougies votives. Il agita la main devant lui. Un filet de fumée s'échappait de la fenêtre entrouverte. Les yeux piquants et emplis de larmes, Magritte osa enfin baisser toutes les vitres jusqu'à ce que l'atmosphère soit assainie et la photo réduite en cendres.

Du coin de l'œil, il vit qu'une voiture s'était portée à sa hauteur et l'escortait. Magritte jeta un regard discret à l'autre automobiliste.

Et Mallory le fixa à son tour.

Elle le dévisagea sans regarder la route, la tête franchement à droite, et garda la posture si longtemps qu'elle déstabilisa le médecin, qui se cramponna à son volant, les articulations de plus en plus blanches. Elle le scruta ainsi pendant des kilomètres.

CHAPITRE XIV

Le campement se situait près d'une ancienne station-service et on leur avait promis que des toilettes fonctionnelles seraient mises à leur disposition. Néanmoins, le propriétaire, qui n'avait pas inspecté les lieux depuis des années, décida de renégocier les tarifs fixés un mois auparavant, lors de l'organisation du voyage :

— Je ne vous demande pas un sou. Dieu vous bénisse tous !

Les médias avaient installé des micro-ondes qui dégageaient un délicieux fumet de pizza pour attirer campeurs et fédéraux vers la zone d'interviews. Cerise sur le gâteau, l'équipe de presse la plus entreprenante avait fait livrer des toilettes portables, appât de choix qui réglait d'emblée le problème des W.-C. hors d'usage. Tandis qu'on déchargeait les cabines en plastique, les parents formèrent rapidement une file d'attente.

Planté devant une caméra fixe, un reporter répétait sa phrase d'introduction. La veille, il avait parlé de la Route des enfants disparus. Ce jour-là, il dit :

— Ici John Peechem, en direct de la Route des tombes.

Un caméraman lui fit remarquer qu'il avait encore

317

souri en parlant. Nouvelle prise, la mine plus sombre. On braqua ensuite l'objectif sur un groupe de jeunes gens dont la veste était flanquée d'un écusson FBI.

— Rien n'est confirmé, enchaîna le journaliste, mais les fédéraux pourraient rechercher des parties de corps humain.

Une caméra numérique, moins coûteuse, filma les deux seuls enfants de la caravane. Main dans la main, le frère et la sœur attendaient leur tour devant une grande sanisette verte. Derrière eux, leur père déchira des feuilles de papier toilette, qu'il tendit à Peter et à Dodie. Une journaliste s'approcha du trio, proie rêvée de la pipi-zone, mais le petit garçon la repoussa d'un geste :

— Les reporters, je les mords.

Fin de l'interview.

Dodie se balança sur ses talons et se mit à chantonner. De plus en plus fort. Son père la prit dans ses bras, mais il ne la vit pas montrer le sol et l'ombre d'un homme.

Clic clac.

Assise sur une chaise pliante, près d'une voiture qui ne lui appartenait pas, Mallory pianotait sur un clavier d'ordinateur portable qui n'était pas non plus le sien. Christine Nahlman prit un tabouret. Sans engager la discussion, elle se contenta de lui tenir compagnie en silence et regarda les jeunes fédéraux fouiller les véhicules de la caravane. D'autres s'introduisaient à l'intérieur des tentes.

— Ils perdent leur temps, lâcha Mallory. Le tueur ne voyage pas avec de petites phalanges. Il les enterre le long du chemin.

— Il a une main que nous pourrions associer à un corps frais.

— Plus maintenant. Il n'en a pas l'utilité.

La jeune inspectrice releva les yeux vers les fouilles.

— Berman aime juste brasser du vent, faire son show devant la presse.

Retour à l'écran lumineux. D'un coup d'œil furtif, elle vit Nahlman se raidir et souffler, incrédule :

— C'est *mon* ordinateur.

Mallory acquiesça et consulta une carte routière des tombes :

— J'ai bien aimé le premier schéma logique que vous avez élaboré en Illinois. Bon début.

— C'est *mon* portable, insista Nahlman.

— Vous l'aviez laissé sur le siège de votre voiture.

— Ma voiture est fermée à clé.

Mallory agita la main, histoire de dire que ce genre de détail n'avait aucune importance :

— Le profilage géographique n'indiquera pas le site d'un meurtre. Pas dans ce cas-là. L'assassin ne tue un parent que lorsque l'occasion se présente à lui.

— Vous avez forcé ma voiture, volé mon ordinateur… propriété du gouvernement.

— Et donc vous me traitez de criminelle ?

Mallory ne savait pas jouer les innocentes :

— C'est vous qui avez utilisé une fillette pour attirer un *serial killer* dans vos filets.

Elle avait lâché une bombe. Elle savait très bien anéantir son interlocuteur. Nahlman semblait avoir reçu un puissant coup de poing à l'estomac.

Au bout de quelques instants, elle retrouva sa voix :

— Cela n'a jamais été notre intention.

— En Oklahoma, vous saviez ce qui arriverait *avant* que le boxeur flanque votre patron à terre. Je vous ai vue vous disputer avec Berman, mais vous ne l'avez pas arrêté.

— Je ne suis qu'un simple agent, même pas le…

— Vous l'avez laissé dessiner une cible sur Dodie Finn.

Mallory se pencha vers elle, comme pour mieux lui déchirer le cœur :

— Elle est fragile, non ? J'ai dégoté ses évaluations psychologiques. Son dossier au FBI. Les fédéraux ont interrogé une gamine bonne à enfermer. Ils refusaient même que son père lui rende visite. Pourquoi ? Parce qu'ils savaient qu'elle leur dirait n'importe quoi – *n'importe quoi !* – s'ils la laissaient rentrer chez elle. Hélas ! Dodie ne pouvait rien leur apprendre. Elle est cinglée.

À présent… une petite frayeur.

Mallory jeta un œil à la meute de reporters rassemblés le long de la route.

— Je leur ai promis une interview pour les infos de dix-huit heures, mentit-elle.

Elle ouvrit sa montre de poche, bien qu'elle connaisse l'heure à la seconde près.

— Le spectacle va bientôt commencer.

La menace implicite d'un horrible déballage plana entre les deux femmes.

— Dale Berman a personnellement garanti la sécurité de Dodie, expliqua Nahlman. Deux agents ne la quittent plus d'une semelle. Voilà pourquoi je…

— Il a menti. Comme d'habitude. Il voulait qu'un tueur en série, un assassin d'enfants, croie la fillette en mesure de livrer des détails essentiels. Eh bien, elle en est incapable !

Mallory fixa l'écran en silence, donnant à son interlocutrice sa meilleure imitation de l'indignation satisfaite.

— Il valait mieux sacrifier Dodie que Paul Magritte, non ? Jamais vous ne mettriez en danger votre meilleur témoin.

— Pourquoi dites-vous ça ?

— Pourquoi votre patron néglige-t-il les rapports

concernant les antécédents ? Je ne vais pas me charger du boulot à sa place. Autre chose : j'ai vu les dossiers du FBI. Tous les dossiers. Votre travail n'a jamais été récompensé. Les experts scientifiques qui s'occupent des fouilles pensent juste que le vieux Dale possède une boule de cristal.

Mallory fit défiler les cartes et les données à l'écran.

— À part votre chef, personne n'a vu ces infos.

— Pas très convaincante, votre imitation de Berman. Son style à lui, c'est de monter les gens les uns contre les autres. Et il se débrouille mieux que vous.

— Croyez-vous que je m'intéresse à vos petits soucis relationnels ?

Mallory appuya sur le bouton *Eject*. Apparut un CD-Rom, qu'elle tint hors de portée de Nahlman :

— Moi, je suis juste une voleuse.

Ses surveillants étaient si distraits que le Dr Paul Magritte ne craignit pas de manquer à l'appel, même s'il avait roulé quatre-vingts kilomètres pour trouver un peu de solitude au sein d'une église. Des grains de riz crissèrent sous ses pas lorsqu'il gravit les marches du perron. Les imposantes portes en bois n'étaient pas fermées à clé mais, en entrant, il eut l'impression que personne, pas même le prêtre, n'était resté après la cérémonie. Un grand bouquet de fleurs blanches ornait l'autel et l'allée était jonchée de pétales de rose. Magritte imagina une fillette trottiner vers l'immense vitrail, en tête du cortège nuptial. Il espéra que l'union porterait des fruits. Si la terre n'était pas en mesure de ressusciter les enfants perdus, elle pourrait au moins être repeuplée.

Le psychologue laissa tomber sa veste et son sac sur le premier banc d'église. Même les charges les plus légères posaient des problèmes au vieil arthritique, pourtant il venait chercher de nouvelles souffrances.

Après avoir monté les trois marches de l'autel, il alluma les bougies et recula d'un pas. Fuyant le confort d'un siège rembourré, il s'agenouilla sur les dalles de pierre. Les rotules à l'agonie, il voulait expier.

Marie Egram était morte la première. Tout commençait toujours par la chute de Marie.

Les perles en verre rouge de son chapelet s'égrenèrent entre ses doigts. Chaque fois qu'il procédait au rituel, il revoyait l'ancienne maison des Egram, en Illinois. Jadis, elle semblait toujours sur le point de s'effondrer dans le jardin. Il se rappela l'intérieur de la bâtisse avec la même tension, les murs inclinés, et, à l'époque, il attendait que le plafond s'écroule d'un instant à l'autre.

Les mains jointes en forme de prière, il fit ensuite apparaître les motifs floraux des tissus usés et des tapis élimés. Seul accessoire luxueux : un grand poste de télévision choisi par le chef de famille, sans doute amateur de football. Dans l'imagination de Magritte, M. Egram, assis sur le canapé, fixait l'écran noir et tapait des pieds en cadence : il comptait les secondes et espérait que la visite ne s'étirerait pas en longueur.

Au fond de sa tête, le vieil homme avait rejoué son petit film un millier de fois pour n'oublier aucun détail, pas un coup de talon du père sur le sol. De mémoire, douze bougies votives encerclaient la photo de Marie, blondinette d'à peine cinq ans. Le sanctuaire de la disparue occupait une place de choix sur le téléviseur, sans doute à l'initiative de la mère. Les parents avaient été abandonnés, leur chagrin oublié par les médias. Cependant, Mme Egram tenait fermement à ce que son mari, lui, n'oublie jamais, ne lui laissant même pas le répit d'un match de football le dimanche après-midi.

Les petits saints en plastique abondaient au salon. La thématique religieuse était aussi présente dans la salle à manger et le couloir. La mère de Marie Egram semblait avoir dévalisé la boutique de souvenirs d'une église, mais il fallait s'y attendre : c'était une catholique qui, après avoir délaissé la messe, avait récemment retrouvé une foi quasi fanatique.

Et le père de l'enfant disparue ? Lui, ce n'était pas un grand adorateur du Seigneur.

Sarah Egram avait tenté d'expliquer l'attitude réservée de son mari par ses origines méthodistes. De son côté, le routier protestant portait un regard empreint de sombre tolérance sur son épouse, qui égrenait en permanence les perles de son chapelet et récitait en silence des incantations magiques. Les yeux de la malheureuse s'égaraient parfois vers la fenêtre, au cas où ses prières auraient été entendues. À moins qu'elle ne surveille l'enfant dans le jardin – l'enfant survivant.

Telle avait été la seconde pensée de Paul Magritte ce lointain après-midi-là.

Il rouvrit les yeux. Peut-être ses genoux douloureux l'avaient-ils tiré de sa rêverie et ramené sur la pierre glacée du sanctuaire texan. Non, il avait *senti* quelque chose – quelqu'un. Sur l'autel, les flammes des bougies penchèrent, vacillèrent, comme agitées par un corps en mouvement et très proche de lui. Quelle fragilité ! Un simple courant d'air au fond d'une vieille église exposée aux quatre vents parvenait à lui couper le souffle – à lui figer le cœur. Il avait peur mais, au lieu de regarder derrière lui, de tourner la tête, il referma les paupières pour revoir les erreurs de son passé reculé. Il s'échappa dans la recréation d'un salon miteux à une autre époque, un autre endroit.

Encore une fois, il aperçut M. Egram assis sur le canapé à côté de sa femme : l'homme tendit sa large main vers elle et couvrit gentiment ses doigts et les perles du chapelet pour faire taire leur incessant cliquetis. Les lèvres de Sarah cessèrent aussi de remuer.

Dehors, au jardin, leur enfant de dix ans s'approchait de la maison, puis il s'immobilisa au milieu de l'allée, prenant sans doute exemple sur l'inertie de sa mère.

Cet après-midi-là, dans un silence inconfortable, Paul Magritte avait contemplé la pièce et remarqué les traces d'anciens cadres sur la tapisserie : depuis, ils avaient été remplacés par des portraits de la Vierge et de saints. Puis, comme si la nouvelle décoration béni-oui-oui de sa maison ne suffisait pas à son châtiment, ce pauvre méthodiste d'Egram avait désormais un inconnu installé dans son fauteuil préféré. En effet, son épouse avait insisté pour que leur hôte prenne le siège le plus confortable du salon, face à la télé.

Leur aîné s'était faufilé jusqu'à la fenêtre. Le visage collé à la vitre, ses traits fins étaient déformés, presque monstrueux. Un œil sortait de son orbite et l'autre semblait perdu entre les plis profonds de sa peau ratatinée.

À l'époque, ce petit spectacle d'horreur n'avait guère dérangé Magritte. Il y avait vu un moyen d'attirer l'attention, réaction classique d'un enfant aux parents émotionnellement absents. Malgré l'absence de sa sœur, le garçonnet de dix ans était équilibré : il avait passé une évaluation psychologique lorsqu'on l'avait placé sous tutelle des services sociaux… et que la police enquêtait sur les parents, suspects potentiels dans la disparition de leur fille.

Ce jour-là, seul le comportement de la mère avait choqué le Dr Magritte. Comment pouvait-elle rejeter son idée géniale consistant à emmener loin d'elle l'enfant qui lui restait ? L'imbécile qu'il était à l'époque avait cru qu'elle n'avait rien compris.

— Votre famille n'en souffrira pas sur le plan financier, avait-il insisté. Le chirurgien, l'hôpital et les infirmières se proposent d'intervenir bénévolement.

Pour la seconde fois, Sarah Egram avait refusé :

— Ce ne serait pas juste. On ne peut pas revenir ainsi à la normale. Ça ne peut pas arriver.

Ça.

Voilà comme elle avait parlé de son enfant défiguré.

La brume des souvenirs se dissipa et les yeux de Paul Magritte se rouvrirent d'un seul coup. Les flammes de l'autel ne tremblaient pas, mais il entendit un bruit derrière lui. Qu'est-ce que c'était ? Un hochet de bébé ? Non. Il ne s'agissait pas non plus d'un chapelet. Le cliquetis de petits os ? Leçon de Sarah Egram : il ne verrait pas *ça* arriver. Le vieil homme n'avait jamais éprouvé une telle peur. Cloué sur place, il ne pouvait même pas sauver sa vie, mais il ferma les yeux – non pas pour prier mais pour fuir, regagner l'époque de sa visite chez les Egram, les paupières solidement closes.

À présent, il revoyait le petit visage déformé collé à la vitre du salon, un œil rivé sur sa mère – centre de l'univers d'un enfant. Mme Egram, elle, regardait ailleurs et une espèce de vision intérieure lui avait donné la chair de poule. Ce jour-là, Magritte avait cru qu'elle imaginait le sort de son bébé disparu à l'âge de cinq ans. À moins que l'éventuel départ de son aîné ne l'ait fait dérailler et sombrer dans l'absurde.

— Nous ne serions pas partis plus d'un mois.

Magritte avait prévu d'accompagner personnellement le garçonnet à Chicago, à supposer que sa mère entende enfin la voix de la raison.

— Ce serait la première opération d'une longue série. On obtient de meilleurs résultats sur les enfants. Ensuite, quand les os arrivent à maturité…

— Vous ne comprenez pas, l'avait-elle interrompu calmement, comme si elle parlait à un bambin de trois ans. Ce n'est pas bien. Dieu ne l'a pas voulu ainsi.

Tiré de sa léthargie, le père avait esquissé un sourire :

— Vous dites que ça durera un mois ? O.K., ça me va.

Il s'était emparé des formulaires de consentement et, tandis qu'il cherchait de quoi écrire, Sarah Egram s'était voûtée, les yeux baissés. Il avait trouvé un stylo au fond de sa poche. Vaincue, l'épouse s'était levée du canapé et avait quitté la pièce.

Juste avant de parafer le document, le routier avait demandé :

— Une seule signature suffit ?

— Pas de problème, avait répondu Magritte, les yeux posés sur le dos de Sarah. Votre femme a besoin d'aide.

— Je sais ce qu'il lui faut.

Tels avaient été les derniers mots de M. Egram.

Un bruit métallique rappela Paul Magritte à la réalité concrète d'une église texane, où il se concentrait sur son chapelet et ses incantations. Il murmurait les mots magiques sans chercher à être pardonné ou délivré de sa souffrance : il voulait juste se libérer de sa peur grandissante. Il n'était pas seul en ce lieu et ne pouvait plus s'enfuir, ni dans le présent ni dans le passé. Sa peau le picota. Il retint son souffle.

Lequel serait-ce ?

— Pour qui priez-vous, vieil homme ?

— Pour vous.

Il ne mentait pas et sa réponse était empreinte d'une crainte respectueuse. Lentement, douloureusement, il se releva et sourit à l'inspectrice Mallory, l'air de dire : « Merci, mon Dieu ». C'était la première fois qu'une de ses prières était entendue et il donna à la jeune femme le nouveau nom de *Délivrance*. Paré d'un autre sourire, plus idiot celui-là, il contempla son chapelet :

— Bougies, galimatias et perles magiques… Voilà qui doit correspondre à votre idée du charlatan de base.

— Oh, vous êtes plus que ça, Dr Magritte.

Les bras croisés, elle s'assit sur le premier banc et sembla le mettre au défi de mentir.

— On vous a révoqué ? Ou était-ce votre idée de quitter la prêtrise ?

La besace en cuir de Mallory était posée à ses pieds. Quant au sac en nylon de Magritte, elle l'avait pris sur ses genoux. La fermeture à glissière était ouverte et c'était sûrement ce bruit-là qui l'avait tant effrayé.

— Vous paraissez inquiet. Vous ne devriez pas. Je suis venue sans mandat.

Elle sortit du sac un vieux revolver.

— Je ne peux donc pas saisir votre arme. Les fédéraux fouillent tous les véhicules du convoi mais, à mon avis, ils ne cherchent pas un flingue. Ce n'est donc pas ce qui vous a poussé à vous cacher dans une église.

— Le pistolet a appartenu à mon grand-père, expliqua Magritte. Il s'agit de mon héritage, si vous préférez. Comme il ne m'a rien légué d'autre, je l'ai gardé.

Quel imbécile ! Il commettait la pire erreur des menteurs : pressé de tout expliquer en détail, il ne pouvait plus s'arrêter.

— Je crains de ne jamais avoir bien entretenu cette arme. Elle est rouillée, non ? Je doute fort qu'elle fonctionne encore. Aussi bien. Elle n'est pas chargée. D'ailleurs, je ne saurais même pas comment faire.

Mallory souleva le revolver, l'examina de près et ironisa :

— Calibre 22.

Elle brandit ensuite une petite bourse bleue qui appartenait aussi au médecin :

— Un autre souvenir ? Pas très malin de l'avoir conservée.

Elle la vida au creux de sa main, puis referma le poing sur les minuscules os d'une main d'enfant.

Il la dévisagea, abasourdi.

Elle laissa pendre la bourse :

— J'ai plusieurs explications possibles. Avez-vous assassiné toutes ces fillettes ? Ou quelqu'un l'a-t-il cachée chez vous pour que les fédéraux la trouvent ?

Elle lui laissait une porte de sortie. À moins qu'il ne s'agisse d'un autre piège ? Dans le silence de l'église, il entendit les petits os cliqueter lorsqu'elle les rangea au fond de la bourse en velours bleu.

— Attendez, j'ai une troisième théorie. Le petit sac vous aurait-il été envoyé par la poste avec un mot ? Un truc du genre… Que disait-il déjà ?

Mallory sortit un papier jauni par le temps, autre élément de son butin, et lut :

— « Pardonnez-moi, mon père, car j'ai péché. »

Elle se releva, revolver dans une main, bourse bleue dans l'autre, et sembla comparer leur poids sans quitter Magritte des yeux. Il crut voir un féroce prédateur lorgner son prochain repas, tandis que la proie respirait encore et se tortillait sous sa patte griffue.

— Vous pourriez m'aider à le retrouver, reprit-elle, mais vous ne le ferez pas, je me trompe ?

Il secoua la tête.

— La loi ne vous protégera pas, Magritte. Vous n'êtes plus prêtre.

Elle agita la feuille jaunie comme un petit drapeau.

— Et ces mots n'ont pas été écrits dans le secret d'un confessionnal.

Il ne desserrait toujours pas les dents.

— Merci. Je sais que vous connaissez ce tordu depuis longtemps.

Après avoir jeté un œil à l'antique *mea culpa*, elle le rangea dans la bourse aux os.

— Quand les fédéraux verront ça, ils vous coffreront. Qui va s'occuper de votre paroisse sur roues ?

Vous.

Il croyait beaucoup en Mallory, même si elle avait prévu de le mettre au tapis.

— Dommage que l'agent Berman ne vous ait jamais suspecté. Il aurait pu demander une enquête plus approfondie sur votre passé. Moi, en revanche, je soupçonne tout le monde. Quand vous étiez dans les ordres, je sais que vous veilliez sur d'autres prêtres. Faut-il que je réduise ma liste ? Dois-je me focaliser sur un ancien prêtre comme vous ?

Il finit par comprendre l'intensité de son regard lorsqu'elle le dévisagea : elle cherchait des indices, des tics, n'importe quelle preuve de vérité ou de mensonge.

— Ne me souriez pas, Magritte.

Il ne l'avait pas fait exprès.

— Je suis vraiment désolé.

Implorant, il leva les mains en signe d'impuissance, comme si elle n'était pas déjà au courant – à plusieurs niveaux. Hélas, elle semblait s'être lassée de jouer avec lui.

Oh, non ! Pas déjà.

Elle brandit le vieux revolver rouillé du grand-père, visa l'autel et tira. Une détonation retentit. Le vase explosa, l'eau se renversa, les fleurs volèrent et, dans un bref instant d'horreur absolue, il crut entendre les pétales déchiquetés atterrir doucement sur les dalles de pierre. S'ensuivit un silence de mort. Tous les os de Magritte tremblaient, ses jambes se dérobaient. Il tomba à genoux, de nouveau seul.

Mallory était partie.

L'agent Christine Nahlman attendait près de la porte ouverte quand Mallory ressortit de l'église, puis lui tendit la petite bourse bleue et le sac en nylon de Magritte :

— Satisfaite ? Maintenant, amenez ce type à Dale Berman. Ils se méritent l'un l'autre.

— Attendez.

Sauf que Mallory n'attendait jamais personne. Nahlman la suivit au bas du perron :

— Vous savez qu'il n'est pas coupable.

— Si.

L'inspectrice s'arrêta sur la dernière marche et fit volte-face :

— Il me cache des informations. Par conséquent, arrêtez-le, accusez-le d'entrave à la justice et fichez-le au trou jusqu'à ce qu'on ait bouclé l'enquête.

Elle lui arracha la bourse des mains, ôta le mot du repentant et lui rendit les os au fond de leur pochette :

— Voilà. Il sera plus facile de le garder à l'ombre. Maintenant, vous avez de quoi l'inculper de meurtre. Jamais il ne bénéficiera d'une remise en liberté provisoire.

— Mallory, je ne peux pas...

— Vous ne pouvez rien faire, hein ? Si les fédéraux avaient coopéré avec la police de l'Illinois, l'affaire serait déjà réglée. Kronewald est un bon enquêteur, alors que votre patron débarque des relations publiques : sur le terrain, il ne vaut pas une cacahuète. C'est quoi votre problème, Nahlman ? Vous êtes trop polie pour enterrer Berman d'un bon coup de pied ?

— On m'a demandé de travailler sur...

— Ne m'infligez pas votre tirade sur les ordres à exécuter. Rappelez-vous que je vous ai volé votre ordinateur. J'ai lu vos notes personnelles sur l'enquête. Une des tombes en Illinois était plus profonde que les autres. Beaucoup plus profonde. Vous saviez qu'il s'agissait du premier meurtre. Un boulot de gamin. Il avait tellement peur de se faire pincer que la fillette n'était jamais enterrée assez profond. Vous avez donc deviné que le tueur avait commencé jeune, à l'époque où il habitait en bordure de l'ancienne nationale. Avec l'aide de Kronewald, vous l'auriez déjà identifié. Les meurtriers en herbe ont des zones de prédilection, près de chez eux. Il tuait toujours des gosses quand il a déménagé de la Route 66. Une fois en âge de conduire, il est revenu et a replanté ses victimes le long du bitume. Voilà pourquoi vous avez trouvé deux sortes de terre différentes dans certaines tombes de l'Illinois. Les moins profondes.

— Avez-vous raconté ça à Kronewald ?

— Vous savez bien que oui. Il étudie le dossier en ce moment même. Les fillettes disparues en Illinois ne sont pas intégralement répertoriées dans une base de données fédérale. Le FBI ne peut pas s'occuper de chaque gamine perdue, mais Kronewald, lui, a eu accès à tout : des décennies entières de gosses volatilisées. Vous sentez la pression maintenant, Nahlman ? Il serait peut-être temps de vous occuper de ce bazar.

— Savez-vous ce que je vois quand je regarde au-dessus de Dale Berman, vers le degré supérieur de notre hiérarchie ?

— Un autre bureaucrate incompétent. Et vous vous demandez pourquoi les flics détestent les fédéraux... Prenez le relais. Ou, du moins, débarrassez-vous de Berman.

— Qu'attendez-vous de moi ? Que je le descende ?

— C'est un début.

Riker s'accroupit près de Darwinia Sohlo, alias Miriam Rainard. Sa tente de fortune consistait en une simple bâche goudronnée arrimée à la portière d'une vieille guimbarde. Il décida de faire du feu pour lui tenir chaud. Devant son tas de bois et de brindilles humides, la pauvre femme sanglota :

— Ça ne sert à rien. Il ne prend pas ce soir.

— Attendez un peu.

Il brandit la fusée de détresse qu'il avait trouvée dans le coffre.

— Ce genre de truc mettrait même le feu au lac.

Il enflamma les brindilles.

Le feu resplendit. Darwinia sourit.

— J'ai de mauvaises nouvelles.

— Ma fille ? s'affola-t-elle.

— Oh, non. Désolé, madame. Il ne s'agit pas de votre enfant.

Il remit une bûche dans le brasier.

— Je surveillais la couverture médiatique. Je sais que vous évitez les caméras, mais un salaud a réussi à vous filmer. Votre tête a fait les gros titres du journal télévisé national. Si votre mari a regardé les infos…

Inutile de continuer. Elle acquiesça en silence. S'il avait vu le reportage, son bourreau du Wisconsin ne tarderait pas à venir récupérer son bien en cavale. Riker observa le visage de Darwinia à la lumière du feu de camp. Il s'attendait à y lire de la peur, mais elle semblait résignée à sa future raclée. Il avait apporté un pack de bières afin de calmer ses angoisses, mais elle n'en avait pas besoin. Il lui tendit une canette, plus pour qu'elle lui tienne compagnie. Lorsqu'elle eut tout bu, elle raconta son histoire :

— J'ai éloigné ma fille grâce à SOS Familles. C'est un réseau clandestin qui s'occupe de cacher les femmes et les enfants.

— Je sais ce qu'ils font.

Riker connaissait bien les groupes qui aidaient les femmes battues à fuir leur époux violent.

— Mais vous l'avez envoyée seule.

Ce qui n'était pas normal.

— Je voulais faire croire à mon mari qu'elle avait été kidnappée. Je suis restée avec lui deux ans de plus, jusqu'à ce qu'il la croie morte. La police, elle, l'a toujours pensé. Pendant longtemps, ils ont surveillé mon mari. J'ai fini par m'enfuir à mon tour, sans même emporter mon sac à main. J'étais persuadée qu'il me suffisait de quitter la maison pour retrouver mon bébé. Hélas, il faut aller d'un contact à l'autre et, s'il manque un maillon de la chaîne, la piste s'efface.

— Un de vos complices s'est envolé ?

— Oui. J'ai trop tardé à réclamer ma fille. Elle avait donc vraiment disparu : il n'y avait plus de mensonge. Ça remonte à douze ans. Je ne la retrouverai plus, hein ?

— Vous avez eu le courage d'essayer, la réconforta Riker. Vous connaissiez les risques, mais vous avez tenté le coup.

— Sauf que j'ai manqué de cran. Le but de la caravane était de faire un maximum de publicité, d'attirer l'attention sur nos enfants disparus, nos causes perdues. J'espérais surtout une exposition médiatique locale, quelques reporters par-ci par-là. Jamais je n'aurais cru que l'affaire prendrait une telle ampleur. J'ai fui les caméras, alors qu'elles étaient mon unique chance d'obtenir des renseignements sur ma petite fille. Je suis une froussarde.

— Ce soir, son portrait a fait la une des journaux aux quatre coins du pays. Le vôtre aussi. Vous devriez songer à la suite des opérations.

— Quitter le convoi ? Non, impossible.

— Darwinia, j'aimerais que vous ayez un peu plus la frousse. Combien de fois avez-vous quitté le camp pour aller coller vos affiches ?

Tant qu'elle ne pourrait pas recourir aux médias, il savait qu'elle continuerait sans relâche. C'était son boulot de sortir la nuit et de regarder par-dessus son épaule pour voir si son mari briseur d'os l'avait retrouvée – lui ou un tueur en série.

Quel monstre fondrait sur elle le premier ?

Le vieux psychologue était encadré par des fédéraux. Restées à la porte, les taupes se demandèrent si Nahlman allait les accuser de l'avoir laissé filer, mais elle n'avait pas l'intention de moucharder : cette position de force lui serait peut-être utile le jour où elle aurait besoin de renforts rapidement.

L'agent spécial Dale Berman annonça à Magritte qu'il avait pas mal d'explications à leur donner. Au ton de sa voix, il réprimandait un enfant plus qu'il n'interrogeait un suspect :

— Qu'est-ce qui vous a pris de trimballer un truc pareil ?

— Vous parlez de la bourse ?

— Quelle bourse ?

Berman releva la tête vers Nahlman, qui, en personne, avait escorté le psychologue et ancien prêtre jusqu'à l'hôtel. Le médecin constituait la première pièce à conviction prouvant qu'on avait bâclé les rapports d'antécédents sur les membres du convoi.

— De quoi parle-t-il ? insista Berman. Quelle bourse ?

— Je crois qu'il fait allusion à son sac à dos, répondit-elle. C'est là qu'il cachait le revolver.

En réalité, la bourse bleue contenant les os minuscules était enfermée à clé dans la boîte à gants de sa propre voiture. La jeune femme fut la seule à remarquer l'air étonné de Magritte.

Paul Magritte rejoignit la caravane dans la voiture de Nahlman. Malgré le son de l'autoradio, il se rappela la maison délabrée en Illinois. On n'était plus au printemps mais au début de l'hiver. Il ne faisait plus nuit mais grand jour dans son souvenir issu d'un passé lointain. Un mois après sa première rencontre avec les Egram.

Plus question de recourir à la mémoire. Magritte revivait littéralement l'événement.

Encore en soutane, il longeait une portion rurale de la Route 66 et ramenait à sa famille l'enfant qu'on lui avait confié. À la vitre défilaient, sous un ciel plombé, des rangées d'arbres dépouillés. Le garçonnet de dix ans était assis à côté de lui, le visage tuméfié par la chirurgie.

À quelques semaines de Noël, des villageois montés sur des échelles accrochaient à leur toit de longues guirlandes d'ampoules colorées. Cet après-midi-là, le prêtre était de bonne humeur, car il s'apprêtait à offrir un merveilleux cadeau de Noël. Hélas, au moment de se garer sur le trottoir, il perdit son beau sourire.

La maison des Egram paraissait déserte. Il n'y avait plus de rideaux aux fenêtres et, derrière les carreaux, les murs étaient nus. D'emblée, l'enfant comprit ce qui se passait. Le prêtre lui, refusait d'admettre la vérité.

Comment avaient-ils pu partir ?

— Reste ici. Je reviens.

Il descendit de voiture et alla frapper à la maison voisine, puis celle d'à côté, et celle encore d'à côté. Personne n'avait vu le couple plier bagage et ne pouvait dire où ils étaient allés. Le routier et sa femme avaient déménagé de nuit, sur la pointe des pieds. Aucun chien n'avait aboyé. C'était cette histoire de chiens silencieux qui avait étonné le monde, et non qu'ils s'éclipsent sans dire au revoir à des voisins de longue date. Ça, ils le comprenaient.

La police avait-elle eu tort de blanchir les parents dans l'affaire de leur fillette disparue et sûrement morte ? Ce départ soudain tendait à prouver leur culpabilité et expliquait pourquoi le père avait signé si vite les formulaires de consentement : voyager avec un enfant défiguré aurait attiré l'attention sur les fugitifs partout où ils seraient allés.

Adrian Egram se retrouvait donc sur le bord de la route, les yeux rivés sur la maison vide. Le prêtre voulut le consoler, quand le visage tuméfié du petit se tourna vers lui en souriant et qu'une voix fluette ânonna :

— Pardonnez-moi, mon père, car j'ai...

Il se tut un instant pour compenser le zézaiement de sa bouche déformée et s'appliqua à prononcer le mot :

— ... *péché*.

C'était une phrase rituelle, pourtant l'enfant n'avait pas été élevé dans la religion catholique. Seule sa mère avait retrouvé la foi. Le père Magritte leva les yeux vers le premier étage et imagina Sarah Egram apprenant, par inadvertance, à son fils ce prélude formel à la pénitence, tandis qu'elle lui préparait sa valise avant qu'il parte à l'hôpital de Chicago. En pensée, il la revoyait claire- ment, l'entendait même, ressasser ces mots des dizaines de fois, pendant que le prêtre attendait au salon, inca- pable d'entendre la confession.

Jusqu'au jour où il avait retrouvé la maison vide, l'en- fant abandonné.

Le jeune Adrian lui rapporta les mots comme un perroquet délivrant un message avec des semaines de retard :

— Pardonnez-moi, mon père, car...

— Non.

L'index sur la bouche, le prêtre lui demanda de se taire.

— Je ne veux plus l'entendre.

Tant d'années avaient passé depuis. La maison avait disparu. Même la portion de route où ils s'étaient tenus ce jour-là était tombée en ruine avant qu'on délivre la fin du message de Mme Egram.

Nahlman jeta un coup d'œil au rétroviseur. L'escorte de Paul Magritte les suivait toujours en direction du campement. Assis à côté d'elle, le vieil homme, silencieux, était perdu dans ses pensées.

Elle repensa à l'interrogatoire raté. Après avoir fait (en vain) son petit numéro, Dale Berman avait nié l'idée d'un quelconque lien suspect entre le Web-psychologue et le tueur. Jamais il n'admettrait que ses fichiers d'antécédents bâclés risquaient d'entraver l'enquête. Le comble ? Il avait même rendu son revolver à Magritte et exigé que Nahlman lui présente des excuses. Elle avait tout vu venir.

À présent qu'ils se retrouvaient dans l'intimité de sa voiture, elle décida de mener son propre interrogatoire et éteignit l'autoradio, subtile invitation à rompre un silence prolongé.

La voix de Magritte fut hésitante, comme s'il testait l'atmosphère ambiante :

— Pourquoi ne leur avez-vous pas parlé de la bourse ? Des petits os ?

Elle décida de laisser planer le doute. Même si ses proches étaient tous morts et enterrés en Californie, elle répondit :

— J'ai de la famille à Chicago. La ville où se trouvait votre paroisse quand vous étiez prêtre. Prêtre psychologue.

À en croire Mallory, cette partie-là de son passé était vraie.

— Ma mère a le meilleur thérapeute qu'on puisse se payer. C'est une petite communauté, non ? Je parle des psys. Ça médit et ça cancane sévère. Je n'aurais jamais cru qu'il serait si facile de découvrir quel piètre médecin vous faisiez.

Elle y était allée au bluff et le surprit à hocher inconsciemment la tête, signe que son cabinet privé ne lui avait pas ouvert les portes de la fortune.

— Je me suis donc demandé pourquoi vous aviez quitté la prêtrise. Au moins, l'Église catholique vous versait un salaire régulier.

— À une époque, j'ai été un mauvais psy... et un prêtre encore pire. Comment pouvais-je rester ? C'est bizarre mais, depuis que j'ai abandonné la soutane, je suis devenu un homme meilleur.

— Je ne vous crois pas. Vous avez délibérément frayé avec un assassin d'enfants. Il vous fichait la trouille ? Vous avez encore peur ? Vous devriez. Vous êtes le seul à pouvoir l'identifier.

D'un coup d'œil en coin, Nahlman vérifiait la progression de l'interrogatoire et attendait qu'il craque.

— Ça fait un bail que vous connaissez ce tordu.

Histoire d'enfoncer le clou et de donner la chair de poule à son interlocuteur, elle frappa sur le tableau de bord.

Quelle stupide perte de temps ! Endurci par la méthode unique d'interrogatoire de Mallory, il était devenu insensible aux chocs inattendus... et au vacarme.

— Comme votre cabinet ne vous rapportait pas beaucoup d'argent, insista Nahlman, vous avez démarré les groupes de thérapie sur Internet. Anonymat garanti et aucune prime d'assurance exorbitante contre d'éventuelles fautes professionnelles. De plus, vous y gagnez bien votre vie. Aujourd'hui, vous roulez en voiture de luxe et vous préférez le sur-mesure au prêt-à-porter, non ? Les parents d'enfants disparus sont des victimes de choix. Les psys et les médiums ont vraiment moyen de s'enrichir sur le dos des...

— Je ne leur ai jamais pris un centime, protesta-t-il, furieux qu'elle ait touché son point sensible. En réalité, j'ai gagné pas mal d'argent avec mon cabinet. Plus que nécessaire pour prendre ma retraite. Les parents, je les traite gratis.

Le schisme tant attendu était arrivé.

— Supposons que je vous croie. Peut-être vouliez-vous vous racheter après avoir protégé un tueur de fillettes. Cette expédition offrait l'occasion rêvée de le débusquer. Un ultime coup vers la grâce, mais pas ce que j'aurais attendu d'un prêtre ou d'un médecin.

Elle prit la besace sur ses genoux, ouvrit la fermeture à glissière et sortit le vieux revolver rouillé.

— Vous aviez prévu de descendre ce monstre.

Silence éloquent de Magritte.

— Un meurtre de sang-froid, prémédité, est infiniment plus chrétien que de briser le sceau de la confession. Hélas, votre plan ne fonctionnera pas. L'assassin attaque toujours par-derrière. Je crois qu'il sévit depuis des décennies : il a donc beaucoup d'expérience. Vous ne l'entendrez pas arriver avant qu'il soit assez près de vous pour vous trancher la gorge.

Elle soupesa le revolver.

— Moi, en revanche, je peux le tuer à votre place. Dites-moi comment le trouver.

Magritte fixa le pare-brise. Les lueurs du camp brillaient au loin. Il était presque libre.

Presque.

Nahlman se rangea sur le bas-côté et coupa le moteur :

— Selon Mallory, vous le connaissez depuis qu'il est gamin.

Il sursauta. La New-Yorkaise avait donc vu juste : le tueur avait commencé très jeune. Le squelette découvert dans la tombe la plus profonde s'avérait peut-être encore plus ancien qu'elle ne l'imaginait.

— Expliquez-moi.

Elle sortit de la boîte à gants la bourse en velours bleu :

— À quelle date exacte vous l'a-t-il remise ? Laissez-moi vous présenter les choses autrement. Combien de fillettes sont mortes pendant que vous vous baladiez avec ces os au fond de la poche ? Vous refusez de me répondre ? Très bien. Je vais essayer de deviner par moi-même.

Elle remit le contact.

— Je peux annoncer aux parents que vous détenez ces os depuis peut-être vingt, trente ans, pendant que leur progéniture se faisait massacrer comme...

— Vous allez le leur dire ?

Ses mots semblaient receler une part de vérité. Peut-être avait-il fallu trente ans ou davantage pour tuer une centaine de bambins.

Nahlman reprit la route :

— Non, je ne leur en parlerai pas. S'ils apprenaient vos agissements, ils n'auraient qu'une envie : vous faire la peau. Ce serait du meurtre.

Le silence s'installa jusqu'à ce qu'elle se gare au campement. Elle rangea le revolver et la bourse bleue dans le secret de sa boîte à gants. L'absence d'arme le rendrait peut-être moins courageux, moins enclin à s'éloigner des taupes.

Magritte se pencha vers Nahlman :

— Pourquoi n'avez-vous pas remis les os à l'agent Berman ?

— Je vais vous faire un aveu. Pardonnez-moi, mon père, car j'ai péché. J'ai enfreint le fichu règlement. Mon patron est un crétin doublé d'un flemmard. Si je lui donnais votre bourse, il vous coffrerait pour homicide volontaire. L'enquête serait bouclée et il y aurait d'autres victimes. Vous pouvez peut-être vivre avec des morts sur la conscience, moi pas.

En fond sonore de sa conversation téléphonique longue distance, Mallory entendait la circulation de Chicago. Kronewald s'excusa, le temps de fermer la fenêtre, et reprit :

— J'ai appelé le labo du FBI. Quand j'ai parlé des échantillons de terre déposés par Nahlman et des os, les experts m'ont répondu qu'ils n'avaient pas encore reçu les résultats. Évidemment, ce sont des conneries. Ils font juste les innocents. Tu sais quoi, ma petite ? J'ai l'impression qu'ils n'ont jamais entendu parler de…

— Berman n'a pas envoyé les prélèvements. Quant au labo, il n'a pas reçu de corps non plus. Tu m'as trouvé une victime qui habitait près de la Route 66 ?

— Oui, mais j'ai dû remonter quarante ans en arrière pour dénicher une fillette correspondant au profil : Marie Egram, cinq ans à l'époque de sa disparition. La maison était située sur une ancienne portion de la Route 66.

Kronewald se tut. Mallory entendit un bruit de papier froissé, signe qu'il feuilletait un rapport de police. Quarante ans d'affaires non classées n'allaient pas apparaître d'un clic sur l'écran de son ordinateur.

— L'inspecteur chargé de l'enquête était un dénommé Rawlins, aujourd'hui décédé, mais j'ai récupéré ses notes. Il soupçonnait le père. John Egram était routier sur des trajets nationaux : il aurait pu balancer le corps de sa fille n'importe où. Les Egram avaient un autre enfant, Adrian, dix ans, mais ils ont mis les voiles pendant qu'il se trouvait à l'hôpital. Sympa, hein ? À l'époque, la tutelle provisoire avait été accordée à un prêtre. On n'a pas beaucoup de détails là-dessus. Juste quelques vagues notes. Et voici le scoop : le prêtre à qui on avait confié la garde…

— Paul Magritte, je sais. Autre chose ?

— Le jeune Adrian a été ballotté de famille d'accueil en famille d'accueil.

— Le parcours idéal d'un futur tueur en série. Des photos ?

— Non, juste un vieux rapport de police de l'Illinois. À quinze ans, il a crocheté la voiture de ses parents nourriciers et s'est enfui. Ça correspond bien à ta théorie du voleur de bagnoles. Comme les flics ne l'ont jamais rattrapé, ses empreintes ne sont pas fichées. Aucun numéro de sécurité sociale non plus. J'imagine qu'il a cessé d'être Adrian Egram le jour où il a fauché cette voiture.

— Il a pourtant passé cinq ans en foyer d'accueil. On n'a pas la moindre photo ?

— Mallory, c'est dans tes rêves que la Protection de l'enfance a des archives aussi anciennes : les vieux dossiers pourrissent plutôt au fond des cartons. J'ai quand même trouvé un truc qui devrait t'intéresser. Dans le quartier des Egram, la plupart des bâtisses ont été démolies ou se sont écroulées toutes seules, mais on a retrouvé une vieille voisine, aujourd'hui en maison de retraite. Malgré la maladie d'Alzheimer, elle n'a pas perdu sa mémoire ancienne et nous a raconté que la mère d'Adrian occupait deux emplois. Le petit garçon avait donc l'habitude de sillonner les routes du pays avec son père. Ils s'absentaient deux cents jours par an à cette époque-là. Ensuite, Marie est née et Adrian est entré à l'école. Fini, les balades en camion à côté de papa ! Problème : les deux enfants ne s'entendaient pas. C'est là que ça devient bizarre : il avait dix ans, Marie à peine cinq.

— Il avait peur de sa petite sœur, conclut Mallory.

— Oui, tu avais raison : notre meurtrier n'aime pas qu'on le touche. Chaque fois que la fillette s'approchait de son frère, il fichait le camp. Ça devait être l'apogée de mon histoire ! Tu peux me dire pourquoi tu t'embêtes à me réclamer des infos ?

Mallory raccrocha : elle ne voulait pas gaspiller sa salive et aurait mis trop longtemps à décrire ce qu'elle avait sous les yeux. Un nuage glacé s'échappa de ses lèvres lorsqu'elle longea les rangées de palettes en bois où les enfants reposaient. La plupart étaient à l'état de squelette, mais certains corps, momifiés, ressemblaient encore à des fillettes endormies dont la vie avait été stoppée net sur le chemin de l'école. L'entrepôt se trouvait à trente kilomètres d'Amarillo (Texas) et, sur les papiers de location, on lisait un nom de dossier : La Nursery.

Mallory était accompagnée d'un homme grisonnant en costume bleu nuit. Il essayait de comprendre ce qu'il voyait, comme s'il n'avait aucune idée de ce qui s'était passé. Désormais installé à Washington, Harry Mars était l'ancien directeur du FBI de New York mais, depuis les funérailles de l'inspecteur Louis Markowitz, il était monté en grade. Devant la tombe de son vieil ami, il avait proposé ses services à la fille adoptive quand elle en aurait besoin. Résultat : une demi-heure plus tôt, il avait accouru et demandé aux gardiens de les laisser pendant qu'il faisait sauter les scellés de l'entrepôt frigorifique – *La Nursery.*

Harry Mars, qui n'était qu'à un échelon du directeur adjoint du FBI, annonça :

— Mes hommes ont compté quarante-sept enfants décédés.

Il emmena Mallory vers un cercueil métallique ouvert.

— Ici, nous avons la dépouille d'un adulte.

— Sans doute Gerald Linden. La victime de Chicago.

— Je suis sidéré par tant d'incompétence. L'enquête aurait dû être confiée à notre brigade spécialisée dans les tueurs en série. J'ignore comment Dale a réussi à garder le secret sur tous ces corps et ces squelettes.

Mallory, elle, le comprenait trop bien. Jamais la bureaucratie tentaculaire ne pourrait maîtriser les agissements de chaque agence locale du FBI, pas avant que l'affaire fasse la une des journaux télévisés. Le directeur adjoint des enquêtes criminelles n'insultait donc pas son intelligence quand il lui assena son mensonge très crédible. Néanmoins, l'homme était un allié et un ami de la famille. Elle ne l'accuserait donc pas de tromperie. Enfin, pas encore. Une chose après l'autre.

Gêné par son silence, Harry Mars jacassa de plus belle, comme s'il était pressé de partager ses informations.

Mais oui, bien sûr.

— Je ne peux pas faire porter le chapeau à d'autres agents, expliqua-t-il. À mon avis, hormis Dale, personne ne connaît le compte exact des corps. Il dirige plusieurs équipes sur plusieurs États différents. Ça entre, ça sort : tout se passe très vite. Aucune preuve n'est jamais apportée au dossier. Dale serait donc le seul à disposer d'une vue d'ensemble.

Non, il ne s'en sortirait pas si facilement : un agent fédéral sacrifié sur l'autel des médias et aucune répercussion sur le FBI.

— Vous êtes au courant de l'affaire depuis longtemps, Harry. Avant qu'elle n'ait été diffusée à la télé.

Ce n'était ni une question ni une invitation à lui mentir.

— Les lettres de George Hastings vous ont mis la puce à l'oreille. Vous le connaissez peut-être mieux sous son pseudo Internet : le Papa de Jill ? À moins que Nahlman n'ait attiré votre attention ?

Mallory sourit. *Je t'ai eu.*

Harry Mars essaya de gagner du temps en balayant du regard les palettes d'enfants décédés, puis il sortit de sa poche intérieure une liasse de documents :

— Le labo a reçu ces mails de l'agent Nahlman. Elle voulait savoir ce qui était arrivé aux résultats des tests sur ses échantillons de terre.

— Les experts n'en avaient aucune idée, mais ils ont refusé de l'admettre.

Il ne releva pas et enchaîna :

— L'autre jour, elle a demandé qu'on rende le corps de Jill Hastings. Jusqu'alors, je te jure que je considérais George Hastings comme un simple excentrique.

Il chiffonna ses papiers.

— C'est là qu'on a commencé à chercher l'entrepôt.

Quel habile mensonge !

Mallory avait sa propre idée sur les débuts de l'enquête interne au sein du FBI. D'après les sources de Kronewald, l'agent Cadwaller, qu'elle considérait comme l'espion de Mars, était affecté au bureau de Dale depuis trois mois.

— Il reste la question du mobile, continua-t-elle.

— Celui de Dale ? Ce type est un raté de première.

— Non, il y a autre chose.

Le mobile préféré de Mallory était l'argent, mais il n'y avait pas de marché pour les os de fillette.

— Je peux lui retirer l'enquête, mais tu préférerais certainement que je le descende d'une balle entre les deux yeux.

— En effet.

Elle gratifia d'un sourire le vieil ami de Lou Markowitz, même si elle savait qu'il lui cachait encore des éléments.

— Néanmoins, vous allez le laisser aux commandes.

Il était plus facile de travailler autour de Berman. Une brigade d'intervention compétente s'avérerait plus gênante : elle pourrait décider de mettre des bâtons dans les roues de Mallory.

— Je vais vous dire comment ça va se passer avec le FBI. À *ma* manière.

Effaré d'entendre la liste des exigences, Harry Mars reprit vite ses esprits et sourit :

— J'espère que ton vieux père te voit de là-haut. Quels efforts pour enquiquiner les fédéraux ! Tu bats presque Lou à ce petit jeu-là ! Je crois qu'il serait très fier de toi.

Le tout sans l'ombre d'un sarcasme.

Assis autour du feu de camp, Riker discutait base-ball avec Joe Finn et son fils. Dodie était paisiblement blottie dans les bras puissants de son père. Les deux enfants bâillaient et l'inspecteur attendait qu'ils s'endorment pour évoquer le programme de protection des témoins suggéré par Kronewald. Les Finn devaient quitter la Route 66.

Le feu avait faibli et Peter posa la tête contre l'épaule de son père. Au même moment, une adolescente traversa le campement, un bébé assoupi calé sur la hanche. Ses grands yeux marron fouillèrent partout et, lorsqu'elle aperçut Darwinia Sohlo, elle afficha un large sourire :

— Maman !

Sous le regard étonné des autres campeurs, une Darwinia encore plus sidérée se releva, tremblante, pour enlacer la jeune mère et son enfant. Elle faillit s'effondrer à genoux, mais un jeune homme accourut et la rattrapa. Il avait environ le même âge que la fille et Riker supposa qu'il s'agissait du père du bébé. Ce grand gaillard bronzé était bâti comme un ouvrier qui travaillait dur pour gagner sa croûte. Il était si douloureusement jeune qu'il semblait persuadé de toujours pouvoir assurer la sécurité de sa famille : il n'avait pas entendu le boxeur raconter l'histoire d'Ariel. La discussion autour du feu lointain de Darwinia continua à voix basse. Riker, qui ne fit qu'assister aux sourires et aux embrassades, ne put donc que les imaginer en train de s'extasier devant le miracle.

Le plus déprimant, ce fut le regard de Joe Finn.

Et ses larmes.

Si Darwinia connaissait de telles retrouvailles, pourquoi pas lui ? Manifestement, il préférait se figurer Ariel toujours vivante, car il aurait été incapable d'exister dans un monde où il la savait morte. Et rien – ni l'intervention de Dieu ni même Mallory – ne l'obligerait à quitter la route.

D'un signe, Charles dit au revoir à Darwinia Sohlo et à sa famille, qui, dans des voitures séparées, prirent la même direction : l'heureuse femme avait non seulement retrouvé son enfant perdu, mais aussi une maison sûre – un foyer.

— Le FBI ne devrait-il pas leur fournir une escorte ?

— Non, répondit Riker. Ils ne correspondent pas au profil. La pire menace qui planait sur Darwinia, c'était son fou furieux de mari au Wisconsin. Notre tordu à nous aime planifier ses meurtres autour d'une victime isolée. Tu le vois se mesurer au gendre ?

— Joe Finn est boxeur professionnel, mais tu t'inquiètes quand même du sort de Dodie, objecta Charles.

— Et comment ! Grâce au petit numéro de Dale avec son père, elle représente une menace pour un tueur en série. Un endroit sûr attend la famille Finn à Chicago mais, à mon avis, Joe n'acceptera pas de partir. À moins que je n'arrive à l'en convaincre.

— Il ne t'entendra pas. À cause du manque de sommeil, il n'a pas les idées claires. Il a mis une heure à monter sa tente.

À présent que les enfants étaient couchés en sécurité, Joe Finn n'avait plus la force de dérouler son propre sac de couchage. Il s'allongea sur l'herbe, devant l'entrée fermée de l'abri. Les bras croisés derrière la tête, il fixa le ciel. Ses lèvres remuèrent, peut-être habituées à réciter quelques paroles de prière avant de s'endormir.

Bonne nuit, doux prince.

Charles leva les yeux vers les étoiles et souhaita aussi bonne nuit à Ariel.

CHAPITRE XV

Même si Harry Mars avait passé la majeure partie de sa vie sur la côte Est des États-Unis, il reprenait l'accent texan dès qu'il revenait dans sa région natale. Il se tourna vers la jeune femme qui l'accompagnait :

— Je ne rentre pas tout de suite à Washington. Demain matin, je retrouve Kronewald à Chicago. J'ai la nette impression qu'il me cache des trucs.

Sauf qu'ils jouaient tous le même jeu. Kathy Mallory n'avait pas divulgué la moitié de ce qu'elle savait – et lui non plus.

Le soleil était déjà levé depuis plusieurs heures quand les deux touristes continuèrent à discuter sur la vieille route, à la sortie d'Amarillo. Après sa longue nuit dans La Nursery de Dale Berman, Harry Mars était épuisé. Les échantillons de terre avaient été localisés et il allait les transmettre sans délai au laboratoire de criminologie. Il avait aussi proposé à Mallory de l'engager au FBI mais, à son grand soulagement, elle avait décliné l'offre.

Il se rappela l'année où elle avait rejoint la police de New York et le prix que son père adoptif avait payé.

— Elle n'a pas l'esprit d'équipe, répétait-il, mais quelle gamine !

Le vieux Lou Markowitz était passé maître dans l'art de la litote. C'était un flic hors normes qui pouvait extorquer des informations aux fédéraux les plus haut placés. Lors d'un petit déjeuner, il avait accepté la dernière exigence de la demoiselle, et failli lui donner la clé des toilettes messieurs. Il était exténué. Or, à présent, elle voulait aussi qu'il lui garantisse de renvoyer une des écolières chez elle après un examen rapide de sa dépouille.

— C'est un service que vous rendrez à Riker, expliqua-t-elle en lui tendant un bout de papier. Voici le nom de l'entrepreneur des pompes funèbres qui enterrera la fille de George Hastings dans trois jours. Le corps de Jill est donc votre priorité numéro 1. Quand elle aura été inhumée, je vous enverrai la correspondance de son père avec Washington – avec *vous* – toutes ces minables lettres types que vous avez signées… et datées.

La mâchoire d'Harry Mars s'était décrochée : trop tard pour recourir au bluff. Les courriers datés ruinaient les chances du FBI de se dédouaner en clouant Berman au pilori. Avec cette ultime manœuvre de chantage, Kathy Mallory en lâchait beaucoup trop pour le peu qu'elle allait récupérer : un sac d'os.

Après un solide petit déjeuner, Harry Mars, natif du nord du Texas et bon perdant, avait proposé de jouer les guides touristiques.

— Et voilà !

Il indiqua une rangée lointaine de dominos obliques au fond d'une pâture. Cet alignement impeccable de formes penchées était, en réalité, une série de voitures plantées à la verticale, le capot fiché dans le sol.

— Je te présente le Cadillac Ranch. Pas étonnant que tu aies raté le champ. Tu cherchais une grande pancarte, j'imagine ?

— Alors c'est ça ?

Pouvait-on voir Kathy Mallory moins impressionnée ?

— Moi, j'ai toujours bien aimé. Je me rappelle l'époque où les Cadillac étaient flambant neuves et que les ados du coin ignoraient encore les joies du graffiti. Saletés de mioches ! Désolé, je devine ta déception. On ne voit pas grand-chose depuis la route, mais impossible d'approcher davantage. Il y a un taureau parmi les vaches de la pâture.

Comme il connaissait bien la jolie blonde, il ajouta :

— Il ne serait pas correct d'abattre le troupeau d'un agriculteur, Kathy.

— Mallory, rectifia-t-elle pour la troisième fois de la matinée.

— D'accord.

Harry Mars la regarda cocher le Cadillac Ranch sur sa liste et remarqua une autre attraction texane, pile au milieu de la longue Route 66.

— Je vois que ta prochaine halte est le MidPoint Café.

Il espéra un sourire d'approbation, voire un simple oui ou non, mais il n'attendit pas longtemps : il la connaissait par cœur.

— Tu peux me dire l'intérêt de ces points de repère pour notre enquête ?

Il obtint sa réponse lorsqu'elle referma le carnet, le fourra dans la poche arrière de son jean et lâcha :

— Au revoir.

— Kathy, pardon, *Mallory*, je ne pourrai jamais te considérer comme une fichue touriste.

Il se rappelait parfaitement leur première rencontre : Kathy venait d'arriver chez Lou et Helen Markowitz. Elle était beaucoup plus petite, mais ses yeux n'avaient pas changé. Il avait suffi à Harry Mars de croiser son regard pour savoir qu'elle avait déjà tout vu, quoi que le monde ait pu jeter en travers de son chemin.

La liste du calepin continuerait à l'agacer. Ce soir-là, Mallory dormirait ; lui, non. Enfin, bon, ce n'était pas plus mal. Il n'était pas pressé de rêver des quarante-sept fillettes étendues sur des palettes en bois au fond d'un entrepôt glacé – si jeunes –, pas encore terminées à l'heure de leur mort.

L'inspectrice s'apprêtait à prendre congé. Elle se glissa au volant et fit ronfler le moteur. Une interrogation continuait à lier Harry Mars à la jeune femme, une question qu'il ne pourrait jamais poser. On aurait dit un élastique géant, qui s'étirait entre eux et menaçait de casser au moment où la voiture s'éloigna.

Dale Berman était-il le dernier des ratés ou un type particulièrement malsain ?

Charles se gara devant le MidPoint Café à Adrian. Très accueillant, l'établissement texan, petit mais familial, avait une façade blanche cerclée de noir.

— C'est comme dans tes souvenirs ?

Riker haussa les épaules :

— La dernière fois que je suis venu, j'étais encore gamin. Depuis, la bibine a détruit une bonne partie de mes souvenirs de voyage. Qu'est-ce qui te fait croire que Mallory va se montrer ?

— J'ai vu le nom du café sur sa liste.

Grand amateur d'antiquités, Charles apprécia aussitôt l'endroit. Autour d'une cuisinière ancienne purement décorative, la salle de restaurant était ornée de vieux objets, vestiges d'une époque révolue. Lorsqu'il rejoignit Riker et s'assit au comptoir, il évita de regarder la pièce voisine, boutique remplie de bibelots beaucoup plus modernes.

La serveuse avait un long passé commun avec l'établisscment et une excellente mémoire. Quand Charles et Fran commencèrent à s'appeler par leur prénom, Riker avait englouti sa part de tarte et était désormais prêt à parler affaires.

Il se contenta néanmoins d'une description succincte :

— Grande, très jolie, blonde. Elle conduit une décapotable Volkswagen.

— La fille de Peyton ? lança Fran. Vous venez de la rater.

— Peyton, répéta Charles.

— Oui. Dès qu'elle a franchi le seuil, je lui ai dit : « Vous êtes forcément de la famille de Peyton Hale ! Ou peut-être est-ce juste parce que vous avez les mêmes étranges yeux verts et que vous conduisez sa voiture. »

Charles sourit. Sa théorie sur l'auteur des lettres tant convoitées de Savannah se confirmait et il avait enfin le nom du père de Mallory :

— Je n'ai jamais rencontré Peyton Hale, mais j'imagine que vous le connaissiez bien. Il est de la région ?

— Non, la première fois, il venait de Californie. Il s'est ensuite installé à Chicago, où il a fait ses études, mais, pendant des années, il a parcouru la Route 66 chaque été. Il s'arrêtait deux fois par an au MidPoint Café, à l'aller et au retour. Il commandait toujours de la tartc. Il n'a jamais rien voulu d'autre. Le matin, elles sortent du four.

Riker, qui avait perdu son sourire, lâcha sur un ton plus brusque :

— Quand l'avez-vous vu pour la dernière fois ?

— Il y a très longtemps.

Fran posa un couteau dans le moule à tarte.

— Je suis sûre que sa fille n'était pas encore née. Sinon, il m'en aurait parlé.

— Ça fait donc au moins vingt-cinq ans, peut-être

davantage. Pourtant, vous vous souvenez de ses yeux ? De sa voiture ? Il doit y avoir autre chose.

— Avec son incroyable charme, il m'a délestée de vingt dollars. Il roulait vers la Californie et m'a signé une reconnaissance de dette. Il avait promis de me rembourser lorsqu'il rentrerait à Chicago. Je ne l'ai plus jamais revu.

Elle servit à Riker une autre part de tarte.

— Encore plus suspicieuse que vous, la fille de Peyton m'a réclamé la reconnaissance de dette. Évidemment, je ne l'ai pas gardée, mais elle a quand même réglé la note.

Fran sortit de la poche de son tablier un billet de cent dollars.

— Elle laisse de sacrés pourboires.

— En effet.

Suborné par sa deuxième part de tarte, Riker avait un peu délaissé son rôle de flic.

— Savez-vous ce qui est arrivé au père de Mallory ?

— Je n'ai jamais posé la question. J'aime penser qu'il parcourt toujours les routes, à conduire comme un fou. Mon Dieu, sa voiture était un vrai bolide. Eh bien, tel père, telle fille. Tout à l'heure, la décapotable de Mallory a quitté le parking et, d'un seul coup, vroum !, elle avait disparu.

Autre jour, autre aire d'autoroute.

Mallory n'eut aucun mal à retrouver la caravane au sud d'Adrian (Texas) : il lui suffit d'écouter les interviews des parents à la radio. Le parking était surpeuplé, mais elle se créa sa propre place de stationnement sur un bout de trottoir, derrière le restaurant. Les jeunes fédéraux qui montaient la garde ne s'y opposèrent pas : au contraire, champions du traitement V.I.P., ils lui ouvrirent la portière et se mirent presque au garde-à-vous quand elle entra au restaurant.

Mallory aimait les tables près de la fenêtre et elle en choisit une sans se préoccuper des hommes qui l'occupaient. Elle n'attendit qu'une seconde ou deux et les agents installés là-bas décidèrent qu'ils avaient assez mangé. Une fois seule (son autre péché mignon), elle ouvrit le calepin où elle notait les repères et ses meurtriers potentiels. Telle une écolière concentrée sur sa leçon, elle pencha la tête sur sa liste et cocha le MidPoint Café.

Elle avait fini de déjeuner quand la Mercedes de Charles Butler débarqua sur le parking. Au volant, Riker. Il se gara derrière la décapotable argentée et quelques fédéraux traversèrent le restaurant au pas de course pour leur ouvrir la porte. Une soudaine prévenance qui devait venir de Harry Mars.

Parfait.

Riker posa l'ordinateur portable de Kronewald sur la table de Mallory :

— Tu n'arrêtes pas de partir sans.

Comme elle ne relevait pas la tête, il s'effaça et alla se chercher un cheeseburger. Il longea une table en retrait, idéale pour ourdir un complot, mais ne réussit pas à entendre la conversation entre les deux agents du FBI.

Barry Allen s'efforçait de ramener sa partenaire à la raison et cherchait à la convaincre de respecter la stricte hiérarchie du FBI :

— Tu n'as pas le droit de passer outre l'autorité de Dale Berman.

— J'avais besoin des résultats sur mes échantillons de terre, répondit Nahlman. Ce salaud n'a même pas demandé de tests. J'ai vérifié auprès du labo.

— Tu peux faire sans.

— Impossible. C'est trop bizarre. Deux sortes de terre au fond de trois tombes : réfléchis un peu. Le meurtrier a déterré ses victimes avant de les enfouir ailleurs. Si j'arrive à localiser les sépultures d'origine, j'aurai des noms, des dates. De véritables pistes. Berman, lui, se fiche de savoir quand on résoudra l'affaire. Une victime de plus ou de moins, qu'est-ce qu'il en a à cirer ? Il a presque offert Dodie Finn au meurtrier sur un plateau.

— Quel manque de sensibilité !

— Une centaine d'enfants au moins sont morts. Mallory avait raison : on aurait pu boucler l'enquête depuis longtemps, mais il continue à y avoir des victimes.

— À cause de Dale ? Aujourd'hui, c'est devenu un meurtrier ?

Nahlman se renfonça dans son siège, frappée d'entendre un bleu appeler Berman par son prénom :

— Je vois que tu l'apprécies vraiment beaucoup.

— Je le trouve génial. Alors promets-moi d'abandonner sur-le-champ ton idée loufoque.

Absurde, non ? Un petit jeune au visage poupin endossait un costume de sage et lui donnait des conseils *pour son propre bien* !

— D'accord, mentit-elle. J'arrête.

À moins qu'elle n'ait dit la vérité ? Elle était si fatiguée de se casser les dents sur les nombreux obstacles que le chef mettait en travers de son chemin. D'autant qu'elle n'avait pas répondu à la question d'Allen. Considérait-elle Dale Berman comme un meurtrier ? Oh, oui !

Sur le territoire neutre d'une table centrale, Charles avait été assailli par Cadwaller et il s'efforçait de lui expliquer pourquoi Joe Finn avait envie de le tuer :

356

— Ne vous approchez plus des enfants. Vos collègues ont déjà fait assez de mal à Dodie.

Il leva la main.

— S'il vous plaît, ne niez pas. Elle était gravement traumatisée, mais elle parlait encore avant d'être emmenée par le FBI. Elle est revenue muette.

Était-ce une surprise pour l'agent fédéral ?

— La famille Finn doit quitter le convoi, annonça Cadwaller.

Voilà qui était intéressant. C'était le seul membre de l'équipe Berman à partager l'avis de Charles. Néanmoins, il défendait le principe d'une résidence surveillée.

— Vous savez que Dodie a besoin d'une aide psychologique, renchérit l'agent spécial. Il faudrait que j'aille lui parler. Ensuite, je réglerais les détails pour...

— Non !

Charles estimait que Cadwaller avait trouvé ses diplômes dans une pochette surprise et il avait voulu lui expliquer poliment qu'il ne suffisait pas d'ingurgiter quelques bouquins pour devenir psy. Comme les bonnes manières avaient échoué, il décida d'employer la manière forte :

— Plutôt que de pousser Dodie à la rupture psychologique, je vous suggère de prendre votre flingue et de lui tirer une balle dans la tête. Non, je suis sérieux. Descendez-la ! Vous montrerez un bon exemple aux autres.

Une journaliste et son caméraman longèrent la table de Cadwaller et se dirigèrent vers Riker, qui les envoya balader en leur adressant un amical doigt d'honneur new-yorkais. Puis l'inspecteur s'installa en face de Magritte. Il n'avait pas de temps à perdre en civilités.

— O.K., Doc, on traque un cinglé et vous en avez tout un stock au sein du convoi. Vous avez sûrement vos préférés, qui ne sont pas protégés par l'exigence de confidentialité médecin-patient. Vous disiez qu'ils venaient de nombreux groupes de thérapie différents.

D'un coup de menton, il désigna Monsieur Logique, assis seul, devant ses cartes routières.

— Horace Kayhill n'arrête pas de revenir. Il aime être proche de vous, non ? Les fous doivent se croire au paradis dans ce voyage... Un médecin qui ne peut pas s'éloigner de ses malades !

S'excusant d'un sourire, Magritte insinua qu'il n'obtiendrait rien de lui, pas même la confirmation que Kayhill était son patient.

Riker scruta son visage dans l'espoir d'y trouver un indice utile s'il posait la bonne question :

— Vous connaissez l'identité du tueur, n'est-ce pas ? Vous parlez à ce tordu au téléphone ? Vous communiquez sur Internet ou quoi ?

— Vous ne discutez pas beaucoup avec votre équipière, s'étonna le médecin. Je parie que vous vous demandez comment je le sais.

Il sourit.

— Votre cheeseburger refroidit, inspecteur.

Ravi d'être sous le feu des projecteurs, Berman partageait une table avec une célèbre présentatrice de télévision. Cette icône du journal de vingt heures sembla déçue par le profil rudimentaire qu'il donna du *serial killer*. Elle reprit la parole :

— Un peu sexiste, non ? Pourquoi ne pas soupçonner une femme ?

Berman avait revêtu son masque de tragédien, mais seulement quand les caméras étaient braquées sur lui :

— C'est un homme. Il est très rare de tomber sur des meurtrières en série.

La journaliste tendit son micro à l'inspectrice

new-yorkaise merveilleusement photogénique qui occupait la table voisine :

— Qu'en pensez-vous, officier Mallory ? Une femme aurait-elle pu commettre tous ces crimes ?

La jolie blonde ne décolla pas de son ordinateur :

— Les meurtrières, ça court les rues.

Le visage de Berman s'assombrit.

— Comme la prostituée qui tuait ses clients ? suggéra la présentatrice.

En l'absence de réponse, elle perdit son beau sourire professionnel : un précieux temps d'antenne lui filait entre les doigts.

— Il y a aussi des mères qui tuent leurs propres enfants.

D'un nouveau sourire, elle encouragea Mallory à réagir. Quand allait-elle se décider à ouvrir la bouche, merde ? La journaliste décida de combler le silence :

— Des infirmières qui liquident leurs patients. Sans parler des veuves noires, ces épouses qui tuent leur mari pour récupérer l'argent de l'assurance.

— J'aime bien les mobiles financiers, lâcha Mallory.

Enfin un truc intéressant ! Elle releva la tête mais, au lieu de regarder l'objectif, fixa Dale Berman.

Le caméraman s'accroupit devant elle pour essayer de capter son regard.

— Vous croyez donc une femme capable de...

En pleine partie de bras de fer visuel avec Berman, Mallory interrompit la journaliste :

— C'est un homme. Les mâles aiment ériger des monuments. Voilà ce que le tueur a fait de cette route.

— Exactement !

Par son exclamation, Berman avait reconquis l'attention du caméraman et l'œil de l'objectif.

— L'assassin croit que les meurtres le rendront immortel dans le...

— Qu'en pensez-vous, inspecteur ? le coupa la journaliste.

Ni une ni deux, le caméraman refit volte-face vers la jolie blonde new-yorkaise, qui lança au patron de l'enquête :

— Personne n'est immortel.

Loin de Dale Berman et de la journaliste, Mallory trouva une autre chaise vide près de la fenêtre et s'assit devant Monsieur Logique, qui en renversa aussitôt son café. Tandis qu'elle posait son sac et son ordinateur sur les cartes routières, elle dut supporter les excuses du maladroit et écouter combien il avait ingéré de caféine depuis l'aube, que ce soit sous forme d'express ou de Coca-Cola. Apparemment, il se fichait de son silence : avec Mallory, il se sentait plus à l'aise dans le monologue que dans le dialogue. Horace Kayhill déplia une autre carte et lui décrivit les nouveaux points de repère découverts depuis son dernier voyage :

— La Route 66 n'arrête pas de changer, vous savez. On dirait un être vivant.

D'une claque sur sa carte maculée de café, Mallory attira l'attention du gringalet :

— Vous êtes bien statisticien ?

— Oui. J'étais employé par une compagnie d'assurance.

— Donnez-moi des chiffres. Les États-Unis comptent trois cents millions d'habitants et seule une centaine d'entre eux ont un point commun. Quelle est la probabilité qu'ils se rencontrent ?

Kayhill rajusta ses lunettes et se prépara à lui assener un autre cours magistral :

— Vous faites sans doute allusion à la théorie des six degrés de séparation, à savoir que nous sommes tous à six connexions de n'importe quel autre habitant de la planète. Eh bien, ce genre de théorie ne fonctionne pas ici. Pas si vous cherchez une rencontre fortuite. Quelqu'un doit suivre les fils pour forcer le résultat et prouver le...

— Je ne crois pas au hasard. Ni aux accidents ou aux coïncidences. Vous savez de quoi je parle.

— Oui. Des parents de la caravane.

— Pas tous. Juste ceux qui ont leur petite fille enterrée sur la Route 66.

— Avant l'essor de l'informatique, ils ne se seraient jamais rencontrés mais, aujourd'hui, on dispose de nouvelles variables. Il est possible de recouper chaque aspect de votre vie avec la Terre entière. Si vous avez un tic bizarre, une maladie rare ou que vous souffrez, comme moi, d'états migraineux sans maux de crâne, vous trouverez un forum sur le sujet, un site Internet...

— Ou un groupe de thérapie.

— Exactement. Moi, je suis inscrit à un tas de groupes.

Il se tapota la tête, l'air de dire qu'il y avait beaucoup de problèmes là-dedans.

— Je suis un peu compulsif, mais je passe la majeure partie de mon temps à engranger des informations et des statistiques sur la Route 66. Voilà comment j'ai rencontré le premier parent du convoi : Gerry Linden. Un agent du FBI lui a annoncé qu'on avait retrouvé le corps de son enfant et lui a indiqué l'emplacement de la tombe, mais la dépouille de sa fille ne lui a jamais été rendue.

Mallory acquiesça en silence. La veille au soir, elle avait vu la fille de Gerald Linden dans La Nursery de Berman. Le corps avait été identifié grâce à une petite broche en or, typique d'un héritage familial.

— Linden s'est donc rendu sur la tombe vide. Il m'a expliqué que la portion de route où on avait retrouvé son bébé était le seul endroit où il pouvait déposer des fleurs.

Monsieur Logique se pencha et sourit :

— C'est là que le hasard intervient.

Il dut se souvenir qu'elle ne croyait pas aux coïncidences, car il cessa de sourire et renversa encore son café.

— Appelons ça un maillon forcé de la théorie des six degrés de séparation, rectifia-t-il. M. Linden a passé quelques jours sur place, à discuter avec les habitants du coin, et il a appris l'étrange histoire d'une tombe découverte à soixante kilomètres en aval. Il y a des années, un homme essayait d'enterrer un chien et, par inadvertance, il a exhumé le cadavre d'un enfant. D'accord, la sépulture se trouvait dans un autre État et la route y était connue sous un nom différent, mais ça faisait partie du même parcours. Linden a donc exploré un tas de sites Internet consacrés à la Route 66. Je les surveille tous de près et son nom est apparu plusieurs fois. Il voulait des informations sur les enfants assassinés retrouvés le long du chemin.

— C'est lui qui vous a parlé du groupe de thérapie animé par le Dr Magritte ?

— Oui, et je m'y suis inscrit. Grâce à un autre patient, j'ai collecté des renseignements supplémentaires. Deux parents vivant la même situation et consultant le même psy, il faut reconnaître que la coïncidence était extraordinaire. Et là j'ai compris l'ampleur de l'affaire.

— Vous n'avez jamais eu d'enfant, objecta Mallory comme s'il s'agissait d'une tare. Les séances de Magritte étaient réservées aux parents de gosses disparus ou assassinés.

— Non ! Où êtes-vous allée chercher ça ? Il suffit de

posséder un ordinateur. Ce médecin n'a jamais repoussé personne.

Sur quoi, sans doute conscient d'avoir besoin d'une séance de thérapie immédiate, Horace Kayhill remballa ses cartes et prit la poudre d'escampette.

Riker s'effondra sur la chaise encore tiède en face de son équipière et lui tendit son téléphone :

— C'est Kronewald. Il a du nouveau.

Sa propre conversation avec l'inspecteur de Chicago s'était avérée éclairante et démoralisante à la fois.

— Mallory, j'écoute… D'accord… Non, c'est tout ce qu'il me faut.

Après avoir rallumé l'ordinateur, elle pianota sur le clavier et afficha à l'écran une carte des États-Unis. Un itinéraire y était indiqué d'un gros trait rouge.

— Je l'ai.

Riker entendit Kronewald élever la voix quand elle pressa le bouton de fin d'appel. Le vieil homme hurlait presque, comme s'il savait qu'elle allait lui raccrocher au nez.

Charles, qui avait fui Cadwaller, chercha refuge auprès de ses amis, prit une chaise et fixa l'écran de l'ordinateur :

— Ça ne ressemble pas aux autres cartes de la Route 66. Qu'est-il arrivé à Santa Fe ?

— Cet itinéraire date des années 1960, expliqua Riker. Après la jonction de la boucle de Santa Fe.

Il adressa à son équipière un sourire fourbe :

— Autant t'épargner la corvée de nous faire partager tes infos.

Retour vers Charles :

— Beaucoup de routiers empruntent ce trajet entre Chicago et Los Angeles.

— Vous pensez donc que le tueur roule en camion, conclut Charles.

— Non, mais son père si, répondit Riker avant de souffler à Mallory : Tu allais me le dire, n'est-ce pas ?

Il raconta l'histoire du routier et de sa femme qui avaient abandonné leur fils après la disparition de Marie Egram, cinq ans.

— Tu as raison, Charles. Notre gamin n'a pas commencé par de petits animaux poilus : il a tué sa propre sœur, mais je suis sûr que mon « équipière » allait finir par nous en parler.

Mallory détourna la tête.

Aurait-il adopté un ton un peu grincheux ? *Eh bien, tant pis.*

Elle ne s'adressa qu'à Charles :

— J'espère que Cadwaller t'a donné des infos utiles.

Aux yeux de la jeune femme, Riker était devenu l'homme invisible. Il déplaça sa chaise pour rester dans son champ de vision :

— Tu rigoles ? Il a dû bassiner le pauvre Charles avec ses immenses compétences en matière de *serial killers* mais, au moins, ce bon à rien essaie de communiquer avec…

— Cadwaller n'a aucune compétence, intervint Charles. C'est un imposteur.

Fini de jouer avec Mallory. Riker le poussa à préciser sa pensée.

— J'ai peut-être été un peu dur. Je dirais qu'au mieux c'est un expert en mauvais livres de psycho écrits par des charlatans pour le grand public mais, en tout cas, il n'a rien d'un profileur.

— Kronewald a enquêté sur son passé, ajouta Riker. Cadwaller bosse depuis longtemps à l'Unité scientifique des comportements.

— Parfois, on réécrit le passé. Je vous dis juste que ce type n'est pas ce qu'il semble être.

L'information ne surprit pas Mallory et Riker se demanda ce qu'elle avait encore oublié de lui annoncer.

— Au moins, vous avez le nom du tueur, reprit Charles.

— Oui, mais on n'est pas plus avancé. On n'a ni photos ni empreintes, aucune idée du nom qu'il utilise aujourd'hui. Tout ce qu'on sait, c'est qu'il adore faucher des bagnoles.

Riker jeta un œil à son équipière et rectifia de lui-même :

— Enfin, tout ce que je sais, moi.

Quand Magritte passa près de leur table, Mallory foudroya Riker du regard et demanda – ou plutôt *aboya* :

— Pourquoi n'est-il pas en détention provisoire ?

— Quoi ? On se calme. À quel titre serait-il impliqué ? Quel crime a-t-il commis ? Et, moi, qu'est-ce que j'ai encore fait de mal ?

Mallory le dévisagea, incrédule :

— Nahlman ne t'a rien dit ?

CHAPITRE XVI

Ils se rencontraient par hasard – selon la version de Riker. Il se répéta la scène, tandis qu'il suivait la voiture de Nahlman sur un chemin de campagne qui l'entraînait bien au sud de la Route 66. En cette région du monde, les gens se fichaient de parcourir cent ou cent cinquante kilomètres pour aller faire une course. Dans l'obscurité, les deux véhicules pourraient traverser n'importe quelle bourgade américaine aux fenêtres éclairées par les postes de télévision.

La berline noire du FBI s'arrêta devant un bar réservé à la population locale, vu les plaques des véhicules garés devant l'établissement et l'éloignement de l'autoroute. Riker éteignit ses phares et attendit, dans le noir, que la porte se referme sur Christine Nahlman. Il gara la Mercedes derrière sa voiture et patienta vingt minutes avant de la suivre à l'intérieur.

La porte d'entrée s'ouvrit sur un mur de fumée et de bruit. Un juke-box braillait des chansons country sur des chiens morts et de jeunes écervelées, mais il fallait s'y attendre. Il n'était pas non plus surprenant de voir Nahlman boire seule au bar. Elle avait un public restreint mais admiratif de joueurs de billard, mal rasés et casquette de base-ball vissée sur la tête. Ils la dévisageaient en souriant et se lançaient des clins d'œil complices, persuadés d'avoir affaire à une proie facile.

Ils ignoraient qu'elle avait un revolver à la ceinture et assez de munitions pour abattre tous les clients et le barman, s'il lui en prenait l'envie.

Riker tira un tabouret et s'installa à côté d'elle.

Après quelques minutes d'un bavardage entre flics qui commençait toujours par : « Sale journée, hein ? », Nahlman comprit, rassurée, qu'il ne lui ferait pas d'avances, et c'était la vérité. Venu en voleur, il chercherait plutôt à lui extorquer un maximum d'informations.

Les pires habitudes de Mallory commençaient à déteindre sur lui.

Riker se trouva vite un point commun avec Nahlman : ils appréciaient la même marque de scotch bon marché. En réalité, il mentait, lui qui ne jurait que par le bourbon, mais il espérait que ce petit rituel amical les conduirait vite au passe-temps favori de tout membre du FBI : pester contre la bureaucratie – par exemple, Dale Berman, chef de l'enquête. Elle tenait étonnamment bien l'alcool et il craignit de rouler sous la table avant qu'elle prononce sa première critique méprisante.

Au bout de la troisième tournée, il décida de lui adresser un compliment :

— Mallory m'a raconté que vous aviez fait du bon boulot sur le profilage géographique mais que Dale avait tiré la couverture à lui.

Il secoua la tête, l'air de dire : *Quelle chienne de vie !*

Elle haussa les épaules et vida son verre :

— D'une certaine manière, Berman *devait* récolter tous les honneurs. C'est lui qui a épluché les bases de données de chaque État à la recherche d'homicides impunis.

— Il enquêtait sur les affaires non classées, alors qu'elles ne dépendaient même pas des fédéraux ?

— Il n'enquêtait sur rien du tout. Il réunissait juste des informations sur les meurtres mystérieux – sans preuves, ni indices. Avec une nette préférence pour les squelettes retrouvés des années après la mort.

Quand il cherchait à éviter les silences gênés, Riker avait à sa disposition un bon stock de banalités :

— Saviez-vous que la plupart des victimes de meurtre sont découvertes par des ivrognes qui s'arrêtent pour pisser au bord de la route ?

— Dale ne tenait pas compte de ce genre de cas. Trop peu de similitudes. Il se concentrait sur les victimes enterrées. Il y a un an, il m'en a fourni la liste, des centaines de tombes à travers le pays, et m'a balancé : « Faites coïncider les indices. »

— « Faire » ? Pas « chercher » ?

— Eh non !

Sans quitter son verre des yeux, elle fit tinter les glaçons :

— Il voulait créer un *serial killer*. Le stratagème est connu. Un tordu avoue un meurtre et, soudain, tous les flics des États voisins débarquent avec leurs propres affaires non résolues. Ils espèrent qu'il pourra élucider leurs énigmes et, parfois, ils ont de la chance. Ils tombent sur un assassin serviable qui aime attirer l'attention.

Nahlman releva ses yeux gris et calmes :

— Ne jouez pas le type choqué, d'accord ? Les flics agissent pareil. Maintenant, vous aviez promis de me raconter comment Berman avait atterri à la tête d'une brigade de fédéraux.

— Ah oui.

Riker lui avait proposé le marché très tôt, dès le premier verre, afin de la mettre en confiance.

— L'histoire est très courte. Cette ordure a fait capoter une enquête de haut vol à New York, ce qui a plongé le FBI dans un sacré embarras. Résultat : ils lui ont offert une promotion pour étouffer l'affaire.

— *Amen*. Il faut toujours féliciter le crétin qui rate son coup.

— Avant que Dale soit nommé au Texas, on l'a quand même mis au placard dans un bureau satellite du Dakota du Nord... en plein hiver. Le FBI est une merveille d'équilibre !

Riker intima au barman de les resservir, puis offrit à Nahlman son sourire le plus compatissant :

— Ce salaud vous a donc refilé le bébé. Pourquoi n'en suis-je pas surpris ?

Là, il était allé trop loin. Il comprit sa bourde lorsqu'il la vit plisser les yeux, un infime tressaillement.

— Riker, vous devriez passer plus de temps à écouter et moins à me manipuler. Le manque de finesse me dégoûte.

Elle le laissa y réfléchir et leva son verre.

— Je suis heureuse d'avoir décroché cette mission, même si je dois me coltiner la petite dynastie de Berman. La bonne blague ! Une force de frappe pour traquer un tueur qui n'existait pas encore !

Il aurait voulu savoir quelle erreur lui avait valu d'être affectée au service d'un agent fédéral en disgrâce et d'écoper d'un magma d'affaires non classées, mais il respecta l'étiquette de la police et ne demanda pas comment elle avait ruiné sa carrière. Ce serait grossier. Un rapport avec son penchant pour la boisson au boulot ? Il ne la critiquait pas. Seul un alcoolique savait reconnaître les signes et Nahlman appartenait définitivement à son monde. Presque de sa famille.

Elle vida – encore – son verre :

— Vous êtes prêt à écouter ?

— Oui, madame.

Il comprit où était désormais sa place : il devait arrêter d'essayer de soutirer des informations, elle ne le supporterait pas. Non, Nahlman déciderait seule des renseignements qu'elle lui donnerait.

— J'ai cartographié de larges zones, expliqua-t-elle. Relevé chaque endroit où un corps avait été exhumé ces vingt dernières années. Ça représentait des centaines de morts. Puis j'ai trouvé l'anomalie : des cadavres enterrés le long des routes. Si un assassin avait juste voulu cacher ses victimes, pourquoi risquer d'être repéré par un automobiliste de passage ? Quand je me suis aperçue que ces bouts de chaussée reconstituaient tous l'ancienne Route 66, j'ai pensé à la signature d'un tueur en série. Sur la liste de Berman, huit tombes correspondaient. J'avais mon schéma logique.

— Un schéma logique sur trois mille kilomètres de bitume ?

— Contentez-vous d'écouter, d'accord ? Il y a sept ans, des agents du téléphone ont révélé une tombe à un endroit où le goudron a même disparu, mais il s'agissait bien de la Route 66. J'ai demandé des détails à la police locale. Vu l'ancienneté de l'affaire, les rapports avaient été égarés. Les preuves aussi. J'ai exhumé le squelette trente kilomètres en aval, puis j'en ai trouvé un autre. J'ai consulté les signalements de personnes disparues dans les États voisins et j'ai trouvé des correspondances avec des effets personnels trouvés au fond des sépultures. Ensuite, grosse erreur, j'ai contacté les parents pour demander des échantillons ADN.

— Et l'un d'eux était le Papa de Jill ? George Hastings ?

— Quand Berman a découvert la vérité, il a piqué une crise et décidé de constituer ses propres équipes de fouilles.

— Les déterreurs de cadavres.

— Oui. Intervention éclair, pas de paperasse avec les flics. Berman avait trouvé un authentique tueur en série et il ne voulait pas se faire piquer son enquête par les fédéraux de Washington.

— D'autant qu'il vous avait, vous. Vous saviez où creuser.

— Les estimations n'étaient pas exactes. Mon schéma logique comportait des trous béants. Voilà pourquoi je dois continuer à sillonner le pays pour chercher les emplacements potentiels : jamais en bordure de ville, aucune habitation à proximité. Sinon, je vérifie la date de construction de la maison. Je parcours aussi de nombreux kilomètres avec des chiens policiers.

— Vous bossez donc sur l'affaire depuis un an.

Selon Kronewald, la guerre entre le FBI et la police avait débuté avec la découverte des tombes de trois fillettes kidnappées dans l'Illinois.

— Oui et non. Je passe ma vie à localiser les sites possibles pour les déterreurs de cadavres. J'ignore combien se sont révélés payants et ce que Dale fait des preuves ensuite. S'il les utilise, du moins.

Elle repoussa son verre contre la barre du comptoir.

— Je sais que vous n'aimez pas mon patron, pourtant vous l'appelez toujours par son prénom. Pourquoi ?

À Santa Rosa (Nouveau-Mexique), Mallory était assise dans la pénombre de sa voiture et fixait la façade du Club Café. L'établissement était fermé – définitivement.

Un pilier de l'entrée était tordu. Quant à l'enseigne lumineuse, elle avait été décrochée et jetée sur un tas d'ordures voisin. À la glorieuse époque de la Route 66, le café marchait bien : même sans les lettres de son père, elle s'en serait aperçue. Jouxtant le parking, un terrain recouvert de gravier accueillait autrefois le surplus de clients du samedi soir.

— Ils ont mis la clé sous la porte en 1992, expliqua le vieil homme grisonnant assis à côté de Mallory.

Il sortit une bière fraîche de son sac, la lui tendit et en ouvrit une autre pour porter un toast :

— À des temps meilleurs.

Il avait habité la majeure partie de sa vie aux États-Unis, mais une pointe d'accent mexicain se fit entendre quand il parla des soirées légendaires au Club Café.

— C'est surtout l'homme qui me manque, murmura Aldo Ramon.

Il se tourna vers sa jeune compagne de boisson, qui avait les yeux de son père.

— Où Peyton est-il passé pendant tout ce temps-là ?

— C'est la faute de mon voisin, annonça Riker, pendant que Nahlman griffonnait un truc illisible sur le registre d'un motel minable. Il avait appelé son chien Dale.

Il ne s'était bercé d'aucune illusion quand elle l'avait invité à boire un dernier verre dans sa chambre. La suite de leur conversation exigeait juste un peu plus d'intimité. Elle paya cash : aucune note de frais ne devait trahir sa désertion ; le fait qu'elle avait faussé compagnie à ses collègues… pour aller se soûler au bar.

Après avoir quitté la réception, il la suivit le long d'une rangée de portes, jusqu'à ce qu'elle introduise sa clé dans une serrure.

Il continua à expliquer pourquoi il appelait Berman par son prénom :

— Donc le chien du voisin…

— Un chien qui s'appelle Dale, répéta-t-elle, perplexe.

— Oui.

Riker s'écroula dans un fauteuil, alluma une cigarette et sortit une bouteille d'un sac en papier kraft.

— Quand vous tombez sur un très méchant clebs, vous le respectez, non ? Eh bien, Dale…

— Le chien du voisin.

— Oui, ce Dale-là. Il n'avait pas assez de culot pour être mauvais : il n'aboyait pas, ne prévenait pas. Il se faufilait par-derrière et vous plantait ses crocs dans le mollet avant de s'enfuir en courant. Je détestais ce sale roquet sournois.

— Vous inventez.

— Juste l'histoire du chien, admit-il. À votre tour, Nahlman. Parlez-moi de la fille de Joe Finn. Ariel était une adolescente. Elle ne correspondait pas au profil.

— Je me suis concentrée sur chaque détail insolite de la Route 66. Le corps d'Ariel a été abandonné sur la chaussée, mais à l'endroit d'une tombe potentielle. En contactant les fédéraux du Kansas, j'ai appris l'existence d'une sœur cadette qui, elle, collait au profil. Le mystère s'épaississait. J'ai aussi découvert que M. Finn n'avait même pas voulu identifier sa fille.

— Vous l'avez soupçonné ?

— Non. Le jour de l'enlèvement, il était hospitalisé à Kansas City. La première fois que j'ai rencontré l'adorable Dodie, elle m'a dit bonjour et confié le nom de sa poupée.

— Donc elle parlait encore. Vous avez obtenu des renseignements utiles ?

— Non. Je n'ai pas assisté aux interrogatoires quand elle a été retirée à son père. J'imagine qu'elle était incapable de décrire l'homme qui avait tué sa sœur. Ç'aurait été une piste que même Dale Berman n'aurait pas pu occulter.

— Il ne vous a pas tenue au courant de l'affaire ?

— Je n'ai eu aucune nouvelle des pistes que je lui ai

données, mais je croule toujours sous une tonne de travail et je ne compte plus les heures supplémentaires. J'ai oublié la dernière fois où j'ai dormi dans mon propre lit.

Elle s'étira sur le matelas. Son regard s'était assombri et se promenait d'un coin à l'autre du plafond.

Elle était perdue.

— Quand j'ai revu Dodie au campement du Missouri, elle fredonnait sa chanson. Je n'espérais pas qu'elle me reconnaisse mais, à mon avis, elle ne se souvient même pas de ses poupées. Vous connaissez cette chanson, n'est-ce pas, Riker ?

— Oui. *Mack the Knife.*

— C'est aussi le nom de code que Berman a donné à l'enquête il y a trois ans.

— Je ne comprends pas.

Il avait du mal à boire, à fumer et calculer en même temps. À moins qu'un truc ne lui ait encore échappé ?

— Il y a trois ans, il végétait dans le Dakota du Nord... sans tueur, ni enquête. Quel rapport avec la chanson ?

— On peut parler d'un dossier fantôme. Sur les premiers rapports figure le témoignage par ouï-dire d'une vieille dame qui avait associé la chanson à un meurtre. Seulement, elle est décédée bien avant que je sois affectée aux ordres de Berman. Avant que je lui trouve son schéma logique de tueur en série. Pour je ne sais quelle raison, il avait besoin d'établir une connexion entre cette affaire et le début de ses recherches, à l'époque où il collectionnait les homicides au hasard. Maintenant, vous pigez ?

— Vous voulez dire que Dale a appris sa chanson à Dodie Finn ?

— C'est ma théorie. Il est si facile d'enfoncer de faux souvenirs dans l'esprit d'un bambin. Je parierais que Dodie est persuadée aujourd'hui d'avoir entendu la chanson le jour où Ariel est morte. Du moins si elle peut encore penser. Berman est allé trop loin.

— Il l'a fait basculer de l'autre côté.

— J'en ai bien peur.

— Pourquoi oserait-il un truc pareil ?

Quand Nahlman ferma les yeux, il supposa qu'elle s'était endormie, mais il était prématuré de lui mettre une couverture. Elle repoussa le plaid et rouvrit les paupières :

— Non, Riker, vous croyez juste que je suis ivre morte. Si seulement ! Chaque jour, j'ai la sale impression de devoir boire davantage pour trouver le sommeil. Moi, tout ce que je veux, c'est une nuit noire, sans rêves. Je vous raconte l'histoire parce qu'il faut que ça cesse, et que Dale Berman n'arrive pas à – ou ne veut pas – boucler l'enquête.

Quand Riker referma doucement la porte derrière lui, Nahlman fixait toujours le plafond, beaucoup trop sobre. Nouvelle nuit d'insomnie en perspective…

À l'entrée du campement, Riker discutait des difficultés à suivre les véhicules du convoi.

— On est dépassés, déplora l'agent Allen. Au dernier pointage, notre liste regroupait deux cent soixante-quinze plaques d'immatriculation mais, ce soir, huit parents manquent à l'appel et j'ai compté près de trois cents véhicules.

Riker scruta les feux de camp :

— Je ne vois pas Monsieur Logique, alors qu'on le repère facilement d'habitude.

— S'il s'est encore volatilisé, Berman refusera d'envoyer une équipe à sa recherche. Il pense que vous vous êtes fichu de lui quand vous lui avez présenté Kayhill comme un type douteux.

— Il faut bien qu'il commence quelque part. Tout

bon flic a besoin d'une liste de suspects, mais votre patron n'a jamais soupçonné personne.

À supposer qu'il ait une idée du coupable, Allen n'en laissa rien paraître, mais il n'essaya plus de défendre maladroitement son supérieur. La mine défaite, il préféra s'éloigner. Le charme de Berman commençait peut-être à s'émousser parmi les jeunes recrues – ou, *dixit* Riker, les bébés flics. Les erreurs de procédure sautaient aux yeux : à l'exception de Barry Allen, aucun agent débutant n'officiait auprès d'un adulte. Dale avait choisi des bleus pour une bonne raison : les vétérans étaient plus difficiles à mener en bateau.

Mallory apparut derrière Riker et le fit sursauter quand elle murmura son nom. Son père adoptif était responsable de son goût prononcé pour la crise cardiaque à répétition ! Quand elle avait cessé de s'intéresser au base-ball, Lou Markowitz l'avait initiée à ce petit passe-temps effrayant. Ou peut-être avait-elle compris pourquoi les autres enfants refusaient de jouer avec elle : elle leur flanquait la trouille. Lou avait comblé le vide affectif en devenant son éternel compagnon de jeu et ils avaient inventé de nouvelles façons de se faire peur dans chaque pièce de leur vieille maison de Brooklyn. Lou adorait rentrer chez lui après une dure journée passée à traquer les assassins… et avoir la frousse de sa vie dès qu'il franchissait le pas de la porte.

— Quoi que Dale manigance, Nahlman n'est pas impliquée.

Riker récita les grandes lignes de son rapport, puis résuma d'une phrase :

— Aucun subalterne de Dale ne possède plus d'une pièce du puzzle.

— Tu as confiance en Nahlman ?

— Oui, Mallory.

— Elle t'a parlé de la petite bourse bleue ?

Riker secoua la tête.

— Alors tu ne peux pas lui faire confiance.

— Elle a peut-être cru que tu me confierais ce que, toi, tu savais. Stupide, non ? Après tout, tu n'es *que* mon équipière.

Son irritation la laissa de marbre. La jeune femme regardait Paul Magritte traverser lentement le camp. Soudain, il s'arrêta, fouilla dans sa besace, puis changea de direction et se réfugia derrière sa Lincoln.

— Pourquoi ne l'a-t-on pas mis en prison ? grommela-t-elle.

Riker aurait préféré avaler le canon de son revolver plutôt que de demander – encore une fois – ce qu'elle entendait par là. Il s'en alla. Il n'était pas d'humeur à jouer.

L'oreille collée à un gros portable désuet, le Dr Paul Magritte écouta le prélude rituel à toute conversation avec sa vieille connaissance :

— Pardonnez-moi, mon père, car j'ai péché.

Assis à l'arrière de sa voiture, vitres fermées, il regarda par-dessus son épaule, comme s'il craignait l'attaque d'un éventuel assaillant.

— Non, souffla-t-il en réponse à une question qui faisait aussi partie du cérémonial. Je ne te trahirai jamais.

Conformément aux instructions, il ouvrit sa boîte à gants et sortit une nouvelle liasse de polaroïds, qu'il déploya en éventail. Cette fois, il ne s'agissait pas d'un cadavre mais d'innocentes photos de Dodie Finn. Une fillette vivante, ça sortait de l'ordinaire. À moins qu'elle ne soit morte ? Magritte scruta le campement à sa recherche.

Où es-tu, Dodie ?

Une main veinée caressa l'intérieur du sac où, encore très récemment, il cachait un revolver rouillé. Ses doigts se refermèrent sur le manche du couteau de chasse qu'il venait d'acheter.

— Dodie Finn a perdu la tête. Quel mal pourrait-elle te faire ?

Il entendit un bourdonnement au bout du fil et des mots se détachèrent du bruit. Il avait l'horrible impression qu'un essaim de mouches noires grouillait à son oreille.

— Regardez-la, répondit son interlocuteur. À votre gauche. Bien. Vous la voyez ?

— Oui.

La fillette était perchée sur le rebord d'une chaise pliante. Ses fines jambes relevées, elle se penchait en avant et défiait la gravité – à l'image des oiseaux. Quand elle commença à se balancer, il craignit qu'elle ne tombe, mais son père la prit dans ses bras et la serra contre lui. D'un regard inquisiteur, Joe Finn chercha aussitôt la cause du malaise.

— Ça y est. Vous la voyez maintenant, reprit la voix au téléphone. Elle se balance, elle fredonne. Dodie suinte de petits signes et d'indices.

Ils en discutèrent encore une heure. Pendant sa conversation rationnelle avec le diable, Paul Magritte chercha à percer les vitres sombres des véhicules de la caravane. Beaucoup de gens venaient d'arriver. Les fédéraux étaient débordés. Or le désaxé qui espionnait Dodie savait très bien se procurer des voitures et, ce soir-là, il n'avait que l'embarras du choix.

— Quand ce sera fini, je vous autoriserai à remettre mes photos à l'inspectrice Mallory.

Bien sûr. Magritte soupira. Il aurait dû s'en douter. À présent, Mallory faisait partie de la petite histoire personnelle d'un *serial killer* – légende encore en devenir. C'était elle qui allait expliquer au monde l'extraordinaire dessein du tueur, car, après tant d'années, Magritte ne pouvait pas rompre le silence. Il comprit qu'il était désormais réduit au simple rang d'archiviste et, soudain, perçut la véritable valeur des photos, des polaroïds sans négatifs.

Quand ce sera fini ?

Que voulait-il dire par là ?

D'un seul coup, tout devint limpide. Chaque légende devait connaître une fin dramatique et glorieuse, mais cette quête de célébrité était un caprice pathétique de petit garçon. Comme s'il écrivait une lettre aux parents qui avaient fui là où il ne pourrait jamais les retrouver. Néanmoins, les retrouvailles auraient bien lieu, peu importe qu'il soit encore en vie pour voir leur visage dévasté. Ce communiqué insensé de gamin abandonné allait au-delà de la vengeance. Même s'il avait décidé de le détruire, le vieux psychologue pouvait plaindre un tueur d'enfants. Miné par des idées suicidaires, le meurtrier risquait de commettre des imprudences. C'était le moment idéal. Dodie devait survivre.

Magritte contempla le couteau qu'il tenait dans la main droite. Quelle bêtise de croire qu'il protégerait la fillette avec cette lame ! Sa meilleure arme avait toujours été les mots.

— Encore des photos à brûler, souffla-t-il à son tortionnaire.

— Quoi ?

— Tu ne pensais quand même pas que je les avais gardées ?

Pendant une interminable minute, Magritte laissa le silence s'installer.

— Tu n'as pas gardé de doubles ? Non, évidemment. Eh bien, elles ont disparu. Je les ai toutes brûlées.

Fin de la communication téléphonique. Le psychopathe n'avait plus besoin de lui. Magritte se redressa : il tenait désormais le couteau à deux mains. Les heures passèrent. Le ciel s'éclaircissait et les étoiles s'étaient éteintes quand la peur du vieil homme fut enfin vaincue par la fatigue. Il baissa les paupières, mais juste le temps que le soleil pointe à l'horizon. La lumière matinale filtrait à travers le pare-brise lorsqu'il fut réveillé par les aboiements des chiens. Les parents levaient le camp et remplissaient les coffres des voitures. La caravane allait repartir. Il tourna la tête vers la vitre et en eut le souffle coupé : à quelques centimètres de lui, l'inspectrice Mallory observait le couteau qu'il tenait sur ses genoux.

Elle ouvrit sa portière :

— Vous devriez être en prison. Quel marché avez-vous conclu avec Nahlman ?

CHAPITRE XVII

Une nouvelle insurrection s'était déclenchée. Charles était au cœur de la foule, mais Riker réussit à le trouver. L'inspecteur portait un sac en plastique, fruit de son escapade au débit de boissons voisin :

— Qu'y a-t-il ?

— Des ennuis.

Charles lui montra un reporter d'une chaîne du câble. L'homme était monté sur le capot d'une voiture et brandissait un porte-voix.

— Il veut convaincre les parents de prendre le chemin des écoliers.

Riker ouvrit sa canette de bière et en avala une longue gorgée :

— Mauvaise idée. En un quart d'heure, le convoi engorgerait la boucle de Santa Fe.

Soudain, Mallory grimpa sur un pick-up. Résultat : elle mesurait désormais deux têtes de plus que le journaliste. Et pas besoin de mégaphone. Les campeurs, silencieux, étaient suspendus à ses lèvres.

— À la tombée de la nuit, annonça-t-elle, vous deviendrez des proies faciles au milieu d'un gigantesque embouteillage.

Elle se tourna lentement et fixa dans les yeux chaque membre du parterre de parents, agents fédéraux et autres journalistes.

— Ça ne sert à rien de prendre une déviation.

— Faux ! brailla le reporter pour regagner l'attention du public. Chaque jour que vous passerez sur la boucle de Santa Fe, je vous garantis deux bonnes heures d'antenne.

Il en rajouta une couche en hurlant :

— Vous aurez même les honneurs du *prime time* !

— On n'a retrouvé aucun corps dans ce coin-là, objecta Mallory.

Des centaines de têtes pivotèrent de nouveau vers elle.

— Vos enfants n'y sont jamais allés.

— Si c'était vrai, le responsable de l'enquête n'aurait pas approuvé mon changement d'itinéraire !

Le fauteur de troubles baissa son mégaphone et descendit du capot. À présent, il devait tordre le cou pour sourire à la jolie blonde et il annonça de sa voix normale :

— Les négociations sont terminées, inspectrice.

— Non.

Du haut de son mètre quatre-vingt-quinze, Charles dominait la foule : Dale Berman était invisible et Riker avait disparu aussi. Il se tourna vers Mallory, toujours perchée sur le pick-up.

En bas, le reporter reprit son porte-voix :

— La question est réglée. Nous allons à Santa Fe.

Mallory ôta sa veste, histoire de bien montrer son revolver, clipsa son insigne doré à un passant de jean et, les mains sur les hanches, elle s'adressa au journaliste :

— Fourrez-vous bien dans le crâne qu'il s'agit d'un ordre direct de la police. Maintenant, taisez-vous !

Loin d'être découragé, son adversaire mugit :

— Et la liberté de la presse ? Vous avez déjà entendu parler de la Constitution des…

— Je la connais par cœur, intervint Riker.

Surgi de la foule, il l'empoigna par la chemise, l'entraîna au bout du campement et, d'une voix assourdie par la distance, il paraphrasa vaguement le droit constitutionnel du journaliste à garder le silence :

— Ferme ton clapet.

Mallory retrouva aussitôt sa mainmise sur la foule. Tous les yeux et les objectifs étaient braqués sur elle, car les caméras l'aimaient plus que le type de la télévision câblée.

— La boucle de Santa Fe date des années 1930. C'est la Route 66 de votre arrière-grand-père, pas celle du tueur, qui a creusé ses tombes en suivant l'itinéraire des années 1960. La voilà, sa Route 66 à lui et, par conséquent, la vôtre.

Quand elle décrivit les nombreuses modifications de la voie légendaire mais protéiforme, Charles se rendit compte qu'elle débitait le discours d'un autre. Parfois, Mallory ressemblait à une écolière déclamant un poème par cœur.

Fin de la récitation. Elle serra les poings :

— Notre prochaine halte est Clines Corners, jalon de la Route 66 depuis plus de soixante ans. Si vous empruntez l'ancienne boucle de Santa Fe, vous ne pourrez pas y aller. Vos voitures n'avanceront plus d'un centimètre. Vous serez assis dans le noir, à attendre. Pensez-vous que des vitres fermées suffiront à vous protéger ?

Elle leur montra le reporter chaperonné par Riker.

— Vous croyez que ça l'embêterait ? Hé, du sang frais, c'est tout bénéf' pour lui ! Sa chaîne a transformé l'histoire de jeunes victimes en véritable soap-opéra et il veut sortir de ce guêpier. C'est la seule explication du petit détour. Davantage de temps d'antenne, c'est votre monnaie d'échange. Tout est une question de fric. Il veut acheter vos gosses. Morts ou vifs, même tarif.

Le convoi avançait sur la route – la route de Mallory. Elle avait finalement remporté la mise en expliquant aux campeurs que les médias accorderaient à peine quelques secondes d'attention à leurs interminables embouteillages. Les journalistes leur fausseraient vite compagnie pour filmer plus d'action : des opérations-chocs de la police, qui déterrait de petits corps sur l'ancien itinéraire des routiers. À présent, la décapotable argentée sillonnait l'A40 en quête d'éventuels fugueurs parmi les parents.

De tous les morts qui voyageaient à ses côtés, Mallory se sentait proche d'Ariel Finn, peut-être parce que l'adolescente ne desserrait pas les dents. L'inspectrice ne pouvait pas la faire parler, car elle n'avait jamais entendu le son de sa voix. Dans l'imagination de Mallory, le teint pâle de la jeune assassinée ne comportait ni défauts, ni plaies, ni ecchymoses et elle était de nouveau intacte : sa main tranchée avait réapparu. D'ailleurs, Ariel la leva au moment où elles rejoignirent l'antique Chevrolet de Joe Finn. Le visage de Dodie était collé à la vitre quand la défunte Ariel adressa un signe à sa petite sœur.

Et Dodie… agita la main… à son tour.

Mallory appuya sur le champignon et poussa à fond le volume de l'autoradio, ce qui éjecta Ariel du siège passager et laissa Dodie loin derrière. L'inspectrice était pressée de les quitter.

Ça, c'était de la peur.

La voiture roulait à tombeau ouvert, la radio hurlait le *heavy metal* de Black Sabbath, les solos de batterie déchiraient l'air et on sentait les puissants frissons d'un crash – sans le carnage. Pourtant, Mallory avait l'impression de foncer vers un mur lointain et un crash d'une autre nature, silencieux celui-là.

Sur l'aire d'autoroute prévue pour procéder au ravitaillement, tandis que le convoi faisait le plein de carburant et de nourriture, Riker discuta avec le manager, tempes argentées, chemise blanche impeccable et veste noire. Pilier de Clines Corners, Joe Villanueva avait vu passer trois générations de propriétaires et assisté aux rénovations de la station.

Après avoir consolé Riker de la disparition du bar en forme de fer à cheval, il lui expliqua la suppression de la fresque aux bisons :

— Ça fait un bail qu'elle n'est plus là. On a abattu la cloison pour installer des tables supplémentaires. Vous êtes le deuxième client à m'en parler aujourd'hui.

Le manager pointa le doigt vers Mallory, qui contemplait des chapeaux de cow-boy en paille.

— Elle m'a dit qu'elle n'était jamais venue ici, pourtant elle connaissait même la couleur de l'ancien tapis.

À travers la boutique de souvenirs bondée, Riker se fraya un chemin jusqu'à la salle de restaurant. L'endroit accueillait de nombreux cars de touristes, d'habitude, mais l'impressionnant convoi de parents et de journalistes avait tout envahi. Certains campeurs faisaient la queue au comptoir du fast-food et emportaient leur plateau dehors. D'autres espéraient que des tables se libéreraient. Quant aux clients qui avaient la chance d'être assis, ils attendaient le menu.

Charles, lui, avait investi une table, déjà chargée de boissons et de nourriture.

Quand Riker s'assit devant son traditionnel cheeseburger (vachement bonnes, les frites !), il demanda à son ami comment il avait réussi un tel exploit et s'entendit répondre :

— Magie !

Il supposa que, par un habile tour de passe-passe,

Charles avait fait surgir une liasse de billets. À moins qu'une séduisante coupure de cent dollars n'ait obtenu les faveurs de la serveuse. Facilement reconnaissable à son large sourire.

— Tu as l'air inquiet, constata le fin psychologue.

Riker engloutit le reste de son repas et alluma une cigarette :

— Mallory sait des trucs sur cette route, sur cet endroit, des détails qui ne figurent pas sur les guides touristiques, mais je suis sûr qu'elle n'est jamais venue ici.

— Les lettres lui ont peut-être donné…

— Les lettres de son père. Oui, Peyton Hale fait peut-être une fixation sur la Route 66. Crois-tu qu'il ressemble à sa gamine ?

Autrement dit, y avait-il un impitoyable gène sociopathe au sein de la famille ?

Comme il fallait s'y attendre, l'amoureux transi de Mallory préféra changer de sujet :

— J'espère qu'elle va arriver avant que les plats ne refroidissent.

— Elle ne devrait pas tarder.

— Mallory ? Je viens de la voir à la boutique cadeaux, annonça Dale Berman, qui s'invita de luimême à leur table. Elle achète un Stetson.

Il s'adressait à Riker.

— Logique, non ? Elle se montre sous son vrai jour. Un chapeau de cow-boy pour une grande flingueuse.

Riker souffla un nuage de fumée bleue. Le match était lancé.

Coiffée de son nouveau Stetson, Mallory sortit sur le parking et ouvrit la portière d'une voiture qui ne lui appartenait pas. Elle aimait bien cambrioler en plein jour, aux yeux de tous et, bien sûr, personne ne remarqua qu'elle avait fracturé la serrure d'un véhicule gouvernemental. Après avoir fouillé le premier figurant sur sa liste, elle passa au suivant.

Les agents postés à l'extérieur du restaurant ne savaient plus où donner de la tête : ils essayaient de séparer, d'un côté, les touristes ordinaires et les journalistes, de l'autre, les parents. Rivés à leurs blocs-notes, ils vérifiaient les identités et ne prêtaient aucune attention aux voitures du FBI. Le convoi avait pris tant d'ampleur qu'il en était devenu ingérable et les jeunots affectés au parking sortaient tout juste de l'école. Leurs yeux étaient vitreux. Personne ne leur avait dit que la tâche était insurmontable, ils croyaient donc qu'ils s'y prenaient mal.

Et c'était la vérité.

Alors qu'elle détestait la pagaille et connaissait le nom de tous les produits détergents du monde, Mademoiselle Perfection, la paradoxale Mallory, adorait le chaos. Une situation rêvée pour couvrir son vol ! Si quelqu'un se rappelait l'avoir vue près des véhicules fédéraux, on se souviendrait surtout de l'étonnant chapeau de cow-boy – pas de la grande blonde féline dont les cheveux accrochaient le soleil comme s'ils prenaient feu. Et qui retiendrait son inoubliable minois ? Si elle ne voyait pas ce genre de détails dans son propre miroir, pourquoi le premier venu devrait-il les relever ?

Au terme de la seconde perquisition, Mallory jeta son Stetson flambant neuf à la poubelle et rejoignit le restaurant.

Innocent spectateur, Charles ne pouvait pas se payer le luxe de plonger sous la table pendant que Riker et Berman se tiraient dessus à boulets rouges.

Le sergent-détective jeta un coup d'œil au parking, où on procédait à une autre fouille en règle du convoi. Il tira une bouffée sur sa cigarette et envoya la fumée droit sur Berman :

— Je suppose que vous n'avez trouvé aucun os de bébé lors de la première descente.

— Ce n'est pas ce que je cherche.

Il posa un canif déplié sur la table.

— Il correspond à l'arme utilisée sur la gorge de Gerald Linden. Demandez à votre copain Kronewald. C'est son légiste qui l'a découvert. Avant qu'on…

— Avant que vos déterreurs de cadavres planquent le corps ? ironisa Riker. Eh oui ! Les flics de Chicago sont des rapides.

Il contempla l'arme.

— Vous avez aussi arrêté Nahlman ? Parce que son couteau suisse a une lame de la même longueur.

— Je ne cherche plus de couteau, sourit le fourbe Berman. Aujourd'hui, j'espère trouver une hachette.

Charles jeta un coup d'œil au parking. Les coffres des voitures étaient béants, de même que les portes des camping-cars. On avait aussi débâché les pick-up.

— Une hachette, répéta Riker. Alors, là, je suis paumé, Dale. J'imagine que seul un agent fédéral comprend la manœuvre.

Quand Berman se pencha vers l'inspecteur, Charles se cala au fond de sa chaise, comme s'il craignait d'être éclaboussé par une sale bataille de nourriture.

— Il est très facile de séparer une main d'un petit squelette, mais qu'en est-il des victimes adultes ? Il s'agit là de proies toutes fraîches, pleines de chair, de muscles et d'os.

Berman poussa le canif vers son adversaire, ce qui, de l'avis de Charles, était peut-être une erreur.

— Regardez cette lame, Riker. Elle n'a aucun mal à trancher une gorge, mais croyez-vous vraiment qu'elle puisse sectionner la main d'un homme ?

— Rien de plus facile, Dale.

Charles se mordit la lèvre inférieure. Une dangereuse lueur de jubilation au fond des yeux, son ami posa la lame du canif sur le poignet de Berman. Non seulement l'agent fédéral accepta mais, tout sourires, il ne regarda même pas la lame acérée qui caressait sa peau nue.

Compte à rebours. Une seconde, deux secondes.

Sans quitter sa victime du regard, Riker lança :

— Tu veux bien me rendre service, Charles ? Va me chercher une pierre dehors. Pas trop lourde, juste assez grosse pour que la lame s'enfonce jusqu'à l'os.

Il en avait assez dit.

Lorsqu'il comprit, Berman s'empressa de retirer sa main. Quant à Riker, vainqueur éclatant, il lâcha le canif sur la table :

— Si vous aviez le couteau du tueur, le bord supérieur aurait été abîmé par l'impact de la pierre, mais pensez-vous que ce type courrait le risque de se faire pincer avec l'arme du crime ? Il peut s'acheter un nouveau canif sur n'importe quelle aire d'autoroute.

Berman se rendit compte qu'il était temps de s'éclipser et, après son départ, Charles dit à Riker :

— Tu crois vraiment que le meurtrier a tranché au couteau la main de ses victimes ?

— Non, il a sans doute utilisé une hachette, mais j'ai trouvé ça rigolo.

L'inspecteur observa les opérations de fouille sur le parking. Des agents avaient ouvert le camping-car qui distribuait du matériel aux nouveaux arrivants et, à présent, des dizaines de hachettes étincelantes étaient alignées par terre.

— Quelle perte de temps ! Combien de chances ont-ils de trouver une hachette ensanglantée, alors qu'il y en a autant de neuves à disposition ? La remorque n'est jamais fermée à clé. Le Q.I. de Berman baisse de jour en jour.

— Qu'est-ce qu'il vous a fait, à Mallory et à toi ?

— Rien. L'important, c'est ce qu'il a infligé à Lou.

Charles sourit – patiemment.

À contrecœur, Riker lui raconta l'histoire de l'inspecteur Louis Markowitz et du FBI. Entre deux bouffées de fumée, il décrivit le jour où Berman avait rejoint l'équipe d'intervention, à la surprise générale :

— Au FBI, Dale était chargé des relations publiques. Autrement dit, il jouait les piliers de bar avec les flics en colère et les reporters un peu trop curieux. Après une bonne cuite ensemble, il m'arrivait même d'oublier pourquoi je détestais les fédéraux.

— Tu l'aimais donc bien.

— Je buvais gratis.

— Vous étiez amis. Voilà pourquoi tu l'appelles par son prénom.

— À l'époque, il parlait plus comme un flic. À moins que ce ne soit juste de l'esbroufe. Il prétendait qu'il avait toujours rêvé d'aller sur le terrain et il ne bluffait pas. Il a bel et bien demandé sa rétrogradation. On a réduit son salaire et ses notes de frais au bar n'étaient plus remboursées. Plus tard, j'ai mieux compris sa décision, quand il nous a baisés. Au FBI, les carrières se construisent sur les dossiers importants, les grosses victoires, mais il faut que ça sente le roussi pour que les gars des RP surgissent de nulle part. En ce qui concernait Dale, il s'agissait donc d'une réelle promotion professionnelle. La première fois qu'il est sorti avec la brigade, il a persuadé Lou d'accepter son aide dans une affaire d'enlèvement. Les ravisseurs du petit exigeaient une rançon. D'habitude, la police de New York boucle l'enquête en deux temps trois mouvements. Les kidnappeurs sont souvent de vrais crétins et, dans la majeure partie des cas, se font choper au moment de récupérer le pognon. Sauf que, là, c'était une affaire de haut vol. Le gosse venait d'une famille pleine aux as et qui mettait la pression pour que tout soit réglé *fissa*. On s'est donc partagé le boulot avec les fédéraux. Très vite, Lou a désigné un suspect, mais Dale lui a trouvé un alibi en bidouillant un faux rapport et il a annoncé l'enlèvement à la presse. Résultat : le standard téléphonique du commissariat a explosé sous les coups de fil de prétendus témoins et les pistes qui ne menaient nulle part.

— Mais pourquoi aurait-il…

— Ça nous a occupés pendant que Dale suivait le suspect de Lou.

— Celui qu'il avait innocenté.

— Exactement. Son équipe contourne les flics et, après, ils bousillent l'enquête. Lors d'une course-poursuite effrénée sur le pont du New Jersey, le suspect a eu un grave accident. Il tombe dans le coma et Dieu sait où il a caché la victime. Lou Markowitz est devenu si furax qu'il fichait tous les fédéraux à la porte du commissariat. Ensuite, il envoie ses hommes interroger leurs indics. On dégote le nom et l'adresse de la putain préférée du kidnappeur… et c'est là qu'on retrouve le gosse.

— Vivant ?

— Bien sûr. La police de New York les ramène toujours chez eux. Au FBI, en revanche, ils n'obtiennent pas d'aussi bons résultats. Le garçon était en pleine forme. Il prenait la prostituée pour sa nouvelle nounou et il l'aimait beaucoup : elle le laissait veiller tard le soir.

— Voilà pourquoi, Mallory et toi, vous détestez Berman ?

— Non, Charles, ce n'est pas ce que tu m'as demandé.

— L'autre jour, il disait vrai lorsqu'il a prétendu qu'il n'y avait pas eu mort d'homme.

Riker baissa la tête et ne donna que ce seul indice-là

pour révéler que quelqu'un était bien décédé. Fin de la discussion. C'était trop douloureux d'en parler.

Quand Mallory surgit à côté de lui, Charles se demanda depuis combien de temps elle était là. Il sourit mais se rendit compte que sa mine béate lui donnait l'air d'un crétin amoureux :

— Bonjour ! Assieds-toi. Désolé, ton repas est froid.

Aucune importance, car un jeune policier qui l'accompagnait jongla avec un sac en plastique et un plateau pour lui avancer sa chaise. Une fois Mallory assise, il lui servit son déjeuner fumant :

— J'espère que vous l'aimez ainsi, madame.

Empressé, il retira sa casquette et s'installa à son tour. Charles se chargea des présentations mais, de toute évidence, le minot était fasciné par Mallory, qui engloutissait son steak et ses frites.

Riker expliqua à son ami la présence d'un agent en uniforme :

— J'ai demandé à la police de rattraper Monsieur Logique. Il s'est encore fait la belle.

— Si vous parlez de Kayhill, intervint le policier, on l'a retrouvé. Il est mort.

Il annonçait une mauvaise nouvelle mais souriait toujours à la jolie blonde.

— Son corps a été découvert en plein désert. Un hélico a repéré son camping-car à deux kilomètres de la route la plus proche.

Mallory croqua une frite badigeonnée de ketchup :

— Il lui manquait une main ?

— Madame, je ne pourrais pas vous nommer trois parties de son corps qui ne manquaient pas. Il n'y a plus beaucoup de chair sur ce qui reste du cadavre.

— Les vautours l'ont donc dévoré, commenta Riker.

— Non, pas les vautours. On recense quelques buses dans la région, mais elles ne seraient pas parties avec la tête. J'imagine que tous les coyotes et les lynx des environs s'en sont régalés. On cherche toujours les bras et les jambes.

— Comment avez-vous réussi à l'identifier ?

— Il nous restait une bonne partie du tronc et le médecin de la victime nous a aidés par téléphone. M. Kayhill était né avec une côte en trop. Aucun doute : c'est lui.

Il poussa un sac en plastique noir sur la table.

— Si ça ne vous dérange pas d'y jeter un œil, voici une partie de ses effets personnels. Au fait, l'inspecteur Kronewald vous salue. Il m'a dit que vous voudriez sûrement regarder ça.

Riker ouvrit le sac. À l'intérieur : une besace en toile et de nombreuses cartes de la Route 66. Sur un plan, on apercevait les petites croix à l'encre et au crayon que Kayhill avait dessinées.

— Bonne nuit, Horace.

Il releva les yeux vers le policier.

— Il s'agit bien de ses affaires. J'imagine qu'on ignore comment il a été tué.

— Renversé par une voiture, monsieur. On a retrouvé sa chemise couverte de marques de pneus.

Peu probable qu'il ait été victime d'un accident : on avait retrouvé le corps au milieu de nulle part, sans routes alentour. Charles se pencha vers le jeune homme :

— Horace a été assassiné ?

— Oui, monsieur.

Peu habitué aux questions rhétoriques, l'agent formulait ses phrases avec une extrême politesse.

— Vu l'étendue du désert, il fallait foncer délibérément sur lui pour le renverser. On a repéré des traces entrecroisées. Autrement dit, il a été percuté plusieurs fois. Donc, oui, il s'agit d'un homicide volontaire.

Charles en avait perdu l'appétit :

— Le pauvre… Quelle triste nouvelle !

— Tu ne connais pas la moitié de l'histoire, murmura Riker, pris de sincères remords. Moi, il me plaisait bien et figurait presque au premier rang de mon catalogue de suspects.

Mallory ouvrit un calepin et raya Horace Kayhill de sa propre liste :

— Moi aussi, je l'appréciais.

Après avoir remis son sac en bandoulière, elle prit l'ordinateur et quitta la table.

Pressé de lui emboîter le pas, le jeune policier se leva : il croyait peut-être qu'ils deviendraient de grands amis. Paré des meilleures intentions du monde, Riker sourit et posa une main paternelle sur son épaule :

— Non, fiston. À moins que tu n'aimes vraiment souffrir.

Sous prétexte de rendre la besace de Kayhill, Riker sortit sur le parking, téléphone portable en main. Il avait besoin d'intimité pour répondre à son interlocuteur. Une fois installé à l'avant de la Mercedes, il reprit sa conversation avec le légiste en chef de New York :

— Merci d'avoir patienté. Quoi de neuf ?

— Kathy Mallory ne décroche jamais, déplora le Dr Slope.

Dieu, merci.

— Pas de problème, je prends le message.

Avant que le médecin puisse contacter son équipière, Riker devait lui annoncer officiellement la mort de Savannah Sirus. Sinon, le Dr Slope trouverait bizarre qu'on ne l'en ait pas informée et il risquerait de se poser des questions.

— Expliquez-lui que je ne suis pas son croque-mort personnel et que le crématorium a appelé. Les pompes funèbres veulent savoir quand elle viendra chercher les cendres de Mlle Sirus. Riker ?… Vous êtes toujours là ?

— Ouaip !

— Alors je leur dis quoi ?

— Bientôt… Dans quelques jours. Quand avez-vous parlé à Mallory ?

— Elle a appelé la morgue le lendemain de la découverte du corps. Je ne lui ai pas parlé personnellement. C'est bien vous qui lui avez appris le suicide ?

— Oui, mentit-il pour la première fois de la journée.

À la manière de Mallory, il raccrocha sans dire au revoir.

Comment avait-elle su que Savannah était décédée ? Le suicide de la malheureuse était-il si prévisible ? Avait-elle fait le rapprochement entre un patrouilleur lancé à ses trousses dans l'Illinois et une mort brutale à New York ? Ce soir-là, elle avait peut-être téléphoné à son appartement et son invitée n'avait pas répondu. Avait-elle ensuite contacté la morgue ?

Il ne soupçonnait pas Mallory de meurtre. Grâce à Charles, il était certain que Savannah Sirus s'était suicidée, mais il ferma les yeux à la simple pensée que la belle blonde ait peut-être voulu assister à la scène.

Portable vissé à l'oreille, le Dr Paul Magritte jeta un coup d'œil à son rétroviseur. Il y avait peu de risques que les agents infiltrés du FBI soient derrière lui. Obnubilés par leur amourette, ils ne s'apercevraient pas de son absence avant un bon bout de temps. Comme il cherchait une voiture susceptible d'aller à la même allure que lui, il ralentit et tous les autres véhicules doublèrent sa Lincoln.

Voilà plusieurs kilomètres qu'il se sentait épié, depuis qu'il avait suivi les instructions et quitté le parking pour prendre l'autoroute. Soudain, il se rendit compte que son interlocuteur ne roulait pas derrière lui mais devant :

il l'attendait. Il n'y avait pas d'autre explication aux incessantes questions sur sa position exacte.

Il se gara sur le bas-côté et accrocha sa veste à un panneau routier. Mallory, qui ne laissait rien échapper, se souviendrait du vêtement. Même si elle en avait oublié la couleur et le motif chevron, elle comprendrait en la voyant flotter au vent. Il avait l'intime conviction qu'elle seule pourrait le trouver.

Il remettait son destin entre ses mains.

Riker ouvrit le coffre de la voiture et y jeta le sac noir qui contenait les cartes d'Horace Kayhill.

Il entendit les cris avant de voir Mallory se frayer un chemin dans la pagaille des voitures en stationnement. Berman, qui vociférait son nom et essayait de suivre la cadence de ses longues jambes, posa la main sur l'épaule de la jeune femme. Sans ralentir une seconde, elle lui décocha un regard qui lui fit passer l'envie de l'importuner. Il laissa tomber et repartit au restaurant.

Mallory, elle, approchait toujours.

Riker referma le coffre et s'adossa à la voiture. Quand elle l'eut rejoint, il lorgna le dos de Berman :

— Que s'est-il passé ?

Elle posa son ordinateur sur la Mercedes et l'ouvrit :

— Je sais qu'il retarde l'enquête et je le lui ai dit.

— Plus il lambine, plus il en tirera de gloire, j'imagine. Il y a des gens qui adorent lire leur nom dans le journal.

— Non. Lui, au contraire, s'est efforcé de tenir les médias à distance.

Elle alluma l'ordinateur et tourna l'écran vers lui :

— Tu croyais Dale Berman juste incompétent.

— Oui, mais j'ai raison.

Elle secoua la tête :

— Je t'ai déjà dit qu'il commettait des bourdes

magistrales, même pour Berman, alors j'ai suivi la piste du fric.

Le mobile préféré de Mallory ! On pouvait lui faire confiance pour dénicher une histoire de gros sous derrière le massacre de fillettes. Riker contempla les colonnes de chiffres à l'écran :

— C'est quoi ?

— Les fiches de paie de Berman. Chaque semaine, il déclare cinquante heures de travail supplémentaires.

Elle sortit un agenda et indiqua un jour du mois de novembre.

— C'est à cette date-là qu'il prendra sa retraite anticipée. J'ai trouvé les formulaires dans sa voiture.

Retour à l'ordinateur.

— Maintenant, vise un peu le pognon que ses heures sup lui ont rapporté.

Devant l'énormité de la somme, Riker poussa un sifflement d'admiration :

— Il est en train de constituer sa propre caisse de retraite.

— Tu brûles. Ça dure depuis des années. Il a commencé à gonfler ses notes de frais quand le FBI l'a expédié dans le Dakota du Nord.

— Je t'avais dit qu'il était con. On ne trouve qu'une poignée d'habitants et des bisons là-bas. Personne ne fait d'heures sup.

— Surtout qu'il bossait au sein d'un bureau satellite : personne ne le surveillait. Voilà ce qui a déclenché l'audit.

En quelques clics, elle affiche d'autres séries de chiffres.

— Beaucoup de pression. Les vérificateurs de comptes débarquent. Il doit expliquer ses dépassements horaires. Comme une escroquerie fédérale peut lui valoir cinq ans de prison, il décide de monter un dossier bidon sur Mack the Knife et antidate les résultats.

Riker secoua la tête, incrédule :

— Il risque donc un autre chef d'accusation : falsification de documents gouvernementaux. Et beaucoup plus d'années de taule à la clé. Je te répète qu'il est débile.

— Non. Il devait verser une sacrée pension alimentaire à son ex-femme, alors qu'il était payé des clopinettes.

— En plus, il avait atterri dans un bled paumé. Sans action, ni heures supplémentaires.

— Il s'est donc attribué un plus gros salaire. Voilà comment tout a démarré et, ensuite, ça a fait boule de neige. Berman ne peut pas boucler un dossier factice sans avoir obtenu de résultats – pas juste après un audit. Il faut que ça ressemble à une enquête en cours. Il est ensuite nommé directeur d'un bureau au Texas. Chaque jour, les yeux sont braqués sur lui. La pression monte. Impossible de léguer son arnaque à un autre agent du Dakota du Nord. Il décide donc de développer une fausse piste au Texas. Les heures sup continuent à s'accumuler, mais il ne le fait plus pour le fric. Impossible de s'arrêter. Il lui reste à peine deux ans avant la retraite et il a besoin d'un *serial killer* en chair et en os.

— C'est là qu'il a trouvé Nahlman. Elle lui a sauvé la mise.

Magritte descendit de voiture au carrefour et abandonna son portefeuille au milieu de la route qui le conduisait vers une destination inconnue. Il suivait les instructions au fur et à mesure. Le couteau au fond de sa poche ne le tranquillisait pas vraiment, mais l'espoir d'être retrouvé mort ou vif le rassurait. Ses prières ne s'adressaient pas à un ange de la délivrance.

Envoyez Mallory.

Mallory referma l'ordinateur :

— Grâce à Nahlman, Dale possède maintenant un immense stock de corps et de preuves, bien plus que nécessaire pour justifier ses nombreuses heures supplémentaires.

— Il y a un truc qui me gêne, objecta Riker. Il savait qu'un jour ou l'autre, on ouvrirait son morbide entrepôt. Sinon par l'intermédiaire d'Harry Mars, du moins…

— Et les fédéraux y auraient trouvé une centaine de cartons bourrés de paperasse inutile : copies de dossiers disparus et de faux rapports, aucune date de recherches ou de fouilles, rien qui puisse relier les archives aux dépouilles humaines. Berman avait juste besoin de faire traîner l'enquête. Il n'a jamais cherché une seconde à la résoudre. Encore six mois et il serait parti en retraite. On aurait refourgué l'affaire à son remplaçant, en même temps que les clés de La Nursery, et on aurait mis le tout sur le compte d'une grossière incompétence.

— Une incompétence que Nahlman pourrait certifier. C'est la pire détractrice de Dale.

— Bien sûr ! Il l'a préparée au rôle.

Mallory se tut un instant puis, quand le poison eut fait son effet, elle reprit :

— Même avec le FBI aux trousses, il peut encore s'en sortir. Supposons qu'Harry Mars ouvre une enquête. Nahlman témoignera que son patron ne savait pas ce qu'il fabriquait. Si Harry l'interroge sur l'entrepôt rempli de gosses morts, elle répondra que ça ne l'étonne pas, jurera sous serment que Berman est un pauvre imbécile et il touchera sa pension de retraite, malgré les gens morts pendant qu'il veillait au grain. Il n'a jamais suivi aucune piste de Nahlman, car il ne voulait pas élucider les meurtres. Pas tout de suite.

Riker jeta les bras au ciel :

— D'accord, tu m'as convaincu. Dale n'est pas qu'un sombre crétin, mais un sociopathe, un monstre qui se fiche du nombre de morts. Tu avais raison sur toute la ligne.

Mallory arbora son petit sourire en coin, celui qui conseillait de s'enfuir tant qu'on le pouvait encore : Riker l'avait déjà vu et il savait qu'elle allait s'en prendre à lui. Les mains posées à plat sur le coffre, il rassembla ses forces. Il avait vu la jeune femme grandir, l'aimait depuis longtemps et la connaissait par cœur.

L'air de rien, elle lui tendit le permis de conduire du policier qui l'avait traquée dans l'Illinois :

— Et, tout ce temps-là, avant même la mort de Savannah Sirus, tu croyais que c'était moi la sociopathe. Le *monstre* !

Riker se pencha en avant, comme si on venait de lui dérouler ses tripes devant ses yeux écarquillés.

— Parlons un peu de ta grande amie Nahlman.

Mallory sortit une bourse en velours bleu, qu'elle vida sur le capot de la Mercedes. De minuscules os cliquetèrent contre le métal poussiéreux.

— Je les ai trouvés dans sa boîte à gants. Tu crois peut-être que je te raconte des salades ?

Stop !

Il secoua la tête. Il fallait qu'il choisisse un camp, son camp à elle contre le reste du monde.

— Tu es mon équipière. Je suis de ton côté.

— Bien.

Elle ramassa les petits os et les rangea dans leur pochette.

— Le temps est venu d'arrêter le Dr Magritte.

— Quoi ?

Les agents infiltrés du FBI s'étaient faufilés derrière la benne à ordures du restoroute.

L'un d'eux caressa le visage de l'autre et murmura :

— Je t'aime.

Derrière eux, une voix masculine les fit sursauter :

— Comme c'est mignon ! Mais où est donc passé le Dr Magritte ?

Les taupes se retournèrent pour se retrouver nez à nez avec les deux inspecteurs new-yorkais, Riker et Mallory.

— Dites-moi que vous ne l'avez pas perdu, grogna cette dernière. Pas encore.

— Oh, merde, souffla un agent fédéral.

Quant à l'autre, il le pensait très fort.

— Oui, je le vois, confirma Magritte au téléphone. Le virage est juste devant moi.

Menteur ! Après avoir garé sa voiture, il repartait vers le carrefour, à la jonction d'un chemin de campagne et d'une route goudronnée. Il déposa par terre un livre ouvert. Jamais l'ouvrage ne lui avait autant servi. Les yeux rivés sur l'allée, Magritte voyait à des kilomètres à la ronde. Le tueur d'enfants aussi. Ce serait la dernière fois qu'il oserait s'arrêter.

Portable à l'oreille, il confirma de nouveau qu'il était seul. En retour, le meurtrier lui apprit une heureuse nouvelle : le parent kidnappé vivait toujours. Crédible ? Non. Devant lui, il n'y avait que la mort sur deux pattes, sans cœur ni âme. Et, cette fois, il verra le *ça* venir – comme bientôt le reste du monde.

Après avoir repris le volant, il continua à suivre les indications d'une voix mécanique qui lui soufflait un essaim de mouches noires au creux de l'oreille. Il savait que sa destination finale était encore loin. L'homme voulait un endroit calme pour ce qu'il prévoyait d'infliger à son vieux médecin – son ancien prêtre.

Les taupes coururent faire leur rapport au restaurant. Riker prit la vieille nationale vers l'est. Quant à son équipière, elle fonça à l'ouest, par l'autoroute.

Mallory volait littéralement sur le bitume, empruntait chaque bretelle, puis rebroussait chemin et prenait la suivante. Même sur les chapeaux de roues, elle avait l'impression de ne pas avancer. Au bout d'un moment, elle aperçut la veste accrochée à un panneau. Toujours à fond, elle prit la sortie indiquée vers la Route 66 et ne ralentit qu'au moment où elle vit le portefeuille, au beau milieu du carrefour. Sachant qu'il appartenait à Magritte, elle n'y toucha pas. Il se dirigeait vers l'ouest. À l'approche d'un nouvel embranchement, elle leva le pied et chercha d'autres indices de son passage.

Il reconnut la vieille guimbarde d'un parent sans le sou du convoi.

Avant même de claquer la portière de sa Lincoln, Magritte sut ce qu'il allait trouver et il s'y dirigea d'un pas lourd. Le coffre, ouvert, attendait son inspection. À l'intérieur gisait le cadavre d'un homme svelte, trente-cinq ans environ. Cette fois-là, le sang sortait juste de sa bouche béante. La gorge n'avait pas été tranchée mais, vu les traces de pneus sur les vêtements, la cause de la mort était évidente : il avait été renversé par une voiture… plusieurs fois d'affilée. Magritte ne connaissait pas son nom. Récemment, un tas de nouveaux campeurs avaient rejoint la caravane. Pourtant, il pleura l'inconnu.

Habitude oblige, l'ancien prêtre recommanda à Dieu l'âme du défunt même si, ces derniers temps, ils s'étaient un peu brouillés, le Tout-Puissant et lui.

Mallory pila net lorsque, par terre, elle vit les pages d'un livre claquer au vent. Inutile de descendre de voiture pour deviner qu'il s'agissait d'une bible, version cléricale des célèbres miettes de pain laissées par le Petit Poucet.

Elle roula dessus.

Une voiture arrivait de loin, petit point à l'horizon sur fond de steppe désertique. Il la regarda grandir – sa mort imminente – et, lorsqu'il l'aperçut clairement, il hurla :

— Je ne t'ai jamais trahi !

Bien que la vengeance soit réservée à Dieu, ses doigts se refermèrent sur le couteau au fond de sa poche.

Bientôt.

Il avait pensé échanger quelques mots, mais il s'était trompé. La jeep ne ralentissait pas ; au contraire, elle accélérait. Le choc se produisit avec un écœurant bruit de métal sur les os et la chair. Sous la violence de l'impact, le vieil homme eut le souffle coupé et l'impression de voler sur des kilomètres. Quand son corps heurta le sol dur, il avait déjà perdu conscience.

En rouvrant les yeux, il sentit le goût du sang dans sa bouche, preuve qu'il était encore vivant.

Son assaillant – et futur assassin – se tenait à quelques mètres de lui, nouvelle incarnation très différente de l'enfant défiguré qu'il avait connu jadis.

Paul Magritte avait atterri au creux d'un étroit fossé auquel il devait la vie : impossible de lui rouler dessus une seconde fois. Le tueur, qui détestait toucher les corps frémissants, se retrouvait donc démuni. Il ne pouvait qu'attendre le dernier râle agonisant d'un vieillard.

Attends encore un peu.

Magritte souffrait le martyre. C'était déjà un calvaire de lever la main, de faire signe à son meurtrier :
Approche.

403

Mallory regarda le cadavre au fond du coffre. Aucun doute, la victime avait été renversée par une voiture. Disparues, les fioritures du cérémonial, comme si le tueur feignait d'avoir changé de jeu. Une fois son monument achevé et ses innombrables fillettes sagement alignées, il avait décidé de se faire un peu de publicité. Néanmoins, les cibles étaient différentes. Le vieux médecin représentait un témoin matériel et gênant. Et le père mort à l'intérieur du coffre ? C'était l'appât. Mais pourquoi avoir assassiné Horace Kayhill ?

L'inspectrice revint vers le fossé et s'agenouilla près de Magritte. Il n'arrêtait pas de s'évanouir mais, là, il avait repris conscience.

— L'ambulance va arriver.

Elle fixait obstinément le chemin de terre, à l'affût du moindre gyrophare, de la moindre sirène.

— Mallory ? murmura-t-il, les yeux également rivés sur la route. Ma foi ne prend pas cette direction... C'est en vous que je crois.

Il tourna la tête vers le beau cadeau qu'il lui avait offert.

Elle contempla le couteau ensanglanté au fond d'un sachet transparent :

— Jolie tentative, mon vieux. Jolie tentative.

— Non... j'ai réussi.

Son discours était haché et de petites bulles de bave écarlate s'échappaient de ses lèvres.

— Ne parlez pas.

— Le sang sur mon couteau... pas le mien... preuve.

Mallory décida de lui cacher qu'il avait fait tout ça pour rien, que les traces ADN servaient au tribunal mais pas pendant la phase de traque.

— C'est une preuve, acquiesça-t-elle. Il devient imprudent, négligent. Avec un peu de chance, il est aussi suicidaire. Voilà comment les choses se terminent, parfois.

— Il ne peut pas revenir... à la caravane... Je l'ai blessé.

Du bout du doigt, il traça une ligne tremblante sur son cou.

— Vous me l'avez marqué au fer rouge, docteur.

Le sourire de Mallory semblait presque un signe de sincère affection.

— Voilà pourquoi vous gardiez votre vieux revolver sur vous. Une plaie par balle aurait attiré l'attention. C'est Nahlman qui vous l'a pris ?

Il hocha la tête :

— Pas sa faute... Elle ne pouvait pas savoir.

— Vous avez donc décidé de le poignarder. En le blessant, vous entailliez le sceau de la confession à votre manière.

Magritte s'était jeté dans la gueule du loup, parfaitement conscient qu'il serait tué. La plaie au couteau serait donc considérée comme de la légitime défense, seul acte que les convictions religieuses de l'ancien prêtre lui autorisaient.

— Cette fois...

Les lèvres du vieil homme remuèrent en silence. Ses paupières se fermaient.

Mallory termina la phrase à sa place :

— ... je verrai *ça* arriver.

CHAPITRE XVIII

Les infirmiers branchèrent Paul Magritte à des machines portatives, puis le perforèrent d'aiguilles, qui remplirent ses veines de médicaments et de plasma. Encadré par une escorte policière, il était presque assez stable pour être transporté à l'hôpital.

Quand la New Beetle arriva au carrefour du chemin poussiéreux et de la route goudronnée, Mallory hésita. Est ou ouest ? Les autorités du Nouveau-Mexique avaient pris le relais de sa chasse à l'homme et elle ne savait plus quoi faire de sa journée. Elle ignorait même l'heure qu'il était, car les jours rallongeaient – trop.

Elle décida de rouler vers l'est. Ça, c'était réglé. À présent, la musique. Après avoir tripatouillé l'iPod, elle tomba sur son vieil album des Eagles. Volume sonore à fond.

« ... *take it eeeeasy, take it eeeeasy...* »

Sur la route qui la ramenait au convoi, elle croisa les véhicules du FBI, suivis des fourgons de journalistes. Tout le monde fonçait vers la nouvelle scène de crime – sa scène de crime à elle.

« ... *don't let the sound of your own wheeeels make you craaazy...* »

Quand elle aperçut les toits lointains de Clines Corners, Mallory eut l'impression de se réveiller dans sa voiture en marche. Combien de temps s'était écoulé ? Combien de kilomètres avait-elle parcourus ? Impossible à dire. Regroupés à l'extérieur du restaurant, les parents de la caravane tournaient en rond, désemparés, tels des réfugiés du bout du monde. Elle se gara au fond du parking et les observa quelques minutes. Devait-elle rester ou partir ? Il était encore temps de reprendre la route incognito. Elle pouvait filer vers l'ouest et se débarrasser de tous ces malheureux.

Trop tard.

Nahlman surgit à sa vitre :

— J'ai appris ce qui était arrivé au Dr Magritte. Vous saviez qu'il le visait, non ? C'est pour ça que vous m'aviez demandé de le livrer à Berman ?

— Quelle importance à présent ? grogna-t-elle en descendant de voiture. Il sera mort d'ici demain matin.

À moins qu'il ne résiste un peu plus longtemps si elle décidait de ne plus le confier aux fédéraux. Sur les lieux du crime, elle avait exigé que sa chambre d'hôpital soit surveillée par des policiers de la région.

Lorsqu'elles traversèrent le parking, Nahlman marchait quelques mètres derrière elle et parlait à son dos. Sur un ton presque indigné, elle lança :

— Pourquoi ne pas m'avoir mise dans la confidence ? J'aurais remis les os à Berman comme preuve de sa culpabilité. Magritte aurait...

— Vous avez gardé les os ?

Mallory jouait les incrédules même si, depuis longtemps, la bourse bleue dormait au fond de son propre sac à dos. Il fallait punir l'irresponsable.

L'agent du FBI en prit douloureusement conscience :

— Si je l'avais fait, Magritte aurait été arrêté. Il serait en détention provisoire au lieu de…

— C'était l'objectif.

Au bout du parking grouillant de monde, Riker se tourna vers Charles :

— J'ai besoin d'aide. Le tueur est en train de faire le ménage et Dodie est sa prochaine cible. On doit placer les Finn sous protection. Kronewald se charge de conclure un accord avec Harry Mars.

— Et les autres parents ?

— Tant qu'ils restent sur la route, notre homme les chopera un par un. Il adore attirer l'attention des médias. Quant aux journalistes, ils sont tellement excités qu'ils pissent dans leur froc. Alors, oui, le temps est venu pour les parents de retourner d'où ils viennent.

— Dommage. La plupart sont mieux ici que chez eux.

— Bien sûr, murmura Riker. Tu veux dire, hormis le risque de se faire tirer comme des lapins ?

— Il y a mourir et mourir.

Charles les imagina assis sur le perron, seuls avec leur immense chagrin, à tricoter des chaussettes pour se consoler et à alimenter leur tristesse d'une profonde mélancolie. Sur la route, en revanche, les parents éplorés avaient une mission. Enfin, ils se découvraient une raison d'avancer et pouvaient nourrir l'espoir du sur-lendemain. La ville-caravane les avait dorlotés : ils y avaient trouvé du réconfort, de la compagnie et, tant que le vieux Magritte était parmi eux, leur vie quotidienne avait lentement repris leur cours.

Tout avait disparu quand les secours avaient emmené leur berger.

L'ambulance longea l'aire d'autoroute à vive allure. Impuissants, silencieux, les parents la virent disparaître à l'horizon avec son gyrophare aveuglant et sa sirène hurlante. Ils tournèrent la tête dans tous les sens, comme s'ils ne pouvaient pas endurer de baiser d'adieu, porté par le vent, et finirent par s'effondrer. En d'autres termes, ils s'assirent par terre ou s'accroupirent près de leur voiture.

Mallory se dirigea vers eux et, un par un, les regards se braquèrent sur elle. Charles comprit ce qui se passait. Elle incarnait la loi et l'ordre, elle était devenue la protectrice des troupeaux.

Leur nouvelle bergère.

À mesure qu'elle approchait, les cous s'allongeaient, les yeux s'écarquillaient, des corps impatients comme en lévitation.

Premières paroles de Mallory ?

— Rentrez chez vous !

On avait déjà fait mieux comme début.

Calmes et encore pleins d'espoir, ils attendirent une autre déclaration, peut-être plus inspirante, mais elle leur tourna le dos et s'en alla. Pendant quelques instants, ils la suivirent d'un regard ovin, puis commencèrent à acquiescer, comme s'ils se disaient : *Excellente décision.*

Riker secoua la tête. Charles haussa les épaules, puis emboîta le pas à Mallory. Vieille habitude…

Quand le propriétaire du nouveau campement eut été payé et que les véhicules furent stationnés en cercle, Riker s'adossa à l'aile de la Mercedes, fasciné par la campagne environnante. À neuf heures du soir, les plateaux du Nouveau-Mexique s'étaient teintés de violet foncé et les prairies grisonnaient.

Tandis que son ami Charles sirotait un café, il fumait des cigarettes et spéculait sur le suicide de Savannah Sirus :

— À mon avis, c'est une histoire de culpabilité. Suppose que la mère de Mallory ait été enceinte quand Peyton lui a préféré sa maîtresse. En allant à New York, Savannah cherchait l'absolution… et elle s'est juste trompée de confesseur.

— Trop simpliste, objecta Charles. Reviens un peu en arrière. D'abord, pour la forme, elle a dû envoyer à Mallory *une* lettre de Peyton Hale. Peut-être croyait-elle qu'elle s'en contenterait.

— Sauf que l'autre, consciente d'avoir été trahie, a voulu récupérer le reste. Savannah a passé trois semaines à New York, bien plus de temps que nécessaire pour livrer des aveux complets. J'ai vu la gamine faire craquer d'impressionnants criminels en moins d'une heure.

— D'accord, mais elle s'est contentée de rester fidèle à elle-même. On ne transforme pas un flingue en marguerite. Je ne vois ici aucune intention, aucun désir de pousser Mlle Sirus au suicide.

Quand Mallory les rejoignit, ils se turent et Charles se demanda si elle arriverait à lire la culpabilité sur son visage. Bien sûr que oui… si elle lui avait prêté attention, mais elle ne lui accorda même pas un regard. Elle prit un tabouret de camping et posa l'ordinateur sur ses genoux. Apparemment, elle cherchait leur compagnie mais pas leur conversation. Hormis quelques coups d'œil furtifs à un feu de camp voisin, où une fillette dormait sur un matelas, elle était captivée par l'écran de son portable.

Joe Finn s'efforçait de monter sa tente sans réveiller Dodie. Son fils, Peter, fixait Mallory, puis il se leva et marcha lentement vers elle. Charles s'étonna de voir des yeux de vieux sage sur son petit visage juvénile. Les pas de l'enfant étaient comptés. Il avait quelque chose d'important à dire à l'inspectrice.

Sois prudent, fiston.

Peter Finn tapota l'épaule de Mallory :

— C'est quoi, la mort ?

— Tu le sais très bien, répondit-elle, rivée à son écran.

— Mais vous en savez plus que moi.

Charles ferma les yeux. C'était logique. L'enfant avait choisi la personne qui, selon toute vraisemblance, ne lui débiterait pas un gentil mensonge et était la plus susceptible de connaître la vérité.

— Parlez-moi de la mort, insista-t-il.

Sans quitter son ordinateur des yeux, elle répondit :

— C'est ce qui arrive après la vie.

— Et puis ?

Surprise, elle releva la tête vers le petit garçon, l'air de dire : *Tu en veux plus* ?

Non. Charles avait deviné qu'il n'y était pas disposé. Cette vie-là l'occupait déjà bien assez, plus qu'il ne le fallait. La vie était dure. *A priori*, Peter avait la même conception du paradis que Mallory. En d'autres termes : un endroit pareil à celui-ci – ni plus ni moins.

— Ma sœur Ariel… elle est vraiment morte, hein ?

— Oui, lâcha-t-elle, fervente partisane de la concision.

— Bon, d'accord.

Plus de *ça* pour Ariel.

— Vous voulez bien le dire à mon père… pour qu'on rentre à la maison ?

— Tu crois qu'il m'écouterait ?

Apparemment pas. Son dernier espoir envolé, l'enfant tourna les talons et s'éloigna : il avait vieilli d'un siècle.

Charles le rattrapa :

— Je peux te parler ?

Peter fit volte-face :

— S'il vous plaît, ne me dites pas qu'Ariel est au paradis.

Charles s'agenouilla pour se mettre à sa hauteur :

— Je vais te raconter ce que je sais sur le paradis. Ce que j'ai appris au catéchisme. Jésus a dit : « Le paradis est tout autour d'eux, mais les hommes ne le voient pas. » Je crois qu'il n'avait pas tort. Moi, je n'imagine rien qui puisse éclipser la vie. Le meilleur est à venir. Pas question de le rater.

Hélas, il s'agissait là d'une maigre consolation pour un enfant épuisé qui, s'il voulait survivre, avait besoin d'un cadre et de points de repères normaux. Un lit ordinaire, où il pourrait s'allonger chaque nuit, serait déjà un début. Charles regarda le boxeur se débattre avec ses piquets de tente. Chaque fois qu'il échouait, transparaissaient tous les signes de la dépression.

— Je vais parler à ton père.

Le jeune fataliste secoua la tête :

— Il ne vous écoutera pas.

Au moment d'aller voir Joe Finn, Charles tourna mentalement une page du Grand Livre de Mallory sur les Dures Vérités et les Mauvaises Manières. Il décida d'y aller franco :

— Ariel est morte. Vous le savez. Elle nous a quittés il y a longtemps et votre fils, lui, veut mourir.

Voilà qui attira l'attention du boxeur, furieux. Charles observa sa fille survivante, désormais réveillée : elle fredonnait, désemparée.

— La situation a trop duré. Vous ne pouvez pas apporter à Dodie l'aide dont elle a besoin. Je peux vous trouver un bon pédopsychiatre, mais vous devez d'abord accepter de vous rendre en résidence surveillée à Chicago. Cette fois, ce sera la police qui assurera votre protection. Pas le FBI.

À voir ses poings serrés, le boxeur n'était pas convaincu.

— Elle est l'enfant qui vous ressemble le plus, insista Charles. Si vous ne mettez pas un terme immédiat à votre pèlerinage, Dodie et vous finirez par vous balancer côte à côte, à chantonner dans le noir, et votre fils se retrouvera seul. Puis il mourra. Je sais que vous voulez bien faire. Je n'ai pas raison ? Les pères sortent toujours en pleine nuit pour chercher leur progéniture perdue. Eh bien, Ariel est morte. Et les deux autres sont perdus.

— Ce n'est pas ce qu'il veut entendre.

Mallory avait surgi derrière le boxeur, ce qui l'obligea à se retourner, mais elle le snoba et s'adressa juste à Charles :

— Il ne t'écoute pas.

Elle avait enlevé sa veste, ce qui lui permettait d'afficher son gros calibre à la ceinture. Les jambes écartées, les bras légèrement arc-boutés, elle se tourna vers Joe et Charles trouva la confrontation très intéressante : une flingueuse contre un pugiliste.

— M. Finn en a ras le bol d'écouter toutes ces conneries sur le déni, ajouta-t-elle, les yeux rivés sur le boxeur. Il sait qu'Ariel est morte et il a décidé de rendre la pareille.

Coup d'œil à Charles.

— Si tu souhaites apprendre des trucs sur la vengeance, viens me consulter. J'ai tout vu. Je connais les symptômes.

À son tour d'être ignorée. Joe Finn se remit à la difficile tâche de planter ses piquets de tente. La main de Mallory jaillit si vite qu'il n'eut pas le temps de réagir quand elle lui arracha son piquet et le jeta sur le côté, comme un vulgaire cure-dent.

— Vous n'avez pas le droit de…

Il se tut en voyant sa petite fille fredonner et se balancer.

— Vous la stressez, constata Mallory. C'est le signal, non ?

Elle expliqua à Charles :

— Quand Dodie chantonne, il se passe un truc qu'elle ne réussit pas à gérer. Il y a quelques jours, Finn s'est rendu compte que ça arrivait de plus en plus souvent et il a cherché un coupable à blâmer. Il veut trouver l'homme qui a tué Ariel.

Mallory tourna autour du boxeur, qui, lui-même, la suivit du regard. Elle se pencha vers la fillette, qui continuait à fredonner et à se bercer doucement :

— L'alerte est de niveau 1. Plus Dodie chante fort, plus vous approchez de votre cible, Finn. C'est votre petit chien de chasse. Elle ne parle plus, pourtant elle vous indique le chemin en chantant, en se balançant, morte de trouille. Mais qu'est-ce que ça peut vous faire ? Vous êtes en mission.

— Faux !

— Épargnez-moi vos salades, pigé ? Croyez-vous que vous pouvez vous attaquer à un tueur en série et le vaincre ? Si vous liquidez un innocent, à votre procès, je vous suggère de jouer les dingues. Charles a peut-être mis le doigt sur quelque chose. Plaidez la folie et vous finirez dans le même asile que Dodie. Comme ça, vous pourrez passer vos journées à vous balancer et à fredonner ensemble.

Elle s'adressa à Charles :

— Avec lui, tu as perdu ton temps. Tant que les Services sociaux ne l'auront pas retirée à son père, Dodie ne recevra aucune aide. Si jamais elle survit à ce qu'il lui inflige.

Retour au boxeur, sa cible.

— L'homme que vous traquez, je parie un bon

paquet qu'il vous bat à plates coutures. C'est un comploteur, un rôdeur qui aime suivre ses proies et prévoir ses coups longtemps à l'avance alors que, vous, vous savez juste utiliser vos poings.

Charles vit qu'elle tenait un objet derrière son dos, mais le gros revolver était toujours rangé dans son étui.

— Je sais me défendre seul, protesta Joe Finn.

— Ariel a sacrifié sa vie pour sauver sa petite sœur.

Mallory lui montra ce qu'elle cachait : un cliché de cadavre. Le corps d'une adolescente brune aux yeux bleus. Ariel.

— Ce n'est pas ma fille.

— Arrêtez de mentir et regardez ses mains, Finn. Vous savez d'où lui viennent ces ecchymoses. Votre enfant a frappé la première. Ce tordu n'a pas attrapé Ariel. C'est elle qui l'a attaqué. Elle voulait laisser à Dodie le temps de s'enfuir.

Mallory posa l'index sur le crucifix qu'il portait autour du cou et le lui enfonça dans la peau, comme pour le marquer au fer rouge. Le boxeur sembla incapable de la repousser.

— Ariel s'est montrée héroïque mais, si Dodie se fait tuer à cause de vous, votre aînée sera morte pour rien.

Elle s'empara du dernier piquet de tente, l'arracha de terre et le laissa tomber. La toile s'effondra. Le boxeur aussi était abattu, accablé par les mots et les images. Il détourna la tête et demanda à son fils de l'aider à boucler les valises : ils quittaient le convoi.

Peter accourut, radieux. Il était revenu à la vie.

Tandis que Riker montait la garde de l'autre côté du mur de véhicules, Mallory et Charles regardèrent les Finn ranger leurs valises dans le coffre. La tente, désormais inutile, était restée sur place. À côté, la fillette tenait une poupée, son seul bagage de valeur.

415

Dale Berman était furieux :

— Il vaudrait mieux les placer sous protection fédérale.

— Allez vous plaindre à Kronewald, riposta Mallory. Il a entendu dire que les témoins du FBI tombaient comme des mouches.

Problème réglé.

Ils allaient réserver la résidence surveillée de la police de Chicago.

Berman rejoignit son équipe, petit groupe d'agents qui incluaient Christine Nahlman et son jeune collègue.

— Tu leur fais confiance pour mettre les Finn dans le bon avion ? s'étonna Charles.

— Non, répondit Mallory, mais ce n'est pas moi qui ai réclamé l'escorte du FBI. Ça fait partie du marché entre Harry Mars et Kronewald. À présent, l'affaire est devenue une entreprise commune entre les flics de Chicago et les fédéraux. Les hommes de Berman vont emmener les Finn à l'aéroport. Et ce n'est pas négociable.

Elle consulta sa montre.

— L'avion de Kronewald ne devrait pas tarder à atterrir.

— Je ne vois pas comment Berman pourrait rater son coup. À moins de le faire exprès.

Mallory s'éloigna en arborant un étrange demi-sourire, bien décidée à torturer le responsable de l'enquête. Charles lui emboîta le pas, comme d'habitude.

— Vous allez donc les accompagner, assena-t-elle à Berman.

— C'est toujours moi le patron.

L'agent spécial se replongea dans sa paperasse. Au bout de quelques instants de silence, il se rendit compte qu'elle n'en avait pas encore terminé avec lui.

— Écoutez, Mallory, j'ai huit agents armés, sans

416

compter le policier local. La couverture sera mieux assurée que d'habitude. Il ne peut rien arriver aux Finn.

Elle ne pipa mot et le laissa imaginer toutes sortes de scénarios. Finalement, Berman parut comprendre que, s'il devait arriver le moindre pépin à cette famille-là, il en baverait dix fois plus. D'ailleurs, avait-il remarqué que la main tenant son bloc-notes descendait lentement vers ses précieux bijoux de famille ?

Si Charles avait bien déchiffré l'expression de Mallory quand elle quitta Berman, elle ne le croyait pas capable de se charger de cette affaire sans nuire à un enfant. Manifestement, Nahlman, qui la rattrapa quelques mètres plus loin, en était aussi persuadée :

— Ma fille avait l'âge de Dodie. Je connaissais le nom de sa poupée préférée. Je pouvais même nommer ses fiancés de plastique. Je sais prendre soin d'une enfant, Mallory.

— Je suis au courant pour votre fille. Elle est morte.

Nahlman se voûta, comme si elle venait d'encaisser un coup, puis elle reprit ses esprits :

— Je m'occuperai personnellement de conduire les Finn à Chicago. Je ne la quitterai pas des yeux une seconde. Vous avez ma parole. Je veux juste que Dodie soit en sécurité.

Elle tourna les talons et rejoignit sa voiture.

Mallory n'eut pas l'air convaincue, mais elle ne tira pas non plus dans les pneus pour empêcher les fédéraux d'emmener la famille.

Riker surgit derrière elle et lui tapota l'épaule :

— C'est quoi, l'histoire de sa gamine ?

— Sa fille a été abattue. Le tireur était un petit voisin du même âge, six ans. Ils jouaient avec le revolver de Nahlman. Alors à partir de ce moment-là elle a commencé à boire seule. Et beaucoup. Elle est en thérapie depuis des années.

— Tu l'as découvert dans son dossier FBI ?

— Non, j'ai piraté l'ordinateur personnel de Berman. Il a envoyé un mémo sur le sujet à chaque agent assigné à l'enquête… sauf elle, bien sûr. Il y expliquait pourquoi il fallait excuser les petites crises de Nahlman. J'imagine qu'il parlait des jours où elle lui résistait. Elle a peut-être même contredit ses ordres.

Mallory fixait les jeunots qui accompagnaient Christine Nahlman.

— Ils ne voudront plus travailler avec elle. Ils ne lui font pas confiance. Moi, si.

Assise au volant, Nahlman venait de raccrocher quand Riker passa le bras à travers la vitre. Il lui empoigna la main qui tenait encore le portable :

— Je ne cherche pas à vous draguer.

Sans qu'elle lâche le téléphone, il enregistra son propre numéro dans le répertoire :

— Au cas où vous ne l'auriez pas mémorisé. On n'a jamais assez de renforts.

Sa B.A. terminée, il continua à lui tenir la main.

— Maintenant, écoutez bien, Nahlman, car ce sont les paroles d'une de mes chansons préférées, d'accord ?

Il referma les doigts de la jeune femme sur le téléphone.

— *Tu n'as qu'à appeler et je serai là.*

Il s'éloigna de la voiture en sifflotant la mélodie et elle avait beau savoir qu'il cherchait juste à la garder en vie, elle trouva l'instant infiniment romantique.

CHAPITRE XIX

Les policiers locaux avaient remplacé les derniers fédéraux. Torche en main, ils patrouillaient à pied autour de la caravane et, grâce à l'aimable participation d'un magasin de hi-fi voisin, trois cents pèlerins regardaient de petits téléviseurs branchés sur la batterie, l'allume-cigare ou le générateur de leur camping-car.

Charles commençait à se lasser de la promiscuité. Impossible de fuir le vacarme incessant d'un zapping frénétique. Quant aux écrans, leur rayonnement ternissait l'éclat des feux de camp et des lanternes. Les parents suivaient la chasse à l'homme à travers le Nouveau-Mexique comme s'il ne s'agissait pas de leur propre histoire – sans doute parce qu'il y avait une bonne part de fiction. Loin d'être découragés par l'absence de faits, les médias aimaient divertir leur public. Les journalistes de terrain étaient partis depuis longtemps, après le grand chambardement de la nuit, et, assis devant un feu, les deux inspecteurs new-yorkais livraient leur dernier rapport aux autorités locales.

Même si Charles approuvait l'usage d'une bouilloire vétuste, il se méfiait un peu de la dernière expérience de Riker : après avoir mélangé l'eau au marc de café, son ami porta le tout à ébullition, ajouta de l'eau froide et tendit une tasse fumante au policier qui les avait rejoints :

— Ça fixe le goût. Un vrai café de cow-boy ! Vous connaissez ?

— Et comment ! C'est le top du top, apprécia-t-il.

Les deux intrépides sirotèrent le liquide brûlant en extrayant, de temps en temps, les résidus de café coincés entre leurs dents. Charles et Mallory, eux, s'abstinrent.

Leur invité annonça qu'après le bloc opératoire Paul Magritte n'avait pas repris conscience :

— Désolé, il est mort. Heureusement qu'il a eu la bonne idée de nous balafrer ce salaud.

Il se tourna vers Mallory et se traça une ligne sur le cou :

— C'est comme ça qu'il vous a décrit la blessure ?

— Oui, répondit Riker à la place de son équipière.

Distraite, elle était peut-être lasse de répéter cent fois la même chose aux différents policiers qui l'interrogeaient. Elle gardait les yeux rivés sur le ciel, mais il y avait peu de chances qu'elle contemple les étoiles, car le firmament ne pouvait pas rivaliser avec l'éclat des feux et des torches, des lanternes et des multiples écrans de télévision. À la lumière de leur propre flambée, Charles aperçut le sang de Magritte sur le jean et les chaussures de son amie mais, plus inquiétant, un de ses lacets était défait et elle ne s'en était même pas aperçue. Il remarqua aussi d'autres écarts à sa maniaquerie compulsive : elle portait ses vêtements de la veille et avait plusieurs ongles cassés.

Un bref instant, il oublia qu'il était amoureux et porta sur elle un regard clinique. Lorsqu'elle le surprit à prendre mentalement quelques notes, il baissa la tête pour l'empêcher de lire dans ses pensées, de deviner sa peur. Il fixa le lacet dénoué.

L'enquêteur local feuilleta son carnet et trouva la page qu'il cherchait :

— Grâce aux traces de pneus sur la scène de crime, on a identifié la marque du véhicule. Vous pouvez donc nous laisser faire. On va le coincer.

Il balaya du regard l'immense cercle de minitéléviseurs.

— Au moins, il ne s'attaquera plus à ces pauvres parents.

Il n'avait pas précisé le modèle de la voiture, mais Riker le prit de court :

— N'espérez pas qu'il garde sa jeep trop longtemps. C'est un pro du vol de bagnoles.

— Je m'en souviendrai.

Au ton de sa voix, il se fichait royalement de recevoir les conseils avisés d'un contingent d'inspecteurs new-yorkais.

— Comme il préfère les chemins de traverse, je pense qu'il va rouler dans cette caisse un moment et qu'on ne le pincera pas sur l'autoroute. Vous devriez vous reposer cette nuit. En matière de chasse à l'homme, il vaut mieux s'en remettre aux gens qui connaissent le terrain.

Champions incontestés de la traque, Riker et Mallory étaient, semble-t-il, trop fatigués pour apprécier ce genre d'humour.

Après avoir bu son café, l'officier du Nouveau-Mexique leur souhaita vite bonne nuit et prit congé.

Un portable sonna.

— Ce n'est pas le mien, annonça Riker.

Mallory fouilla dans son sac à dos :

— C'est celui de Magritte.

Charles ne se rappelait pas l'avoir entendue dire qu'elle l'avait embarqué, du moins elle n'avait rien dit au collègue du Nouveau-Mexique. Jusque-là, il ignorait que le psychologue possédait ce genre d'appareil.

Vu l'imposante taille du téléphone, même Charles devina qu'à l'aune des technologies modernes, le modèle était préhistorique.

— Un analogique, maugréa-t-elle.

Autre preuve de vétusté, elle déplia une antenne.

— Allô ?

Au bout de quelques secondes, elle renfonça l'antenne.

— Ça a encore raccroché.

— Le numéro ne s'est pas affiché ? se renseigna Riker.

— Rien d'aussi perfectionné.

Elle retourna le téléphone et sembla examiner le témoignage intéressant d'une civilisation ancestrale.

— Pas de boîte vocale non plus. Je suis étonnée qu'il fonctionne encore.

Charles observa son vernis rouge écaillé et vit en chaque ongle abîmé une blessure bien particulière :

— S'il s'agissait des patients de Magritte ? En entendant une voix féminine, ils croient s'être trompés de numéro.

— Peut-être. J'ai demandé à Kronewald de me procurer la liste des appels.

Elle rangea le portable, ramassa son sac à dos et, zou !, leur faussa compagnie.

— Attends !

Charles s'empressa de la rattraper, car Mallory n'attendait personne. Il se planta en travers de son chemin, l'empoigna par les épaules et la força à s'arrêter. Puis il s'agenouilla devant elle et, de peur qu'elle ne trébuche, renoua son lacet. C'était le genre de service qu'on rendait à un enfant, pourtant elle le laissa faire.

Il était toujours agenouillé dans la poussière, tête baissée, lorsqu'elle reprit sa route.

Riker le rejoignit et l'aida à se relever :

— Très classe. Il faudra que je m'en souvienne.

— Où peut-elle bien aller à une heure si tardive ?

— Tu veux mon avis ? Dans un hôtel cinq étoiles. Le camping, ce n'est pas son truc.

À quelques mètres de là, les rares fédéraux restants et les deux taupes disgraciées étaient réunis autour d'un poste de télévision. Ils semblaient tous si jeunes.

— Qui dirige les opérations ici ?

Riker tapa sur l'épaule de son ami :

— Toi et moi.

Nahlman aperçut le premier panneau signalant l'Aéroport international d'Albuquerque mais, avant qu'elle puisse mettre son clignotant, un autre véhicule fédéral s'engagea sur la voie de droite et essaya de la doubler. Elle allait rater la sortie. Ses grands gestes ne servirent à rien, ses coups de klaxon non plus. Impassible, le conducteur indélicat fixait obstinément la route. Résultat : la sortie leur passa sous le nez et ils continuèrent sur l'A40.

C'était quoi, ce délire ?

Impossible de réclamer des explications à son supérieur. Berman avait interdit toute communication par portable. Bizarre, non ? Nahlman ne comprenait pas où il voulait en venir, mais il y avait longtemps qu'elle ne cherchait plus de logique aux ordres de sa hiérarchie.

Elle se tourna vers son collègue. Malgré sa mine sereine, Barry Allen avait forcément vu qu'on l'avait coincée à gauche : il était débutant mais pas aveugle. Et merde ! Il savait qu'ils rateraient la sortie vers l'aéroport. C'était le but. En bon petit soldat, il ne contestait aucune directive de Berman, mais le moment était mal choisi pour accuser Allen de comploter contre elle.

Nahlman observa le reflet de Joe Finn dans son rétroviseur. *A priori*, le boxeur n'avait rien remarqué. Très concentré, il lisait un livre de contes à ses enfants, bien qu'ils aient passé l'âge depuis longtemps. Pourtant, ils étaient pendus à ses lèvres, ravis de l'attention qu'il leur portait. À l'image de Peter, Dodie ressemblait à n'importe quelle fillette normale, captivée par la voix de son père, les yeux rivés sur le colosse, comme si elle n'arrivait pas à se rassasier de lui.

La zone de chantier devant eux était une autoroute divisée en deux : les voies de circulation aller et retour étaient séparées par d'imposants murs. Du côté de Nahlman, deux files de véhicules s'engouffrèrent dans l'étroit canyon de béton et elle eut l'impression de voir un troupeau de bétail partant à l'abattoir. Au bout de plusieurs kilomètres, elle aperçut enfin une brèche. Puis elle entendit les mots qu'elle attendait tant.

— J'ai envie de faire pipi, annonça Peter. Dodie aussi. Vous voyez ? Elle se trémousse. On peut s'arrêter ?

— Oui.

Le timing était parfait. Nahlman avait repéré le panneau signalant la prochaine station-service avec une mise en garde : à la sortie de la zone de chantier, le virage serait très serré.

— Préviens les autres qu'on nous a demandé une pause-pipi.

— On n'est pas censés utiliser nos téléphones, lui rappela Allen. Dale a dit que…

— Agent… *Barry*, tu sais qu'on ne peut pas utiliser la radio. Il y a trop de scanners de police en circulation. Alors prends ton portable et tu me feras porter le chapeau.

Les yeux rivés sur la voiture voisine, elle la bloqua sur une voie où elle ne pouvait pas tourner. Le panneau de sortie approchait quand elle se pencha vers son équipier et haussa le ton :

— C'est un ordre !

Aussitôt dit, aussitôt fait.

— Ça ne répond pas, lâcha-t-il. Dale va être furax de… Qu'est-ce que tu fabriques ?

Nahlman s'engagea sur la voie encombrée et poussa l'autre véhicule contre le mur de séparation. La carrosserie frotta sur le béton, lâcha quelques étincelles et l'agent fédéral qui lui avait barré le chemin se retrouva largué. Elle avait désormais la route à elle toute seule.

Allen en resta bouche bée, les yeux exorbités.

Nahlman jeta un œil au rétroviseur. Le boxeur lisait toujours son livre de contes, mais le jeune Peter, collé à la vitre, murmura :

— Cool.

Mallory se trouvait à cent cinquante kilomètres de Gallup (Nouveau-Mexique). La voiture était décapotée, la nuit était belle et il n'y avait pas grand monde sur l'A40. La zone de chantier ressemblait à un jeu vidéo, où les automobiles zigzaguaient à toute vitesse sur les virages dessinés par les barrières en béton. Après le chantier, quand ils revinrent sur la route traditionnelle, l'escorte fédérale des Finn avait disparu.

Parfait.

A priori, cet idiot de Dale Berman avait réussi à se tenir, le temps de les emmener à l'aéroport.

Elle appuya sur le champignon, poussant l'aiguille du compteur à son maximum, et fut agréablement surprise. Au Kansas, Ray Adler lui avait offert plus qu'un arceau de sécurité : il avait dû gonfler les capacités standard de son moteur Porsche. Autrefois, la bosse de la capote Volkswagen limitait sa vitesse à deux cent quatre-vingt-dix kilomètres-heure mais, là, elle atteignait allégrement les trois cent quarante.

Merci, Ray.

Elle menait une véritable course contre la montre, alors qu'elle était exténuée. Avant qu'elle ne cède au sommeil, il lui restait un repère à voir. Ensuite, elle pourrait fermer les yeux, s'assoupir et rêver, même si ses rêves l'épuisaient.

Éveillée ou endormie, elle roulait toujours sur la Route 66.

L'inspecteur de Chicago avait pris l'avion en compagnie d'un membre haut placé du FBI, directeur adjoint des Enquêtes criminelles, et ils voyageaient en première classe – grâce à la générosité des contribuables américains. Entre l'aéroport de l'Illinois et leur prochaine arrivée au Nouveau-Mexique, Kronewald n'obtint de lui qu'une protestation révélatrice.

— Je n'ai pas retenu le nom de tous les agents envoyés sur le terrain ! se défendit Harry Mars. Désolé, je ne me souviens pas d'un dénommé Cadwaller.

Kronewald y vit la confirmation que Cadwaller était bien l'espion de Washington chargé de surveiller Berman.

— Ce type est censé être un as du profilage. Ça vous aide ?

Pressé de détourner la conversation, Harry Mars se lança dans une énième histoire de Lou Markowitz qui commençait par « Ce merveilleux enfoiré » et finissait par :

— Alors que pensez-vous de sa fille ?

— Ah, Mallory.

De plus en plus irrité, Kronewald esquissa un sourire forcé. Il savait qu'elle avait dû magouiller avec l'agent fédéral assis à côté de lui. Il se passait bien un truc énorme : ça sautait aux yeux. Les directeurs adjoints du FBI ne jouaient pas au coursier. Harry Mars venait prendre les choses en main et mener sa propre enquête.

Kronewald en avait assez d'être manipulé et mis sur

la touche. Il se pencha au hublot, regarda les lumières de l'aéroport d'Albuquerque et dégaina sa meilleure arme :

— Vous croyez que Berman pourra accomplir sa minuscule tâche sans tout bousiller ?

L'émissaire de Washington consulta sa montre :

— Quand nous atterrirons, il nous attendra aux côtés de la famille Finn.

— Seulement s'il ignore ce que vous lui avez réservé.

Impeccable !

Quand le visage du bureaucrate se décomposa, il sut qu'il avait marqué un point. Depuis une heure, son voisin avait téléphoné quatre fois et il avait beau expliquer qu'il voulait joindre sa femme, Kronewald n'était pas dupe : Mars avait perdu le contact avec ses hommes restés sur la terre ferme.

L'avion se posa sur la piste au prix de quelques secousses musclées.

Mauvais présage ?

Joe Finn attendait à la porte des toilettes dames quand Nahlman ressortit en tenant Dodie par la main. Le boxeur s'était juste séparé de sa fille, car les deux enfants avaient une envie pressante. Il reprit Dodie dans ses bras et l'emmena au rayon chewing-gums, aliment indispensable à tout bambin en voyage.

Le policier qui avait surveillé Nahlman pendant la pause-pipi était désormais planté en face de l'épicerie :

— Votre patron est un sacré numéro.

Elle suivit son regard. Sur le parking, Berman était négligemment adossé à l'attraction du jour : une voiture qui avait perdu un peu de peinture là où Nahlman l'avait poussée contre le mur de béton.

Le policier ajouta à voix basse, sur le ton de la confidence :

— Je dois reconnaître, madame, que vous avez très

bien conduit ce soir. Si je pouvais, j'éviterais aussi d'en parler.

Il hocha la tête vers le parking.

— Vous devriez dire à cet enfoiré de ne pas utiliser la radio.

Avant qu'elle puisse lui demander où il voulait en venir, il tourna les talons et lança par-dessus son épaule :

— Pendant que vous vous en chargez, je ramène les Finn à la voiture.

Il se dirigea vers la petite famille, qui attendait à la caisse.

Quand Nahlman sortit de l'épicerie, Berman lui montra la peinture abîmée de l'autre véhicule fédéral et souffla :

— Personne n'est obligé de pisser aussi mal.

Inquiet, l'agent Allen resta à l'écart de la discussion. Nahlman sourit. Elle ne pouvait pas faire confiance à son équipier : il était devenu le toutou de Berman, mais elle appréciait qu'il se tracasse pour elle. Elle se tourna vers son supérieur :

— Si on ne rebrousse pas immédiatement chemin, on risque de rater le vol de Chicago.

— Nous n'allons pas à l'Aéroport international d'Albuquerque. Notre avion décolle de l'autre côté de Gallup.

L'équipier de Nahlman sembla rassuré. Pas elle :

— C'est une base militaire.

— Et un endroit plus sûr, rétorqua Berman. Excusez-moi de ne pas vous communiquer tous les détails. Ce soir, votre seul boulot consistait à suivre la voiture de tête et vous n'avez pas réussi. Au fait, je vous interdis de réutiliser votre portable.

Il jeta un regard noir au pauvre Allen :

— Compris, fiston ?

— Oui, chef.

Au garde-à-vous, le bleu brandit son téléphone pour lui montrer qu'il n'était pas allumé.

— Le vôtre maintenant, grogna Berman.

Nahlman sortit son mobile personnel et l'éteignit.

— Grâce à votre équipière, Allen, deux voitures n'ont pas pu prendre la sortie en épingle à cheveux. Conclusion : quatre agents en moins, quatre flingues.

Volte-face vers Nahlman.

— Si l'on rencontre le moindre problème, ce sera de votre faute.

Il rejoignit le véhicule de police voisin. Alors que l'officier en tenue surveillait les Finn, Berman se pencha à la vitre et montra la radio :

— Vous permettez ?

Le flic tira sur le fil et lui tendit l'appareil. Puis il haussa les épaules vers Nahlman, l'air de dire : *Je vous avais prévenue.*

Berman, qui avait repris contact avec ses agents disparus, leur demanda de faire le plein à la station-service suivante :

— Attendez-nous là-bas. Le prochain lieu de rendez-vous n'a pas de pompe à essence. Il se situe à quelques heures de route, une aire de repos juste après la Sortie 96.

Nahlman secoua la tête, incrédule, mais n'éleva pas la voix. Depuis le temps, elle connaissait par cœur la technique d'appât de Berman. Bien que, d'habitude, elle n'aimât pas pointer l'évidence, elle songea à son collègue :

— Donc toutes les autres radios sont branchées sur la fréquence de la police ?

— On a un poulet dans l'équipe, non ? ironisa Berman.

Il remercia l'agent et lui rendit son émetteur.

— Aujourd'hui, les scanners courent les rues…

— La ferme, Nahlman.

Comme il tournait le dos à Barry Allen, il ne vit pas son beau visage tout propre accepter une telle affirmation de la hiérarchie. Le monde parfait du jeune agent était en train de se fissurer et Berman risquait de tomber de son piédestal.

Petite victoire.

— À partir de maintenant, c'est vous qui conduisez, Barry.

Après lui avoir lancé le trousseau de clés de Nahlman, il lâcha sur un ton très désinvolte :

— Plus de crise d'hystérie devant vos passagers, compris, mademoiselle ?

Le directeur de l'hôtel El Rancho n'avait jamais été interrogé par la police et il avait du mal à oublier l'énorme revolver que l'inspectrice affichait ostensiblement. D'autant qu'il ne comprenait toujours pas la gravité de son crime.

En général, les touristes appréciaient leur chambre.

— Non, réagit-il à l'accusation de rénovation. Il s'agissait d'une restauration. La différence est de taille, voyez-vous. Tout a été conservé.

D'un geste, il montra le vaste hall avec ses bureaux élégants et son ambiance sudiste des années 1940. Au balcon : les photos glamour d'acteurs célèbres à l'âge d'or du cinéma noir et blanc. Chaque fois qu'il venait travailler, il avait l'impression d'entrer dans un film : il levait les yeux vers le grand escalier et attendait l'arrivée des stars.

— Les autographes aussi sont authentiques. Ces vedettes ont séjourné ici pendant leur tournage…

— Et ma chambre ? Elle est flambant neuve !

Les étranges yeux verts de Mallory le traitaient de menteur.

— Oh ! Les chambres, elles, ont été rénovées. Le mobilier a été remplacé par...

— Tout est différent aujourd'hui.

— Exact, reconnut-il.

Lorsqu'un touriste était armé, la devise « Le client a toujours raison » prenait tout son sens.

— Tout change.

Il voulait parler de la vie, de l'univers – de tout hormis son hall restauré.

— Rien ne reste jamais pareil.

Il lut la déception au fond des grands yeux de Mallory et oublia sa peur :

— Je suis désolé.

Riker s'étira sur le duvet que Joe Finn avait abandonné au camp. Devant quelques braises mourantes, son ami le maintenait éveillé... à force de réfléchir.

— O.K., j'abandonne. Qu'est-ce qui te turlupine ?

— Le téléphone portable, expliqua Charles. Je ne savais même pas que Magritte en possédait un avant que Mallory le sorte de son sac. Lui et moi, on partageait la même aversion des technologies modernes. Ça lui donnait l'impression d'avoir une épée de Damoclès au-dessus de la tête. Quand on a un portable, impossible de fuir le monde. Pourtant, en fin de compte, il en détenait bien un.

— Ses patients devaient l'appeler.

— Non. Tu disais que le portable avait quoi ? Six, sept ans ? Le Dr Magritte a fermé son cabinet il y a douze ans. Ses groupes de thérapie actuels se déroulent sur Internet. Les parents lui envoyaient peut-être des mails, mais ils ne téléphonaient jamais. Par ailleurs, s'il en avait acheté exprès pour l'expédition, il aurait reçu un modèle dernier cri, non ?

431

— Il a peut-être emprunté celui d'un ami. En voyage, c'est plutôt pratique.

— Y a-t-il un moyen de vérifier ?

— Bien sûr.

Malgré la fatigue, Riker sortit son propre téléphone.

— À l'heure qu'il est, Kronewald doit tout savoir de ce fichu portable.

Clic clac.

Le flash avait surpris Pearl.

Le photographe, lui, avait été étonné de la voir descendre de la dépanneuse.

La plupart des clients réagissaient pareil, mais la robuste Pearl Walters était une mécanicienne hors pair : elle avait trente ans d'expérience sur les mille et une causes de panne automobile.

Elle n'offrit pas sa main au conducteur pour le saluer. Souvent, les gens semblaient rebutés. Bien qu'elle ait les mains propres, on ne pouvait pas en dire autant de ses ongles : le cambouis et la crasse s'incrustaient trop profond. Pearl portait une salopette graisseuse et ses bottes étaient toutes tachées. Sa veste orange fluo était souillée par des années passées sous les châssis de voiture mais, en pleine nuit, elle était toujours très commode : les automobilistes l'apercevaient à deux kilomètres à la ronde. Elle adorait travailler sur les parkings, des endroits sûrs pour retaper une guimbarde sans craindre les chauffards qui s'assoupissaient au volant.

Ce soir-là, le client n'était pas bavard, mais son problème n'exigeait aucune explication : le pneu avant était dégonflé.

— Je n'ai pas de cric, se contenta-t-il de marmonner.

— Aucun problème. Je vous répare ça en un tourne-main.

Elle s'agenouilla pour poser un cric et ne sentit pas la

432

douleur lorsqu'un couteau lui trancha la gorge. Elle était plus étonnée qu'autre chose.

Putain, qu'est-ce que… ?

Derrière elle, des mains ouvrirent les pans de sa veste orange avant qu'elle ne l'éclabousse de son sang.

Clic clac.

Dale Berman se pencha vers son jeune chauffeur :

— De nouveaux arrivants en vue ?

Le débutant jeta un coup d'œil au rétroviseur :

— Non, chef. Personne ne nous suit. Vous croyez vraiment qu'il essaierait de tuer la petite sous une telle escorte ?

— Un peu, oui ! Je l'ai invité à la fête.

Berman alluma un cigare, se renfonça dans son siège et sourit :

— Je vais vous dire comment on pince ces tordus, d'habitude. Ils deviennent trop culottés et, au bout d'un moment, ils font une grosse connerie.

— Sauf que ce monstre sévit depuis trente ou quarante ans.

— Qui vous l'a raconté ? Nahlman ? ironisa-t-il.

Il continua son monologue sur le tueur en série, espèce rare qu'il n'avait jamais rencontrée de toute sa carrière au FBI.

— Il arrive en bout de course. Ses petits rituels sont en train de s'effondrer. Il ne tranche plus la gorge de ses victimes et préfère leur rouler dessus en voiture. La preuve qu'il s'affole ! Il a jeté aux orties ses minutieuses mises en scène. C'est la dernière fois qu'il s'attaque à la fillette. Cette fois, il viendra sans plan précis. Il va se précipiter et on le verra débarquer à un kilomètre.

Le jeune conducteur ne pipa mot. Peut-être avait-il un avis différent sur la question. À moins qu'il ne refuse l'idée d'utiliser un enfant comme appât.

Aux yeux de Berman, il ne fallait pas que les gosses réfléchissent tout seuls dans leur coin. Ça nuisait à leur moral :

— Avant même que je lui mette la pression, il a commis des imprudences.

Il avait laissé ses agents penser que l'idée de déplacer les Finn venait de lui – et non qu'il obéissait aux ordres d'Harry Mars.

— Aujourd'hui, ce salaud pète les plombs.

Comme si Dodie pouvait le dénoncer. Démente Dodie. Berman baissa les paupières :

— Réveillez-moi si on a une autre bagnole aux fesses.

Puis il feignit le sommeil que son angoisse existentielle lui interdisait. Cette nuit-là, ce serait tout ou rien.

Harry Mars s'était éloigné de Kronewald pour passer, en vain, ses coups de fil mais, une énième fois, il tomba sur la boîte vocale d'un agent fédéral. Dans l'ultime espoir d'obtenir une explication rationnelle, il se tourna vers son voisin, qui assurait la liaison avec la police du Nouveau-Mexique :

— Est-il possible que mes hommes traversent une zone où les portables ne fonctionnent pas ?

— Non, monsieur, pas entre le campement et l'aéroport. Ce n'est pas le triangle des Bermudes.

L'officier local sortit son propre téléphone :

— Un policier fait partie du cortège. Si vous voulez, je peux demander à son chef de brigade de le joindre par radio. À vous de choisir. S'il ne tenait qu'à moi, je ne diffuserais aucun message confidentiel sur cette fréquence. Tout le monde écoute.

À quelques mètres de là, Kronewald, qui passait un appel personnel, dut élever la voix pour couvrir le vacarme de l'aéroport :

— Riker! Mon avion a atterri il y a vingt minutes. Où sont passés les fédéraux et la famille Finn?

Apparemment mécontent de la réponse, il fourra son portable dans la poche de son manteau.

Harry Mars essaya un autre numéro et ne réussit pas non plus à joindre Mallory. Enfin, elle, elle ne décrochait jamais.

Nahlman se retourna vers ses passagers assis à l'arrière. Les enfants dormaient dans les bras de Joe Finn. Le boxeur avait aussi les yeux fermés, mais elle l'avait déjà vu passer du sommeil profond à un état de veille maximale. Était-il juste en train de somnoler?

Soudain, il commença à ronfler, signe qu'il lui faisait enfin confiance.

Au volant, Allen fixait la route, mais il avait la tête ailleurs. Après l'incident concernant la radio du policier, il remettait sans doute en question tout ce qu'on lui avait appris depuis la maternelle. Lorsqu'il la regarda, Nahlman crut voir un chiot qui venait de faire pipi sur la moquette.

Elle avait fini par l'arracher des griffes de Dale Berman.

Riker s'accroupit devant le feu de camp des jeunes fédéraux. Tel un père à la veille d'un jour d'école, il éteignit leur téléviseur portable et cinq paires d'yeux se braquèrent sur lui.

— Je fais un saut à l'aéroport.

Il tendit un bout de papier au doyen des agents, seul à porter une barbe de quelques heures.

— Mon numéro de portable. En cas de problème, appelez-moi aussitôt.

— Impossible. Les contacts téléphoniques sont interdits.

Riker sourit un instant, incrédule :

— Quoi ? Vous êtes cinglé ?

— Ordre de Dale Berman, monsieur. Aucun appel entrant ou sortant.

— Donnez-moi votre portable.

Habitué à obéir sans poser de questions, le bleu s'exécuta. Riker alluma l'appareil, navigua dans le menu et le porta à son oreille. Au bout de quelques secondes, il reprit :

— Le directeur adjoint Harry Mars a explosé votre messagerie.

Il rendit le portable au gamin surpris.

— Nerveux, fiston ? Tu as intérêt.

Et voilà qu'ils allumaient tous le leur. Tandis qu'il s'éloignait tranquillement, il entendit une foule de bips d'appel.

Il mit trois secondes à comprendre l'importance de la manœuvre (salaud de Dale !) et traversa alors le campement au pas de charge. Après avoir ouvert la portière de la Mercedes, il demanda à son ami de changer de place :

— Ne te vexe pas, Charles, mais il va falloir mettre le turbo.

La sirène hurla, les roues firent jaillir des tourbillons de poussière et ils détalèrent.

Tandis qu'Allen se garait sur le bas-côté, Nahlman mémorisa les lieux. C'était l'immense parking d'une prétendue aire de repos pour usagers de l'autoroute. Deux bâtiments en parpaing abritaient des toilettes. Au centre : quelques cartes routières et des distributeurs de friandises cadenassés. Un autre parking réservé aux camions et aux camping-cars accueillait trois semi-remorques, mais il n'y avait aucune trace des chauffeurs : sans doute somnolaient-ils à l'arrière de leur cabine. Sur les places réservées aux véhicules plus modestes, une dépanneuse était garée à quelques mètres d'un petit 4×4. Derrière les tables de pique-nique : un autre parking automobile. Un homme en bleu de travail et veste orange vif vidait les énormes poubelles.

Les véhicules gouvernementaux s'alignèrent de chaque côté de la voiture de Nahlman. Les portières claquèrent et on sortit les torches, même si l'endroit était bien éclairé.

Sur la banquette arrière, Peter, très agité, était prêt à faire une nouvelle pause-pipi. Joe Finn réveilla sa fille et lui demanda si elle avait envie d'aller aux toilettes. Nahlman n'en crut pas ses yeux lorsque, d'un signe de tête, l'enfant réagit à la voix de son père. L'espace d'un instant, elle rouvrit les paupières et son regard vide avait disparu. Elle paraissait normale, consciente du monde qui l'entourait. Était-elle vraiment folle ou, au contraire, saine d'esprit, se protégeait-elle du vaste univers des adultes ? Nahlman se dit qu'elle était juste fatiguée et qu'elle accordait trop d'importance à un simple coup de menton. Pourtant, le doute subsista. Peut-être Dodie Finn pourrait-elle enseigner l'extrême méfiance à son père.

La main sur la portière, Nahlman lança a son équipier :

— Attends qu'un autre agent ait passé au crible les toilettes messieurs et, avant d'y entrer, vérifie que quelqu'un te surveille.

Allen acquiesça et ne s'offusqua pas qu'elle lui rabâche les mêmes instructions. Très concentré, il se rappela qu'elle lui avait appris à graver le paysage dans sa mémoire. Enfin, elle était convaincue qu'il ne se ferait pas surprendre, pas cette nuit-là.

Berman vit un de ses bleus entrer aux toilettes dames :

— Vous là-bas ! Allez vérifier les semi-remorques du parking.

— Je n'ai pas fouillé les W.-C., chef.

— Je m'en charge, sourit-il à la plus jolie débutante de son équipe.

Arme au poing, il entra et inspecta tous les boxes. Lorsqu'il ressortit, il croisa un agent d'entretien en salopette et veste orange. L'homme portait un gros sac-poubelle vert sur l'épaule.

Berman s'écarta pour le laisser passer :

— Grouillez-vous.

Soudain, il aperçut un autre débutant, les mains dans les poches. Comment ce crétin s'appelait-il déjà ? Ah, oui ! Il lui tapa sur l'épaule :

— Hé, Bobby ! Allez donner un coup de main au flic.

Il lui montra le parking de l'autre côté du bâtiment.

— Il est en train d'inspecter le périmètre.

— C'est qui, ce foutu agent Cadwaller ?

Harry Mars interrompit sa conversation téléphonique avec un agent resté au campement et regarda ce qui se passait derrière la file de taxis. Il reconnut l'inspecteur mais ne l'avait jamais vu aussi pressé : Riker fonçait entre les voitures. Les freins crissaient. Les klaxons hurlaient. Soudain, le New-Yorkais pila devant les portes vitrées, face à Kronewald, et l'empoigna par le bras.

Encore une catastrophe ?

Devinant l'urgence de la situation, Harry Mars coupa court au rapport d'un jeune agent sur le mystérieux Cadwaller qui manquait à l'appel :

— Allez sur cette saleté de route ! Tous ! Les policiers peuvent surveiller les parents.

Et ils se débrouilleraient sans doute mieux que les fédéraux.

— Je me contrefous des ordres de Berman et des limitations de vitesse. Du nerf !

Il vit Kronewald s'engouffrer à l'arrière de la Mercedes. Le conducteur planta une sirène sur le toit et ils traversèrent l'aéroport dans un concert de hurlements.

Le petit garçon lut l'écriteau des toilettes dames et secoua la tête. Non, il n'entrerait pas. Bien qu'il se trémousse en serrant les genoux, Peter avait la ferme intention de se soulager debout, à côté de son père, dans l'espace réservé aux hommes. Jusqu'à la dernière seconde, Joe Finn rechigna à lâcher sa fille. Toujours aussi méfiant, il tendit la petite main de Dodie à l'agent Nahlman.

Le nonchalant Berman s'approcha de l'étroit couloir qui menait aux W.-C. dames :

— Allez-y. La gamine a besoin de pisser.

Il adressa un sourire au père en guise d'excuse pour la lenteur de sa subalterne et, malgré ses poings serrés, Joe Finn ne l'assomma pas.

Dubitative, Nahlman se pencha vers la porte :

— La pièce est vide ?

— Fallait-il vraiment que vous posiez cette question ?

Berman haussa les épaules vers Allen, histoire de dire : *Vous voyez ce que je suis obligé de me coltiner* ?

— Oui ! J'ai contrôlé moi-même.

En réalité, il avait vérifié deux fois, incapable de s'expliquer la disparition de l'homme d'entretien. À présent, il en était certain.

— Il n'y a personne.

La démarche raide, Barry Allen emmena Joe Finn et son fils aux toilettes messieurs, de l'autre côté du bâtiment. Il avait avancé d'à peine quelques pas qu'il entendit Berman siffler :

— Vous attendez quoi, Nahlman ? Je vous ai à l'œil.

Cette ultime remarque fit trébucher l'agent Allen.

Charles rendit le téléphone à Riker :

— Désolé, Nahlman ne répond pas. Je suis tombé sur sa messagerie.

L'inspecteur hocha la tête, rangea son portable et mit la gomme :

— Tu te rappelles l'heure à laquelle les Finn ont quitté le campement ? À mon avis, l'escorte du FBI n'est pas très pressée. Vu les limitations de vitesse, on…

Charles anticipa la question, effectua quelques calculs et réétudia mentalement les cartes routières :

— Compris. Si tu continues à rouler à cent cinquante, on les aura rattrapés d'ici une quarantaine de minutes.

— C'est un génie, souffla Kronewald sans se douter qu'il se trouvait effectivement en face d'un prodige.

Il se pencha vers le siège avant et donna une tape sur l'épaule de Charles :

— J'adore ce type… Bon, revenons-en au portable de Magritte. Le médecin n'en avait aucun enregistré à son nom. D'ailleurs, il ne payait pas non plus les factures.

— Crache le morceau, petit salaud, lâcha Riker. Qu'est-ce que tu as ?

— Il ne s'agissait pas du téléphone de Magritte. Il avait un paquet de cartes de crédit et un compte en banque bien garni, mais les factures étaient réglées par mandat postal un an à l'avance. Intéressant, non ? Attendez le meilleur. J'ai envoyé quelqu'un à l'adresse du mandataire. C'est un cimetière. Le portable doit appartenir au tueur. Il l'a laissé tomber sur la scène de crime après avoir renversé le vieil homme.

— Non, protesta Charles. Je crois qu'il appartenait à Magritte.

— Pourquoi ?

— Parce que ce modèle remonte à la préhistoire.

Quand son propre téléphone sonna, Kronewald décrocha, écouta quelques instants et lança :

— Bon boulot !

Il se pencha vers ses compagnons de voyage.

— C'était Harry Mars. Un policier complète l'escorte des fédéraux, mais il ne répond pas aux appels radio. C'est mauvais signe. À moins qu'il ne soit juste allé pisser au bord de la route.

L'agent de police fixait le bitume. Il y avait une flaque de sang mais, plus intéressant, quelqu'un avait cherché à la dissimuler sous une fine couche de terre. Il suivit la traînée de gouttes écarlates jusqu'au 4×4 fermé à clé. En braquant sa torche électrique sur la vitre, il vit que des sacs-poubelle noirs recouvraient une grosse masse sur la banquette arrière. Il cassa le carreau, déverrouilla la portière, souleva le plastique et, médusé, découvrit une femme d'âge mûr en sous-vêtements et bottes de sécurité. Morte.

Il se tourna vers le jeune agent qui l'accompagnait :

— Allez chercher votre patron.

Et la fille détala comme un lapin.

Le temps que Berman arrive, il regarda le bracelet de Pearl Walters qui signalait son allergie à la pénicilline. Il ouvrit ensuite la boîte à gants. Ce nom ne correspondait pas à celui qui figurait sur la carte grise.

Christine Nahlman allait tirer la chasse pour Dodie mais, cette fois-ci, la fillette esquissa un sourire timide et s'en chargea elle-même.

441

Y avait-il eu un autre bruit derrière le grondement de la chasse d'eau ?

Nahlman tourna le dos à l'enfant, sortit son arme et s'approcha de la porte pour vérifier l'espace commun des sanitaires. Le couvercle de la poubelle verte était par terre.

Et le récipient, vide.

Malgré la surveillance de Berman, quelqu'un était entré et avait vidé la poubelle. Génial. Tout bonnement génial. *L'enfoiré !*

Dodie fredonnait.

Elle arrivait derrière elle.

Non, pas Dodie. Quelqu'un d'autre.

Au début, Nahlman ne se rendit pas compte de la blessure. Elle ne vit pas le couteau lui trancher la gorge. Elle assista à la scène dans le miroir, vit l'éclat de la lame et la plaie rouge vif qui s'étalait d'une oreille à l'autre. Pendant le choc du premier instant, même un bambin aurait pu lui prendre son arme. Son agresseur l'obligea à lâcher le revolver, qui glissa sur le carrelage quand il donna un coup de pied dedans. Nahlman fit volte-face et dérapa sur son propre sang. Son crâne heurta le mur et elle s'écroula, laissant une longue traînée écarlate sur les carreaux.

Dale Berman contempla l'inconnue morte sur la banquette du 4×4 :

— L'absence de vêtements, c'est une première, mais la gorge tranchée… Oui, c'est notre homme le coupable. Il est ici.

Il frappa dans ses mains et s'adressa à l'ensemble des agents :

— O.K., on va repasser la zone au peigne fin, tous les bâtiments, les parkings et les semi-remorques garés là-bas.

Planté à côté de son véhicule, radio en main, le policier de l'équipe lança :

— Elle s'appelle Pearl Walters et conduit une…

— Ouais, ouais, c'est bon à savoir, s'impatienta Berman.

Il se tourna vers l'embranchement qui reconduisait à l'autoroute.

— Personne ne surveille cette sortie ?

Il fixa la débutante qui l'avait conduit sur la nouvelle scène de crime.

— C'est le B.A.-BA. Je ne devrais pas être obligé de tout vous apprendre. Allez-y. Et que ça saute ! Personne ne doit quitter les lieux.

Il s'adressa ensuite au policier qui venait de les rejoindre :

— Retrouvez l'homme de ménage et demandez-lui de vous aider à…

— Écoutez-moi, merde !

Le flic se fichait de ce que voulait l'agent spécial responsable de l'enquête. D'ailleurs, il ne semblait rien lui trouver de très spécial.

— La nuit, le personnel d'entretien ne travaille pas ! Quant à Pearl Walters, elle conduit une dépanneuse.

Il indiqua le deuxième parking, au bout de l'aire de repos :

— Il y en avait une garée là-bas. Elle a disparu.

Christine Nahlman posa la main sur sa plaie béante à la gorge, comme si elle pouvait refermer la blessure. Elle songea à tirer un coup de feu pour appeler au secours : elle avait entendu son revolver tomber mais ne le vit nulle part.

Le sang détrempait son chemisier et coulait sur ses genoux. Les cordes vocales sectionnées, elle n'émettait plus que des gargouillis. Sous l'effet massue du choc,

443

son cerveau fonctionnait au ralenti. Elle sortit son portable. À quoi bon ? Qui répondrait ? Sur l'aire de repos, personne n'avait allumé son téléphone.

Elle naviga dans le répertoire et trouva le numéro de Riker. Au moment d'appeler, elle agonisait – et elle le savait.

Mais Dodie ?

Impossible de parler. Elle n'aurait qu'une seule chance. Le portable de Riker serait allumé. Il afficherait à l'écran le nom de son interlocutrice silencieuse. Ça y est, ils étaient connectés. Elle entendit sa voix :

— Nahlman ? Ça va ?

Oh, non. Elle se vidait de son sang et de sa vie.

— Parlez-moi, supplia-t-il.

Pardon, mille fois pardon.

Elle entendit un bruit de conversation, des apartés, Riker qui disait :

— Il y a un problème.

Elle ferma les yeux. Son cœur ralentit.

— J'arrive ! cria-t-il.

Le portable rebondit par terre et elle n'était plus là pour entendre Riker ajouter :

— Tenez bon, Nahlman.

Elle ne pouvait pas attendre. Elle était morte. Partie.

CHAPITRE XX

Devant l'urinoir, Peter Finn regarda Barry Allen fixer, perplexe, l'écran noir de son portable. Était-il cassé ? Non, car il décida de l'allumer. Quand le petit appareil s'éclaira et sonna, il décrocha :

— Ici Allen... Riker ?

L'agent fédéral quitta les toilettes messieurs en trombe et Peter eut enfin son père pour lui tout seul, même si Joe Finn était derrière la porte fermée de sa cabine de W.-C.

Tant mieux.

Il attendait ce moment depuis une éternité.

— Papa ?

Il colla son front contre le battant métallique glacé.

— Est-ce que tu me détestes... parce que j'ai sur-vécu... et qu'Ariel est morte ?

Après quelques secondes de silence, il entendit son père pleurer.

Barry Allen passa en courant devant l'agent, étonné, qui gardait l'entrée des toilettes messieurs, et il se préci-pita vers les autres W.-C. Riker n'avait dit qu'une seule chose :

— Allez tout de suite voir Nahlman !

Au coin du bâtiment, il aperçut Berman sur le parking du fond. Qui surveillait donc son équipière ?

Personne, imbécile.

Il se précipita aux toilettes dames, dérapa sur le sol glissant et partit en vol plané… avant d'atterrir sur le corps de Nahlman, le visage collé au sien. Il poussa un hurlement, mais pas de peur. C'était plutôt un cri strident d'angoisse, qui fit accourir ses collègues dans la pièce carrelée. Soudain, il se retrouva entouré de chaussures et, au-dessus de lui, tout le monde parlait en même temps.

— Seigneur, lâcha quelqu'un.

Un autre agent, fils de médecin, s'agenouilla près de la victime. Inutile de tâter le pouls : le sang avait cessé de couler de la plaie béante à la gorge, le cœur ne pompait plus. Il secoua la tête : plus de rythme, plus de vie, plus la peine.

— Désolé, Barry.

Une voix tonitruante résonnait dans le téléphone d'Allen. Un troisième agent le ramassa et fit son bref rapport à Riker :

— Elle nous a quittés, inspecteur.

Par radio, le policier réclama des renforts et des barrages routiers aux sorties est et ouest de l'aire de repos. Déjà au volant de sa voiture, il passa sa tête par la vitre et lança à Berman :

— Ne touchez à rien. La brigade scientifique arrive. Je pars à la recherche de la dépanneuse.

— C'est moi qui dirige l'enquête, protesta l'agent spécial, qui dut hausser le ton pour couvrir le rugissement du moteur.

— Mais oui, bien sûr ! hurla le flic avant de quitter le parking, sirène hurlante.

Berman vit une bande de fédéraux converger vers lui :

— Dispersez-vous ! Je veux que cet endroit…

Oh, merde !

Fou furieux, Joe Finn jouait des coudes et écartait la foule sur son passage.

Plus jeune et plus rapide que l'ancien boxeur, Allen se précipita, fonça, vola comme un boulet de canon. L'instant d'après, Berman se retrouva sur le dos, assailli par son subalterne. Aveuglé par les larmes, Allen eut juste le temps de lui flanquer deux bonnes droites avant qu'on les sépare. Pendant que d'autres agents l'écartaient, il mugit :

— Espèce de salaud débile et incompétent !

Aucun collègue ne désapprouva. Des portables apparaissaient dans toutes les mains.

Berman leva les yeux au ciel et écouta les sonneries de messagerie étouffées par le boxeur qui braillait :

— Dodie ! Mon bébé !

Ils approchaient de l'aire de repos où Nahlman avait trouvé la mort.

— Désolé pour ton amie, murmura Charles. Si tu veux, je prends le volant. La vitesse, maintenant, je maîtrise.

Riker secoua la tête et jeta à peine un coup d'œil au panneau de sortie. Le décès de Nahlman attendrait le lendemain. Une enfant avait disparu : chaque seconde comptait. Cependant, au bout d'un moment, il finit par quitter l'autoroute et s'engager sur l'ancienne voie, plus lente.

— Bonne idée, approuva Kronewald après vingt-cinq kilomètres d'obscurité. C'est sûrement ça. Je savais qu'il ne la garderait pas longtemps.

Les yeux rivés sur une dépanneuse abandonnée le

long d'une route adjacente, il s'extirpa de la voiture et braqua sa torche sur le chemin de terre qui rejoignait le bitume.

— Il avait bien laissé une voiture ici.

Le faisceau lumineux suivit l'autre route.

— On dirait qu'il se dirige vers le nord.

— Ça ne va pas durer, objecta Riker. Ce serait trop simple, mais envoyez quand même les flics. Nous, on repart sur l'autoroute. Direction : l'ouest.

— Quel intérêt ?

— C'est là que Mallory est allée, expliqua Charles.

Devant la perplexité de son interlocuteur, il ajouta :

— À cause du vieux téléphone.

« Je voulais la chambre Alan Ladd, écrivait Peyton Hale. C'était la star de mon western préféré. Aujourd'hui, hélas, il ne leur restait que la chambre William Bendix. »

Tout ce qui subsistait de son séjour à l'hôtel était la vue sur une ruelle de Gallup (Nouveau-Mexique). Assise sur le lit, au milieu des lettres de son père, Mallory cherchait d'autres indices sur l'homme, mais elle ne trouva qu'une histoire d'amour désuète avec la Route 66. Les pages froissées tombèrent de ses mains lorsqu'elle essaya de se réconforter en serrant les bras contre sa poitrine.

Le temps… Combien de temps s'écoula avant qu'elle commence à se balancer, à l'image de Dodie Finn ?

Démente Dodie.

Alors c'est comme ça qu'on finit ?

Mallory se figea, en état d'alerte maximale. Le portable de Magritte sonnait. Elle le sortit de son sac, déplia l'antenne et lança :

— C'est vous ?

— Tu es sûr, Charles ? s'inquiéta Riker.

— Absolument. L'hôtel El Rancho figurait sur sa liste de repères.

Il réussit à joindre l'établissement au téléphone, discuta quelques instants avec le réceptionniste de nuit et raccrocha.

— Elle y est. D'ailleurs, ils ont appris à la connaître. Le hic, c'est qu'elle ne répond pas au téléphone.

— Comme d'habitude, ironisa Kronewald.

— Et ils refusent de glisser un mot sous sa porte.

— Le temps de Dodie file à vitesse grand V, lâcha Riker.

Kronewald se pencha vers l'avant et lui agrippa l'épaule :

— Tu sais que la petite est morte, non ? C'est une constante chez notre assassin. Il tue vite.

Un vieux pick-up fonçait vers l'Arizona, à l'ouest, mais le conducteur respectait les limitations de vitesse.

À l'arrière : une grande poubelle en plastique vert, dont le couvercle était maintenu par une corde. Elle se balançait. Elle fredonnait.

— Ouais, c'est ça, grommela Kronewald.

Il téléphonait à son contact des forces de police.

— Ce type est un sacré voleur de bagnoles.

— Il ne fauche que des épaves, intervint Riker. N'oublie pas de le signaler. Ni alarme ni système antivol.

Kronewald relaya l'information et ajouta :

— Voilà qui devrait réduire les recherches.

Il couvrit le micro et lança à Riker :

— Aucun doute sur la direction ?

Une fois rassuré, il expliqua à son contact :

— On pense que le meurtrier a volé une voiture

immatriculée en Arizona. Quand il aura franchi la frontière, il voudra se fondre dans la masse.

Après avoir raccroché, il annonça :

— Ils vérifient les déclarations de vol en Arizona.

Les passagers furent projetés vers l'avant quand Riker pila sur le parking de l'hôtel El Rancho :

— Elle est là.

Il sortit de la Mercedes et lui fonça dessus.

Au carreau, Charles vit Mallory flanquer un sac marin à l'arrière de sa décapotable. La voiture argentée avait déjà démarré quand Riker arriva. Il agrippa la poignée de la portière et se jeta sur le siège avant. Sa jambe droite s'agitait encore dans le vide quand Mallory disparut en trombe avec son passager de dernière minute.

Clic clac.

Après l'avoir détachée du coffre, il posa par terre la grosse poubelle verte, la fit basculer sur le flanc, ôta le couvercle et s'empressa de reculer. L'enfant blottie à l'intérieur n'avait, semble-t-il, pas envie d'être délogée. Silencieuse, elle ne fredonnait pas, ne se balançait pas et affichait un regard foncièrement vide.

— Sors de là.

En l'absence de réponse, il souleva la poubelle par une anse et fit tomber la fillette à terre. Aucune réaction.

— Debout.

Leurs regards se croisèrent une fraction de seconde, puis elle redevint absente. Savait-elle qu'il n'osait pas la toucher ? Elle l'avait peut-être deviné quand il s'était servi du couvercle pour la forcer à entrer dans la poubelle. L'espace d'un instant, ils s'étaient effleurés et, révulsé, il avait aussitôt reculé. Et sa peur ? S'en était-elle aussi aperçue ?

Comprenait-elle le pouvoir qu'elle exerçait sur lui ?

Cette nuit-là, Dodie Finn lui inspirait un sombre respect et il ne poserait pas la main sur elle : il aurait préféré plonger dans un océan de cafards grouillants.

C'était sa manière d'étudier soigneusement chaque possibilité et les enfants, surtout les fillettes, ne devaient pas être sous-estimés. À la fin de sa courte vie, sa sœur, Marie, n'arrêtait pas de le terroriser et sa seule arme était la main qu'elle lui tendait. Son père l'avait traité, lui, de chochotte – jusqu'à ce qu'elle disparaisse. Ce jour-là, il lui avait suffi de sourire pour que l'imposant routier sache (mais ne demande jamais) où était passée sa petite chérie. *La révélation!* Effrayé par un gamin de dix ans, il verrouillait la porte de sa chambre la nuit, ne s'approchait jamais de lui et ne lui posait aucune question. Finalement, Papa s'était enfui avec sa bigote d'épouse, laissant un fils se débrouiller seul et une fille pourrir en terre.

Fin de la rêverie. Une autre gosse attendait.

Il sortit les affaires restées dans la cabine du pick-up volé. Un harnais de bébé serait trop serré pour une fillette de six ans, mais le harnais à chien conviendrait à merveille – du moins, à en croire la vendeuse quand il lui avait donné le poids approximatif de Dodie. Problème : il lui fallait l'attacher à sa jeune victime sans la toucher. Elle devait donc rester immobile et lever les bras très haut. Si elle pouvait s'essuyer le visage avec une serviette quand son père le lui demandait, elle saurait lever les bras sur commande. Mais accepterait-elle d'obéir ? Il ne s'attendait pas à ce qu'elle lui oppose une résistance passive. De retour à l'arrière du pick-up, il trouva la fillette toujours allongée dans la poussière.

— Debout.

Il s'agenouilla à un mètre d'elle et brandit le harnais

afin de bien lui faire comprendre ce qu'il attendait de la fillette.

Dodie tendit le bras vers lui. C'était juste une menace : elle ne l'atteindrait jamais d'aussi loin mais, choqué, il trébucha en arrière.

Elle savait. Elle était au courant !

Il se releva tant bien que mal et, hypnotisé, la regarda se redresser à son tour. Elle marcha vers lui, le regard toujours aussi vide mais la démarche assurée. Une main pâle se déploya vers lui. La poitrine de son ravisseur se serra – difficile de respirer – et ses pieds n'obéirent plus. Il sortit son couteau, mais les yeux hallucinés de la petite ne virent rien. Elle était si proche de lui.

— Fais ce que je te dis ! cria-t-il.

Du moins, il crut hurler. En réalité, c'était plus une sorte de couinement et la fillette continua à trottiner vers lui.

— Fais ce que je te dis !

Sa voix était rauque, sa gorge nouée, il avait du mal à articuler.

— Je vais tuer ton frère.

Elle s'arrêta net.

Il souffla un peu.

— Et ton papa aussi.

Il agita le couteau.

— Je vais retourner là-bas et lui trancher la gorge. C'est ce que tu veux ?

Dodie secoua la tête. Non, ce n'était pas ce qu'elle voulait.

— Lève les bras bien haut.

Elle s'exécuta.

CHAPITRE XXI

Quand Charles se glissa au volant de la Mercedes, Mallory et Riker avaient disparu depuis longtemps.

Kronewald, son unique passager, mit un terme à une énième conversation téléphonique :

— C'était Riker. Notre homme a parlé à Mallory. Je vous avais dit que le portable appartenait au tueur.

— Oh, c'est lui qui l'a acheté, j'en suis sûr.

Charles quitta l'ancienne route et s'engagea sur l'A40.

— En revanche, il l'avait bien donné au Dr Magritte. Disons qu'il s'agissait d'un cadeau pour rester en contact avec son médecin, son prêtre. Mallory l'a trouvé dans le sac du psy. Le meurtrier n'avait aucun intérêt à le planquer là.

— Il aurait pu. S'il avait voulu une ligne directe avec les flics. À moins qu'il n'ait juste cherché à savoir si on avait trouvé le corps. Vous ne pouvez pas rouler plus vite ?

Charles brancha la sirène et fonça à cent soixante kilomètres-heure :

— Je crois qu'il a reconnu la voix de Mallory. Voilà pourquoi il a raccroché. Ça l'a déstabilisé. Il n'aime pas les surprises.

— Admettons. S'il a reconnu sa voix, c'est donc qu'elle l'a déjà rencontré. Il faisait partie du convoi.

— Exactement. Il l'a vue parler plusieurs fois au vieux médecin.

— L'interroger, plutôt. Oui, je connais son style mais, merde, Magritte était un ancien prêtre. Le secret de la confession prévaut toujours au tribunal. Même Mallory n'a pas réussi à obtenir de lui l'identité du tueur.

— Pour en revenir au portable, dit Charles, je pense qu'à l'origine il n'avait qu'une seule fonction. Magritte y recevait les confidences d'un *serial killer*.

— Vous avez raison. Ancien prêtre *et* psy : l'oreille idéale d'un tueur en série. Ces tordus adorent se vanter, pourtant le médecin ne l'aurait jamais dénoncé. Alors à quoi bon le tuer ?

— Il avait peut-être davantage confiance en Mallory sur la fin. Maintenant, c'est elle qui a hérité du téléphone.

À la demande de son équipière, Riker attacha sa ceinture de sécurité, seul indice qu'ils allaient rouler à tombeau ouvert.

— Tu veux bien me dire où on va ?

— Dans le Painted Desert. Préviens les rangers du parc. S'il y a une clôture, je veux qu'elle soit ouverte quand on arrivera. Pas question d'abîmer mon bolide en forçant le passage.

— Attends deux secondes. Le meurtrier t'a dit qu'il se trouvait là-bas ? En plein cœur d'un parc national ?

— Non, il m'a juste signalé qu'il attendait dans le noir. Il connaît ma voiture. Si je me pointe au bon endroit, il me fera un double appel de phares. En revanche, s'il aperçoit le moindre flic ou agent fédéral, il tuera Dodie Finn et l'abandonnera sur la route.

— Tu es sûre qu'elle est toujours vivante ?

— Je l'ai entendue fredonner.

— Ce désert est immense, Mallory.

— Oui, mais il n'est traversé que par quelques petites portions de l'ancienne Route 66. Elles ne sont pas répertoriées sur les cartes ou les guides touristiques. Il doit savoir où elles sont, lui et personne d'autre. Même les fanas d'Internet ne sauraient pas où chercher. C'est parfait.

— Désolé, Kronewald, s'excusa Charles. Je ne peux ni rouler aussi vite que Mallory ni garantir le moindre résultat.

Il avait compris trop tard que sa mission n'avait rien à voir avec la capture d'un meurtrier en série. Il fixa un panneau autoroutier, histoire de vérifier qu'il ne s'était pas envolé vers la Lune, mais fut ramené à l'étrange et sombre paysage terrestre qui défilait derrière la vitre. Les prairies étaient superbes, quoique peu hospitalières : ni accueillantes ni indulgentes, elles n'exprimaient pas une once de bons sentiments envers les morts ou les vivants. Ce fut la seule percée de Charles dans l'esprit de Mallory. Vu l'endroit, on pouvait facilement se perdre.

— Donnez-moi des précisions, insista Kronewald. N'importe quoi.

— Comme, cette nuit, il l'a invitée à le traquer, le tueur semble se sentir en osmose avec Mallory.

L'inspecteur glissa vers l'interrogatoire :

— Il m'en faut plus.

— Je peux essayer de vous emboîter les pièces du puzzle. Mon intuition vous intéresse ?

— Tout ce que vous voulez.

— Il projette de liquider l'enfant. Ça, c'est simple à deviner. Il a mis au point un plan très ingénieux. La mort de Dodie Finn sera le point culminant de son chef-d'œuvre et il a prévu un truc spectaculaire. Je ne vois pas d'autre raison logique à ce qu'il garde la fillette en vie aussi longtemps.

— Donc il en pince pour Mallory ?

— Elle le fascine sans doute, mais il n'y a rien de sexuel. Aucun fantasme de ce genre. La seule idée d'un contact physique avec une personne vivante le révulse.

— Pourtant, il prend de gros risques. Il n'a pas peur de se faire coffrer après avoir tué la petite ?

— Je crois plutôt qu'il l'espère. Selon Mallory, il est devenu négligent au moment d'éliminer Magritte, quand il a laissé le couteau plein de sang derrière lui. C'était son ADN à lui. Et s'il l'avait fait exprès ?

— Il cherche les honneurs, approuva Kronewald.

— Exact. Maintenant, s'il veut qu'on découvre son identité, il n'hésitera pas à tenter le diable pour le grand finale. Il se fiche pas mal de survivre à cette nuit.

— À Chicago, on parlerait de suicide par flic interposé. Il envisage donc d'entraîner Dodie avec lui ?

— Oui, mais pas Mallory.

Sur la route, Charles cherchait des feux arrière familiers.

— Il l'a contactée, car il lui faut un public. Quelqu'un qui puisse apprécier son œuvre.

Comment réagirait Mallory, elle qui détestait l'échec ?

Certains individus faisaient souvent le même rêve. Charles, lui, était obsédé par la chute. Un objet était sur le point de s'écraser par terre et, chaque fois, le pauvre se réveillait en sursaut, tendant réellement la main pour le rattraper. Ces derniers temps, il ne rêvait plus d'objets mais d'une femme tombant à la renverse, et Charles finissait toujours par se précipiter vers Mallory. Il avait enfin compris pourquoi Riker lui avait demandé de venir. La police n'avait pas besoin de son aide pour arrêter un tueur en série. Sa mission à lui consistait à rattraper Mallory – quand elle tomberait.

Les deux inspecteurs avaient d'abord trouvé la première portion abandonnée de la Route 66 à l'intérieur du parc national, juste derrière la guérite des rangers. Elle tombait en ruine, il n'en restait que des miettes. Vain et décevant.

À présent, Riker vivait une véritable chevauchée fantastique, étourdissante succession de virages sur des kilomètres de route ténébreuse.

— Cherche un panneau ! On va à Lacy Point.

— Là ! s'écria-t-il.

La voiture pila au milieu de la chaussée et Mallory descendit, torche à la main, pour lui montrer un endroit qu'il n'oublierait jamais.

— J'ignorais que c'était ici.

Riker fixa, incrédule, une route qui n'existait plus. Qui s'était évanouie depuis longtemps. Une rangée de poteaux téléphoniques fantomatiques, dépouillés de leurs fils électriques, s'enfonçait dans le désert et disparaissait au cœur de la nuit noire, par-delà le faisceau de la torche. Dame Nature avait repris ses droits sur chaque centimètre carré de terrain et les avait replantés de broussailles. Il n'y avait plus trace de bitume, rien qui indique l'existence d'une route jadis empruntée par des millions de véhicules. Il ne restait qu'un superbe alignement de gigantesques piquets en bois – autant de stèles funéraires – pour montrer à l'inspecteur où était morte une vieille route nationale.

Mallory fit clignoter deux fois sa lampe torche. Ils attendirent dans l'obscurité et comptèrent les minutes, assez longtemps pour que le désespoir s'installe. Dodie n'était pas là.

— Je me suis trompée.

— Ton intuition m'impressionne, la rassura Riker. Ton sac à dos est en train de sonner.

L'homme qui appelait Mallory voulait formuler une plainte. Il attendait toujours dans le noir et commençait à s'impatienter.

Ils avaient perdu beaucoup de temps à traverser le Painted Desert et la décapotable argentée essaya de combler son retard en fonçant à toute allure sur l'autoroute.

— Il prétend voir à des kilomètres à la ronde, annonça Mallory. Par conséquent, il ne poireaute pas sous les pins de Flagstaff mais, plutôt, près de l'ancienne route. Pas de lumières, un grand espace découvert. Il se crée une vaste scène de crime. Il veut que je le voie tuer Dodie, mais il refuse que j'approche assez pour l'en empêcher.

Elle attendit une réaction mais, à l'évidence, son équipier n'avait pas de meilleure explication. Question sociopathes et autres monstres, Riker se fierait toujours au jugement de la demoiselle. Elle agrippa le volant.

— Tu as entendu l'enfant, cette fois ?

— Non.

Au dernier appel, Dodie n'avait pas fredonné derrière son kidnappeur.

Riker sortit le portable qui sonnait au fond de sa poche, le mit à son oreille et, au bout de quelques instants, se tourna vers Mallory :

— On a signalé le vol d'un pick-up en Arizona. C'est la seule guimbarde disparue de la journée.

Il continua à écouter et à relayer les informations :

— J'ai une bonne et une mauvaise nouvelle. Côté passager, il n'y a plus d'airbag. Le propriétaire du pick-up a une mère âgée, aux os fragiles, donc il l'a fait démonter.

— Une gamine de la taille de Dodie pourrait être

458

tuée par un airbag, en déduisit Mallory. Il doit donc s'agir de la bonne nouvelle.

— Le coffre, en revanche, contient un fusil chargé. Et pas de la gnognote. J'ai le proprio au bout du fil. Il dit que c'est du sacré matériel. Une arme capable d'atteindre une puce sur la tête d'un aigle à deux kilomètres et dans le noir. Viseur infrarouge. Ça se tient. Avec une arme pareille, le tueur nous verra en effet arriver sans problème. En voiture, à pied… aucune différence : il peut nous abattre comme des lapins.

— À supposer qu'il sache s'en servir. La plupart des gens sont nuls au tir. Demande si la ligne de mire est précise.

Bref silence, puis Riker répondit :

— Non. Il faut viser un peu en bas à gauche.

Dodie Finn était immobile et muette. Un vent froid balayait les lieux, mais elle ne se plaignait pas. Les yeux écarquillés, elle ne voyait rien, juste la nuit noire. La laisse de son harnais était à peine enroulée autour de la calandre en chrome rouillée : la fillette n'aurait eu aucun mal à s'échapper, pourtant elle ne bougea pas d'un pouce. Une petite bestiole pleine de pattes grimpa lentement le long de son bras, mais Dodie ne s'en débarrassa pas, ne la regarda même pas. Elle jouait au jeu de la statue et l'unique détail qui trahissait son imitation parfaite de la pierre, c'était la chair de poule qui lui hérissait les poils.

Elle avait adopté un comportement modèle pour que son père et son frère ne subissent pas le triste sort d'Ariel, la grande sœur disparue qui n'avait laissé derrière elle que son sang – une immense mare de sang.

L'insecte rampa sur le visage de Dodie, mais elle continua à regarder droit devant elle, à fixer le monde de ses yeux vides de poupée. Au fond de sa tête, où elle vivait, elle courait d'un bout à l'autre de son cerveau en hurlant : « Papa ! Papa ! » et agitait ses petits bras comme des ailes blanches au milieu des ténèbres. Vue de l'extérieur, en revanche, Dodie adorait tant sa famille qu'elle ne remuait pas un cil.

Charles avait mis la sirène lorsqu'il changea de voie et suggéra de prendre Crookton Road, Sortie 93, et de rejoindre Seligman, en Arizona.

— Non, pas vers le nord, objecta Kronewald.

Il lui fit signe de se ranger sur le bas-côté et, obéissante, la Mercedes s'arrêta.

Comme le portable de Riker sonnait toujours occupé, son collègue de Chicago laissa tomber :

— On ne les trouvera pas là-bas.

Sur les genoux, il avait déplié sa propre carte des enfants décédés.

— Harry Mars m'a envoyé l'inventaire complet. Les équipes de Berman ont mis au jour les tombes d'Arizona il y a plusieurs mois. Cette route ressemble à la boucle de Santa Fe. Aucun corps n'a jamais été retrouvé au nord de l'A40.

— Les fédéraux en ont raté quelques-uns. Ou peut-être n'ont-ils jamais creusé dans ce coin-là.

Charles hocha la tête vers les guides touristiques qui étaient entassés aux pieds de l'inspecteur :

— Mon préféré est *Petites infos inutiles sur la Route 66*. La boucle de Seligman ne ressemble pas tout à fait au segment de Santa Fe. Vous êtes bien sûr que le père du tueur était routier ?

— Oui. Le gosse l'accompagnait souvent en voyage.

— Mallory pense qu'il suit l'itinéraire de son papa. La Route 40 relie les deux extrémités de la boucle de Seligman, mais elle n'a été terminée que dans les années 1980. Quand votre assassin était enfant, ils passaient par le nord et contournaient cette boucle. Réfléchissez. Il a peut-être choisi cette zone à cause des sépultures qui n'ont pas encore été découvertes. Il veut qu'on lui reconnaisse le mérite de tous ses crimes. Sinon, son œuvre ne sera pas complète.

— Pourquoi ne pas se contenter d'indiquer l'emplacement des tombes par téléphone ?

— Il l'a peut-être fait.

— Pendant que Berman dirigeait l'enquête. Ce sale crétin incompétent…

Frustré, Kronewald regarda au carreau.

— D'accord, je vois le problème.

— Il existe aussi d'autres bonnes raisons, insista Charles. Cette portion de route est très sombre. Pas d'éclairage, peu de circulation en pleine nuit…

— Hé, regardez !

Le bolide de Mallory les doubla en trombe et prit la sortie qui menait à la boucle nord de la Route 66.

— Donc… direction Seligman ? lança Charles.

Ils approchaient du Black Cat Bar, un des meilleurs souvenirs de Riker sur la route qui traversait Seligman. Il ne se rappelait pas les pâturages dont Mallory lui parlait. Adolescent, il se fichait pas mal de la campagne, préférant l'alcool, les filles et le bon temps – incompatibles avec la compagnie des vaches. Le vieux saloon passa au carreau et Riker contempla les lumières isolées des modestes bâtiments environnants, proches ou lointains.

— Regarde derrière nous, grommela Mallory. C'est la Mercedes. Charles.

— Il va falloir t'y habituer. Chaque fois que tu tourneras la tête, il sera là. À mon avis, il oublie parfois que tu ne quittes jamais ton flingue.

Riker reprit son portable.

— J'appelle Kronewald.

— Fais-les dégager de la route. Si le tueur se rend compte qu'on est suivis…

— Il a peut-être vu la voiture de Charles, mais il ne saura pas différencier une Mercedes d'une autre. Il cherche des bagnoles de flics. Pas des touristes.

Après Seligman, la campagne s'étendit. Par-ci par-là, on distinguait encore une maison éclairée mais, bientôt, il n'y eut plus que les ténèbres… jusqu'à ce que Riker aperçoive la vache noire dans la lumière des phares et hurle :

— Oh, putain… il y en a partout sur la route !

Les freins crissèrent, fumèrent et un nuage de poussière se souleva. Mallory fit une embardée, frôla un animal, puis partit sur deux roues. Quand le véhicule retomba lourdement sur le bitume, elle donna un coup de volant à droite pour éviter la vache suivante. Riker pencha de l'autre côté, puis se retrouva projeté vers Mallory et fit un roulé-boulé quand la voiture se retourna. Aussitôt, les airbags se déclenchèrent et une fine poudre blanche l'aveugla. Il eut l'impression de recevoir un énorme coup de poing dans la poitrine et l'estomac. Une fraction de seconde plus tard, le sac d'air se dégonfla et la dernière chose que Riker vit, ce fut un piquet de clôture qui traversa le pare-brise, rata Mallory de quelques centimètres et cassa le bras du sergent-détective. Un autre pieu l'atteignit à la tête.

Bonne nuit, les petits.

Et la voiture continua à rouler.

CHAPITRE XXII

Charles fut le premier à sortir de la Mercedes. La décapotable Volkswagen s'était renversée et, tête en bas, les passagers n'étaient plus retenus à leur siège que par leur ceinture de sécurité. La capote était déchiquetée, mais l'arceau avait tenu bon : ils n'avaient pas été décapités. Lorsque Charles eut forcé une portière, Kronewald s'empressa de détacher Riker qui, évanoui, tomba dans les bras de son ami et fut allongé sur le sol.

Pendant que Charles fonçait côté conducteur, l'inspecteur de Chicago lança :

— Il respire encore, mais il est inconscient et il a le bras cassé.

La portière béante, Mallory détachait elle-même sa ceinture quand Charles s'engouffra à l'intérieur pour la recueillir dans ses bras et l'empêcher de tomber la tête la première. Une fois debout, elle regarda le bétail qui avait envahi la chaussée. Kronewald s'était improvisé agent de la circulation et, jurant comme un charretier, il faisait de grands gestes pour écarter les animaux du corps de Riker.

— Quelqu'un a ouvert le portail, constata-t-elle.

— On dirait bien, acquiesça Charles.

Il observa les dégâts que la décapotable avait causés à la clôture de fil barbelé.

— À moins qu'une autre voiture n'ait déjà eu un accident.

Il retourna vers la route, où Riker gisait toujours, la respiration sifflante, le bras complètement tordu.

— Je crois qu'il a aussi des côtes cassées.

En relevant la tête, Charles vit Mallory s'éloigner, guidée par le faisceau lumineux de sa torche.

Kronewald brandit son portable :

— Une ambulance va arriver de Kingman, mais il y a eu un carambolage sur l'autoroute et ça risque de prendre du temps.

Il s'aperçut que Mallory leur faussait compagnie :

— Où croit-elle aller ?

— Il faut garder un œil sur elle. Au cas où elle serait sous le choc.

— Compris, Charles.

Quelques minutes plus tard, il était de retour :

— Elle m'a jeté en me disant que le tueur détenait un fusil à visée infrarouge et qu'il serait furieux de la voir accompagnée.

Le vieux briscard leva la main.

— Du calme, Charles. Il ne va pas la descendre. Vous savez qu'il ne l'a pas attirée ici pour lui faire la peau.

Il s'approcha d'un fossé.

— Il y a plein de métal rouillé là-dedans. Sans doute d'anciens piquets de clôture. Il faut que Mallory récupère sa voiture.

Il sauta au fond du trou et souleva un long tuyau :

— Donnez-moi un coup de main !

Quelques dizaines de mètres en amont, Mallory trouva l'origine de l'invasion bovine. Au-delà d'un portail grand ouvert, un chemin de terre s'enfonçait dans de verts pâturages, vers les collines lointaines. Ce fut la grille qui retint l'attention de la jeune femme : deux gros piquets métalliques soutenaient une haute barre transversale qui portait le nom du ranch et son emblème. L'enseigne était-elle soudée ? Mallory baissa les yeux et se demanda aussi si les poteaux étaient coulés dans le béton. Sa torche éclaira des morceaux de blindage de puits entassés de l'autre côté mais, de toute évidence, ils servaient plutôt à réparer les clôtures. Retour aux montants du portail. Aucune section de tuyau plus courte ne conviendrait. En contrebas, elle avait les outils nécessaires à sa mission et Charles en faisait partie intégrante.

Elle leva la tête pour réfléchir au problème de la barre transversale soudée et la torche lui tomba des mains. Elle n'en revenait pas de voir les millions d'étoiles au firmament, comme son père le lui avait promis, à l'endroit exact où il les avait laissées, ses « … *étoiles brillantes et les plus petites, innombrables, splendides – fascinantes* ».

Une enfant attendait.

Mallory ramassa sa torche.

Loin derrière la grille du ranch, une paire de points lumineux clignota deux fois. Le portable sonnait au fond de son sac, mais elle n'avait pas l'intention de répondre. Voilà qui étonnerait son adversaire. À présent, c'était elle qui menait la danse. Pas lui. Il l'apprendrait bien assez tôt : rien ne se déroulerait comme il l'avait prévu. Elle dévala la route. Vu la densité de la pente, la jeune femme ne tarderait pas à sortir de sa ligne de mire.

Autre surprise.

Il était condamné à attendre son retour. Malgré les menaces du tueur, Mallory savait qu'il ne pouvait pas commencer sans elle.

Charles Butler compta jusqu'à trois et, de toutes ses forces, poussa sur le levier métallique pour remettre la petite voiture à l'endroit. De son côté, Kronewald haleta et souffla plus qu'il ne l'aida à soulever sa propre section du long tuyau.

Mallory surgit derrière eux :

— Où avez-vous trouvé ce blindage de puits ?

— C'est comme ça que ça s'appelle ? s'étonna Charles. Là-bas, dans le fossé.

Elle traversa la route et ne s'arrêta qu'une fraction de seconde devant le corps inerte de Riker. Il respirait toujours : il avait le souffle rauque, mais l'air était signe de vie. Du faisceau de sa torche, elle balaya l'amas de conduites au fond du fossé. Le compas dans l'œil, elle estima que le plus long tuyau devait mesurer huit mètres. Ça suffisait. En fin de compte, elle n'aurait pas besoin d'arracher le portail du ranch.

Au milieu de la chaussée, Kronewald attendait l'ambulance, une main posée sur son dos meurtri. Charles avait terminé seul de redresser la voiture et, à présent, il s'appuyait à l'armature cabossée de la capote :

— J'ai cru comprendre que le tueur était armé d'un fusil ?

Mallory ouvrit le coffre et sortit une boîte à outils :

— Ce n'est pas un problème.

— Équipé d'un viseur infrarouge, renchérit-il. Le moyen idéal d'abattre les gens en pleine nuit.

Elle fouilla dans son sac marin :

— Ce n'est pas son fusil et il ignore que la ligne de mire est faussée. Impossible d'atteindre une cible mouvante avec le flingue d'un autre. Il s'en sert juste comme télescope.

Elle lui tendit des jumelles de théâtre.

— Tu t'en souviens ?

Bien sûr. Il les lui avait offertes un jour à Noël et se félicitait qu'elle leur ait enfin trouvé une utilité – sachant qu'elle avait manqué la soirée à l'opéra et toutes celles qui avaient suivi.

Charles, lui, restait obsédé par l'histoire du fusil :

— Mais il pourrait tirer s'il…

— Il n'y a aucune raison.

Elle tourna la clé de contact, le moteur ronronna, mais la commande automatique du toit ne fonctionnait plus. Mallory essaya de tirer dessus. En vain.

— Derrière les phares du pick-up, je serai privée de cible précise. Je n'aurai donc qu'une seule chance de l'abattre.

Charles leva la main :

— Laisse-moi t'aider.

Il enfonça la capote déchiquetée dans le coffre.

— Manifestement, tu as un plan.

Mallory sortit un cutter de sa boîte à outils :

— Je vais chercher le fil barbelé nécessaire. Occupe-toi de charger le tuyau.

Tandis qu'elle découpait des morceaux de barbelé, il ramassa le conduit qu'elle préférait, le plus long, et le porta jusqu'à la voiture :

— J'imagine que tu n'envisages pas d'exploser ses phares ? Rien de tel ?

— Non, Charles, pas avec un simple revolver.

Elle posa trois morceaux de barbelé sur le capot.

— De toute façon, même si j'y arrivais, il ne mettrait qu'une seconde à trancher la gorge de Dodie. Pas question de lui donner un tel signal d'alerte.

Une sonnerie retentit à l'intérieur de son sac.

— C'est lui, non ?

— Fais comme si tu n'entendais rien, Charles.

Obéissant, il enfonça une extrémité du tuyau dans l'armature de la capote baissée, puis s'écorcha les mains sur le métal en voulant le fixer solidement. Le reste du tube passait par le centre de l'arceau de sécurité et

Mallory, qui l'arrima à l'avant du pare-brise, tordit le fil barbelé afin de serrer au maximum. Elle aussi avait les doigts en sang. Le tuyau de huit mètres resta bien droit, sans s'affaisser, ni plier, alors que les deux tiers se dressaient dans le vide, tel un canon de char d'assaut.

Charles recula de quelques pas pour admirer leur travail et il en eut la chair de poule. Vu l'angle, le tube s'encastrerait parfaitement dans la cabine surélevée du pick-up. Mallory s'était fabriqué une lance en vue d'une joute unilatérale. L'espace d'un instant, son adversaire apercevrait le tuyau à la lumière de ses phares, mais ce ne serait qu'un minuscule point rond, et puis…

Elle avait deviné ce qu'il pensait :

— Tu as compris. Je vais le tuer. Si possible, le décapiter.

En contrebas, Kronewald continuait à rassembler le bétail et à dégager le passage avant l'arrivée de l'ambulance. Il revint vers eux, son portable à la main :

— Il faudra encore attendre quelques minutes.

— Tu leur as dit qu'il s'agissait d'un inspecteur ?

— Mon Dieu, non, Mallory. Ils auraient envoyé les flics.

— Excellente initiative, lâcha-t-elle avant de se faufiler au volant. Vous deux, restez avec Riker.

— Pas si vite ! protesta Charles.

Il enjamba la portière déchiquetée et s'installa à côté d'elle. Top départ ! Elle testa les pleins phares, puis éteignit les lumières et roula doucement dans le noir.

Les yeux rivés sur la conductrice, Charles dit :

— Si tu t'écrases contre le pick-up…

— Je ne le percuterai pas. Son véhicule est stationné. Personne ne peut estimer la vitesse d'une voiture arrivant en face et il ignore de quoi mon bolide est capable.

— Sauf qu'il y a une fillette à l'intérieur.

— Un petit coup, Charles. C'est tout ce qu'il me faut

468

pour balancer le tube à travers son pare-brise et son visage. Je peux le tuer sans même déclencher l'airbag.

Mallory se gara juste après le portail, devant le chemin du ranch, et fit clignoter ses phares deux fois. Au loin, d'autres feux lui répondirent.

— Vérifie sa vitre avant gauche. Tu vois le fusil ?

— Non, répondit Charles derrière ses binocles d'opéra.

— Il n'utilise donc pas le viseur infrarouge. Il n'y a pas assez de place dans...

Soudain, il lui tendit les jumelles :

— Tu as un autre problème. Regarde.

Elle observa le pick-up et s'aperçut que Dodie était harnachée à la calandre.

— Désolé. Tu ne t'y attendais pas. Qu'est-ce qu'on fait ?

— On maintient le plan.

— Tu es cinglée.

— Je ne vois pas d'autres solutions. Il ne bougera pas de là avant que je m'approche. Il veut que je le voie tuer Dodie.

Charles était profondément déstabilisé : Mallory savait si bien infiltrer l'esprit d'un tueur en série !

— Tu ne peux pas continuer. Pas avec Dodie attachée au pare-chocs.

Elle éteignit ses phares, quitta le chemin de terre et fit marche arrière vers la chaussée goudronnée :

— Ça va le rendre dingue quelques minutes. Si je veux que mon plan fonctionne, j'ai besoin d'ajuster le tuyau.

— Je suis certain que tu as déjà tout calculé.

Charles descendit de voiture et détacha les liens barbelés qui fixaient le conduit à l'armature du pare-brise déchiqueté.

— Le rapport vitesse/distance, ce genre de truc.

Bien sûr qu'elle avait tout calculé. Elle avait la bosse des maths ! Au risque de l'agacer en soulignant l'évidence, il ajouta :

— Tu sais donc qu'à pleine vitesse tu n'auras pas le temps de freiner avant l'impact. Même toi, tu ne peux pas modifier les lois de la physique.

Il souriait presque, même s'il continuait à s'abîmer les doigts sur les barbelés et à changer l'angle du tube pour la satisfaire.

— On devrait avoir plus de visibilité à gauche du pick-up.

Il avait bientôt terminé.

— J'imagine qu'on va carrément éviter le véhicule.

— Plus ou moins.

Le ton de Mallory était une première alerte, mais rien n'aurait pu préparer le grand gaillard à la voir pointer son revolver sur lui. Quel crime avait-il commis ? Il agrippa le tuyau, car c'était le seul moyen de l'empêcher de partir sans lui.

— Arrête, Charles. Tu ne viens pas avec moi.

Bien qu'il tienne à la vie, il secoua la tête, pétrifié de constater qu'elle n'avait pas bouclé sa ceinture de sécurité.

Elle leva le revolver vers le visage de son ami :

— Tu sais que je t'apprécie assez pour te flinguer.

Il comprit aussitôt, la crut mais refusa de céder.

Mallory laissa tomber son arme et lui jeta son sac à la figure. Par réflexe, il lâcha le tuyau pour rattraper le projectile et, ni une ni deux, elle prit le large.

Le cœur battant, il courut en haut de la butte : la New Beetle se rangea sur le chemin du ranch, effectua deux appels de phares et s'immobilisa. Charles accéléra, ses jambes pédalèrent de plus belle, il avait les poumons en feu. Il était si proche. Mallory fit rugir son moteur. La voiture démarra d'un seul coup. En quelques instants, elle couvrit la distance qui la séparait du pick-up, les phares face à face. Ensuite, les faisceaux horizontaux de lumière éclatante fusionnèrent… dans un fracas de métal et de verre brisé. Les deux véhicules perdirent chacun un phare et se retrouvèrent unis par la lance de Mallory. Le coureur effréné trébucha en voyant le corps de la jeune femme être projeté en silence, décrire un arc de cercle et atterrir derrière sa petite Volkswagen détruite.

Indemne, Dodie était restée collée au pare-chocs du pick-up. Son harnais s'était détaché, mais elle mit quelques secondes à s'éloigner du phare encore intact. Charles passa en courant devant elle, devant l'épave où l'aile droite de Mallory avait percuté la calandre tordue de la camionnette. À la lumière d'un phare survivant, il retrouva le corps brisé de son amie, étendu par terre.

Mallory avait compté sur la première loi de Newton : malgré l'impact de sa décapotable, le pick-up, à l'arrêt, n'avait pas bougé d'un centimètre. Elle avait tenu assez longtemps pour envoyer sa lance à travers le pare-brise de son ennemi, puis elle avait tourné violemment à gauche et un pare-chocs avait heurté la cible. Cette embardée avait épargné Dodie. Hélas, Mallory n'avait pas eu le temps de se sauver elle-même.

Inutile de regarder à l'intérieur de la cabine. Il y avait forcément un cadavre décapité au volant. Charles s'efforça d'étancher le sang qui coulait des plaies de Mallory, tandis qu'une petite musique résonnait près de lui, huit notes fredonnées par une voix enfantine. Dodie Finn était perdue dans les ténèbres d'un paysage intérieur dépourvu de lune, d'étoiles et de toute forme de douleur.

Les sanglots étranglés… venaient de Charles.

CHAPITRE XXIII

Plus aucun journaliste n'arpentait les rues de Kingman (Arizona). Les médias étaient partis depuis longtemps, direction Chicago, où ils suivaient les miettes de pain laissées derrière lui par l'inspecteur Kronewald.

À l'hôpital de Kingman, un célèbre patient était réveillé et profitait pleinement de sa convalescence. Le sac de Mallory était posé sur le lit : il était béant, profané et Riker lisait la prose de Peyton Hale. Surpris en flagrant délit d'ingérence, il sourit à son visiteur :

— Salut, Charles.

Il brandit une feuille couverte de mots griffonnés à l'encre bleue délavée.

— Tu aurais refusé de les lire. Il fallait bien que quelqu'un se dévoue. C'est mon très grand défaut : je veux toujours connaître l'histoire de A à Z.

Charles aussi aimait savoir le début, le milieu et la fin des choses, il savait parfaitement reconstituer un enchaînement d'événements mais, au lieu de s'intéresser aux lettres éparpillées sur le lit, il récupéra les pages dactylographiées à moitié enfouies sous les draps :

— C'est le rapport de police sur l'épave ?

— Regarde ce qu'ils disent sur la ceinture de sécurité côté conducteur.

Faisant fi de la loi et du règlement hospitalier, Riker alluma une cigarette.

Le fin psychologue leva les yeux de sa lecture et croisa le regard navré de son ami :

— Il faut que tu surmontes son histoire d'accident.

— C'est comme ça qu'on l'appelle ?

Fidèle complice, Charles ouvrit une fenêtre pour évacuer la fumée avant que l'infirmière en chef, au flair redoutable, vienne confisquer le dernier paquet de cigarettes.

— C'était un problème de mauvais timing, Riker. J'étais là, tu te souviens ?

— Je n'ai pas besoin d'avoir assisté au crash. Kathy Mallory a grandi sous mes yeux. Je l'ai vue tomber de vélo et de balançoire. À treize ans, elle a « emprunté » la moto d'un flic. L'engin était garé juste devant notre bon vieux commissariat. En réalité, la gamine a appris sur le tas. Elle a appuyé sur l'embrayage et fait une incroyable roue arrière. Mon Dieu, je ne l'oublierai jamais ! Elle a bien parcouru dix mètres comme ça et, zou !, elle est partie en vol plané. Conclusion : c'est moi l'expert ici, pigé ? Mallory est un chat, elle retombe toujours sur ses pattes, et elle aurait dû sortir de la voiture accidentée en marchant.

— Je suis sûr qu'elle en avait l'intention.

Charles posa le rapport sur le lit et se tourna vers la fenêtre, car il voulait cacher son visage incapable de mentir.

— Après avoir défoncé le pare-brise avec son tuyau, Mallory a essayé d'éviter le choc.

— Non, elle a juste esquivé l'enfant. Elle a toujours su qu'elle serait obligée de percuter le pick-up. Même le pied d'un mort sur une pédale d'accélérateur aurait tué Dodie Finn.

Riker agita le rapport.

— Tu l'as lu, Charles. Tu sais que sa ceinture fonctionnait, mais Mallory… ne… l'a… pas… attachée.

Il froissa le document.

— Même si elle était consciente de l'imminence du crash.

Il brandit sa preuve suivante : les lettres de Peyton Hale qui avaient jadis appartenu à Savannah Sirus.

— Et je sais qui accuser…

Lorsqu'il entra dans la chambre d'hôpital, Charles s'étonna d'y trouver un sympathique colosse, qui dit s'appeler Ray Adler et venir du Kansas :

— Je suis un ami de la famille.

Ray se tourna vers l'inconsciente Kathy Mallory et reprit son sermon sur l'importance capitale des ceintures de sécurité.

Lorsqu'il quitta l'Arizona, il remorquait l'épave de la décapotable argentée et avait pris congé de Charles Butler en comprenant mieux désormais la quête de Mallory : elle n'avait visé qu'un seul objectif : rouler sur la route de son père à travers les âges.

Comme il avait moins de fractures et de points de suture, Riker fut le premier à quitter l'hôpital. Quand il longea la première fenêtre éclatante de soleil, il chaussa ses lunettes noires pour se protéger les yeux, puis s'adressa au grand costaud qui l'accompagnait et l'avait convaincu de le laisser porter ses bagages :

— Donc tu as lu les lettres de son père ? Dirais-tu qu'il était obsédé par la Route 66 ?

— Je n'ai rien fait du tout.

Charles posa la valise et appela l'ascenseur.

— Pourtant, quand je lui ai rendu son courrier, elle m'a accusé de l'avoir lu.

— Un peu de paranoïa hostile, c'est bon signe. Je retrouve ma petite Kathy.

— Tu trouves ? On dirait pourtant qu'elle ne s'intéresse plus à l'enquête. Ça te paraît normal ?

— Bien sûr.

Riker chercha son paquet de cigarettes au fond de ses poches, car il voulait pouvoir s'en griller une dès qu'il s'échapperait de l'hôpital.

— Si j'étais à New York, un nouveau dossier m'attendrait sur mon bureau avant que je puisse prendre une cuite et me demander de quoi parlait la dernière enquête. Alors, oui, c'est normal. Affaire classée.

— Pas du tout.

Les portes s'ouvrirent et Charles entra dans l'ascenseur.

Riker le suivit clopin-clopant et ils descendirent au rez-de-chaussée. Malgré le grincement des rouages, il entendait bouillonner le cerveau de son ami.

— Qu'est-ce qui te tracasse, Charles ?

— Le tueur n'a pas de nom.

— Ça ne sert plus à rien. Il est mort.

— Pourquoi Kronewald n'a-t-il pas communiqué l'identité du suspect de l'Illinois ?

— Egram ? Impossible. Il n'a trouvé aucun parent susceptible d'établir une filiation ADN avec le cadavre. À notre époque, la seule chose qui pousse les familles à sortir de l'ombre, c'est un bon gros procès. Kronewald va enterrer le dossier Egram. Tu peux compter là-dessus.

Les yeux rivés sur les numéros d'étages, l'impatient Riker fit cliqueter son briquet.

— Il avait un autre nom, reprit Charles. D'après les journalistes, le tueur se faisait passer pour un parent de la caravane. Et Cadwaller ? La dernière fois que je…

— Ah, oui. Il m'a envoyé une carte de bon rétablissement et une citation à comparaître comme témoin. Tu avais raison sur lui. Il n'est pas profileur mais expert-comptable au sein d'une autre agence : il monte un dossier contre Dale pour escroquerie aux heures supplémentaires et falsification de documents officiels. Quant aux autorités du Nouveau-Mexique, elles l'accusent d'avoir mis en danger la vie d'un enfant. Je t'ai raconté que la femme de Dale l'avait quitté ? Oh, et ses avocats… ils possèdent sa maison, conduisent sa voiture.

Riker lui donna un petit coup de poing sur le bras et sourit :

— Il n'est pas beau, notre pays ?

Quand les portes de l'ascenseur se rouvrirent, il se dépêcha de sortir en boitillant, puis suivit les panneaux qui le conduisaient vers la liberté et sa première cigarette de la journée.

— D'accord, insista Charles. Donc le tueur se faisait passer pour un parent.

— Moi, ça me va.

— Un membre du convoi est donc mort. Voilà qui devrait réduire les recherches, non ?

— Mouais.

Porte d'entrée en vue. Riker avait dégainé sa cigarette et son briquet.

— Pour établir une correspondance, il faudrait déjà avoir une photo. Entre les parents et les journalistes, on n'a pas vraiment pu dresser la liste exacte des participants.

Riker poussa la double porte et se retrouva enfin dehors.

— J'ai vu les clichés de l'autopsie. Mallory n'a pas lésiné avec le visage du tueur. Elle est très douée.

L'atmosphère était pure, non polluée, mais il allait y

remédier : il alluma une cigarette et inspira une longue bouffée de tabac.

— Si on demandait au légiste une reconstruction crânienne ? Il nous donnerait…

— Personne ne dépensera autant de fric pour un sale cafard crevé, Charles. On n'a retrouvé aucune pièce d'identité sur le corps. Pas de photo, pas de correspondance. Désolé, mon vieux.

Son ami posa la valise par terre, héla un adolescent qui attendait près de la porte et le gamin se dépêcha d'aller chercher leur Mercedes. Apparemment, le concept de voiturier venait de faire son apparition dans la petite bourgade de Kingman. Quand le véhicule s'arrêta à leur hauteur, Charles donna un pourboire au jeune garçon et dit à l'inspecteur :

— Il existe forcément des indices sur l'identité de cet homme. *Quelque chose*… Tu connais au moins la couleur de ses yeux ?

Riker ouvrit le coffre de la Mercedes :

— Non. Les globes oculaires lui sont sans doute sortis de la tête dans une marmelade de cervelle et de sang. À moins qu'ils n'aient atterri au fond du tuyau crasseux quand il…

— Un simple « non » aurait suffi.

Charles jeta la valise au fond du coffre.

Riker laissa tomber sa cigarette et l'écrasa d'un coup de talon :

— Sauf que ta question n'était pas simple, je me trompe ? Tu voulais savoir si un tueur en série avait les yeux verts de Mallory. Tu viens de me demander si la gamine a tué son propre père… Eh bien, on n'a jamais eu cette conversation, d'accord ? sourit-il. Qui tient vraiment à savoir à quoi ressemblait l'assassin ?

De toute évidence, Charles, lui, s'y intéressait, mais il

fixa ses chaussures, preuve de sa culpabilité, et ne posa plus de questions.

Riker contempla le coffre béant. Il était presque temps de se dire au revoir.

— Cette nuit-là, il n'y a pas à tortiller : Mallory a tué le bon type, mais elle ne saura jamais précisement de qui il s'agissait. Tout le monde l'ignore et c'est peut-être mieux ainsi. Moins… personnel.

Charles se contenta d'acquiescer en silence et ils comprirent qu'ils n'en reparleraient plus jamais.

L'inspecteur lorgna le trousseau de clés qu'il avait dans la main :

— Tu es sûr ?

— Oui, je t'en prie, prends-la. J'ai eu mon compte de virées en voiture.

Quant à Riker, la conduite sportive de Mallory ne l'avait pas guéri de sa phobie de l'avion.

— Quand elle sortira de l'hôpital, on prendra un vol ensemble.

— Ray Adler se décarcasse pour réparer sa décapotable en temps et en heure.

Charles haussa les épaules :

— Je la ferai rapatrier directement à New York.

— Non, j'ai une meilleure idée.

Il sortit du coffre un sac en plastique noir.

— Tiens, un cadeau, un souvenir. Tu n'as pas pu l'oublier.

Au fond du sac : une besace en toile tachée de café et bourrée de cartes routières.

— La collection d'Horace Kayhill ?

Riker referma le coffre d'un coup sec :

— Ouaip ! Enfin, la frontière de l'Arizona, c'est tout droit depuis Kingman, donc tu auras juste besoin de la carte de Californie. Accompagne Mallory jusqu'à la côte

Pacifique via la Route 66. Elle mérite de terminer son voyage. Dieu sait qu'elle a suffisamment payé pour ça.

Il s'installa au volant de la Mercedes et baissa la vitre :

— Conduis-la jusqu'à la fin de la route et, ensuite, ramène-la à la maison.

Ray Adler tint sa promesse et, au mois de juin, le jour où Mallory quitta l'hôpital, il lui livra une voiture sans la moindre égratignure :

— Comme neuve ! Voire un peu mieux.

Charles se dirigea vers la chambre de Mallory pour prendre ses bagages. La porte était entrebâillée et il resta un moment dans le couloir à regarder son amie ou, plus précisément et plus cliniquement, à l'observer. Elle emballait ses vêtements au ralenti, comme si elle évoluait sous l'eau. Les ecchymoses, plâtres et autres bandages avaient disparu. Ses boucles blondes dissimulaient la vilaine blessure à la tête qui lui avait fait perdre beaucoup de sang. Quant aux autres cicatrices, elles étaient cachées sous un T-shirt et un jean. Vue de l'extérieur, elle était guérie. Ou presque. Du moins, c'était l'impression qu'elle donnait.

Elle n'était pas armée. Rangé dans son étui, le revolver était posé sur la table de chevet, ce qui inquiéta Charles. Certaines personnes conservaient leur identité au fond d'un portefeuille ; son passeport à elle, c'était son arme. Une à une, elle perdait les qualités essentielles qui la définissaient. Lui aussi avait changé. On lui avait attribué la lourde tâche de tenir les comptes des trahisons qu'elle avait subies dans sa jeune vie, de tout ce qu'elle avait perdu ou qu'on lui avait volé. Ce genre de blessure la laissait désormais de marbre. C'était Charles qui souffrait à sa place, se débattait de douleur.

Il entra dans la chambre :

— Kronewald a téléphoné ? Tu vas témoigner au procès de Dale Berman ?

Elle secoua la tête et ouvrit le tiroir de sa table de chevet :

— On l'a joué à pile ou face. C'est Riker qui a gagné.

Mauvaise nouvelle ! En d'autres termes, la vengeance ne l'intéressait plus. Chez n'importe quel autre individu, il aurait salué cette preuve de maturité – mais pas dans le cas unique de son amie. Il s'assit sur le lit et la regarda plier ses T-shirts.

— Kathy.

Elle ne lui tira pas dessus.

— Je sais pourquoi tu détestais Berman. C'est à cause de la femme de Louis, non ? Helen… et la façon dont elle est morte.

Mallory fouilla vaguement le contenu du tiroir :

— Helen Markowitz est morte d'un cancer.

— Oui, juste après la résolution d'une enquête épineuse.

À grands coups de bière de contrebande, Charles avait anesthésié Riker sur son lit d'hôpital et lui avait extorqué quelques pénibles détails.

— La police de New York venait de récupérer un gamin kidnappé.

Sur un ton monocorde, elle en attribua tout le mérite à son père adoptif :

— C'est le vieux Lou qui l'a récupéré.

— Et sa femme est morte le lendemain. Cette semaine-là, il était censé rester auprès de sa famille mais, quand l'enfant a été enlevé, il a annulé tous ses congés.

Mallory hocha la tête et sortit du tiroir une brosse à dents, un peigne, un stylo :

— Je ne suis pas allée travailler.

— Pour tenir compagnie à Helen. Louis, en revanche, n'a pas pu se libérer, je me trompe ?

Elle referma le tiroir d'un coup sec :

— Non, il devait retrouver l'enfant. Les fédéraux avaient envahi le commissariat et il craignait qu'ils fassent tuer le petit.

— Je me rappelle le jour des funérailles d'Helen. Louis m'est littéralement rentré dedans. Sa voiture a percuté la mienne. Voilà comment on s'est rencontrés. Bien sûr, il s'est confondu en excuses : ses larmes l'avaient empêché de voir la circulation. « J'ai enterré mon épouse ce matin, m'a-t-il dit. Ma fille est enfermée dans sa chambre. Et moi ? Je tourne en rond au volant de ma bagnole. Tout le monde doit être quelque part, non ? » Et il m'a souri.

Par son sourire, Louis Markowitz était l'homme le plus charmant de la Terre même si, en ce triste jour, il avait aussi beaucoup pleuré. Charles l'avait ramené chez lui pour l'empêcher de rester dehors et de s'attirer d'autres ennuis. Il lui avait préparé à dîner et, toute la nuit, l'avait écouté raconter ses anecdotes préférées sur la remarquable Helen Markowitz.

— Nous avons été amis pendant des années, mais Louis ne m'a jamais parlé de l'agent fédéral qui lui avait menti, l'avait entraîné sur une fausse piste… et privé des derniers jours auprès de sa chère épouse.

Non, il s'était vite déchargé d'un tel poids, décision sage mais inenvisageable pour les gens comme Mallory, qui adoraient se venger. Charles voulut l'aider à savourer ce qu'elle avait gagné :

— Louis m'a confié qu'il était resté à peine quelques heures avec Helen avant qu'elle soit emmenée en salle d'opération. Le pauvre ! Il espérait que les chirurgiens la guériraient.

— C'est ce qu'ils lui avaient tous promis.

Elle laissa tomber un tube de dentifrice dans son sac marin.

— Voilà pourquoi il n'a pas lâché l'affaire du kidnapping.

— Le dernier jour, Louis croyait encore qu'il allait vieillir aux côtés d'Helen.

— Et elle est morte sur la table d'opération.

Mallory fixa les objets éparpillés sur le lit, comme si leur ordre de rangement au fond du sac était primordial.

— Tu as donc accusé Berman d'avoir fait traîner l'enquête, d'avoir trompé Louis et de lui avoir volé de précieux instants auprès d'Helen.

Elle plia soigneusement un autre T-shirt, comme si elle n'avait jamais aimé sa mère adoptive par-dessus tout, comme si elle n'avait jamais pleuré la perte de cette femme au cœur d'or qui l'avait recueillie et aimée.

Aucune réaction. Rien.

Ce fut Charles qui serra les poings, qui détesta Dale Berman, et il éprouvait assez de haine pour deux. Il détourna son visage trop expressif et feignit de chercher à travers la chambre ce que son amie aurait pu oublier de prendre.

Les bouquets avaient disparu. Autrefois, la pièce embaumait plus qu'une boutique de fleuriste – ou un funérarium. Mallory avait également jeté les coupures de presse que Kronewald lui avait collectionnées. Envolées aussi, les nombreuses cartes postales d'éminents flics ou hommes politiques. Le seul courrier qu'elle avait conservé était un dessin de Dodie Finn, qu'elle posa sur son sac – unique trophée de Mallory.

— Celui-là, je l'adore, souffla Charles.

Il sourit en voyant la version enfantine de la ferme des Finn et les visages réjouis de ses bonshommes qui représentaient la petite famille.

— Ce dessin est affreux. Aucun talent artistique. Un gribouillage on ne peut plus normal.

D'après la lettre de Joe Finn, sa fille ne fredonnait plus, elle avait recommencé à parler et il n'arrivait plus à la faire taire. La bonne nouvelle était suivie d'une phrase maladroite sous la plume du boxeur : il souhaitait à Mallory la même guérison miraculeuse.

Un peu optimiste, estima Charles.

La grave blessure infligée à son amie n'avait pas une cause unique et il n'existait pas non plus de remède. Au mieux, elle pourrait juste survivre à la maladie et, dans le meilleur des mondes possibles, elle ignorerait le nom de l'homme qu'elle avait tué à Seligman.

Le paquet de vieilles lettres tomba du lit, le ruban qui les retenait se défit et les feuilles s'éparpillèrent sur le sol. Loin de s'en préoccuper, Mallory continua à plier ses vêtements. Elle laissait donc s'envoler les preuves de la trahison de Peyton à l'égard de sa mère, Cassandra – ces lettres d'amour écrites à une autre. Charles s'agenouilla à ses pieds, les ramassa délicatement et, pour la première fois, remarqua l'étonnante formule d'introduction, qu'il lut à haute voix :

— « À N.B. » Bizarre.

Toutes les lettres commençaient de la même façon.

— Serait-ce le surnom de Savannah Sirus ?

À l'évocation de sa défunte invitée, Mallory baissa les yeux, à peine distraite de sa corvée d'empaquetage :

— Pourquoi mon père écrirait-il à cette bonne femme ?

Oh, putain de merde !

CHAPITRE XXIV

En entrant dans la chambre d'hôpital, Ray Adler interrompit la conversation. Il ne remarqua pas l'étrange expression de Charles Butler, qui se demandait combien de fois on pourrait lui faire tourner la tête avant qu'il la perde.

Une heure plus tard, le souriant visiteur du Kansas leur dit au revoir et ne fut bientôt plus qu'une silhouette dans le rétroviseur. La capote du bolide argenté était baissée et, bercée par la douce chaleur du soleil, Mallory somnolait à l'avant. Bien que réfractaire au progrès technologique, Charles avait tripatouillé l'iPod et sa connexion à l'autoradio, mais il n'avait trouvé aucune musique reflétant ses angoisses.

Si les lettres n'avaient pas été écrites à Savannah Sirus, où s'était-il encore trompé ?

Au moment de quitter les plaines de l'Arizona, il essayait toujours d'évaluer l'ampleur de ses échecs. Les terres californiennes, sablonneuses, étaient semées de carrés de verdure. Oubliés, les montagnes et les plateaux ! Devant eux, il n'y avait plus que d'assommantes étendues désertiques. Quand Mallory se réveilla enfin, il voulut en savoir plus sur l'énigme qui inaugurait chaque lettre de Peyton Hale :

— À N.B. ?

Hélas, elle referma les yeux et le laissa se poser la question pendant les longs kilomètres qui les séparaient de la ville californienne de Barstow. Une fois arrivés là-bas, ils se garèrent sur le parking d'un hôtel décrépit et il la regarda cocher l'endroit sur sa liste de repères. D'autres touristes, sans doute attirés par leur guide consacré à la région, s'y arrêtaient aussi, le temps de faire demi-tour et de repartir dare-dare. Charles remit le contact et suivit leur exemple :

— Direction Los Angeles ?

Il considéra le silence de sa passagère comme un oui et sortit le plan de Californie.

— Ça ne t'ennuie pas de jouer les copilotes ?

Elle déplia la carte et y observa des marques familières : les arcs de cercle et autres lignes tracés par Horace Kayhill pour circonscrire le territoire d'un tueur en série, ainsi que les nombreuses croix signalant l'emplacement des tombes.

— Qu'est-ce que tu fiches avec ça ?

Manifestement, elle l'accusait de vol.

— C'est Riker qui me l'a donnée. Toute la collection. Il pensait que le plan de Californie pourrait nous servir. Je dois dire qu'il est plus précis que la moyenne des…

Mallory n'écoutait pas. Elle fouilla sur la banquette arrière et s'empara de la besace en toile qui contenait les autres cartes de la Route 66. Elle en extirpa une, qu'elle étala sur le tableau de bord :

— Comment Riker les a-t-il prises à la police du Nouveau-Mexique ?

— Un agent les lui a confiées. J'ai tout vu.

D'ailleurs, ce jour-là, elle était aussi à leur table. Sauf qu'elle avait juste aperçu le gros sac en plastique. Autant qu'il s'en souvienne, Riker avait procédé à une rapide inspection et, d'un simple coup d'œil, avait identifié le propriétaire : Monsieur Logique – le pauvre Horace.

— Pourquoi n'a-t-il pas remis le sac à Kronewald ?

— À quoi bon ? s'étonna Charles.

— Et pourquoi Kronewald appelle-t-il son *serial killer* Monsieur X ?

Apparemment, elle avait lu les quotidiens qu'il lui apportait à l'hôpital. L'intérêt persistant de la jeune femme promettait des hauts et des bas.

— Manque de preuves matérielles, expliqua-t-il. Aucun lien solide avec Adrian Egram. D'ailleurs, je doute fort qu'il ait utilisé ce nom-là depuis le jour où il a volé sa première voiture. À mon avis, on ne saura jamais sous quelle identité il vivait.

Charles y vit un moyen de la rassurer, une promesse.

— Riker le sait, lâcha-t-elle.

— Disons qu'il a peut-être une théorie.

Est-ce qu'elle le regardait ? L'avait-elle vu rougir ? Pouvait-il se permettre de jouer un jeu de dupes avec la reine des manipulatrices ?

— Il n'y a sûrement aucun moyen de le prouver. Ni ADN, ni empreintes digitales, ni photos, rien qui…

— Riker n'échafaude pas de grande théorie, l'interrompit-elle. Il sait.

Elle ferma les yeux.

Bien que le désert californien soit plutôt monotone, assommant même, Charles avançait en terrain miné, à l'intérieur comme à l'extérieur. Il n'était plus question d'évoquer l'identité d'un tueur en série. Mallory s'était montrée très claire. Elle dormait ou faisait peut-être semblant. Quoi qu'il en soit, elle se cachait, fuyait sa propre existence. Charles n'avait plus que la prose de Peyton Hale, seul élément tangible pour construire un pont jusqu'à son amie. Hélas, quand elle se réveilla, il voulut aborder le sujet de Savannah Sirus et des lettres mais se heurta à un silence glacial.

Ils s'arrêtèrent pour la nuit. Au restaurant de l'hôtel, il lui demanda si elle acceptait de répondre à une dernière question :

— Comment Savannah s'est-elle procuré les lettres ?

Il se tut, le temps qu'une serveuse leur apporte le menu, puis Mallory expliqua qu'elles avaient été envoyées chez Cassandra à Chicago.

— Hélas, ma mère ne les a jamais vues. Elle travaillait comme une folle à l'hôpital. Sa colocataire, Savannah, était donc seule à la maison quand le facteur passait… ou que le téléphone sonnait. Peyton appelait tous les soirs. Elle n'en a jamais rien su non plus.

— À quel moment l'as-tu découvert ?

— Quand j'ai retrouvé Savannah Sirus.

Arrivèrent les salades, qu'ils mangèrent en silence. Ils savouraient le plat de résistance quand il apprit que, harcelée par les coups de fil de Mallory, Savannah avait fini par lui envoyer une lettre en prétendant l'avoir exhumée d'un vieux fauteuil. Par la suite, elle avait cessé de répondre au téléphone.

— Je savais qu'elle mentait, expliqua-t-elle. Cette première lettre promettait une route tout entière. Il en existait forcément d'autres.

Après le téléphone, elle était allée sonner chez Savannah à Chicago, parfois pendant des heures, sans qu'on lui ouvre la porte.

— Mais elle a fini par céder.

Et les deux femmes avaient trouvé un compromis.

— Je lui ai dit qu'elle pourrait garder les lettres. Que je voulais juste les lire.

Pressée d'avoir la paix, Savannah avait accepté son invitation à New York.

— Je lui ai envoyé des billets d'avion, des places de théâtre et le menu des meilleurs restaurants de la ville. Elle croyait que je lui organisais un agréable séjour. Ce n'était pas le cas.

À quel moment de sa visite l'invitée de Mallory avait-elle découvert les mérites d'aveux complets ? se demanda Charles. Il n'arrivait pas à se sortir l'image de la tête – Mlle Sirus et son interrogatrice – la confrontation infernale.

— Vers la fin, c'est Savannah qui a voulu se confesser.

Mallory avalait de grandes lampées de vin pour faire descendre son rosbif.

— Peyton avait déjà pris la route quand ma mère a parlé à sa meilleure amie de sa grossesse… et des projets de mariage.

Mais ensuite ?

Charles attendit – et attendit encore. Puis il perdit lentement patience et lâcha :

— Donc… des lettres volées, des coups de fil détournés. Cassandra n'a jamais eu de nouvelles de Peyton pendant son voyage ?

— Non. Elle s'inquiétait. Elle craignait qu'il ait eu un accident de voiture. Comme elle ne lui connaissait aucune famille, ma mère a contacté quelques amis le long de la route. Voilà comment elle a su qu'il roulait toujours. Elle ne comprenait pas pourquoi jamais il ne téléphonait, ni n'écrivait. Les mois ont passé, sans qu'elle découvre le pot aux roses, et elle a fini par laisser tomber.

— Cassandra n'a plus jamais entendu parler de lui ?

— Non. Au bout d'un moment, elle s'est dit qu'il nous avait juste abandonnées. Moi aussi, je l'ai toujours cru… jusqu'à ce que je retrouve le numéro de Savannah Sirus.

— Tu la voyais quand tu étais petite ?

— Je ne l'avais jamais rencontrée. Elle nous envoyait ses vœux à Noël, mais je ne me souvenais pas d'où venaient les cartes. Je ne me rappelais même plus comment elle s'appelait.

Sans terminer son vin, Mallory expliqua l'histoire du mur de chiffres dans son appartement new-yorkais :

— Juste avant de mourir, ma mère a écrit un numéro de téléphone au creux de ma main et m'a dit : « Appelle cette dame, elle viendra te chercher. »

Hormis les quatre derniers chiffres, tout avait été effacé par les larmes d'une enfant. Mallory vida son verre et se resservit.

— J'ai mis un temps fou à reconstituer le reste du numéro.

— Ton père n'est donc jamais retourné à Chicago ?

— Il n'avait aucune raison de le faire. Grâce aux manigances de Savannah.

Charles était un expert de l'amour obsessionnel : depuis les longues années qu'il connaissait Mallory, il en subissait la rengaine plusieurs fois par jour.

— Je comprends pourquoi tu méprisais cette femme.

— Non. Tu ne comprends pas encore.

Plus exaspérante que jamais, elle se leva de table, agita la clé de sa chambre et tourna les talons.

Lorsqu'ils reprirent la route le lendemain matin, Charles commit sa première erreur de la journée en demandant la signification des initiales N.B. Mallory préféra éviter la discussion et dormir jusqu'en fin d'après-midi, lorsqu'ils se retrouvèrent bloqués en plein embouteillage.

Près de Los Angeles, les Californiens ne semblaient pas avoir intégré le concept du dépassement et du clignotant, mais c'était juste difficile à supporter. La dernière portion de trajet se révéla plus éreintante encore. À l'entrée de Santa Monica Boulevard, les voitures commencèrent à rouler pare-chocs contre pare-chocs. Charles aurait pu échapper à un tel calvaire. Six bulletins d'informations alarmistes avaient tenté de le dissuader, mais il tenait absolument à parcourir l'historique Route 66 jusqu'au bout.

Pourtant, d'après Mallory, il valait mieux recevoir une balle dans la tête que mourir de vieillesse sur les vingt kilomètres de déviations et de chantiers qui transformaient la chaussée en véritable parking.

Elle hocha la tête vers une issue de secours voisine :

— Va à la station-service. C'est la fin de la route.

— Oh, non.

Il avait du mal à croire ce qu'il était en train de dire.

— Il nous reste quinze kilomètres avant d'arriver à Ocean Boulevard, terme officiel de la Route 66.

Ensuite, s'il avait encore toute sa lucidité, il lancerait la New Beetle droit dans les vagues afin qu'ils puissent rentrer à New York par avion.

— Non, arrête la voiture. C'est ici que le voyage de mon père s'est achevé.

Elle resta muette jusqu'à ce qu'il se gare à bonne distance des pompes à essence et des files de clients.

La mine désormais plus sombre, Charles croyait savoir ce qui l'attendait et il était partagé entre espoir et désarroi. Selon son amie, la dernière lettre à N.B. avait été postée de Barstow, ville qu'ils avaient dépassée depuis longtemps. L'histoire ne pouvait donc avoir qu'une seule fin logique.

Mallory contempla la station-service :

— Autrefois, il y avait un bar et, au coin, une cabine téléphonique. Mon père y a appelé Chicago une dernière fois et Savannah lui a raconté que Cassandra était morte dans un incendie.

— Elle est folle ! Elle aurait dû savoir qu'on la démasquerait.

— Je te conseille de raisonner comme un flic. C'est là que j'ai su qu'elle avait essayé de tuer ma mère.

Mallory parlait sans animosité. Elle exposait juste les faits.

— J'ai mis longtemps à la briser, mais j'ai fini par réussir : elle m'a avoué qu'une nuit, elle avait mis le feu devant la chambre de sa meilleure amie. Cassandra aurait pu y rester et, moi, je serais morte dans son ventre. Pendant que Savannah bavardait avec Peyton au téléphone, l'appartement s'est rempli de fumée. Si elle ne s'était pas arrêtée pour décrocher, elle aurait pu sortir à temps, mais c'était une pyromane amateur et elle a eu peur que la sonnerie réveille ma mère. Ce qui est, en effet, arrivé. Un brouillard noir avait envahi la pièce et Savannah ne trouvait plus la sortie. Elle était désorientée, presque inconsciente quand sa copine l'a sortie de là.

— Ta mère a sauvé la vie de Savannah.

— Et elle n'a jamais su que sa meilleure copine avait essayé de la brûler vive.

Mallory descendit de voiture et avança de quelques pas. Elle marchait lentement, sans doute parce qu'elle était en train de reconstituer l'ancienne cabine téléphonique et qu'elle imaginait Peyton Hale en train de passer son dernier coup de fil.

— Quand il a raccroché et qu'il est revenu au bar, il croyait que sa fiancée était morte.

Elle se tourna vers la station-service, où se dressait jadis le café. Pleine d'espoir, elle se hissa sur la pointe des pieds et leva le menton, attendant que son père pose enfin son verre et ressorte.

— J'ai mis la main sur le vieux rapport de police. Peyton a vidé une demi-bouteille de Jack Daniel's avant de reprendre le volant. Il a fait marche arrière jusqu'au bout du parking, puis il a foncé droit dans le mur.

Elle ferma les yeux, comme si elle venait d'entendre le choc de l'homme et de sa machine contre un mur désormais fantôme.

— Il a traversé le pare-brise. À l'époque, les airbags et les ceintures de sécurité n'existaient pas. À plusieurs mètres de hauteur, on a retrouvé du sang sur les briques où il s'est fracassé le crâne.

Elle leva la tête pour mieux voir le sang dont elle avait pris connaissance par ouï-dire ou grâce au rapport de police.

— Quant à son corps, il gisait sur le capot défoncé.

Lorsqu'elle remonta dans sa voiture, Charles mit le contact, car il ressentait la nécessité d'éloigner au plus vite son amie :

— On va finir le voyage à sa place, d'accord ? Aller jusqu'au bout de la route.

Elle ne protesta pas, mais il eut la sagesse de ne pas y voir une franche adhésion. En fait, elle s'en fichait – de tout. Portrait d'une femme en roue libre.

Il restait néanmoins une certitude sur cette route chargée d'incessants paradoxes. La triste nouvelle du crash était aussi synonyme de réjouissance : comme son père était décédé avant la naissance de la jeune femme, Mallory n'avait donc pas commis de parricide sur un sombre chemin de l'Arizona.

Ils continuèrent à rouler en silence et finirent par atteindre le terme officiel de la Route 66. Après avoir tourné à gauche sur Ocean Boulevard, il remonta le célèbre quai mentionné dans tous les guides touristiques. Une vraie foire ! Histoire d'être plus tranquilles, Charles préféra le parking du front de mer, puis il entraîna Mallory sur l'immense plage et l'amena au bord de l'eau :

— Après ta naissance, Cassandra n'a jamais essayé de contacter ton père ?

— Non. Elle a attendu longtemps. Elle était enceinte de huit mois quand elle a renoncé et qu'elle est rentrée chez elle en Louisiane, où je suis venue au monde. Au bout d'un moment, mon père nous avait simplement oubliées, elle et moi.

Hé, stop ! Retour en arrière !

— Au bout d'un moment ? Tu veux dire *après* ta naissance ? Peyton n'est pas mort dans l'accident ?

Une heure plus tard, Mallory desserra enfin les dents et il apprit que Peyton Hale avait été grièvement blessé. Une de ses jambes avait explosé en vingt-six morceaux, il avait aussi le crâne fracturé, mais il avait survécu.

Revigoré par l'air marin et rasséréné, Charles savoura son tout premier hot-dog sur la promenade de Santa Monica. Assis sur un banc, il écouta la musique d'un manège et la fin de l'histoire.

— Savannah m'a dit qu'il avait passé plusieurs années en rééducation.

Mallory jeta son hot-dog à la poubelle.

— Il l'obsédait toujours autant. Elle a essayé de lui rendre visite à l'hôpital, mais il a refusé de la voir et chaque lettre qu'elle lui envoyait revenait non décachetée.

— C'est compréhensible. Persuadé que Cassandra était morte, il ne voulait pas affronter les gens qui lui rappelaient son souvenir.

Pendant toutes ces années, Savannah était restée amoureuse de Peyton Hale. Sinon, elle n'aurait pas conservé les lettres volées.

— Maintenant, si ça ne te dérange pas, revenons au moment où ton père a oublié ta mère. C'est Savannah qui t'en a parlé ?

Cette fois-ci, l'oreille sélective de Mallory ne posa pas problème. Charles pouvait répondre à sa propre question. Jamais elle ne croirait une horreur pareille de la bouche d'une menteuse, d'un monstre comme la meilleure amie de sa mère.

— Tu l'as traqué, n'est-ce pas ? Tu as rencontré Peyton Hale.

— On ne s'est jamais parlé.

Qu'est-ce que ça voulait dire ? Comment devait-il tourner sa phrase pour ne pas paraître trop dur, trop insistant ?

— Vous ne vous êtes jamais parlé ? hurla-t-il. C'est quoi, cette embrouille ?

Assis près d'elle, à l'ombre de la voiture, il contempla l'océan et Mallory lui raconta une aventure qui concordait avec la version de Louis Markowitz. La gamine avait fugué un week-end et son père adoptif s'était fait un sang d'encre.

— J'avais à peine quatorze ans. Les Markowitz croyaient que je passais trois jours en colo informatique. Une récompense offerte par l'école à ses meilleurs élèves.

Charles se rappela les mots de Louis : « Au moment de signer l'autorisation de sortie, Helen était aux anges. Kathy voulait enfin une vie normale d'adolescente. Moi, j'avais moins confiance. Je l'ai mise dans le bus et je suis resté jusqu'à ce qu'il quitte la cour du collège. »

Au fil de son récit, Mallory ajouta quelques détails que le vieil homme n'avait pas mentionnés ou jamais sus : après les cours, elle avait utilisé un ordinateur de la police pour remonter la piste de Peyton Hale jusqu'à une lointaine ville du nord de la Californie. Grâce au même terminal, elle avait acheté son billet d'avion aux frais du commissariat. La réservation d'une limousine à l'aéroport de San Francisco s'était révélée plus problématique. Par conséquent, elle avait rejoint le nord de l'État en stop. La jeune Kathy avait passé sa première nuit sur la plage et elle n'espérait pas y rencontrer son père, qui habitait à des kilomètres de la ville. Pourtant, le lendemain matin, elle avait eu l'immense surprise de le voir marcher vers elle.

— J'ai immédiatement su qui c'était. Ses yeux – *mes* yeux.

Il s'était trouvé si près qu'elle aurait pu le toucher. En la croisant, il s'était tourné vers elle et l'avait gratifiée d'un petit signe de tête, comme on saluait n'importe qui, puis il avait passé son chemin.

— Il ne m'a pas reconnue.

— C'est tout ? Tu ne lui as pas adressé la parole ? Tu es juste partie ?

— Quel intérêt ? Il ne m'avait pas reconnue.

Lasse de se répéter, elle haussa les épaules, puis, malgré son agacement, décida de lui mettre (encore) les points sur les i :

— Je suis le portrait craché de ma mère. J'ai son visage, les yeux verts de mon père et il n'avait aucune idée de qui j'étais. Il nous avait simplement oubliées, elle… et moi.

— Il vous croyait mortes.

De toute évidence, Mallory n'y voyait pas d'excuse valable dans l'impitoyable liste de ce qui lui était dû.

— Moi, je ne le savais pas, souffla-t-elle.

On aurait dit qu'elle soulignait une faille dans le raisonnement de Charles.

Lorsqu'elle reprit la parole, le ton de sa voix avertit son ami de ne pas prendre le parti de Peyton Hale.

— C'était comme si, ma mère et moi, on n'avait jamais existé.

Charles voyait ça plutôt comme si son père lui avait

flanqué un coup de poing à l'estomac et qu'à son jeune âge, elle n'avait trouvé aucun moyen de se défendre – juste la douleur. Il décida de changer de sujet avant qu'elle se renferme et lui inflige un autre silence prolongé :

— Tu en as parlé à Louis quand tu es rentrée à la maison ?

— Il n'a pas attendu aussi longtemps. Il a appris que j'avais fugué quand, le lendemain du départ, il a téléphoné au camp, juste pour s'assurer que je m'amusais bien en compagnie des autres enfants. Du moins, c'est ce qu'il m'a raconté. Ensuite, il m'a pistée jusqu'à l'aéroport de San Francisco. Il me guettait à la sortie quand j'ai débarqué avec mon billet retour. On est rentrés ensemble en avion.

— J'imagine qu'il était bouleversé.

Dans la version de Louis, il avait eu une trouille bleue jusqu'à ce qu'il retrouve sa fille disparue.

— Non, il m'a juste demandé si j'allais bien. On n'en a plus jamais reparlé et il ne m'a pas dénoncée à Helen. Comme elle adorait l'histoire de la colo, on l'a laissée y croire. Au bout d'un certain temps, on aurait dit que quelqu'un d'autre avait fait le voyage en Californie, pas moi. Et mon père biologique ne m'intéressait plus du tout.

Charles en doutait fort, mais il préféra ne pas l'accuser de fragilité humaine. Au moins, Mallory avait trouvé le meilleur côté de son père, le jeune homme qui serait toujours amoureux de Cassandra, le Peyton Hale qu'elle avait redécouvert sur la Route 66.

Et maintenant ? Et après ?

Elle n'avait plus de projet. Elle n'arrivait pas à s'imaginer dans l'avenir, ce qui inquiétait Charles. Les gens qui ne pouvaient pas se projeter sur vingt-quatre heures n'avaient peut-être plus vingt-quatre heures à vivre.

Il ramassa la besace en toile et sortit le plan de Californie. Tandis qu'il échafaudait une escapade thérapeutique le long de la côte, elle le dévisagea. Non, elle fixa la carte noircie d'arcs de cercle, de ronds et de petites croix.

— Pourquoi Riker te donnerait-il un paquet de preuves ?

— D'effets personnels, rectifia Charles.

Oups ! Elle n'avait jamais apprécié la critique. Soudain, il remarqua d'autres objets au fond du sac, des trucs qui lui avaient, jusque-là, échappé. Il sortit des lunettes de soleil, remarquables par leur style et leur prix élevé. Les lunettes de Mallory ? Oui, car il trouva ensuite le stylo en or qu'il lui avait offert quelques années plus tôt. Autant de babioles qu'il contempla longuement.

— Je crois que ça t'appartient. C'était mélangé aux affaires d'Horace.

Elle secoua la tête. Non, il se trompait, même si les objets lui appartenaient bien :

— Le tueur me les a volés. Ce butin fait partie des preuves à conviction.

Le petit jeu avait commencé, comme aurait dit Mallory.

Charles porta leurs bagages à l'hôtel Santa Barbara, grand établissement de front de mer avec service d'étage : il avait retrouvé son univers. Tous les gens du hall s'étaient mis sur leur trente et un. Un jean et une chemise assortie ne détonnaient pas parmi les touristes fortunés, mais il commit l'erreur de poser les clés de voiture sur le bureau. Résultat : le logo Volkswagen les catalogua aussitôt « vile classe moyenne ». Quand il demanda deux de leurs meilleures chambres, la jeune réceptionniste ne releva pas : elle préféra griffonner un prix et il crut voir son petit nez se retrousser de dégoût lorsqu'elle lui tendit le papier. Elle devait se dire qu'effrayé par les tarifs, il choisirait un hôtel moins coté et une chambre sans vue sur l'océan.

Comme si !

Ce fut Mallory qui s'empara de la feuille, lut le prix et ne le trouva pas assez exorbitant :

— Vous devez avoir de bien meilleures chambres que ça.

La main sur la hanche, elle avait négligemment écarté les pans de sa veste en jean. À la vue du revolver, la réceptionniste fut prise de court et, soudain, plusieurs suites grand luxe furent disponibles.

Lorsqu'ils se retrouvèrent seuls sur le balcon surplombant l'océan, Charles profita du romantisme de l'instant :

— Je sais que ce n'était pas Horace Kayhill.

L'avait-elle même écouté ? Non. Elle lisait l'étiquette de la bouteille de vin qui leur était offerte. Il tenta une autre stratégie :

— Je me demande pourquoi le meurtrier a laissé tes lunettes de soleil et ton stylo près du corps d'Horace.

Mallory se servit un verre de vin, qu'elle sirota en connaisseur :

— Riker ne t'a donc jamais donné l'identité du tueur. Intéressant.

Elle scruta son visage et y chercha des indices de mensonge.

Un test – une torture prouvant bien qu'elle avait retrouvé la forme. Son ignorance la réjouissait et il eut envie de l'étrangler.

— Qui était-ce ?

Si elle ne crachait pas vite le morceau, la tête de Charles allait éclater.

— Tu l'as rencontré, murmura-t-elle en savourant lentement son verre. Je crois même que tu l'appréciais.

— Il faisait donc partie de la caravane.

— Oui, c'était Monsieur Logique.

D'accord. Hypothèse séduisante mais impossible. Ce serait néanmoins une grave erreur de mettre en doute la logique de Mallory. Elle détestait ça et il pouvait trouver mille fois mieux. Il se servit un verre de vin et s'exposa à l'éventualité d'une réaction plus hostile :

— Tu te trompes. C'est au Nouveau-Mexique que Kayhill, alias Monsieur Logique, est mort. Son corps a été déchiqueté par les bêtes sauvages.

Comme il n'arrivait pas à se payer sa tête, il ajouta :

— Horace est *tout à fait* mort.

Il vida son verre d'un trait et insista :

— *Extrêmement* mort.

Sans hausser le ton, elle riposta :

— Exact, mais on ne peut pas déterminer l'heure du décès d'après un squelette. Kayhill a passé l'arme à gauche avant que tu rencontres Monsieur Logique dans le Missouri.

Bonne solution : elle avait divisé son suspect principal en deux. Un jeu d'enfant. Il se resservit en vin.

— Ta théorie est un peu tirée par les cheveux, annonça-t-il, indulgent. Ce gringalet…

— Ce sont toujours des gringalets.

Elle ne semblait pas s'offusquer qu'il doute encore d'elle. À moins qu'elle ne lui tende un piège ? Difficile à dire… comme au bon vieux temps.

— Seules les cartes routières appartenaient à Monsieur Logique, expliqua-t-elle. Quand il ne volait pas de voitures, il conduisait le camping-car de Kayhill, mais il a été obligé de s'en débarrasser. La faute à Riker, qui, un jour, a lancé les flics à sa recherche. Monsieur Logique a dû surprendre la conversation sur son scanner de police.

Il s'est dit que Riker était à ses trousses. Panique totale ! Il ne pouvait pas courir le risque que les journaux télévisés diffusent une photo du vrai Kayhill. Le corps – ou plutôt ce qui en restait – devait être retrouvé. Il a donc abandonné le camping-car sur la scène de crime, ce qui a attiré l'attention générale. Superplan ! Les fédéraux ne s'intéressaient pas à Horace. Quant à la police locale, elle n'avait jamais rencontré Monsieur Logique.

Elle prit la besace en toile, qu'elle avait posée près de la porte.

— Quand Riker a vu le sac, je sais qu'il a tout de suite compris. Pourtant, il t'a donné les preuves. Pourquoi ?

Charles, qui considérait désormais le sac comme un véritable danger, secoua la tête. Par chance, aux yeux de Mallory, son déni ressembla plus à de la confusion qu'à une bravade. Jamais il ne pourrait lui dire que Riker n'avait suspecté que Peyton Hale, et qu'il la croyait coupable du meurtre de son propre père. Pas très doué pour le mensonge, il contre-attaqua en lui assenant la vérité :

— Je ne suis pas sûr qu'il ait vraiment examiné le sac en détail quand…

— Riker n'est pas du genre à foutre en l'air une enquête. Il a vu les preuves. Des preuves irréfutables.

Elle sortit deux cartes du sac.

— S'il n'avait eu que ça, il aurait pu résoudre l'affaire. Pendant mon séjour à l'hôpital, la police a trouvé les tombes sur la boucle de Seligman.

Elle étala le plan de l'Arizona sur le lit.

Riker avait-il jeté plus qu'un simple coup d'œil à la liasse de cartes ? Pas sûr.

— Tu vois les petites croix sur cette portion de route, Charles ?

— Oui. Les enfants ont été enterrés sur l'ancien itinéraire des camionneurs.

— Absolument. Monsieur Logique se vantait d'être incollable sur la Route 66, mais regarde un peu.

Elle lui tendit la carte du Nouveau-Mexique.

— Les vrais fanas roulent toujours jusqu'à Santa Fe.

Charles observa la boucle de Santa Fe : il n'y avait aucune sépulture, mais cela ne prouvait pas l'existence d'un usurpateur et ne suffisait pas à scinder un homme en deux.

— Kayhill aurait pu s'en apercevoir. C'était un patient du Dr Magritte.

— Non, Magritte soignait Monsieur Logique. Son pseudo Internet. Kayhill n'était qu'un pauvre touriste croisé sur la route.

Mallory renversa le contenu de la besace sur le couvre-lit. En vrac : des plans, des reçus de carte bancaire et quelques autres bricoles. Elle ramassa un permis de conduire, qu'elle lui posa dans la main :

— Voici à quoi ressemblait le véritable Kayhill.

Charles observa la photo. Jamais il n'avait vu ce visage-là. En fait, l'homme qu'il connaissait sous le nom d'Horace Kayhill lui ressemblait juste de très loin : même couleur de cheveux, même taille, même poids.

— Les photos de permis de conduire ne sont jamais terribles. Le tueur a sans doute montré le sien à un tas de gens, fédéraux ou flics, et personne n'a remarqué que ce n'était pas lui.

— Toi, tu t'en es aperçu tout de suite, protesta-t-elle, comme si elle l'accusait de mensonge. Je te promets que Riker n'aurait jamais loupé un truc pareil.

Pourtant, si. Il avait à peine regardé à l'intérieur du sac en plastique, juste le temps de reconnaître une besace en toile et les annotations d'une carte froissée. En soupçonnant le père de Mallory d'être un *serial killer*, il prouvait bien qu'il ne s'était pas attardé sur le permis de conduire.

— Réfléchis, Charles. Tu m'as dit que tu étais là quand les flics ont donné le sac à Riker. A-t-il signé un reçu ? Un papier ?

Un peu distrait, son ami secoua la tête.

— Bien. L'incident ne s'est donc jamais produit. Compris ?

Charles fixait le fichu sac en toile. Il s'était passé énormément de choses le jour où Riker l'avait reçu, mais il ne voyait pas comment le vieil inspecteur pourrait se remettre d'une telle… négligence.

Mallory lui montra le chemin :

— On n'est pas obligés de le donner à Kronewald.

Anticipant la question suivante, elle ajouta :

— Le meurtrier n'a pas été identifié. Et alors ? C'est mieux comme ça.

Elle lui arracha le permis des mains, puis rassembla les cartes et autres papiers sur le lit.

— Les journalistes ont sans doute des images du faux Kayhill. Ils nous balanceraient sa tête à la télé.

Elle fourra les preuves au fond du sac.

— Ils découvriraient des pistes et remonteraient le cours de sa vie jusqu'en Illinois. Ensuite, il y aurait les bouquins, les films, des émissions TV spéciales… Tout ça à la gloire d'un meurtrier d'enfants.

Elle semblait indignée par des événements qui ne s'étaient pas encore produits.

— Le public *adore* ses meurtriers. Il ne se serait jamais rassasié d'un monstre pareil. Et ces dizaines de gosses assassinés ! Tu vois les médias se faire les dents sur leurs os ?

Elle laissa tomber la besace dans une corbeille à papier.

— Est-ce pour ça que Riker s'est débarrassé des preuves ?

Quoi ?

Sans attendre de réponse, elle emporta la corbeille métallique sur le balcon.

— Ça se tient. Je n'ai jamais entendu Riker appeler un tueur d'enfants par son nom. Il les traite toujours de cafards.

Elle se tourna vers le balcon voisin et se pencha par-dessus la rambarde pour mieux voir les fenêtres de l'autre chambre.

Par peur des oreilles indiscrètes ? D'éventuels témoins ?

— Si on remontait jusqu'à Riker, il serait viré de la police, mais il ne peut pas détruire de preuves. Impossible d'aller aussi loin.

Elle quitta le balcon et s'approcha de Charles.

— Voilà pourquoi il te les a données. Seulement, tu n'es pas du genre à collectionner des souvenirs de meurtre.

Quoi ? L'accusait-elle encore de quelque chose ?

— Je te le répète, Mallory, il croyait que la carte de Californie pourrait nous servir.

— Il savait que tu jetterais le reste.

Quel tas de conneries ! Pourtant, d'une manière assez tordue, il considéra son raisonnement comme une preuve de guérison : Mallory était redevenue elle-même, car seule une vraie paranoïaque pouvait échafauder une théorie aussi torturée et déjantée.

Non, c'était injuste.

Elle avait fondé son idée saugrenue sur une confiance absolue en son équipier. Jamais elle ne l'imaginerait commettre une erreur aussi grave et lourde de conséquences. Elle *devait* croire que le sac avait été remis à Riker après le bouclage de l'enquête. À moins qu'elle n'en soit *vraiment* persuadée ?

— Et si la police du Nouveau-Mexique revient chercher ses pièces à conviction, Mallory ?

— Il y a peu de risques.

Elle l'entraîna sur le balcon.

— Kronewald les a aidés à résoudre le meurtre de Kayhill et ils l'ont attribué au vrai coupable. Sans dégâts collatéraux. Il y a fort à parier qu'ils soupçonnent un agent d'avoir perdu le sac. Et ils auraient raison. Ne pas demander de reçu, c'est du boulot bâclé.

Elle donna un petit coup de pied dans la corbeille.

— Je suis flic. Je ne peux pas détruire de preuves.

En revanche, Charles y semblait habilité, car elle lui tendit une pochette d'allumettes :

— À toi de jouer. Si tu mets le feu, Riker n'en saura jamais rien. Comme tout le monde. Compris ?

Compris.

Mallory continuerait à croire son équipier capable du pire et à lui faire moins confiance… si Charles gardait le secret et avait l'impudence de masquer l'innocence de Riker.

Elle rentra dans la chambre, ferma la baie vitrée et tira les rideaux. Inutile de regarder, d'assister à la scène. Elle était persuadée qu'il enfreindrait la loi pour ses beaux yeux.

Resté seul sur le balcon, il contempla la corbeille en métal… et les pièces à conviction. Après avoir stigmatisé l'incompétence de Dale Berman, Riker serait ravagé d'avoir commis une telle négligence, raté un détail, gâché une vie. Armés de l'identité d'un tueur en série, les agents qui escortaient la famille Finn n'auraient pas cherché d'ombres mais des visages et ils auraient coincé le fugitif. Si Riker n'avait pas oublié de fouiller un petit sac, Christine Nahlman ne serait pas morte.

Mallory croyait-elle que son coéquipier avait caché des preuves exprès ? Ou avait-elle deviné la vérité en sortant le permis de conduire et son accablante photo ? Avait-elle décelé un frisson d'horreur sur le visage de Charles – son visage si traître ? Il ne pouvait pas risquer de poser la question et elle en était bien consciente. À moins que ? Il n'en saurait jamais rien. Il était confronté à un nœud digne de Mallory, embrouillamini de vérité, de mensonge et de loyauté, impossible à défaire.

Tout le monde était impliqué sauf Charles Butler, dernier à avoir gardé les mains propres… jusqu'à ce qu'il craque l'allumette.

ÉPILOGUE

Ils continuèrent leur voyage vers le nord et longèrent la côte, mélange de forêts féeriques et d'époustouflantes falaises où s'écrasaient les vagues déferlantes du Pacifique. Charles commençait à apprécier la route. Les terrifiants virages donnaient l'impression d'être sur un manège de fête foraine avec une vue splendide. Lorsqu'il passa le volant à Mallory, elle retrouva un certain entrain et il en profita pour l'interroger sur les lunettes de son père.

Non, elle ne se rappelait pas s'il en portait lorsqu'elle l'avait croisé adolescente :

— Sans doute pas. Selon Ray Adler, il ne les mettait jamais.

Charles obtint la permission de chercher les photos jaunies et les lettres dans son sac à dos. À la lumière faiblarde du tableau de bord, il feuilleta les portraits du jeune Peyton Hale. Systématiquement, une paire de lunettes cerclées d'acier dépassait de sa poche de chemise.

— Il les gardait toujours sous la main.

Mais il ne les portait pas. Riker non plus. Peyton

506

Hale péchait-il aussi par coquetterie? Voilà qui expliquerait un tas de choses.

Les yeux rivés sur la route tortueuse, Mallory avait la tête ailleurs. En réalité, elle se fichait de savoir pourquoi son père ne l'avait pas reconnue, à quatorze ans, sur une lointaine plage californienne. Charles aurait pu aussi bien se parler à lui-même quand il ajouta :

— Il est très jeune là-dessus. À l'époque de votre rencontre, il devait porter des verres beaucoup plus épais. Tu t'es peut-être trompée à propos de…

Oh, non. Cette fois, elle l'écoutait… et comment osait-il la défier ainsi ? Elle le foudroya du regard mais, en même temps, prit un virage très serré avec la précision d'un missile téléguidé, sans montrer la moindre peur vis-à-vis des arbres qui défilaient à quelques centimètres de la voiture et des rochers pris dans les phares.

— Il m'a vue, Charles, insista-t-elle. On était aussi près que toi et moi, aujourd'hui. Il m'a regardée en face mais n'a pas reconnu mon visage, le visage de ma mère.

Mallory la Machine était de retour.

Lorsqu'il l'agaçait prodigieusement, Charles la sentait en net progrès. Elle était en train de se reconstruire, de retrouver toutes les qualités de sa nature rebelle : paranoïa, suspicion, calcul impitoyable des trahisons et autres pertes. Froide comme la pierre, mais un adorable minois. Inoubliable. Sur les vieilles photos noir et blanc, ç'aurait pu être Mallory qui posait à côté de Peyton Hale, tant elle ressemblait à sa mère.

À la lueur de sa mini-torche, Charles lut les lettres écrites à N.B. Elles étaient l'œuvre d'un homme très romantique, même si rien ne laissait entendre que Peyton soit fiancé ou que Cassandra soit enceinte. Elles ne parlaient que de la Route 66, unique passion de leur auteur. En fait, elles expliquaient comment vivre dans un univers en perpétuel mouvement, où la route pouvait soudain changer sous les roues du voyageur ou carrément disparaître. Chaque ligne était rédigée dans une prose impeccable, digne d'être publiée.

Et l'introduction : « À N.B. » ? Peut-être un titre de livre ou les initiales d'un éditeur.

Ces pages avaient dû beaucoup décevoir Mallory, car elles justifiaient pleinement sa théorie : quand on n'avait que les lettres à se mettre sous la dent, on se disait que sa mère et elle n'avaient jamais existé.

La décapotable n'arrêtait pas de serpenter, elle montait et montait encore. Ensuite ils eurent l'impression de sauter en chute libre quand ils dévalèrent le grand huit de la route en pleine nuit, embrassant le flanc des montagnes, puis un paquet de branches feuillues. Ils roulaient vers la plage jadis foulée par Kathy Mallory, quatorze ans à peine. Charles la revoyait adolescente, figée sur un carré de sable à l'autre bout du monde – si jeune et pourtant sans filet de sécurité –, espérant monts et merveilles d'une rencontre entre un père et son enfant. Le moment tant attendu était arrivé. Et la fillette était repartie, seule.

C'était une route rare qui avait trois fins et une seule solution.

Ils étaient arrivés dans la petite station balnéaire à une heure indue pour les visites. Ce fut donc le lendemain matin que la New Beetle argentée quitta l'hôtel de Main Street et traversa le brouillard qui enveloppait la ville de Mendocino (Californie). Le soleil était levé depuis des heures. Du moins Charles le crut sur parole, car pas un rai de lumière ne filtrait.

Le début de journée n'était pas très prometteur.

Quand la route fendit la couche des nuages, la voiture se retrouva baignée de soleil, entourée d'une luxuriante forêt verte et fleurie. Il n'y avait pas l'ombre d'une maison à l'horizon, juste des numéros de parcelles, signe que les citoyens les plus reclus de Mendocino habitaient bien quelque part. Ces ermites ruraux adoraient leur tranquillité. La décapotable s'approcha d'un étroit chemin de terre qui ressemblait à une allée privée, mais Charles ralentit un peu, car la boîte aux lettres ne comportait pas de numéro. En fait, il n'y avait même plus de boîte, à peine un poteau cassé. La moitié du piquet dépassait du sol et le reste gisait à côté, gâté par la pourriture.

À travers le feuillage, Charles vit un homme descendre l'allée : il portait une boîte aux lettres fixée à un piquet flambant neuf. Avec l'âge, ses tempes grisonnaient, mais Peyton Hale n'avait pas changé. Sur son visage buriné par le soleil, on retrouvait le jeune homme des photos. Toujours en jean et en T-shirt, il avait presque gardé la même silhouette. Ses biceps saillirent lorsqu'il arracha du sol le morceau de poteau pourri.

Charles se rangea sur le bas-côté et coupa le moteur.

Son tas de bois cassé sous le bras, Peyton releva la tête, comme il l'aurait fait à l'arrivée de n'importe quel inconnu. Surpris par le véhicule, il afficha néanmoins un large sourire.

Nostalgie ?

Sans doute, car c'était la réplique exacte de sa propre Coccinelle décapotable argentée, et il devait avoir envie d'y regarder de plus près. De sa main libre, il sortit une paire de lunettes à monture d'acier et verres très épais, qu'il chaussa au moment où Mallory descendit de voiture et se planta devant lui.

Les épaules en arrière, les jambes légèrement écartées, on aurait dit une boxeuse prête au combat. Elle allait lui donner une autre chance – une seule – de reconnaître le visage de sa mère et le reflet de ses propres yeux verts.

Charles resta au volant, le cœur serré : elle avait

placé la barre beaucoup trop haut. Il murmura une petite
litanie :

— Dernière chance… dernière chance…

Sa prière fut exaucée : Peyton Hale se figea net.

Il était facile d'imaginer son esprit bouillonner
derrière ses yeux éberlués, dilatés par ses gros verres
de lunettes – puis exploser. Charles voyait presque
le cerveau de Peyton réduit en compote par l'ironie
débordante des souvenirs et des possibilités, le coup de
massue des mensonges de Savannah. L'homme avait
devant lui la preuve vivante que Cassandra n'était pas
décédée avec leur enfant dans le ventre.

La bouche de Peyton se tordit de douleur, comme si
sa fille l'avait poignardé en plein cœur et, d'une manière
très mallorycienne, c'est ce qu'elle avait fait. Les jambes
en coton, les bras ballants, impuissant, son père s'était
décomposé. Le vieux piquet de boîte aux lettres lui avait
échappé des mains et Charles craignit que le malheureux ne tombe à son tour. Peyton était fasciné par sa
fille, portrait craché de sa mère, et le psychologue comprit la nouvelle expression qui illuminait son visage : il
avait eu une révélation, alléluia d'un père qui voyait sa
progéniture pour la première fois. Son enfant parfait.
Toujours vacillant, il tendit la main vers elle, comme si
elle pouvait le sauver :

— Notre bébé.

Charles ferma les yeux. Bien sûr – *notre bébé*. Quand
le futur papa avait entamé sa dernière traversée des
États-Unis, ils n'avaient pas encore choisi de prénom.
Les lettres à N.B. avaient donc été écrites à Mallory
avant sa venue au monde. La passion de son père pour
une Route 66 moribonde était son cadeau de naissance. Il avait voulu lui offrir sa route avant qu'elle ne
disparaisse.

Lorsqu'il rouvrit les paupières, Charles vit que c'était

Mallory qui était tombée. À genoux, le visage baigné de larmes et la tête renversée en arrière, elle riait. Aux éclats.

Impressionné par cette preuve que la jeune femme avait gardé tout son potentiel, il n'eut plus peur pour elle. Sa joie augurait une existence digne d'être vécue.

Comme il n'avait pas envie de jouer au voyeur pendant ces retrouvailles père-fille, il fit demi-tour, reprit le chemin de l'hôtel et la décapotable se renfonça dans le brouillard. Charles Butler n'avait suivi ni la chronologie, ni la destination prévue, ni même le bon itinéraire, mais il avait rempli la mission que Riker lui avait confiée : il avait ramené la demoiselle à la maison.

Et Mallory était arrivée à bon port.

Cet ouvrage a été imprimé en France par

CPI
Bussière

à Saint-Amand-Montrond (Cher)
en mai 2009

POCKET - 12, avenue d'Italie - 75627 Paris Cedex 13

— N° d'imp. : 90884. —
Dépôt légal : juin 2009.